PANORAMA CRÍTICO
DEL ROMANTICISMO ESPAÑOL

LITERATURA  Y SOCIEDAD

DIRECTOR
ANDRÉS AMORÓS

Colaboradores de los volúmenes publicados:

José Luis Abellán. Emilio Alarcos. Aurora de Albornoz. Jaime Alazraki. Earl Aldrich. José María Alín. Xesús Alonso Montero. Carlos Alvar. Manuel Alvar. Andrés Amorós. Enrique Anderson Imbert. René Andioc. José J. Arrom. Francisco Ayala. Max Aub. Mariano Baquero Goyanes. Giuseppe Bellini. R. Bellveser. Rogelio Blanco. Alberto Blecua. José Manuel Blecua. Andrés Berlanga. G. Bernus. Laureano Bonet. Jean-François Botrel. Carlos Bousoño. Antonio Buero Vallejo. Eugenio de Bustos. J. Bustos Tovar. Richard J. Callan. Jorge Campos, José Luis Cano. Juan Cano Ballesta. R. Cardona. Helio Carpintero. José María Castellet. Diego Catalán. Elena Catena. Gabriel Celaya. Ricardo de la Cierva. Isidor Cónsul. Carlos Galán Cortés. Manuel Criado de Val. J. Cueto. Maxime Chevalier. F. G. Delgado. John Deredita. Florence Delay. José María Díez de Revenga. Manuel Durán. Julio Durán-Cerda. Robert Escarpit. M. Escobar. Xavier Fábrega. Ángel Raimundo Fernández. José Filgueira Valverde. Margit Frenk Alatorre, Julián Gállego. Agustín García Calvo. Víctor García de la Concha. Emilio García Gómez. Luciano García Lorenzo. Stephen Gilman. Pere Gimferrer. Antonio A. Gómez Yebra. Eduardo G. González. Javier Goñi. Alfonso Grosso. José Luis Guarner. Raúl Guerra Garrido. Ricardo Gullón. Modesto Hermida García. Javier Herrero. Miguel Herrero. E. Inman Fox. Robert Jammes. José María Jover Zamora. Jon Kortazar. Pedro Laín Entralgo. Rafael Lapesa. Fernando Lázaro Carreter. Luis Leal. María Rosa Lida de Malkiel. Francisco López Estrada. E. Lorenzo. Ángel G. Loureiro. Vicente Llorens. José Carlos Mainer. Joaquín Marco. Tomás Marco. Francisco Marcos Marín. Julián Marías. José María Martínez Cachero. Eduardo Martínez de Pisón. Marina Mayoral. G. McMurray. Seymour Menton. Ian Michael. Nicasio Salvador Miguel. José Monleón. María Eulalia Montaner. Martha Morello Frosch. Enrique Moreno Báez. Antonio Muñoz. Justo Navarro. Francisco Nieva. Antonio Núñez. Josef Oehrlein. Julio Ortega. María del Pilar Palomo. Roger M. Reel. Rafael Pérez de la Dehesa. Miguel Ángel Pérez Priego. A. C. Picazzo. Jaume Pont. Benjamín Prado. Enrique Pupo-Walker. Richard M. Reeve. Hugo Rodríguez-Alcalá. Julio Rodríguez-Luis. Emir Rodríguez Monegal. Julio Rodríguez Puértolas. Leonardo Romero Tobar. Fanny Rubio. Serge Salaün. Noel Salomon. Gregorio Salvador. Leda Schiavo. Manuel Seco. Ricardo Senabre. Juan Sentaurens. Alexander Severino. Gonzalo Sobejano. E. H. Tecglen. Xavier Tusell. P. A. Urbina. Isabel Uría Maqua. Jorge Urrutia. José Luis Varela. José María Vaz de Soto. Darío Villanueva. Luis Felipe Vivanco. Ángel Vivas. D. A. Yates. Francisco Ynduráin. Anthony N. Zabareas. Alonso Zamora Vicente. Stanislav Zimic.

LEONARDO ROMERO TOBAR

Panorama crítico
del
romanticismo español

EDITORIAL CASTALIA

SUMARIO

Montaña eta Kantxorentzat
bihotz bihotzez

PRELIMINAR

ESTE LIBRO no es una obra de diseño aunque por sus características de visión panorámica resalte, a primera vista, el contorno de esa clase de trazado. Desde que hace varios años comencé a trabajar en él, diversas circunstancias han ido añadiendo complicaciones a su elaboración; la colección en que se edita comporta determinadas formalidades, las direcciones de las investigaciones que he tenido que valorar han suscitado ángulos de enfoque a los que no me he podido sustraer, y la compleja cuestión que encara —con la enorme carga bibliográfica que gravita sobre ella— me ha llevado a detenerme en planteamientos que, por arcaicos en algunos supuestos, no deben ser soslayados. Todo *estado de la cuestión*, junto a las impúdicas muestras del laboreo que implica su fábrica y junto a la presumible vigencia efímera de sus resultados, ostenta una noble función informativa y de contraste de métodos que puede avivar las investigaciones posteriores. Pensando en este efecto posible me he decidido a publicar el tejido de informaciones y sugerencias que siguen a esta página preliminar.

El *romanticismo* fue un movimiento cultural y un fenómeno literario de límites difícilmente calculables; núcleo central de su exégesis es el reconocimiento de su potencia generadora de los supuestos teóricos y vitales de la *modernidad*. En el fluctuante marco de los vigorosos debates interpretativos sobre su naturaleza, el mundo hispánico ha venido ofreciendo una paradoja extremada entre su pertinencia como escenario privilegiado del existir romántico y la disputada calidad de sus manifestaciones autóctonas. De forma muy similar a las envejecidas posiciones historiográficas que negaban la existencia del *renacimiento hispano*, la crítica del *romanticismo* español ha estado tocada, desde sus primeras manifestaciones, por una fuerte impronta comparatista, bajo la que latía la moderna idea de las literaturas nacionales. De manera que, expresamente en algunos trabajos e implícitamente en la mayoría, los intérpretes del romanticismo español han ido reproduciendo las nociones teóricas y las valoraciones estéticas que se venían aplicando a los otros romanticismos nacionales. Poner en evidencia esta trama ha sido uno de los propósitos que han guiado mi trabajo, hacedero en la medida en que la bibliografía que reseño se fundamenta en tradiciones críticas de coherencia conocida.

No ha sido fácil, sin embargo, la articulación en una síntesis equilibrada de las monografías que he manejado. El *romanticismo* no es un texto individual ni un *género* literario que fomente por sus propias características un crecimiento armonioso de la producción crítica. Muy al contrario, los problemas teóricos, los innumerables hechos individuales, la diversidad de formas literarias y de recursos artísticos que se cobijan bajo el referido marbete dan lugar a muy irregulares desarrollos de la crítica que, para mayor confusión, suele ignorar los datos que fueron desvelados en trabajos clásicos o las propuestas hermenéuticas que se han hecho desde provincias vecinas. Por ello, y ateniéndome a la inexcusable opinión establecida que considera el *romanticismo* como una convergencia de fenómenos no simultáneos, mi interpretación procura integrar una correlación de las series culturales que exhibieron de modo elocuente la ruptura de convenciones estéticas en que, básicamente, consistió el fenómeno. Mi marco de referencia es el que implica una secuencia histórico-literaria en la que contendieron las fracturas y las continuidades, la tradición y el cambio, la tensión entre las exaltaciones egregias y los oscuros remansos en que se abismaban las energías colectivas; muchas voces y muchos tonos para un concierto unitario en el que "di molte fila esser bisogno parme / a condur la gran tela (?) ch' io lavoro". Si, al menos, consigo no atomizar el panorama del material crítico hoy accesible y hacer tangible una interrelación de las series culturales que se tejen en torno al romanticismo hispano, daré por bien empleado mi trabajo.

Muchas y notorias son sus carencias. En primer lugar, las ajenas a mis propias limitaciones: los escritores, las obras, los hechos de los que sólo tenemos noticias difusas e inexactas. Pero, sobre todo, las deficiencias que me pueden ser imputadas: publicaciones que no he consultado, lectura discutible de algunas que han llegado a mis manos, distorsión de las aportaciones en los relieves con que destaco o atenúo hipótesis o matices, construcción de un estudio, en fin, en el que muy *a propósito* he entreverado dos discursos superpuestos, el que intenta resumir los aportes de una legión de expertos y el que apunta mis propias indagaciones. La maquetación del libro refleja —como resulta visible gráficamente— la concepción mixta de la obra.

Tanto la ordenación de los capítulos como el decir expositivo se explican por sí solos; posiblemente en las notas a pie de página haya introducido un inarmónico contrapunto de noticias menudas que se me antojaban oportunas ilustraciones del discurso central. Con todo, sí requiere de alguna aclaración el repertorio de referencias bibliográficas que fijan el marco de este libro, referencias cuyo ámbito de recogida es el delimitado por la cifra de veinticinco años, es decir, desde 1966 hasta 1991 de modo aproximado. Aproximado, porque he optado por una flexible aplicación de este módulo, ya que los márgenes rígidos no suelen hacer buena malla para los rescates y, en nuestro asunto, la flexibilidad facilita una perspectiva amplia sobre el modo en que se fue manifestando la mejor crítica correctora de las propuestas de E. A. Peers y los caminos por los que transitan los trabajos que ofrecen nuevas alternativas a aquellas correcciones.

Prosiguiendo con las referencias bibliográficas, advierto que la tabla final distingue entre *ediciones de textos literarios* y *referencias críticas*. En la primera sección destaca el hecho de que no son muy numerosas ni las obras recuperadas ni las reediciones anotadas de los textos conocidos; en la segunda, sin embargo, el material es muy copioso. Al no ser esta relación un repertorio exhaustivo sobre el *romanticismo español*, sino solamente un panorama sobre los trabajos que he considerado imprescindibles o indicativos de las tendencias de la crítica reciente, doy entradas anteriores a 1966 —varias del pasado siglo— que corresponden a trabajos utilizables aún con provecho; faltan otras monografías clásicas cuyos aportes sustanciales han sido asumidos por la crítica posterior que aquí reseño; aparecen también entradas de viejos repertorios informativos que son aludidos en el capítulo primero, el más escolar de esta obra. Señalo, en fin, que el inevitable grado de refracción personal de toda selección explica que, en casos que considero relevantes, aparezcan recogidas traducciones de textos no hispanos editados recientemente y que también, en mínimas ocasiones, cite trabajos de difícil acceso (tesis doctorales o estudios en curso de publicación). Las ausencias de estudios publicados en años muy próximos podrán subsanarse en revisiones futuras del libro, si es que vale para él la paradoja del *Tristam Shandy*.

Las deudas contraídas son innumerables. Desde luego, con los alumnos de la Universidad de Zaragoza que durante varios cursos han sido mis contertulios en ésta y en otras cuestiones literarias; pero, singularmente, quiero agradecer el tiempo y el saber que me han regalado Pedro Álvarez de Miranda, Julia Ara, Juan Delgado, Soledad Catalán, María Isabel Hernández, Mercedes Dexeus, Antonio Ferraz, María Jesús Lacarra, Jesús Longares, Arturo Ramoneda, Rogelio Reyes, Pilar Sáenz, Carmen Simón y, Lourdes, mi mujer.

Zaragoza, enero, 1992

I

INSTRUMENTA

FUENTES DE INFORMACIÓN BIBLIOGRÁFICA

1. *Repertorios generales*

La información más completa sobre los estudios dedicados al romanticismo se consigna en los repertorios bibliográficos retrospectivos y periódicos, tanto los de carácter internacional como los nacionales. Las bibliografías específicas dedicadas al romanticismo no son abundantes. En el amplio campo de las "bibliografías de bibliografías" Besterman, (vol. IV, 5447-5448), proporciona una reducidísima información que se limita a reseñar algunos repertorios de ediciones raras, —como las *plaquettes*— y escasas monografías sobre aspectos específicos, como la cuestión entre clásicos y románticos y el movimiento romántico en Francia o en Inglaterra; desde el punto de vista de su actualidad, la información que recoge Besterman no va más allá de 1950.

Información retrospectiva de estudios generales sobre las diversas literaturas románticas europeas había ofrecido Farinelli en su monografía sobre el romanticismo en el mundo latino (1927, vol. III, 127-159). Información actualizada daba la revista *Journal of English Literary History* en relación a la literatura en lengua inglesa para los años 1936-1949; desde 1950 hasta 1964 la revista *Philological Quarterly* continuó la tarea de información bibliográfica periódica sobre el progreso de los estudios románticos que, desde 1965, prosiguió otra publicación filológica, *English Language Notes*. La refundición del material recogido en estas revistas científicas fue realizada por un equipo de estudiosos que David V. Erdman (1973, 7 vols.) articuló en torno a una obra que hoy sigue siendo de utilidad. El plan de esta obra reúne en los seis primeros volúmenes la información periódica que había aparecido en las citadas publicaciones con arreglo a esta distribución: vol. I (años 1936-1947); vol. II (años 1948-1954); vol. III (años 1955-1959); vol. IV (años 1960-1964); vol. V (años 1965-1967); vol. VI (años 1968-1970); el vol. 7 reúne los índices. Los editores recogen bajo la entrada "Spanish" la literatura romántica peninsular e hispanoamericana. Desde 1979 se ha reanudado la publicación anual de este útil repertorio que prosigue bajo la dirección de David V. Erdman; precisamente, el hispanista Brian J. Dendle, recoge la información bibliográfica hispánica que se incorpora a la obra colectiva en su segunda serie de anuarios (Erdman *et alii,* 1979-en curso de publicación). Los editores, en el vol. I, entre otras precisiones técnicas relativas a las características de la obra, reflexionaban sobre los límites cronológicos del material literario que recogían bajo el marbete "romanticismo":

> Another sort of fluctuation over the years will be seen in the authors and literatures covered. As our annual prefaces say, this Bibliography is designed to cover a *movement* rather than a period. The English section is largely limited to the years 1789-1837, but other sections extend over different spans of years. Even the term *movement,* however, is put within quotation marks to avoid responsability for a critical definition of Romanticism. The people who define its scope from year to year, are the publishing scholars and critics, whose work is our pragmatic function to make note of. The writers and literatures included or excluded over the years of this Bibliography have varied with general changes in critical perspective, if also to some extent with the varying scholarly interest of the compilers (vol. I, pp. IX-X).

Como repertorio bibliográfico de carácter retrospectivo sobre la literatura española del siglo XIX el *Manual* de J. Simón Díaz (1980, 591-729) sigue siendo la obra más recomendable, teniendo en cuenta su carácter selectivo. El capítulo que esta obra dedica al siglo XIX sigue el mismo criterio organizativo que otras conocidas obras realizadas o dirigidas por el autor (*Bibliografía de la Literatura Hispánica,* "Información Bibliográfica" de la *Revista de Literatura*): una primera sección de *fuentes generales* (que comprende Historias de la literatura del siglo XIX; colecciones de textos y antologías; monografías sobre diversos aspectos de historia literaria y cultural; estudios de relaciones literarias

con otras literaturas modernas y bibliografías) y una segunda
sección en la que se ofrece bibliografía primaria y secundaria de
un grupo de autores significativos del siglo XIX. No constituye
esta obra un repertorio especializado sobre la literatura romántica española, pero tanto por el sistema que emplea en la organización del material como por la pertinente selección de entradas
bibliográficas, resulta mucho más útil y recomendable que otros
trabajos monográficos, como el libro, originariamente tesis doctoral de la Universidad de Iowa, de Margaret Dawn Jacobson
(1985) o el artículo de David S. Zubatsky (1982).

Margaret Dawn Jacobson entiende por "orígenes del romanticismo" la actividad literaria —preferentemente crítica y polémica— que se desarrolló en España desde los años finales del
XVIII hasta 1835. Organiza en dos partes el repertorio bibliográfico que presenta. La primera —"antecedents and theoretical
foundations"— incluye trabajos relativos a las influencias francesa, alemana e inglesa, estudios sobre figuras de "transición"
como Cienfuegos, Cadalso, Jovellanos, Meléndez Valdés, Alcalá
Galiano, Böhl de Faber, Moratín y material sobre Goethe, los
Schlegel, los Grimm y Rousseau. La segunda parte de esta obra
bibliográfica procura información sobre los llamados primeros
manifiestos románticos y estudios críticos sobre autores como
Martínez de la Rosa, Blanco, Donoso Cortés, Agustín Durán,
Gallardo, Monteggia, López Soler, Lista y Ochoa. Añade, en
fin, información sobre las polémicas y, especialmente, sobre la
querella calderoniana. Las 207 fichas reunidas en esta monografía
reciben, como es usual en las bibliografías anotadas, un resumen del contenido y una valoración crítica. No establece la
autora una criba pertinente entre los estudiosos que han aportado noticias o puntos de vista originales y los que se han limitado a repetir ideas recibidas (véase la relación de autoridades críticas que tipifican las que la autora considera dos líneas
interpretativas del romanticismo español; por una parte Heinrich
rich Bihler, E. A. Peers, Enrique Gandía, Courtney Tarr y
Carmen Bravo Villasante; por otra, Ivy McClelland, Vicente
Gaos, Américo Castro, Jorge Campos, Palacín Iglesias, Juretschke, Cossío, Ángel del Río, Donald Shaw y Carlos Rincón). De esta falta de perspectiva crítica adolece el material
reunido en la monografía cuyo material informativo es, a todas
luces, incompleto.

El artículo de David Zubatsky abarca sólo a los escritores que desarrollaron su actividad más significativa en el siglo XIX, punto de partida que le lleva a eliminar a los autores de finales del siglo XVIII. La primera parte del trabajo ordena un grupo de obras generales, la mayor parte de las cuales tienen más valor como repertorios bio-bibliográficos diacrónicos que como fuentes especializadas para el siglo XIX. La segunda parte extracta estudios sobre setenta y dos escritores de obra literaria publicada en el siglo XIX.

Amancio Labandeira (1986) ha pergeñado un trabajo que "pretende ser una guía inicial para aquellos que deseen acometer la necesaria confección de un catálogo sistemático de literatos españoles del siglo XIX". Las entradas bibliográficas que proporciona se articulan en cinco capítulos cuyos índices temáticos corresponden a repertorios de autores por lugar de nacimiento, tipobibliografías, índices de publicaciones periódicas, repertorios por profesiones y otras características personales, y bibliografía sobre la historia de la imprenta. Este esquema de organización y el material recogido en cada uno de los apartados abrevia la información contenida en los cinco volúmenes de la *Biblioteca Bibliográfica Hispánica,* dirigida por Pedro Sainz Rodríguez (1975-1980) y, parcialmente, el material que anteriormente había proporcionado J. Simón Díaz en su *Bibliografía de la Literatura Hispánica* (II, 1962, 2.ª edic.).

2. *Repertorios bio-bibliográficos*

Los repertorios bibliográficos de autores, ordenados según criterios diversos, proporcionan estimable información sobre los escritores del siglo XIX. De todas formas las bio-bibliografías diacrónicas, ya sean las generales dedicadas a los autores españoles, ya las restringidas por alguno de los criterios habituales en la confección de esta clase de obras, sobre no contener información exhaustiva de cada uno de los autores, han sido repertoriadas en los catálogos generales de bibliografía española.

Simón Díaz (1980, 604-607) ofrece una relación de repertorios bio-bibliográficos referidos exclusivamente a personajes del siglo XIX que cultivaron el arte literario, distinguiendo implícitamente dos clases distintas de repertorios: los que clasifican a políticos y los que se refieren a escritores. En la primera clase de repertorios —iniciados con el librito *Condiciones y semblanzas de los Diputados a Cortes para la legislatura de 1820 y 1821*, que generalmente se ha atribuido a Miñano (Simón Díaz, 1973)— los escritores constituyen un subgrupo dentro del conjunto de personajes reunidos bajo el marbete de políticos o diputados. La información bibliográfica o literaria que contiene esta clase de obras suele ser de interés secundario. Mayor valor informativo reúnen los abundantes catálogos de autores que se fueron publicando a lo largo del siglo XIX con finalidad propagandística. También Simón Díaz, en la obra citada da las precisas referencias de un importante elenco de libros de estas características, con la indicación del nombre de los escritores que son considerados en cada uno de ellos. Añado los libros que no se citan en la mencionada obra. [1]

El libro de Carlos Le Brun *Retratos políticos de la revolución de España* (Filadelfia, 1826) presenta un panorama de los políticos liberales del momento con una función próxima a los volúmenes impresos en España sobre *Condiciones y Semblanzas de diputados*. Juan Corominas en el *Suplemento a las memorias(...) que publicó F. Torres Amat* (Burgos, 1849; ed. facsímil, Barcelona, 1973) incluye informaciones útiles para los escritores catalanes de la primera mitad del siglo. James Kennedy (1852), juez británico en la Audiencia de La Habana, publicó en inglés una antología de poetas y de poesía española de la primera mitad del XIX —obra equivalente a lo que para la difusión de la poesía española en Francia fue *L'Espagne Poétique* de Maury— que contiene perceptivas notas críticas sobre los autores seleccionados, a los que divide en dos etapas sucesivas de la evolución poética: la primera abarca a los poetas del cruce de siglos (desde Jovellanos a Quintana) y la segunda a los poetas románticos que, para el antólogo, son Martínez de la Rosa, el duque de Rivas, Bretón de los Herreros, José María de Heredia, José de Espronceda y José Zorrilla. Además de los capítulos que dedica a cada uno de estos poetas, en la *Introducción* se ocupa brevemente de Escóiquiz, Cadalso, el conde de Noroña, Maury y Mora.

---

[1] De los repertorios reseñados por Simón Díaz, son imprescindibles los de Nicomedes Pastor Díaz y Francisco de Cárdenas (1841-1846), José María Quadrado (1842-1843), Antonio Ferrer del Río (1846), Ángel Fernández de los Ríos (1848), Manuel Ovilo y Otero (1859), Eugenio de Ochoa.

De los libros de divulgación enciclopédica que salían de los talleres de Ayguals de Izco tiene interés para nuestro propósito el nomenclátor que elaboró un grupo de escritores dirigidos por el influyente editor y que apareció bajo el título *El Panteón Universal* (1853-1854, 4 volúmenes). Otro escritor relacionado con Ayguals, Juan Martínez Villergas documenta en su obra (1854) un disparatado vejamen de Bretón de los Herreros (pp. 1-40), Martínez de la Rosa (pp. 41-72), García Gutiérrez (pp. 73-98), Gil y Zárate (pp. 98-122), Hartzenbusch (pp. 123-132), Zorrilla (pp. 133-166), el duque de Rivas (pp. 167-170), Ventura de la Vega (pp. 171-174), Patricio de la Escosura (pp. 175-184), Eugenio de Ochoa y Romero Larrañaga (pp. 185-194), Rodríguez Rubí (pp. 195-230), Campoamor (pp. 251-256), Ayguals de Izco (pp. 257-264), Gómez de Avellaneda (pp. 265-276), Eusebio y Eduardo Asquerino (pp. 277-282), Eulogio Florentino Sanz (pp. 283-285). De índole parecida son los epigramas que Manuel del Palacio y Luis Rivera (1864) publicaron como "retratos al vuelo" de J. Ariza, A. Arnao, V. Ruiz Aguilera, M. Álvarez, C. Algarra, Gómez de Avellaneda, W. Ayguals de Izco, P. A. Alarcón, G. Núñez de Arce, V. Barrantes, Balmaseda, R. Barcia, M. Bretón de los Herreros, F. Asenjo Barbieri, J. Castro, C. Coronado, J. R. Cerro Cañete, Nemesio Fernández Cuesta, Fermín Caballero, Manuel J. Diana, A. M. Dacarrete, Juan M. Díaz, E. Pérez Escrich, L. Eguilaz, A. Fernández de los Ríos, A. Ferrer del Río, E. Florentino Sanz, Manuel Fernández y González, C. Frontaura, J. M. García de Quevedo, A. Guerra y Orbe, A. García Gutiérrez, Teodoro Guerrero, J. Güell y Renté, J. M.ª Goizueta, J. E. Hartzenbusch, Luis Mariano de Larra, J. Marco, F. Madrazo, J. Muñoz Gaviria, el Marqués de Molíns, Juan de Dios Mora, Navarrete, E. Ochoa, C. Oudrid, M. Ortiz de Pinedo, J. Picón, Pastorfido, L. Pérez Cossío, J. Pérez Cabo, Puente y Brañas, F. M. Pedroso, duque de Rivas, R. Robert, C. Rosell, J. Rada, T. Rodríguez Rubí, G. Romero Larrañaga, A. Ribot Fontseré, N. J. Rico y Amat, Carlos Rubio, J. Roca González, J. Ramírez, R. Santisteban, N. Serra, J. Selgas, M.ª P. Sinués de Marco, P. M. Segovia, M. Tamayo y Baus, T. Tárrago, A. Trueba, V. Vega, J. Martínez Villergas, J. A. Viedma, D. Ynza, J. Zorrilla. Finalidad satírica cubre el *Melonar de Madrid* (1876) de A. M. Segovia, y también los dos volúmenes del mismo autor *Figuras y Figurones* (1877-1878).

En estilo no festivo y con documentación de interés elaboró Juan Manuel Diana su repertorio bio-bibliográfico (1864) en el que destacan los escritores Espronceda, Lista, Martínez de la Rosa, Leandro y Nicolás Fernández de Moratín y Quintana entre otros personajes, antiguos y modernos, de la vida pública española. Este librito es un dechado de los repertorios bio-bibliográficos en los que se repiten noticias conocidas, porque su finalidad —en el momento de su publicación— fue la información y publicidad no discriminadas. Recientemente Víctor Herrero Mediavilla y L. Rosa Aguayo Naylé (1986) han refundido en microfichas trescientos cuatro repertorios bio-bibliográficos de autores españoles, portugueses e hispanoamericanos de lo que resulta un valiosísimo conjunto de bio-bibliografías entre las que abundan las procedentes de catálogos dedicados a autores del siglo XIX. Otra recopilación de noticias biográficas de personajes públicos de la primera mitad del siglo es el *Diccionario biográfico del Trienio Liberal* (1992) que ha dirigido Gil Novales y que refunde un amplio caudal de noticias impresas y manuscritas.

Aunque no recojo en esta relación las bio-bibliografías de carácter monográfico que abarcan retrospectivamente la historia de la literatura española, sí se debe destacar como aportación monográfica para autores del XIX el material que Miguel Gómez Uriel incorporó a su refundición de las dos *Bibliotecas* de Latassa (1884-1886) o repertorios específicos para autores del XIX como el de Juan P. Criado y Domínguez sobre mujeres escritoras (1889) (que, además de contener una amplia relación de literatas de la época, incluye una selección de publicaciones periódicas dedicadas a temas femeninos y una bibliografía selectiva de estudios españoles dedicados a la mujer), el de Antonio Elías de Molins sobre escritores catalanes del XIX (1889-1895, 2 vols.) y el de Manuel Ossorio y Bernard sobre periodistas de la misma época (1903); de especial utilidad es este último, por la relación que ofrece de los periódicos en los que colaboraron los escritores incluidos en el catálogo. También las enciclopedias elaboradas en el cruce de siglos prestan algunos servicios informativos sobre la biografía y bibliografía de los escritores del momento, especialmente de aquellos que sostuvieron actividad literaria en la segunda mitad del XIX. María del Carmen Simón Palmer (1991) ha editado un repertorio de escritoras españolas del XIX —de las autoras nacidas fuera de España sólo incorpora a Gertrudis Gómez de Avellaneda— en el que presenta información biográfica, bibliográfica y crítica de más de un millar de mujeres, autoras de libros o trabajos periodísticos a partir de 1832 hasta 1900. La información contenida en este imprescindible instrumento es de primera mano, tanto en lo relativo a libros y folletos como en el vaciado de publicaciones periódicas que acreditan la profesionalización literaria de las mujeres decimonónicas.

Sin constituir un repertorio bio-bibliográfico en sentido estricto, proporciona abundantes y valiosas referencias sobre escritores y escritos —muchas veces olvidados— la obra colectiva que se publicó a nombre del Seminario de Bibliografía Hispánica (1968-1975) y que planeó y dirigió J. Simón Díaz. El despojo de veinticuatro publicaciones periódicas madrileñas aparecidas entre los años 1830-1900 aportó un caudal de más de cuarenta mil papeletas que contienen textos o noticias de autores del siglo XIX; a pesar de sus limitaciones de partida y de las inadvertencias deslizadas en la redacción de las fichas, el conjunto del material reunido constituye la más extensa aportación hemerográfica a los estudios de la literatura española que se ha editado hasta el momento. Leonardo Romero presentó (1972a) una descripción del alcance de esta obra; ya J. Simón Díaz (1967) había subrayado la pertinencia de la investigación hemerográfica en la medida que puede conducir a la exhumación de textos olvidados o a la recolección de variantes de un mismo texto.

Juan Ignacio Ferreras (1979) ha elaborado un repertorio de novelas y novelistas del XIX que se ordena como relación alfabetizada de autores y de colecciones de novelas de la época. El catálogo ha sido elaborado a partir de repertorios y catálogos generales y monográficos. Las más de dos mil entradas de que consta la obra constituyen un punto de partida para la elaboración de un catálogo más exacto en sus datos y más completo en sus alcances. Una muestra del enriquecimiento que precisa son los artículos de Amancio Labandeira (1980, 1982, 1983, 1984) que dan un listado de autores y de novelas no recogidos en la obra de Ferreras.

La extensa producción poética del XIX comienza a ser objeto de investigaciones sistemáticas en manuscritos poéticos individuales y colectivos (Leonardo Romero 1993b). Gloria Rokiski Lázaro (1988) ha vaciado un amplísimo repertorio de impresos de la primera mitad del siglo —libros, folletos y periódicos— para reunir un extenso volumen de papeletas sobre textos poéticos que, con una ordenación clara y simplificada, está en curso de publicación.

También la producción de textos teatrales fue copiosísima a lo largo del siglo. Las contribuciones bibliográficas que describen fondos teatrales son varias y complementarias unas de otras. Para la descripción de manuscritos teatrales conservados en las bibliotecas españolas son de necesaria consulta los beneméritos catálogos de Carlos Cambronero (1902) para la Biblioteca Municipal de Madrid y de Antonio Paz y Melia (1934-1935) para la Biblioteca Nacional. Carmen Simón Palmer (1979) ha incrementado la descripción de manuscritos teatrales con su repertorio de textos conservados en el Instituto del Teatro de Barcelona, bien que todos estos repertorios son comprensivos de manuscritos de los Siglos de Oro, modernos y contemporáneos. Para los textos teatrales impresos en el curso del XIX pueden consultarse varios repertorios parciales; resulta útil el de textos teatrales impresos entre 1830 y 1850 elaborado por Piero Menarini y colaboradores (1982) y el anónimo catálogo de los fondos teatrales del siglo XIX que se conservan en la Biblioteca de la Fundación Juan March de Madrid (1986b).

3. *Tipobibliografías y catálogos de bibliotecas*

Los estudios tipográficos de carácter nacional y los de ámbito geográfico más restringido no se limitan a un corte sincrónico delimitado como es la producción impresa del siglo XIX. Una excepción, es el libro de Inocencio Ruiz Lasala, dedicado a los libros impresos en Zaragoza (1977 y 1987), obra que continúa un plan de investigación de tipobibliografía local iniciado por Juan Manuel Sánchez para incunables y los libros del XVI que fue proseguido por Manuel Jiménez Catalán para los libros zaragozanos de los siglos XVII y XVIII. El útil repertorio de Ruiz Lasala ha sido enriquecido por las posteriores aportaciones de Juan Delgado Casado y Julián Martín Abad (1987).

Un repertorio de carácter retrospectivo y nacional es la obra de Antonio Palau Dulcet (1947-1977, 28 vols.) de consulta inexcusable para cualquier interesado en la producción de impresos españoles desde los orígenes de la imprenta. Un repertorio bibliográfico de características similares a este último pero de alcances más reducidos, es el que publicó el librero, Dionisio Hidalgo (1862-1881), autor de varias iniciativas editoriales que lo convierten en uno de los más significativos empresarios del mundo editorial del pasado siglo. Sus revistas con información actualizada sobre la producción librera española marcan época en el terreno de la información bibliográfica periódica (véanse sus publicaciones *Boletín Bibliográfico Español y Estrangero*, 1840-1851; *El Comercio*, 1853; *El Bibliógrafo Español y Estrangero*, 1857-1859; *Boletín Bibliográfico Español*, 1860-1868). En su *Diccionario General de Bibliografía Española* describe las obras impresas en España desde los orígenes de la imprenta, pero el mayor número de libros descritos corresponde a impresiones del siglo XIX; el vol. VI del *Diccionario* ofrece una relación alfabetizada, ya que los anteriores volúmenes presentan las obras ordenadas por su título, y en el volumen VII ensaya una curiosa ordenación temática del material bibliográfico descrito en toda la obra.

Cubrirá el inmenso hueco informativo sobre producción librera española el *Catálogo colectivo del patrimonio bibliográfico español. Siglo XIX,* cuya publicación se ha iniciado recientemente (1989c). Los cuatro volúmenes de esta obra, que aparece bajo el patrocinio de la Dirección General del Libro y Bibliotecas, son el resultado de un complejo proyecto de investigación bibliotecaria emprendida en los depósitos públicos del Estado y en las principales bibliotecas de entidades privadas madrileñas. Lo publicado da una idea de la trascendencia de esta obra cuando llegue a ser concluida; los volúmenes impresos recogen 8.003 entradas para otros tantos libros o folletos cuyos autores —o cuyos títulos en caso de ser textos anónimos— comienzan por la letra A. La descripción de ejemplares se verifica sobre los textos conservados en veintinueve bibliotecas madrileñas que, lógicamente, no garantizan la conservación de todos los impresos españoles del pasado siglo; con todo, el volumen de información es muy representativo de las tendencias editoriales de la centuria. Llaman la atención, además de la abundancia de folletos y de textos teatrales, fenómenos editoriales que reflejan, sin duda, prácticas mercantiles y tendencias culturales de larga duración. Por ejemplo, es notable la abundante edición de textos latinos que debe de responder a la pervivencia de una tradición escolar y huma-

nística, bien que deprimida; también son dignos de consideración el despegue de impresiones en otras lenguas españolas y el
notable número de impresos en castellano realizados fuera de
España.

Precisamente la impresión y el comercio de libros españoles
fuera de la Península es tema de investigación que comienza a
ocupar a los estudiosos. La edición española en la Francia del
siglo XIX ha sido objeto de aproximaciones de Manuel Núñez de
Arenas (1963) y Robert Marrast (1981). El despojo sistemático
que ha realizado Aline Vauchelle Haquet de la *Bibliographie de la
France* y de algunos repertorios informativos permite fijar un
corpus relativamente fiable de los impresos españoles fabricados
en el vecino país entre 1814 y 1833. Indagaciones de archivo
(Marrast, 1986, 1989) y posteriores elaboraciones cuantitativas
han permitido establecer a Jean-François Botrel (1986a y 1989)
líneas dominantes y estadísticas del comercio del libro entre
España y Francia de 1850 y 1920 y a Martínez Martín (1986 y
1989) le han llevado a precisar la lectura real de obras francesas
entre el público madrileño de la época isabelina. Margaret Rees
(1977) ha compendiado en un útil repertorio las notas e impresiones sobre España de escritores franceses de la primera mitad
del siglo. Según los datos que poseemos, las relaciones editoriales y de comercio de libros entre España y los otros países de la
órbita cultural occidental no fueron tan estrechas como las habidas entre Francia y España, pero sí hay estimables aportaciones
recientes sobre las relaciones culturales entre Inglaterra y España
(José Alberich, 1978) o el mundo germano y el español (Gerhart
Hoffmeister, 1980).

Volviendo a la producción impresa en España, es preciso
señalar la utilidad de diverso rango que proporcionan estas dos
fuentes de información bibliográfica:

— *Boletín de la Propiedad Intelectual* (publicado por el Registro General de la misma, Madrid, 1847-1879). Si el reconocimiento del derecho de la propiedad intelectual se estableció en
Decreto de las Cortes gaditanas de 10-VI-1813, la instrumenta-
ción del derecho no tuvo lugar hasta la publicación de la Ley de
Propiedad Literaria de 10-VI-1847. Un efecto de esta Ley fue la
publicación del *Boletín de la Propiedad Intelectual,* hoy reunido en
once volúmenes. Cada volumen agrupa tres años consecutivos y
contiene la descripción bibliográfica de las publicaciones espa-

ñolas inscritas en el Registro Oficial de la Propiedad Intelectual. Los volumenes trienales llevan además un índice alfabético de los autores y traductores. En el primero de la serie, que reúne las inscripciones efectuadas en los años 1847, 1848 y 1849, se reproduce la ley de 1847 y las disposiciones oficiales que la desarrollan (I, pp. I-II). El último volumen de la serie corresponde a los años 1877 a 1879. La publicación de la nueva Ley de Propiedad Intelectual (10-I-1879), al par que establecía la obligación del depósito de tres ejemplares de toda publicación española en los fondos de la Biblioteca Nacional, suprimía la publicación del *Boletín,* fuente informativa indispensable para la reconstrucción de las ediciones españolas del pasado siglo. Dato curioso de este registro bibliográfico es que el primer volumen que recoge sea la traducción del célebre *Curso de Economía* del librecambista Federico Bastiat.

— María Carmen Artigas-Sanz (1953-55) pergeñó un estudio descriptivo de los libros impresos en España entre 1820-1860. La autora considera los factores culturales y económicos que determinaron la producción librera del momento histórico y analiza más detenidamente los aspectos tipográficos, las técnicas de impresión, grabados y encuadernación del que denomina "libro romántico". El vol. III (primera y segunda partes) ofrece un repertorio de 1991 libros impresos en el tiempo acotado, que se ordenan cronológicamente por años de edición y, dentro de cada año, por autores. El vol. III (primera parte) contiene un índice de editores e impresores que es útil aporte para la no escrita historia del libro español del siglo XIX.

4. *Colecciones de textos y antologías*

La primera antología de poesía romántica española aparece fuera de España; el hispanista austríaco Ferdinand Wolf publicó en París una *Floresta de Rimas modernas castellanas* (1738, 2 vols.) que seleccionaba poemas desde Luzán hasta los poetas de obra más reciente como Martínez de la Rosa, el duque de Rivas, José Joaquín de Mora y Bretón de los Herreros. La breve nota introductoria señala una periodización de la poesía antologizada en dos épocas: una, desde Luzán hasta Meléndez Valdés, y otra a partir de los "esfuerzos de Meléndez y la escuela salmantina para dar un nuevo esplendor a la poesía castellana en parte con el estudio y la imitación de los antiguos y buenos escritores castellanos, y con el aprovechamiento de las formas nacionales; en parte con tratar de hacerla más profunda y sustancial, imitando no sólo y exclusivamente a los franceses, sino también y especialmente a los ingleses" (p. 15), Wolf señala el esfuerzo poético original de Álvarez Cienfuegos, sintetizando la crítica adversa de Gómez Hermosilla, Moratín y Salvá, y concluye apuntando los primeros ensayos que fueron realizados por la poesía más joven para estar libre de toda influencia y que Wolf identifica con la lírica de Durán, del duque de Rivas y de los jóvenes que publicaban *El Artista,* revista que, según el antólogo, trata "de difundir en su patria aquel gusto llamado romántico, tanto con la doctrina como con el ejemplo" (p. 25). La ya citada obra de J. Kennedy (1852) cumple también la función de antología poética del mismo modo que el libro, impreso en Madrid en 1850, *Álbum del bardo. Colección de artículos en prosa y verso de varios autores.* Para la fundamental antología poética preparada por Juan Valera (1902-1903, 5 vols.) véase el capítulo de poesía lírica de este libro (p. 176). J. Simón Díaz (1980, 591-593), en fin, proporciona una relación de antologías de textos literarios del XIX que abarcan la poesía lírica, el teatro, la prosa didáctica y narrativa.

No existe una colección específica de textos románticos españoles, ni, con una perspectiva más holgada, de textos literarios del siglo XIX.[2] En las colecciones generales de textos litera-

[2] Curioso es el volumen de Carlos Ochoa, *Antología Española. Colección de Trozos escogidos de los mejores hablistas en prosa y verso desde el siglo XV hasta nuestros días*; París, Carlos Hingray, 1860. Este repertorio de breves muestras de textos españoles ofrece trozos en *prosa* de Capmany, Quintana, Reinoso, Miñano, J. J. Mora, el conde de Toreno, F. Martínez de la Rosa, A. Alcalá Galiano, A. Durán, J. Morales Santisteban, R. Mesonero Romanos, Modesto Lafuente, J. F. Pacheco, A. M.ª Segovia, J. Balmes, M. J. Larra, J. Donoso Cortés, P. Gayangos, A. Ferrer del Río, E. de Ochoa, Fernán Caballero, J. M.ª Quadrado, R. Baralt, A. Fernández-Guerra, L. A. de Cueto, C. Rossell, P. de Madrazo, Manuel Cañete. Los textos *en verso* son de L. Fernández de Moratín, N. Álvarez Cienfuegos, J. B. Arriaza, B. J. Quintana, F. J. Reinoso, A. Lista, J. N. Gallego, J. M. Maury, J. J. de Mora, el duque de Frías, F. Martínez de la Rosa, el duque de Rivas, M. Bretón de los Herreros, J. García Villalta, J. E. Hartzenbusch, V. de la Vega, J. de Espronceda, J. Pezuela, el marqués de Molíns, E. de Ochoa, L. A. de Cueto, P. de Madrazo, J. Zorrilla, R. de Campoamor, A. de Trueba, V. Ruiz Aguilera, L. Zea, J. Selgas, A. Arnao.

rios se recogen ediciones de algunos autores decimonónicos. La vinculación de ciertos escritores a determinadas empresas editoriales explica el que en algunas colecciones de clásicos se publicasen textos de autores contemporáneos. De estas colecciones deben ser tenidas en cuenta —tanto por el número de textos editados como por el interés de las notas introductorias— las siguientes:

Colección de los Mejores Autores Contemporáneos, dirigida por Eugenio de Ochoa (París, Baudry, 1838-1872, 70 vols.). Publicó las Obras de Martínez de la Rosa, las Vidas de españoles célebres de Quintana, las Obras de Zorrilla, Espronceda, Larra, Campoamor, Heriberto García de Quevedo, el teatro de Hartzenbusch, Gil y Zárate, Luis de Eguilaz y la Historia de Granada de Lafuente Alcántara.

Colección de Autores Españoles (Leipzig, Brockhaus, 1860-1887, 48 vols.). Serie que, junto a algunos textos clásicos, publicó a prosistas y poetas de mitad de siglo (Fernán Caballero, Antonio de Trueba, Hartzenbusch, María del Pilar Sinués, Campoamor), selección que da la medida de una cotización internacional de los autores de mitad de siglo. Esta colección también dio a luz textos teatrales de López de Ayala, Camprodón, Eguilaz; la aparición en la serie de La Fontana de Oro nos permite hablar del cierre realista a un archivo de literatura declaradamente romántica.

La Biblioteca Universal. Colección de los mejores autores antiguos y modernos, nacionales y extranjeros (Madrid, ed. Hernando, 1876-1926, 192 vols.), publicó obras de Espronceda, Larra, Zorrilla, Eusebio Blasco, Mesonero, Víctor Balaguer, Ruiz Aguilera, Quintana, Gutiérrez de Alba y el duque de Rivas.

La Colección de Escritores Castellanos (Madrid, 1880-1929, 161 vols.), es la serie que mayor número de textos de autores del siglo XIX ha publicado. Los estudios que preceden a los textos son, en la mayor parte, de gran utilidad para el estudioso de hoy, tanto por la información documental que contienen como por las apreciaciones críticas que documentan el horizonte de valores estéticos de la época. En esta serie se publicaron los trabajos poéticos de Menéndez Pelayo, Velarde, Cánovas del Castillo, Hartzenbusch, Enrique de Saavedra, Querol; novelas de Fernán Caballero, Estébanez Calderón, Juan Valera y Pedro Antonio de Alarcón; escritos de crítica histórica y literaria de

Menéndez Pelayo, Cánovas, Vicente de la Fuente, Estébanez Calderón, Balaguer, Pidal y Mon, Severo Catalina, Manuel Silvela, Leopoldo Augusto de Cueto; la nómina más completa de la crítica académica de la segunda mitad del siglo, con mínima presencia de la literatura romántica.

5. *Otras fuentes de información*

Como complemento de las relaciones bibliográficas que proporcionan los repertorios antes citados pueden ser de utilidad la consulta de —y apenas se han empleado aún en investigaciones monográficas— los catálogos que editaron los libreros españoles. Dionisio Hidalgo fue un promotor de la información periódica sobre novedades bibliográficas en los sucesivos *Boletines* impresos con anterioridad a su *Diccionario general de la Bibliografía Española*. Otros libreros y editores —como Benito Hortelano— dieron cuenta de sus actividades mercantiles con anticipación de valiosa información bibliográfica. Antonio Rodríguez-Moñino (1966) ha proporcionado el material básico para la historia de la librería española y para la reconstrucción de las listas de libros anunciados en las hojas publicitarias de los bibliópolas. Las *Historias de la Literatura* constituyen también fuentes de información sobre producción bibliográfica e interpretaciones críticas que el estudioso del romanticismo ha de tener en cuenta. Por la acumulación de material biográfico y bibliográfico debe destacarse, en esta sección de fuentes generales, la obra de Cejador.

Julio Cejador dedicó un volumen de su *Historia de la Lengua y Literatura Castellana* (1917, vol. VII) a las literaturas románticas peninsulares e hispanoamericanas. La cronología que fija para el desarrollo del movimiento romántico va del año 1830 al año 1849, de manera que con el arbitrario sistema de organización de los autores que emplea en toda la *obra*, desgrana sucesivamente los años de esta serie cronológica comenzando por el estudio de Larra, al que sitúa en el año 1830. Las páginas preliminares del volumen definen la naturaleza del movimiento ("romántico, romanesco o romancesco era lo contrario de clásico, viejo o reciente, helénico, romano o gálico", p. 3), y vienen a confirmar la tesis veterorromántica: "el arte español era ya romántico, esto es, nacional, y cristiano, desde el siglo XVI, hasta el punto de proponérselo como dechado los románticos alemanes. El seudoclasicismo francés, señoreador en toda Europa, sólo había contagiado en España a unos cuantos eruditos y había sido vencido gallardamente por el arte nacional" (p. 36). El índice onomástico final permite fijar con algún esfuerzo la nómina de autores estudiados en este volumen VII (que son todos los significativos en el movimiento) y el año en el que son incluidos. Para los autores posteriores (años 1850-1869) debe consultarse el volumen VIII (1918) de la *Historia*.

Un reciente género académico que resume y valora las aportaciones de la investigación sobre un tema determinado en el marco de unas circunstancias precisas ha servido para divulgar entre grupos amplios de lectores la información que antes sólo recogían revistas especializadas. Algunas de las revisiones recientes han de ser estimadas en este capítulo. Pueden verse a este propósito los resúmenes sobre el trabajo de los hispanistas franceses investigadores del XIX español que han presentado Jean-François Botrel y Guy Mercadier (1984), John W. Kronik para el hispanismo norteamericano (1983) y Donald L. Shaw (1988a) para los más destacados tópicos de la historia literaria del XIX. Los estudiosos de la literatura española del siglo XIX no disponen de un órgano de información periódica que resuma o dé cuenta de las publicaciones realizadas; tampoco existe una revista especializada sobre el romanticismo español. Por ello, los trabajos de síntesis que acabo de citar cobran mayor interés.

6. *Historias de la literatura*

La apropiación de la idea de *espíritu nacional* en las Historias de la literatura española mejor elaboradas e impresas en el siglo XIX —George Ticknor en 1849 y José Amador de los Ríos en 1861-1865— incrementó la actitud anti-francesa que, desde los conflictos del principio del siglo (Giovanni Allegra, 1980), había ido marcando una esquizofrénica relación con el país vecino, con el que tantas conexiones artísticas y literarias se mantenían pero, a la vez, con el que se procuraba marcar las diferencias y las distancias. Reduciéndose a un ámbito estrictamente literario, enunciaba esta relación conflictiva Antonio Alcalá Galiano en el memorable prólogo de *El Moro Expósito* (1834): "los españoles, aherrojados con los grillos del clasicismo francés, son casi los únicos entre los modernos europeos, que no osan traspasar los límites señalados por los críticos extranjeros de los siglos XVII y XVIII y por Luzán y sus secuaces". Russell P. Sebold viene escribiendo desde hace tiempo sobre los "mitos antineoclásicos españoles" (1964, 1985, 14-22; especialmente, 1982) con el fin de rebatir la idea de que el "afrancesamiento fuera la nota distintiva de la literatura setecentista española". Un esfuerzo parejo debería proseguirse a propósito de los prejuicios subyacentes en la erudición y la crítica españolas del XIX, empeñadas en sostener un negativo rechazo de las plausibles y posibles influencias francesas en el mundo literario español contemporáneo.

La peculiar percepción de los viajeros extranjeros en la Península se proyecta sobre la primera Historia literaria del Romanticismo español publicada en el siglo XIX (Gustave Hubbard, 1876), que es obra construida sobre la rígida creencia de la interrelación de circunstancias histórico-políticas y hechos literarios; para el ensayista Hubbard, todos los momentos afirmativos de la nación española corresponden a los de plenitud constitucional y en ellos —1808, 1820, 1834...— destacan las huellas de las ideas filosóficas, democráticas y literarias de Francia. El rearme nacionalista, manifiesto en muchos exponentes de la vida intelectual española de la Restauración, tenía, pues, un repertorio de tópicos especialmente productivos en la discusión de las relaciones hispano-francesas, y uno de ellos era, precisamente, el de los orígenes del romanticismo hispano. Limitando el punto de vista a los estudiosos de conjunto publicados durante el último cuarto del XIX —para los aspectos de interpretación y crítica general, véanse las pp. 75-76—, debe anotarse cómo sobresale en ellos una interpretación del fenómeno romántico centrada en los componentes nacionalistas poco proclives a la visión de la permeabilidad y de las influencias.

Marcelino Menéndez Pelayo —que pese a haber concebido la idea de escribir una Historia Literaria no llegó a realizar su propósito—[3] contribuyó a la edificación del plano crítico sobre

---

[3] "Hace años que tengo noticias del proyecto, del gran proyecto de Marcelino: la historia de nuestra literatura. Cada vez que nos encontramos por casualidad en las calles de Madrid o en algún café (pues los círculos de nuestras

el romanticismo con ideas establecidas por los críticos de la generación isabelina y con copiosa ordenación de materiales poco conocidos en su tiempo; para el sabio montañés el romanticismo español constituyó una "revolución" cuyos pasos iniciales fueron la polémica de Böhl de Faber y José Joaquín de Mora en Cádiz, la actividad de Aribau y López Soler en *El Europeo* barcelonés y la más tímida y posterior adhesión de Alberto Lista en sus conferencias del Ateneo madrileño (cf. el prólogo del vol. I de teatro selecto de Calderón de la Barca, 1881, pp. XIX-XVII). El mismo Menéndez Pelayo, poco después (1883), y considerando el "estado interno" de la España del primer tercio del siglo, ofrecía un repertorio sintético de los más significativos acontecimientos literarios de la centuria, enmarcándolos en una pugna entre la "escuela clásico-francesa que dominaba entre nosotros a principios del siglo" y la "grande eflorescencia de la poesía romántica, bajo cuyo nombre, algo vago, se comprendían todos los movimientos de independencia literaria"; y distinguía, seguidamente, en el romanticismo hispano, entre los "pocos vestigios que manifiestan el trabajo interior que preparó el advenimiento de las nuevas formas artísticas" y el "triunfo definitivo [que] no se cumplió hasta 1834 ó 1835". De modo más sucinto reproduce el mismo esquema en unas cuartillas manuscritas enviadas al lingüista Hugo Schuchardt (Brigitta Weis, 1982) y de forma más extensa en los volúmenes finales de la *Historia de las Ideas Estéticas en España*.

En una visión coincidente con el énfasis puesto por Menéndez Pelayo, Francisco María Tubino (1880) publicó una historia de la moderna literatura en catalán donde se confiere relieve notable a las diversas tendencias de la recuperación catalana que se estaban haciendo manifiestas en los primeros años de la Restauración. Para la explicación coherente de las tendencias literarias contemporáneas, Tubino consagra el esquema interpretativo de los dos romanticismos, el liberal y el tradicionalista

---

relaciones tenían pocos puntos comunes, o mejor, eran *tangentes*, pero no *secantes*), yo le preguntaba afanoso por sus trabajos, todos importantes; y él, con amable interés, me pedía nuevas de mis pobres cuartillas de gacetillero de que yo le hablaba entre dientes y casi avergonzado. Pues en estos diálogos rápidos en la calle, interrumpidos por la turbamulta, le oía yo un día y otro aludir a su obra magna, a la que ha de ser tal vez la principal de su vida (...)", *"Clarín", Mezclilla*, 1889, 40-41.

—"Cataluña se decidió por Walter Scott; en Madrid debería
triunfar la enseña de Victor Hugo", (1880, 153)— que, si fue
formulado en los años treinta del XIX para las finalidades polémicas que convenían a los románticos, a partir de los años
ochenta sirvió para fundamentar visiones historiográficas ideoló-
gicamente comprometidas.

Con una más ostentosa huella de las formulaciones ideológicas del primer Menéndez Pelayo, el agustino Francisco Blanco
García editaba una *Literatura española en el siglo XIX* (1891-93) en
la que el romanticismo ocupa un lugar muy destacado. Para el
crítico escurialense también era de obligada aplicación el modelo de las dos modalidades románticas, la tradicionalista y la liberal, aunque destacaba como causas eficientes del movimiento "la
reacción del espíritu artístico nacional, torpemente hollado por
la escuela neoclásica, y la influencia extranjera, formada a su vez
por un gran número de elementos no fácilmente separables"
(vol. I, 78-79). De la lírica del primer tercio del siglo, estudiada
por el agustino bajo el marbete de clasicismo, se accede a una
etapa de transición (poesía de Cabanyes, Gallardo, Maury, Frías
y teatro de Larra y Martínez de la Rosa) que da paso al triunfo
del romanticismo en la obra del duque de Rivas y de Espronceda; a partir de estos dos autores, a los que da un espacio des-
collante, son considerados con cierta amplitud informativa los
diversos géneros literarios. Para Blanco García el *eclecticismo* es el
resultado de la fusión de tendencias clásicas y románticas que
individualizan en la actividad creativa Molíns y Ventura de la
Vega y en la actitud crítica de Alberto Lista. Siguiendo a Sainte-
Beuve considera vencido el romanticismo a la altura de 1848, lo
que le obliga a enmarcar en los capítulos dedicados a la literatura romántica a los autores cuya actividad se circunscribió a la
primera mitad del siglo, no importando que desbordasen de estos límites los autores de prolongada biografía —Zorrilla, Mesonero, a vía de ejemplo— y también a los novelistas de folletines históricos. En la relación de acontecimientos iniciales repite
los ya enunciados por Menéndez Pelayo —"polémica calderoniana", *El Europeo*, prólogo de Alcalá Galiano a *El Moro Expósito*,
regreso de los exiliados liberales—, y en la interpretación de los
géneros subraya la hipótesis —tantas veces repetida posteriormente— que sitúa la renovación teatral romántica en la recuperación del teatro barroco, de modo que aquel pasaría por encima

del hiato neoclásico para fundirse con el disolvente drama francés contemporáneo ("no es sólo el mérito de la forma el que distingue al drama romántico, sino también la rehabilitación del ideal cristiano y caballeresco, con la que, por desdicha, vino a confundirse en nefando consorcio la apoteosis de la pasión extraviada o sacrílega", vol. I, 438-439). Otra visión de conjunto de la literatura del XIX de un erudito inmerso en la órbita crítica del "fin de siglo" —Mario Méndez Bejarano, 1921— es un sucinto compendio de valoraciones de lector subjetivo que manifiesta singular aprecio por los escritores andaluces.

Un trabajo inédito de Pedro Bohigas Balaguer (1917), de mayor interés para el estudio de la difusión de la moderna teoría literaria en España que para el muchas veces rutinario camino de las Historias de la Literatura, abre posibilidades interpretativas que no encontraron salida inmediata en la crítica española de principios del siglo XX; para Bohigas, que valora con comprensivos juicios sintéticos las aportaciones de los más destacados escritores, el romanticismo español debe explicarse por la superposición de tres modelos literarios distintos y complementarios, como fueron el romanticismo alemán, el inglés y el francés. Próximos a la fecha de esta monografía, aún inédita, son dos trabajos que, desafortunadamente, no encontraron el eco estimulante que sus propuestas podían haber propiciado: la antología de textos románticos traducidos al francés y presentados por Américo Castro (1923) y el enciclopédico estudio de Arturo Farinelli (1927).

Castro observaba que el romanticismo español "constitue une période essentielle pour notre histoire littéraire. En poésie, surtout, il nous faut reculer de plus de deux siècles pour trouver des écrivains analogues ou supérieurs aux grands auteurs de 1835" (1923, 2). Al mismo tiempo que diferenciaba la peculiaridad de la literatura romántica frente a la barroca del XVII y el neoclasicismo del XVIII, ponderaba la influencia extranjera en el romanticismo hispano con la —para mayor eficacia del aserto— autoridad de Menéndez Pelayo (A. Castro, 1923, 5) y definía el movimiento en términos que sólo Russell P. Sebold ha estimado entre los estudiosos de ahora: "ce qui s'apelle en soi romantisme, est une métaphysique sentimentale, une conception panthéistique de l'univers dont le centre est le moi et qui, sous forme systématique ou désordonnée, intensive ou atténuée, anime toute la civilisation européenne aux débuts du XIXe. siècle" (1927, 13). Arturo Farinelli en un fascinante panorama comparatista subraya las peculiaridades de las literaturas románticas de los países latinos —Francia, Italia, España, Cataluña, Portugal— frente a las literaturas inglesa y alemana —punto de partida en el que el comparatista es fiel a una discutida distinción establecida por los propios románticos—, para concluir con una vaga propuesta sobre el romanticismo "atraverso i secoli" y sobre "l'indefinibile romantico che è nel cuore di tutti", es decir, afirmando el romanticismo como una categoría permanente en la historia.

La obra del cubano Enrique Piñeyro (1904) ofrece información y crítica contrastadas sobre los más significativos autores del movimiento; posiblemente la calidad de la información contenida en esta obra de principios del siglo explica su traducción al inglés por E. A. Peers que señalaba en el prólogo de su versión los progresos que la investigación del primer tercio del XX había traído para el conocimiento de la literatura romántica española, refiriéndose expresamente a Lomba y Pedraja, Jean Sarrailh, Georges Le Gentil y Narciso Alonso Cortés y sus propios estudios, a los que hay que añadir las excelentes investigaciones en temas monográficos realizadas por varios hispanistas de la época. Estas contribuciones son la coronación de una etapa de trabajo positivista a la que puede servir de modelo la gran obra del hispanista inglés (1940; trad. española, 1954; versión abreviada, 1949) y que marca una frontera en los estudios sobre el romanticismo español.

Peers aporta en su monumental libro abundantes contribuciones en las que prácticamente era pionero: estudio de distintas publicaciones periódicas aparecidas en diversas ciudades españolas, atención a las manifestaciones literarias provinciales, curiosidad por las carteleras teatrales en Madrid y otras ciudades, exhumación de piezas críticas o creativas que habían quedado olvidadas por los críticos, sugerencias sobre influencias extranjeras, abundantes noticias sobre autores. La masa del material informativo acopiado en su estudio recibe un tratamiento hermenéutico que constituye la tesis del autor acerca del romanticismo hispano: a una primera fase de renacimiento romántico que debería situarse en la actividad teatral dieciochesca, no sometida a los dictados del clasicismo, y a los acontecimientos

del XIX considerados por Menéndez Pelayo y su escuela,[4] sigue
un momento culminante de triunfo de la rebelión romántica que
Peers circunscribe a los años 1834 a 1837, etapa que concluye
por un fracaso o atenuamiento radical y a la que sigue una tercera fase de la historia del movimiento, el *eclecticismo*, cuya vigencia se prolongaría hasta la literatura del siglo XX.

Si la admisión del romanticismo como una constante de la
literatura española o, más allá aun, del modo de ser español,
resulta una creencia compartida por Peers con otros críticos del
período de entreguerras —creencia cuyas implicaciones sociológicas y estéticas será preciso atender con mayor detenimiento
(véanse pp. 80-83)—, el énfasis puesto por el hispanista inglés
en el teatro refractario a la regularidad neoclásica y su insistencia
en la fuerza laminadora del *eclecticismo* lastran su tesis histórica
con otros apriorismos injustificados. Hoy sabemos mucho más·
de lo que se conocía en 1940 sobre la vida teatral española del
XVIII y todo ello invalida su interpretación; por otra parte, y
respecto a los autores que considera *eclécticos*, cabe plantearse la·
duda razonable de si el rechazo de la tendencia fatalista del romanticismo francés es por sí sola signo de simbiosis clasicismo-
romanticismo (Wolfram Kromer, 1968, 230), ya que este rechazo se da en Lista, Donoso Cortés, Quadrado y otros ensayistas
influyentes que admiten, sin embargo, postulados básicos del
romanticismo historicista. Los valores, en fin, de libertad, patriotismo, cristianismo y medievalismo, predicados como caracteres específicos del romanticismo español (Peers, 1967, II,
320-344) reducen la interpretación del fenómeno a una esfera de
abstracciones ajena a todas las realidades inmediatas —españolas
y europeas— que tanto tuvieron que ver con la existencia cotidiana y la motivación artística de los escritores románticos. La
tesis del *eclecticismo*, en definitiva, postula desde el ángulo de la
Historia de la literatura, la incapacidad española para asimilar
las ideas nacidas en la Europa de la Reforma, del Racionalismo y
la Revolución. Al trazar un balance de los estudios sobre el romanticismo español y centrando su juicio en el libro de Peers,

---

[4] Considera entre los textos del "renacimiento romántico de 1800 a 1837"
la *Floresta* de Böhl de Faber, algunas traducciones de novelas, el *Discurso*
(1828) y los *Romanceros* (1828-1832) de Durán, las *Poesías selectas castellanas*
(1807) de Quintana, las refundiciones de Solís.

escribía Ángel del Río (1948) que las concepciones entonces vigentes sobre el caso seguían siendo las elaboradas por los críticos del siglo pasado, y resumía estas concepciones en los siguientes aspectos:

> 1) romanticism manifested itself in a sudden and total reaction between 1830 and 1835, 2) it was a battle followed by a decided triumph over neoclasicism; 3) it was an imitation and echo of foreing romanticism, aimly French, and 4) in spite of its foreign origins, it became a restoration of the literature of the Golden Age and a expression of the national spirit (1984, 241).

Las historias del romanticismo aparecidas después del libro de Peers no ofrecieron alternativas a las tesis del hispanista, bien por evitar expresamente el riesgo de la interpretación (J. García Mercadal, 1943, 10, 14-16, *passim*), bien por asumir, desde perceptivas lecturas de textos románticos, la tesis del hispanista inglés (Jorge Campos, 1957); las nuevas propuestas habrían de llegar por otros caminos. La incidencia de la metodología sociológica sobre los estudios literarios y las aportaciones de los historiadores interesados en aspectos de la vida colectiva con proyección en las actividades culturales estimularon un enfoque histórico-literario en el que se integran los datos literarios con el tejido del acontecer social. Ensayos interpretativos y algunas monografías definitivas contribuyeron a este cambio de orientación.

Ricardo Navas Ruiz publicó una primera versión de su Historia del romanticismo en dos volúmenes distintos, *El Romanticismo español. Historia y crítica (1970)*, y *El Romanticismo español. Documentos (1971)*. Una antología de textos programáticos y críticos de los escritores enmarcados en el movimiento constituye el contenido del segundo volumen, siendo el primero un panorama en el que el autor, según sus propios términos, encara "el romanticismo como un producto de su tiempo, unido íntimamente al liberalismo, que transformó revolucionariamente el quehacer literario de España" (3.ª ed., 1982, 9). Navas Ruiz admite la existencia de una "generación romántica" en lo relativo a la actividad creadora, con la que se inaugura en España una secuencia cultural internacional que "está vigente desde 1800 hasta hoy"; matiza las relaciones de los románticos con la Edad de Oro y el siglo XVIII —"se percibe que, como era de esperar, deben mucho más a éste que a aquél" (1982. 48)—, las innega-

bles influencias de las literaturas europeas contemporáneas sobre
la española y, por supuesto, las interrelaciones de principios
estéticos que se dan entre el *romanticismo* y el *realismo*. Las posibilidades interpretativas que abrían estos supuestos —a contra-
pelo de las formulaciones de manuales escolares todavía en
uso— quedan atenuadas en la medida en que el autor, desde
confesados imperativos didácticos, concluye admitiendo divisio-
nes cronológicas (1982, p. 39) que, si ayudan al encuadramiento
temporal de los hechos, enturbian el entendimiento de la peculiar diacronía de los fenómenos literarios. Con todo, la atención
que presta Navas Ruiz a los hechos sociales le permite tratar,
sucintamente no sólo de los consabidos "orígenes del romanticismo en España" (1814-1833) y de las publicaciones periódicas
del momento, sino también de aspectos más novedosos en libros
de conjunto, aspectos como la consideración del *status* social del
escritor romántico y sus relaciones con el mundo editorial, la
extraterritorialidad de la literatura española en la época, las marcas temáticas y retóricas que formalizan la estructura y el lenguaje en los textos del romanticismo. El núcleo de la obra está
constituido por sucesivos estudios monográficos de ochenta escritores románticos, estudios que en unos casos —Larra, Espronceda, Zorrilla, duque de Rivas, Mesonero Romanos— constituyen síntesis abreviadas de las monografías recientes, y en otros
ofrecen información al modo de una convencional ficha bio-bi-
bliográfica.

Donald L. Shaw (1972), en un conciso panorama de la literatura española del XIX, sitúa el romanticismo en un *continuum*
evolutivo en el que no caben las esquemáticas oposiciones *neocla-
sicismo/romanticismo, romanticismo/realismo,* y garantiza un flexible
entendimiento de los márgenes cronológicos para la literatura de
la centuria; por otra parte, la atención metodológica que presta a
los fenómenos sociales y a su proyección en las series literarias no
le dificultan el subrayado de los aportes individuales —Larra,
Espronceda— en la innovación del arte verbal. También, como
síntesis de la creación individual en el ámbito de las tendencias
colectivas, se sitúa el vademécum didáctico de Leonardo Romero
(1973 y 1974), construido con el apoyo de abundantes diapositi-
vas .

En 1979 aparecía el libro de Vicente Llorens sobre el romanticismo español que, aunque abreviada por exigencias editoriales

resumía una vida de trabajo sobre el tema. Lo que las aportaciones parciales y la tesis abstracta de Peers significan para los estudios del primer tercio del siglo puede predicarse de la obra de Llorens para el segundo tercio. Un vacío metodológico que se evidenciaba en la obra de Peers lo llena Llorens con el entendimiento de los fenómenos literarios dentro de las series históricas, sociales y culturales en los que éstos se produjeron. Su trabajo científico, sobre el siglo XIX no exento de pasión, lo explicaba el autor, en escrito de 1970, como una elección no azarosa, «suscitada en buena parte [por] la orientación política y social característica de nuestros días. El factor económico, la conciencia social, el desarrollo de las clases obreras, desempeñan ahora en el contexto histórico un papel que la historia anterior, con escasas excepciones, pretería o ignoraba" (1974, 160). Lloréns articula su estudio en tres décadas de significativo perfil histórico: la ominosa (1824-1834), la década progresista (1834-1844) y la moderada (1844-1854). En cada una de ellas atiende a los fenómenos institucionales de significado cultural —publicaciones periódicas, asociaciones y trama de la circulación literaria—, a los escritores relevantes y a los géneros más destacados. En el conjunto de la diacronía subraya la inserción del movimiento romántico español en el ámbito europeo, bien por la vertiente de la sustracción —censura fernandina, exilios políticos—, bien por el lado de la actividad transformadora: Alcalá Galiano, duque de Rivas, Larra y Espronceda. Eludiendo la discutible noción del *eclecticismo*, Lloréns propone, para la década moderada, una reacción antirromántica que documenta en la escritura creativa de algunas revistas de la década y en la crítica de tradicionalistas del pensamiento político —Balmes, Donoso Cortés— o del estilo literario —Usoz y Río—. La novela de contenido social —vale decir, los primeros folletines— es estudiada en este marco romántico así como la obra narrativa de Fernán Caballero, que habían sido síntomas de la ruptura del romanticismo para los críticos del XIX como Blanco García.

En 1980 publicaba Juan Luis Alborg el volumen IV de su *Historia de la Literatura Española* dedicado específicamente al romanticismo. Alborg recopila monografías sobre los géneros y, dentro de ellos, sobre los autores; los límites que señala para el movimiento en las "primeras etapas" son los consabidos precedentes de la crítica tradicional —querella calderoniana, *El Euro-*

peo, emigración liberal, críticos eruditos —y para su final, la "evolución de la lírica" en la obra de Campoamor y Bécquer. La aportación de Alborg que debe destacarse —por infrecuente en este tipo de obras— es el capítulo introductorio en el que extracta las interpretaciones teóricas sobre el romanticismo europeo que ha desarrollado la crítica internacional a partir del debate habido entre Arthur A. Lovejoy, René Wellek y Morse Peckham. La edición revisada de la *Historia de la Literatura Española* de Valbuena Prat (1982-1983), dispuesta por Antonio Prieto y María del Pilar Palomo, actualiza bibliográficamente la obra original e incorpora la visión historiográfica que subraya las continuidades que se dan entre los siglos XVIII y XIX.

Iris M. Zavala (1982) ha resumido un panorama crítico-bibliográfico sobre el romanticismo y el realismo que va acompañado, como es norma en la serie de la que forma parte, de una útil selección de textos críticos. Aunque no se definan con precisión los márgenes cronológicos y artísticos que enmarcan la literatura del XIX, la autora concede mayor espacio de análisis al romanticismo, al que dedica dos capítulos de introducción. En ellos sintetiza las discusiones sobre el origen del romanticismo en España y los peculiares sentidos que le ha adjudicado la crítica, desde las posiciones ideológicas de fines del XIX hasta la interrelación histórica o el enraizamiento en las tendencias filosóficas contemporáneas que han planteado los estudiosos posteriores a E. A. Peers. La síntesis de Zavala prima la interpretación sociologista, por lo que el capítulo sobre los "temas de la literatura burguesa" es el preámbulo previo a las monografías dedicadas a Larra, Espronceda, Bécquer, Rosalía, el teatro romántico de los años treinta y las relaciones entre costumbrismo y novela, lo que resulta harto insuficiente como balance de los problemas histórico-críticos de esta etapa literaria. (Ver la reseña de Germán Gullón, 1985). Un *reading* posterior que recoge también textos de crítica académica sobre el romanticismo es el preparado por David T. Gies (1989), compendioso en su introducción y en el *corpus* de textos seleccionados, aunque recoge una idea querida al antólogo, cual es la de la pluralidad de los romanticismos españoles (1981), que explica en estos términos:

La escisión entre los que concebían el romanticismo como un remedio para pasados males y los que vieron en él el colapso de la moral y de la estabilidad política creció; a mediados de los años 30 este antagonismo se mantiene, transformándose, y la batalla se libra ahora, no entre el conflicto del nuevo romanticismo y el clasicismo tradicional sino entre el romanticismo benévolo y el romanticismo exagerado, degradado, execrado. A Zorrilla le tocó unir estas dos concepciones antitéticas y antagónicas del romanticismo (1989, 15).

PUBLICACIONES PERIÓDICAS Y CREACIÓN LITERARIA

Una fuente informativa de primer orden es la prensa periódica del periodo romántico, no sólo por la cantidad e importancia de los textos de creación y de crítica que se publican en sus páginas sino, especialmente, por las peculiares funciones de interacción cultural que cumplieron los medios de comunicación durante el romanticismo, y que, a los efectos de la literatura, cristalizaron en la invención de nuevos géneros, de contornos imprecisos pero de fecunda descendencia.

Es fenómeno histórico suficientemente conocido el cambio formal y de contenido que experimentaron las publicaciones periódicas en el paso del *Antiguo Régimen dieciochesco* a la nueva ordenación social traída por las formaciones políticas subsiguientes a la Revolución Francesa. La cronología de los cambios periodísticos no fue simultánea en todos los países europeos, aunque el marco de circunstancias políticas, fuera aproximadamente coincidente. En España la transformación de la prensa minoritaria de la Ilustración en un periodismo para amplias capas de lectores, se produjo a partir de 1808, y, desde ese momento, sus tendencias evolutivas corren paralelas y en estrecha dependencia del conjunto de los acontecimientos económicos, políticos y sociales (Francesc Valls, 1988). Los investigadores no han descuidado la atención a esta parcela informativa tan rica en datos imprescindibles para el conocimiento del pasado próximo, hasta el punto que la utilización de la prensa como objeto de estudio ha experimentado un notable desarrollo en los últimos años entre los estudiosos de las ciencias sociales. Los expertos en medios de comunicación, los historiadores y los filólogos coinciden en emplear las publicaciones periódicas como fuentes primarias de sus indagaciones, aunque los objetivos y la metodología de trabajo de unos y otros no sea coincidente en todos sus aspectos.

Con todo, el investigador de las publicaciones periódicas españolas del XIX no dispone de un catálogo colectivo. Las dificultades para elaborarlo son múltiples y se inician con los desacuerdos anejos a la definición de lo que ha de ser definido como material hemerográfico catalogable. En mi criterio, deben ser objeto de este deseable repertorio tanto las publicaciones producidas en España en sus varias lenguas como las realizadas fuera del país por españoles que escribían para un público hispanohablante: casos de la prensa de los emigrados políticos y de las publicaciones salidas de prensas europeas con destino a mercados de lectores hispánicos (José Alberich, 1978, 22-23, da noticia de las publicaciones en Inglaterra entre 1810 y 1851; Aline Vauchelle-Haquet, 1985, ha podido censar una docena de periódicos españoles publicados en Francia entre 1820 y 1826).[5] Ni que decir tiene que la noción de publicación periódica implica los rasgos de periodicidad, variación de contenidos y función informativa de interés actual para el lector del momento.

1. Los catálogos de publicaciones periódicas

Lo realizado hasta ahora en esta dirección afecta a sectores parciales de la producción periodística y, a pesar de ello, en muchos casos es trabajo incompleto y defectuoso. Desde la perspectiva de la tipografía local, los estudiosos disponen hoy de repertorios informativos relativos a los diarios y revistas que aparecieron en una localidad o un momento histórico determinado. En este orden de aportaciones, el *Catálogo* de Eugenio Hartzenbusch (1894) para la prensa madrileña de 1661 hasta 1870

---

[5] Periódicos publicados en Inglaterra: *El Colombiano* (1810); *El Español* (1810-1814); *El Español Constitucional* (1818-1825); *El Censor Americano* (1820); *La Biblioteca Americana* (1823); *Variedades* (1824-1825); *Correo Literario y Político de Londres* (1826); *Museo Universal de Ciencias y Artes* (1825-1826); *Ocios de Españoles Emigrados* (1824-1827); *El Repertorio Americano* (1826-1827); *El Emigrado Observador* (1828-1829); *La Colmena* (1842-1845).

Periódicos publicados en Francia: *Cartas de un español liberal* (1820); *Correspondencia de un refugiado con un amigo suyo de Madrid* (1820); *Cartas del madrileño a un amigo suyo de provincias sobre las ocurrencias del día* (1821); *Lamentos políticos* (1821); *Cartas del compadre holgazán y apologista universal de la holgazanería* (1822); *Revista política de la Europa* (1825); *Revista política de Francia en 1826* (1826); *El Precursor* (1830); *El Dardo* (1831).

sigue siendo un eficaz auxiliar tanto por la información sobre publicaciones periódicas que ordena cronológicamente según años de aparición, como por la singular significación histórica y cultural que revistió la prensa madrileña del pasado siglo. Pese a las imprecisiones de esta obra explicables en un trabajo pionero, Alison Sinclair (1984) ha desglosado su contenido en listados que dan relación de las imprentas en las que se tiraban los periódicos (con fechas de funcionamiento y dirección postal), sus editores y colaboradores, los precios, el tamaño de las hojas, las publicaciones con ilustraciones y las frecuencias de aparición; Alison Sinclair, en fin, localiza ejemplares de los periódicos y revistas censados por Hartzenbusch que existen actualmente en la Biblioteca Nacional, Hemeroteca Municipal de Madrid y British Library de Londres. La utilidad que reporta la fácil localización de las entradas que Sinclair ha computerizado tiene como límite la propia imprecisión o insuficiencia de datos que contenía el *Catálogo* original, sometido a tan exhaustivo programa de vaciado.

No suelen atenerse a una norma ordenadora, pero son de gran utilidad práctica, los repertorios de fondos periodísticos conservados en las bibliotecas españolas o extranjeras de los que en algunos casos existen publicaciones individualizadas, como el *Catálogo* de Florentino Zamora Lucas y María Casado Jorge (1952) para la Biblioteca Nacional de Madrid, el parcial de Asenjo (1933) para la Hemeroteca municipal madrileña, el de Iris Zavala (1972) para un interesante fondo de 93 publicaciones españolas aparecidas entre 1835 y 1865 que se conservan en la Hispanic Society y en la Widener Library de la Universidad de Harvard y la lista que da Labandeira (1986, 193-196).

La carencia de una información exhaustiva sobre las publicaciones periódicas del pasado siglo lastra los resultados de las diversas Historias del periodismo nacional o local que se han ido publicando recientemente. Las monografías sobre ciertos hitos publicistas del XIX y las correlaciones aproximativas entre hechos periodísticos e historia político-social no son datos suficientes para dibujar el trazado de lo que fue la vida periodística de la época. Estudios como la monografía de Celso Almuiña para la prensa vallisoletana (1977) resultan imprescindibles como aportaciones previas a la construcción de una Historia fiable del periodismo del XIX. Véase como superación de las Historias anteriores y como punto de llegada de una metodología

descriptiva, el volumen que dedica al siglo XIX María Cruz
Seoane (1983). Con todo, disponemos de más y mejor información para la prensa madrileña que para las publicaciones periódicas de otras localidades españolas. Esta desproporción en los
estudios hemerográficos, que sólo muy recientemente comienzan a neutralizar jóvenes investigadores (véase el libro de varios
autores, 1987a, en que se presenta un sucinto resumen de los
trabajos realizados sobre prensa en Castilla, Sevilla, Rioja, Almería, Granada, Albacete), lleva su lógica consecuencia en la
escasa atención dada a la prensa local de interés cultural o literario, para la que sólo disponemos de estudios de conjunto
—útiles, pero ya lejanos, los que elaboraran E. A. Peers y su
grupo de trabajo— como los de Hans Juretschke para publicaciones románticas catalanas (1954a) o los más amplios de
J. Torrent y R. Tasis para Cataluña (1966) y Ramón Solís para
Cádiz (1971).

Si Oscar Walzel en 1904 redactó un completo catálogo de
las publicaciones periódicas que habían tenido trascendencia en
la historia del romanticismo alemán, hacia esos años los estudios
hispánicos sólo podían presentar como trabajo aproximado, la
monografía de un hispanista francés (Le Gentil, 1909), que sentó las primeras bases de lo que debía ser una investigación en
profundidad sobre la prensa literaria española de la primera mitad del XIX; las noticias y extractos de contenido correspondientes a 31 publicaciones que dio Le Gentil han sido durante mucho tiempo único punto de referencia para los estudiosos del
romanticismo español.[6]

---

[6] Cinco revistas estudiadas por Le Gentil son anteriores a 1820. Las posteriores a esta fecha son: *Minerva Nacional* (1820), *El Censor* (1820-1822), *El
Correo Literario y Mercantil* (1828-1833), *Cartas Españolas* (1831-1832), *Revista
Española* (1832-1836), *Boletín del Comercio* (1832-1834), *El Artista* (1835-
1836), *Semanario Pintoresco Español* (1836-1857), *Observatorio Pintoresco* (1837),
Revista Europea (1837-1838), *Liceo Artístico y Literario* (1838), *El Panorama*
(1838-1841), *Revista de Madrid* (1838-1845), *El Entreacto* (1839-1840), *El Iris*
(1841), *Revista de Teatros* (1841-1845), *El Pensamiento* (1841), *El Español o El
Conservador* (1841), *Revista de España y del Extranjero* (1842-1848), *El Museo de
las Familias* (1843-1867), *El Laberinto* (1843-1845), *El Siglo Pintoresco* (1845-
1848), *Revista de Europa* (1846), *El Artista (Revista Enciclopédica)* (1847), *El
Renacimiento* (1847).

2. *Morfología e historia de las publicaciones periódicas durante el romanticismo*

Al sintetizar los géneros de la prensa del siglo XVIII, Paul Guinard ha excluido terminantemente la forma epistolar porque, "en dehors de l'épître en vers, il n'y a pas, à proprement parler de *genre épistolaire,* mais un petit nombre de genres épistolaires caracterisés par une forme passe-partout, la lettre, que peut s'appliquer a n'importe quelle substance".[7] Para este estudioso, de los abundantísimos textos que aparecen como cartas en los periódicos del XVIII, sólo son susceptibles de reducción a arquetipos epistolares aquellos artículos en los que coinciden forma y contenido al servicio de una convención previamente establecida. Tales características se dan en las cartas imaginarias dirigidas al redactor del periódico y en las comunicaciones de los viajeros que cuentan a un amigo sus impresiones de viaje.

Ambas modalidades de "género epistolar" se mantuvieron en la prensa del XIX y a ellas es preciso añadir las numerosas cartas reales que enviaban al director o editores de la publicación aquellos lectores que precisaban manifestar sus ideas respecto de cualquier cuestión tocada en el periódico. Cartas reales y cartas imaginarias son, por tanto, modalidades de escritura que se incluyen en las páginas de las publicaciones periódicas con unos objetivos prácticos o con elementales intencionalidades estéticas. Pero no concluye en esta tipificación del artículo-carta la relación existente entre prensa periódica y literatura epistolar, en la medida en que la primera suscita un modo de comunicación individual en que el lector tiene conocimiento previo de quién escribe en el periódico o revista, en qué fecha recibe el escrito y qué grado de identificación existe entre él, lector, y el equipo de redacción.

La ilusión de la comunicación individualizada estaba ya formalmente acreditada en los *avisos* y *relaciones* de los siglos XVI y XVII que, en muchas ocasiones, adoptaron la forma epistolar. Pero, sin necesidad de remontarse a estos discutidos antecedentes del periodismo moderno, es un hecho comprobable que el periódico fue considerado como una carta particular durante una

---

[7] Paul-J. Guinard, *La Presse Espagnole de 1737 à 1791. Formation d'un genre,* Paris, 1973, 512-513.

etapa situada en la zona de transición entre el periodismo de la Ilustración y el nuevo periodismo de opiniones políticas que se escribe en el XIX para grupos amplios de lectores. Diversas publicaciones de este tiempo de cambio adoptan la forma de cartas particulares que la redacción del periódico enviaba a un corresponsal próximo —en ocasiones, un íntimo o un miembro de la familia— para que éste pudiese disponer de noticias y opiniones que eran patrimonio común del reducido grupo de comunicantes. Era convención formal en la que se aplicaban con bastante rigor estereotipos compositivos y técnicas estilísticas de la retórica epistolar que, como género literario independiente, había sido modalidad muy productiva en las literaturas europeas del siglo XVIII.

Lo que resulta claro desde la perspectiva de las marcas que caracterizan a las formas literarias, lo es también para los expertos en teoría de la comunicación. Al analizar los primeros periódicos españoles de temática femenina se ha observado perspicazmente que "el análisis de los primeros periódicos impresos nos los aproxima mucho más a los presupuestos del sistema oral de comunicación que a los sistemas de *media*. En ellos predomina un estilo personificado, próximo al epistolar, más propio del diálogo cara a cara que de los sistemas de difusión hacia la masa anónima. Predomina el tipo de comunicación prescriptiva que más tarde va reduciendo su parte en las revistas", (M.ª Isabel Marrades y Adolfo Perinat, 1980, 64). Por otra parte, y aunque sean casos anecdóticos, no deben olvidarse los periódicos que fueron generados por auténticos actos de comunicación oral, como *El Belén* (1857), surgido de la tertulia del Marqués de Molíns.

Bajo el enfoque de la literatura epistolar han de ser consideradas publicaciones periódicas que en su título y en su configuración se presentan como *cartas*: las *Cartas Atenienses* (Madrid, 1806), las *Cartas al Censor General* (Cádiz, 1812), las *Cartas del Compadre Holgazán y apologista de la holgazanería* (Madrid, 1821), los *Lamentos de un pobrecito holgazán* (1820), las *Cartas Españolas* (1831-1832) editadas por José María Carnerero. Precisamente esta última publicación, tan significativa en el momento de la transición política y literaria, es un ejemplo excelente de la concepción del periodismo como una variante del comercio epistolar. En el primer número del periódico (26-III-1831) el editor presentaba los artículos y escritos sucesivos de la revista como la prolongación de la previa relación amistosa de un grupo de contertulios:

> La forma de cartas con que salen a la luz estos discursos no la tuvieron primitivamente como bien pueden considerarlo, pero ausentándose algunos tertulianos a aquesta o aquella provincia, y aun también fuera de la Península, pidieron y alcanzaron que se les enviara muy por menor cuanto se escribiese y relatase en tertulia. La Baronesa y el Solitario [seudónimos de los escritores], que a fuer de mantenedores de la justa se hallan en Madrid, reciben cartas del tío y la sobrina que en este punto visitan la Francia, escriben largas epístolas a don Crisófilo Nauta, que viaja por el Norte de Europa, corresponden con el don Félix que recorre ahora alguna de nuestras provincias, y hablan y se entretienen con otros amigos en sus recreaciones tertulianas lo más agradablemente del mundo. En consecuencia, ya gota a gota o bien de antuvión aparecerán en estas cartas las obrecillas y las observaciones picantes de aquellos viajeros, como todo lo verás en el curso de las semanas y meses, manifestando tu buena voluntad en comprar lo que te se [*sic*] anuncie por cantones y plazas.

El plan de la publicación fue conservado en buena parte de la trayectoria de esta "Revista histórica, científica, teatral, artística, crítica y literaria", cuya cabecera variopinta remite a los años políticos en que se publicó y a la versátil personalidad de su editor, José María Carnerero (estudiado por Gloria Rokiski, 1987). Avanzado el siglo y consolidada ya la nueva industria periodística, uno de sus capitanes, Manuel María de Santa Ana, tituló sus publicaciones con los robros de *La Carta autógrafa* (1848) y *La Correspondencia Confidencial* (1851), que desembocó en la influyente *Correspondencia de España* (Gómez Aparicio, 1967, 357-359 y 506-507).

Más allá de los rasgos que señalan la convergencia entre comunicación epistolar y prensa periódica, los sucesivos adelantos técnicos del arte tipográfico y los acontecimientos políticos y sociales fueron conformando paulatinamente el nuevo *medio* de comunicación social en que se transformó la publicación seudoepistolar del primer tercio de siglo. En el curso de la transición del *Antiguo Régimen* al nuevo Estado liberal, el periódico o la revista dejaron de ser el vehículo de comunicación cultural de las minorías ilustradas para convertirse en el poderoso *medio* que configuró el *cuarto poder*. La incorporación, por una parte, del grabado litográfico a las páginas de las primeras publicaciones ilustradas generó un modo técnico de hacer periodismo que tuvo sus consecuencias, incluso, en la interacción entre textos y material gráfico; el propósito de los editores, a su vez, de extender el alcance de las publicaciones ilustradas a extensas capas de la población quedó en un experimento insuficiente en la medida en que las revistas ilustradas de mediados del siglo XIX se presentan "como una expresión de la mentalidad burguesa moderada, ansiosa de empapar la totalidad social y en realidad sólo leídas por el mismo grupo que las redactaba" (Jesús Longares Alonso, 1979, 42).

La convulsión que supuso la Guerra de la Independencia española dio el primer impulso al movimiento de la moderna prensa política; el alto grado de tensión ideológica que alcanzaron las publicaciones de cada grupo y la lucha hacia la consagración de la libertad de expresión (Miguel Artola, 1985) son los dos componentes de mayor trascendencia que proyecta hacia el futuro la prensa escrita entre los años 1808-1814. Idéntico polígono de fuerzas se dibuja en el reducido período constitucionalista que va de 1820 a 1823, momento para el que una publicación periódica —*La Periódico-manía* aparecida entre 1820 y 1821 y redactada entre otros colaboradores hoy desconocidos, por el abogado Francisco Camborda (Enrique Rubio, 1984a)— ofrece un sabroso panorama satírico, del mismo modo que la comedia de Bretón de los Herreros *La redacción de un periódico* habría der ser otra segunda revisión paródica de los periódicos madrileños publicados en 1836. La comedia "ofrece una visión satírica de la tragedia del hombre que se ha comprometido a sacar cada día a la calle unas cuantas páginas impresas, sin disponer de los medios para acopiar los materiales precisos, lo que le obliga a reproducir todo lo que encuentra a su alcance, desde una receta médica al cuento de un espontáneo que no ha leído" (Simón Díaz, 1986, 366) pero, además, suscitó una enérgica reacción de Larra respecto a la venalidad de las plumas de los periodistas[8] y su independencia profesional.

---

[8] "Entre los periodistas, concluiremos declarándole que hay de todo, como en las demás clases: hombres que se venden, hombres que no se compran, hombres de mala fe por pasiones viles, hombres de partido y de buena fe, hombres incorruptibles, defensores de los derechos del pueblo; hombres que defienden al poder por convencimiento y *hombres que no reconocen ni miedo ni precio*" ("La redacción de un periódico", *El Español*, 8-VIII-1836).

La polarización política centra las páginas de los periódicos del trienio liberal y la libertad de expresión sigue siendo cuestión agriamente disputada, pues no en balde durante la primera reacción fernandina se había perseguido tal principio en la teoría y en la práctica; Albert Dérozier (1968) ha recordado que la más importante causa de la Inquisición, restaurada en 1814, fue la investigación abierta contra el *Semanario Patriótico,* acción que se compadece con los artículos que el poeta Arriaza publicaba contra la libertad de expresión en el *Mercurio Español* de 1814. La llamada prensa *exaltada* del trienio —de la que fue símbolo *El Zurriago* (descrito por Iris Zavala, 1967)— y los tanteos de un costumbrismo de militancia política en los *Lamentos* de Sebastián de Miñano (Jesús Castañón, 1983) corroboran las apreciaciones que para el estilo lingüístico de la prensa del periodo había tipificado Arthur J. Cullen (1958): "el movimiento liberal produjo dos efectos notables sobre el lenguaje: creó nuevas voces que se referían principalmente a la política, y cubrió otras voces con una nueva extravagancia que trataba de igualar las emociones del tiempo". Precisamente las censuras lingüísticas y gramaticales que esgrimen unos periódicos contra otros y la preocupación por definir listas de palabras de contenido ideológico son tópicos recurrentes en los artículos periodísticos de estos años, hecho que convierte a la prensa en registro de valor incalculable para el estudio de la evolución de la lengua en el primer tercio del siglo.

El éxodo liberal fuera de España, dio, entre otros resultados, la producción de un periodismo de exiliados que Vicente Lloréns ha considerado en sus rasgos más característicos para la emigración en Inglaterra (1968, pp. 285-341). Además de las colaboraciones personales en los periódicos ingleses los emigrados hispanos editaron sus propias publicaciones, de contenido cultural, político, religioso o de puro entretenimiento. Desde *El Español* de Blanco de 1810 hasta *La Colmena* (1842-1845) de Ángel Villalobos, el periodismo español en Inglaterra es un fragmento de la historia del romanticismo hispano que abre una interesante vía de comunicación con la literatura en lengua inglesa. Un estudio análogo al de Lloréns no ha sido aún realizado para la prensa española en Francia, aunque disponemos de valiosas monografías para *El Precursor* de Borrego (Concepción de Castro, 1975) y *La Gaceta de Bayona* de Alberto Lista (Hans Juretschke, 1951, 130-149).

Desde la Constitución de 1812 y durante todas las etapas en las que tuvo vigencia algún texto constitucional, se estableció como derecho inalienable de los ciudadanos el de la libertad de expresión. Pero la aplicación de este derecho atravesó, a lo largo del siglo, por diversas situaciones. La legislación posterior a 1834 enfocó la aplicación del derecho desde las diversas coyunturas políticas que podían darse en cada momento, lo que produjo una abundante casuística sobre censura de impresos, en general, y sobre publicaciones periódicas, en particular. Un viejo estudio de José Eugenio de Eguizábal de 1879 ofrece una elocuente recopilación de la mayor parte de las disposiciones legales del XIX en las que se sentaban medidas sobre censura de libros y publicaciones periódicas. De todas formas, la práctica cotidiana de los controles sobre textos impresos era mucho más compleja que lo que los marcos legales pueden llevar a suponer; posturas de los gobernadores civiles, intervenciones de los fiscales, decisiones de los jurados, habilidades de las periodistas, son mediaciones que convierten los procedimientos de la censura de prensa en una selva de restricciones y atajos que será preciso estudiar mucho más detalladamente de lo que se ha hecho hasta ahora. Celso Almuiña (1977, 165-267) ha resumido las principales etapas de esta enrevesada práctica restrictiva, bien que advierte cautamente que "los estudiosos que se han preocupado de este tema lo enfocan casi desde el punto de vista del marco legal, sin descender casi nunca a la praxis" (1977, 36). Leonardo Romero (1975a; 1976, pp. 72-89; 1977), ha ilustrado este panorama con la exhumación de materiales de archivo relativos a la práctica censoria del segundo tercio del siglo, aspecto que ya había investigado extensamente González Palencia para la censura del primer tercio del siglo XIX.

3. *Marcas específicas de la prensa literaria del siglo XIX*

Entre las publicaciones periódicas del XIX y las anteriores del XVIII o las que han venido más tarde, en un tiempo de pleno predominio de los *medios*, existen algunos rasgos uniformes que dan coherencia al fenómeno periodístico; pero, al mismo tiempo, son muy llamativas las diferencias que deslindan la prensa decimonona en un espacio autónomo, definido por sus propias características. Entre los rasgos que individualizan a la prensa del XIX respecto a sus precedentes del XVIII, tienen un valor caracterizador los hechos siguientes:

A) las innovaciones tecnológicas que modifican el modo de fabricación y la actitud receptora de los lectores;
B) el amplio desarrollo experimentado por las publicaciones periódicas locales, sujetas, en la mayoría de los casos, a los modelos técnicos e ideológicos que ofrecían las publicaciones madrileñas;
C) el arranque de un proceso de especialización que contrapone la prensa política de información y opinión a las publicaciones monográficas, entre las que revistas literarias y culturales tuvieron especial importancia.

A. La prensa del XIX —de modo indiscutible, a partir de 1835— modificó cualitativamente las expectativas de lectura y las capacidades de percepción de sus usuarios. Lee Fontanella (1982, 51-63) ha enfrentado esquemáticamente las diversas formas de lectura implicadas en la actitud del consumidor de libros, avezado a una "lógica sintáctica" lineal e ininterrumpida, y la práctica de un lector de periódicos, inmerso en un proceso de comunicación fragmentario y plagado de ecos orales y pictóricos; la inclinación del periódico del XIX a presentar "una forma menos letrada que el libro, disminuía la lógica expresiva, más propia de éste, prestando al medio impreso relaciones menos obvias entre los elementos de información. En comparación con la articulación libreril, la del periódico presentaba menos relaciones lógicas" (Fontanella, 1982, 67); ciertamente, los textos periodísticos posteriores a 1834 no suelen presentar ni textos extensos ni una impresión gráficamente uniforme.

El desarrollo tecnológico de la imprenta —de modo singular la incorporación del grabado a las publicaciones periodísticas— trajo consigo este cambio cualitativo en la recepción y consumo de los textos. La correlación que se estableció entre grabado y texto articuló otra forma de escritura distinta de la que había sido habitual hasta entonces. Desde *El Artista* (1835-36) y el *Semanario Pintoresco Español* (1836-1857) el lector de revistas españolas experimentó un proceso transformador de sus hábitos de comportamiento, proceso que documentaron muchos comentaristas de mediados del siglo, y que sintetiza espléndidamente una nota "A nuestros lectores" del *Semanario Pintoresco Español*:

Tres fueron las ideas principales que presidieron a la fundación de esta obra periódica: (1.ª) demostrar que no era imposible, como se creía, excitar el interés del público con una publicación que prescindiendo de los acontecimientos y discursos políticos, tuviera únicamente por objeto propagar generalmente los conocimientos útiles de las ciencias exactas, naturales e industriales, de las buenas letras y de las artes; (2.ª) que podía reducirse esta publicación a un precio tan ínfimo que llegase a estar al alcance de toda clase de fortunas y (3.ª) y última, que había llegado el caso de ensayar entre nosotros el arte del grabado en madera, desconocido en nuestra España, y que de algunos años a esta parte constituye el más elegante adorno de las producciones de la prensa extranjera (1-VIII-1838).

La gran empresa de Mesonero, dirigida en sus años finales por Ramón de Valladares, Navarro Villoslada, Fernández de los Ríos, Eduardo Gasset, Muñoz Maldonado y Manuel de Assas, fue, además de un éxito de venta y circulación, el modelo que siguieron la mayor parte de las revistas ilustradas de mitad del siglo XIX: *El Observatorio Pintoresco* (1837, marzo-octubre), la *Revista Europea* (1837-1838), *El Liceo Artístico y Literario* (1838), *El Panorama* (1838-1841), la *Revista de Madrid* (1838-1841), *El Iris* (1841), la *Revista de España y del Extranjero* (1842-1848), *El Museo de las familias* (1843-1867), *El Laberinto* (1843-1845), *El Siglo Pintoresco* (1845-1848), el *Album Pintoresco Universal* (1852-1855) (Le Gentil, 1909, 74-139). No se ha realizado un estudio monográfico del *Semanario Pintoresco Español* en el que se examinen exhaustivamente su historia externa y su compleja función, ya de vehículo difusor de modalidades literarias como el artículo de costumbres, ya de vocero de noticias históricas y de viajes o de los adelantos tecnológicos, como es el caso de la fotografía (estudio de conjunto, Le Gentil, 1909, 49-74; índice del contenido Simón Díaz, 1946). Con todo, y a pesar del innovador relieve que tiene el material gráfico en el *Semanario* y las otras publicaciones que siguen su modelo, la aplicación de la técnica xilográfica y la escasa información de actualidad recogida en sus grabados hacen de las revistas *pintorescas* una etapa preliminar de las modernas revistas de información, cuya primera muestra puede ser *La Ilustración* de 1849. Cecilio Alonso (s.a.) ha iniciado un estudio sistemático del proceso de modernización de las revistas españolas durante el segundo tercio del XIX en el que destaca la lenta industrialización de las empresas editoriales, su dependencia de los modelos ingleses y franceses y el tono conservador de las revistas *pintorescas* o las primeras *Ilustraciones*; la imprecisa definición comercial de esta clase de publicaciones periódicas puede explicar, incluso, el que en diversas ocasiones fueran deliberadamente confundidas con las «publicaciones por entregas» (véase documentación en Leonardo Romero, 1976, 240-245).

La emulación de la fórmula periodística introducida por el *Semanario* por parte de otros *magazines* que siguieron sus pautas técnicas y comerciales explica algunos altibajos de esta publicación, cuyo estímulo vino a consolidar el arraigo de la prensa *ilustrada* entre los lectores de las clases medias del periodo isabelino. La burguesía contemporánea recibió en las páginas de estas publicaciones reflejos de los modos de vida de los otros grupos sociales, pero singularmente de ella misma, y recibió también alicientes para el distanciamiento crítico (en los grabados satíricos). A estas dos funciones que Valeriano Bozal (1979) ha señalado como las predominantes en el empleo de la ilustración por la prensa periódica del XIX, hay que sumar las estrictamente denotativas —reproducciones de monumentos artísticos, retratos de personajes—, y la capacidad de suscitar emociones viajeras con las vistas de parajes exóticos; textos escritos e ilustraciones actuaban de consuno al servicio de la instrucción y el entretenimiento de los lectores.

Mesonero Romanos tuvo buen cuidado, en fin, de abaratar el producto, lo que señalaba enfáticamente en la *Introducción* del tomo primero del *Semanario*:

La idea de vender mucho para vender barato y vender barato para vender mucho, que es la base más segura del comercio, no ha entrado nunca en la mente de los dedicados entre nosotros al ramo de librería. Los autores tienen la culpa. Ofendido su amor propio con la idea de dar sus producciones a bajo precio, han preferido vincularlas en un reducido círculo de individuos. De ese modo ¿qué han conseguido? Por toda ventaja el aprecio y la consideración de unos cuantos amigos o admiradores y, más frecuentemente, la envidia y las críticas de muchos enemigos conocidos; mas para el público, para el verdadero público, han vivido de incógnito o sólo le han dado a conocer sus nombres en los carteles (1836, I, p. 3).

El *Semanario* y *El Artista* inauguran en España —con ligeros antecedentes— la prensa ilustrada, aunque marcando dos procedimientos técnicos y dos estilos diversos en la correlación de textos y grabado. Moderno procedimiento litográfico, de costosa ejecución y mera correspondencia de yuxtaposición simétrica en *El Artista*; vieja técnica de la xilografía, de más barata fabricación y con las posibilidades de establecer nexos coordinativos o subordinativos entre texto y grabado, en el *Semanario* (Leonardo Romero, 1990a).

La caricatura de personajes y acontecimientos políticos fue otra de las vías de afianzamiento de la ilustración en la prensa periódica. Las primeras publicaciones españolas que practicaron esta variedad gráfica mantuvieron una notable independencia entre texto y grabado, como ocurre con las caricaturas del *El Matamoscas* (1836-1837), presentadas como litografías exentas de las páginas impresas. Será con las revistas de sátira política de la Regencia esparterista cuando el grabado se interrelacione más estrechamente con el texto (Claudette Dérozier, 1983). Algunos rasgos temáticos y de estilo de la prensa satírica romántica también han sido objeto de aproximaciones de conjunto (Enrique Rubio Cremades, 1984), si bien se hace necesario un estudio exhaustivo tanto de la vertiente lingüística como de la vertiente gráfica en estos primeros pasos de la prensa satírica del romanticismo: *El Jorobado,* (1836); *Fray Gerundio* (1837-1842); *Fray Junípero* (1841); *El Cangrejo* (1841); *La Postdata* (1842-1846); *La Risa* (1843-1844); *El Tío Fidel* (1843); *La Tarántula* (1843-1844); la *Guindilla* (1842-1843); *El Fandango* (1844-1846); *El Dómine Lucas* (1844-1846).

La empresa periodística inaugurada por Andrés Borrego el primero de noviembre de 1835 bajo la cabecera de *El Español* trasladaba a España un modo periodístico inglés en el que a las innovaciones técnicas de maquetación, tamaño de página y distribución del material se unía la fórmula que combinaba información y opinión con creación y crítica literarias. *El Artista* saludaba en estos términos a la nueva publicación: "larga y buena vida le presagiamos si en sus números posteriores no desmerece del que vimos ayer, tan colosal, tan elegante y del todo punto esmerado que bien podemos decir deja atrás a cuantos han visto la luz pública dentro o fuera de la Península" (vol. III, p. 12).

B. A lo largo del siglo las publicaciones periódicas fueron multiplicando sus contenidos temáticos. La comunicación próxima de la vida cotidiana destaca el perfil más inmediato en las impresiones locales de las capitales de provincias y pequeñas localidades. Esos aspectos concretos que suponen la atención a acontecimientos de reducido alcance fueron la contrapartida de la hechura mimética impuesta por las publicaciones de circulación nacional, casi todas madrileñas. El servicio de las noticias de amplia repercusión o de los escritos de firmas acreditadas se realizaba a través de las publicaciones más prestigiadas o de las agencias informativas que terminaron instalándose bien entrado el siglo. Hasta el *diseño* de las publicaciones es también muestra de falta de originalidad y de subordinación técnica. Si las publicaciones innovadoras adoptaron modalidades periodísticas probadas en Italia —*Il Conciliatore* para el barcelonés *El Europeo*—, en Francia —*L'Artiste* para su homónima hispana—, o en Inglaterra —*Penny Magazine* para el *Semanario Pintoresco Español*—, no resulta extravagante que las publicaciones locales repitieran los rasgos de las madrileñas, en una gran mayoría de casos.

Con todo una corrección sustantiva a la interpretación común del romanticismo español, aportada por los estudios recientes, consiste en el descubrimiento de las actividades artísticas y literarias de las regiones. Las fuerzas centrípetas que tiraban de la vida española hacia la capital de la nación tenían el contrapeso de las iniciativas locales cuya exacta valoración está pendiente de estudio global. En un orden de valoraciones cuantitativas puede suponerse con bastante seguridad que tanto las publicaciones periódicas como las diversas clases de espectáculos públicos realizados en los enclaves provinciales tuvieron, a lo largo del siglo, una considerable importancia. Y téngase en cuenta que hago referencia a dos indicadores de la vida cultural —periodismo y actividad teatral— que, por sus propias características, resultaban imprescindibles sistemas de comunicación en el tipo de estructura social que fue conformando la vida española del pasado siglo.

En las regiones en las que el peso tradicional del *Antiguo Régimen* no había llegado a desaparecer del todo, las viejas instituciones culturales —entidades educativas, sociedades de Amigos del País— y las empresas editoriales colaboraron en el proceso; recientes acontecimientos políticos de la vida nacional habían fortalecido esta reactivación de la vida provincial. José-Carlos Mainer (1983) ha subrayado el protagonismo de la provincia española en el modo de producirse varios acontecimientos culturales modernos, de los cuales fue el primero la peculiaridad de los romanticismos regionales. El trabajo de publicistas comprometidos en reformas ciudadanas de sus respectivos lugares, indudablemente, fortaleció a los núcleos de resistencia cultural. Es el caso de Braulio Foz y Jerónimo Borao en Zaragoza, de Ribot, Llausás, Piferrer y Fontcuberta en Barcelona o de Bernat y Baldoví en Valencia, pertenecientes todos a territorios de la Corona de Aragón en los que la tradición cultural del XVIII había fijado sus propias iniciativas y en los que, además, hechos lingüísticos diferenciales iban a propiciar corrientes culturales de perfil singular. La atracción de la vida madrileña polarizó, con todo, las iniciativas literarias de mayor calado y alcance.

La prensa barcelonesa del segundo tercio del XIX (J. Torrent y R. Tasis, 1966; Longares Alonso, 1979, 117-238) desplegó un esfuerzo sólo comparable con el del periodismo madrileño y, en algunos aspectos, destacó con aportes independientes y originales. Hans Juretschke (1954) ha subrayado el papel representado por *El Propagador de la Libertad* (1835-1838) como publicación cultural difusora de un radicalismo saint-simoniano que no tiene equiparación con publicaciones madrileñas contemporáneas. La coincidencia en las páginas de *El Propagador* de socialismo utópico y de reciente teoría literaria no era hecho frecuente en las publicaciones de los años treinta pues como ha escrito Juretschke a propósito de *El Propagador,* "las teorías literarias de este grupo ya no podían ser las de Schlegel ni del romanticismo histórico. En su lugar, buscan su inspiración en Enrique Heine, Alejandro Dumas y Víctor Hugo. Del primero tradujo Fontcuberta extensas partes sobre la religión y la filosofía en Alemania y sobre la escuela romántica, haciéndose pasar por su autor" (1954, 42). Suma, pues, de periodismo político y periodismo literario que no acostumbra a ser tan transparente en otras publicaciones conservadoras del ámbito catalán, como puede ser el longevo *Diario de Barcelona* o la revista de José María Quadrado *La Palma* (1840-1841) (estudiada por Díaz de Castro, 1975). La coincidencia de intereses ofrece la significativa variante de la adición del motivo nacional en la defensa de la lengua autócto-

na, como ocurre con el valenciano *El Mole* (seis épocas, entre
1837 y 1870) que ha estudiado Cervera Bañuls (1976).

Andalucía no se limitó a ser región madrugadora en la aproximación periodística al fenómeno romántico (recuérdese la primera fase de la *polémica calderoniana* desarrollada por modo fundamental en periódicos gaditanos de 1814 a 1820). Una vez
iniciada la transformación del régimen político, a la muerte de
Fernando VII, las publicaciones periódicas andaluzas incremen-
taron el mercado de los textos impresos. Y dentro del amplio
marco que es el periodismo andaluz del segundo tercio del siglo,
las publicaciones literarias tuvieron una entidad muy superior a
las de otras regiones españolas. Desde los poetas de Madrid que
visitan las instituciones culturales andaluzas —viajes publicitarios de los poetas Miguel de los Santos Álvarez y Espronceda a
Granada de 1839 o de Zorrilla a Sevilla en 1842— hasta los
escritores andaluces vinculados a revistas e instituciones locales,
encontramos una compleja red de relaciones personales y literarias que no ha sido aún suficientemente esclarecida. Evocaciones
de grupos literarios como el de la famosa, en su tiempo, "cuerda
granadina" (Miguel Gallego Roca, 1991), monografías de conjunto (Solís, 1971 para el periodismo gaditano de la primera
mitad del siglo), o estudios e índices de contenido de revistas
locales dibujan el plano de la intensa actividad literaria de la
región con la publicación de trabajos de José Zorrilla, Espronceda, Gerónimo de la Escosura, Manuel Cañete, Antonio Machado
Álvarez, los Bermúdez de Castro o los Fernández Guerra, (véanse índices de *El Cisne*, Sevilla, 1838, realizado por Marta Palenque; *El Guadalhorce*, Málaga, 1839-1840 por Ángel Caffarena; de *La Alhambra* de Granada, 1839-1843, por Nicolás
Marín; de *La Revista Gaditana*, Cádiz, 1839-1840, por Virtudes
Atero y de *La Floresta Andaluza*, 1843-1844, por Begoña López
Bueno o la posterior *Revista de Ciencias, Literatura y Artes*,
1855-1860, estudiada por Aurora Domínguez.

C. La especialización literaria que ofrecen algunas revistas
andaluzas de los años románticos nos remite al rasgo tipificador
que opone prensa política o de opinión a prensa especializada.
En las publicaciones periódicas monográficas, la capacidad de
iniciativa de los publicistas del pasado siglo fue de una gran
magnitud, especialmente si se tiene en cuenta que el vehículo

periodístico era el instrumento de defensa de lo que en el momento se llamaban "intereses materiales", rótulo que abarca todos los intereses del comercio, la industria y las profesiones liberales. Con todo, las colaboraciones literarias abundan en las columnas de casi todas las publicaciones especializadas; de donde se deduce el extenso campo de las publicaciones periódicas que interesan al historiador de la literatura.

Revistas pedagógicas, infantiles, femeninas o de entretenimiento fueron las variedades periodísticas mejor aplicadas al acopio de material literario. Estudios parciales sobre cada una de estas especies han aportado elementos descriptivos valiosos para un estudio global. Adolfo Perinat y María Isabel Marrades (1980) han descrito los signos caracterizadores de la prensa femenina contemporánea y María del Carmen Simón (1975) ha publicado un útil repertorio de revistas centradas en las mismas cuestiones. Estas publicaciones, en muchos casos, fueron dirigidas y escritas por mujeres como Gertrudis Gómez de Avellaneda (la *Gaceta de las Mujeres* de 1845), Ángela Grassi y Joaquina Balmaseda (*El Correo de la Moda*), Pilar Sinués (*El Ángel del Hogar,* 1864-69;), Faustina Sáez de Melgar (*La Violeta,* 1862-66). El contenido de estas publicaciones permite reconstruir el universo de valores en el que se sustentaba el comportamiento de las mujeres burguesas de la época, universo para el que la ilustración gráfica y los géneros literarios de habitual consumo periodístico prestaban un servicio impagable (cuentos, folletines, poemas, crítica literaria). Larra, en *El Correo de las Damas,* Antonio Pirala en *El Correo de la Moda* o Wenceslao Ayguals de Izco en *El Tocador* y *El Concierto* fueron algunos de los varones que se comprometieron en esta prensa femenina. María del Carmen Simón (1980) ha hecho público otro repertorio de lo que ha llamado "prensa familiar" con una titulación que solapa varios campos de interés como el feminismo, la educación y las actividades de ocio y entretenimiento.

Enrique Rubio Cremades ha vuelto a recordar recientemente (1984, 168-174) que la copiosa prensa satírica —de la que evoca una reducida nómina de títulos del trienio constitucional y de lo aparecido después de 1835— constituye un excelente espejo deformante de las pautas de comportamiento colectivo y de las tendencias y formas literarias vigentes. Hablo de *prensa satírica* con un entendimiento harto generoso de la idea de *sátira,* ya que lo frecuente en estas publicaciones son los vejámenes a personas y las parodias desaforadas. La palabra *romanticismo* y los rasgos acusados de este movimiento literario pasean por entre los espejos deformantes de *La Linterna Mágica* (1849-1850), *Fray Gerundio* (1832-1842) o *El Dómine Lucas* (1844-1846), por citar algunos de las publicaciones más populares.

Las menos abundantes revistas de Bellas Artes también guardan interés para el estudioso de las cuestiones literarias, no sólo por las firmas que aparecen en ellas sino también por los temas que tratan. Claude Poullain (1982) ha reconstruido el ambiente musical madrileño de los años 1842-1866 tomando punto de partida en publicaciones musicales como fueron *La Iberia Musical* de 1842, *El Anfión Matritense* que dirigió Miguel Agustín Príncipe en 1843, y las revistas posteriores más profesionalizadas. Del mismo modo, las revistas teatrales son un venero de noticias sobre la vida teatral de la época y una excelente fuente de reconstrucción de las ideas sobre el teatro que tuvieron vigencia a lo largo del siglo. J. Gómez Rea (1974) en su catálogo bibliográfico de revistas teatrales madrileñas ha podido describir veintiuna publicaciones de estas características aparecidas entre 1834 y 1855. Las revistas de teatro forman una subclase dentro de las publicaciones dedicadas a la literatura. *El Semanario Teatral* (1834), *El Entreacto* (1839-1841), la segunda *Revista de Teatros* (1842-1845), *La Luneta* (1846-1849), el *Correo de los Teatros* (1850-1852) dieron cabida en sus páginas a noticias de diverso alcance sobre la vida teatral contemporánea y a curiosos trabajos en prosa o verso de estricta intencionalidad literaria.

Aún no había especializado la palabra *literatura* el significado con el que hoy se refiere a la escritura que tiene en sí misma su objeto y finalidad; el peso de la tradición cargaba a la palabra de la significación enciclopédica que había tenido durante el siglo XVIII. Por esta causa, la expresión "periódico de literatura" que se imprime en el subtítulo de muchas publicaciones venía a señalar los contenidos de varia erudición que daban cuerpo a los escritos de sus colaboradores. Patricio de la Escosura denunciaba en un artículo de 1839 lo que para él era ya un arcaísmo y una denominación rotundamente imprecisa cuando se hablaba de "periódicos literarios" (*El Entreacto*, X, octubre, 1839); para las revistas *literarias* de 1840 a 1850 debe consultarse la monografía de García Cartañeda (1971, 181-201).

Afortunadamente una revista de 1835 vino a servir el modelo de lo que debía ser una publicación especializada en cuestiones artísticas y literarias, arrumbando el entendimiento enciclopédico del término *literatura* y abriendo nuevos caminos a la idea
de *poesía* —que será vista como la actividad más eminente entre
los actos humanos— e integrando esta nueva noción en un sistema cultural en el que todas las artes —música, pintura, escultura, teatro— se interrelacionan. Esta publicación fue *El Artista*.

4. *"El Artista" (1835-1836): el modelo para las publicaciones literarias*

Los primeros pasos de algunos jóvenes escritores nacidos en
los primeros años del siglo XIX se beneficiaron de la ayuda de
personajes bien considerados por los poderes oficiales de la administración fernandina. El duque de Frías, el Comisario de
Cruzada Fernández Varela, el empresario teatral Grimaldi, el
promotor periodístico Carnerero son figuras significativas del
mecenazgo ejercido por individuos de la clase dirigente en favor
de los escritores de la nueva generación. En este ámbito de la
tutela artística y cultural —hoy aún mal conocido, pues sólo es
posible consultar la biografía de Carnerero realizada por Gloria
Rokiski (1987) y los trabajos sobre Grimaldi realizados por David T. Gies (especialmente 1988)—, el pintor santanderino José
Madrazo y Agudo ejerció una función similar a la de los otros
mecenas. El privilegio exclusivo que había obtenido en 1824
para litografiar los cuadros de los Reales Sitios —lo que le permitió la apertura del Real Establecimiento Litográfico contra la
oposición de otros artistas y de la misma Academia de San Fernando— perdió su vigencia a raíz de la muerte de Fernando VII
(Antonio Gallego, 1979, 345-1315), precisamente en el momento en el que su hijo Federico de Madrazo y el joven Eugenio
de Ochoa, solicitaban a la Reina Regente el permiso de publicación de una revista "cuyo objeto no será otro que el de popularizar, si nos es posible, entre los españoles la afición de las bellas
artes, para lo cual contendrán todos sus números retratos y biografías de hombres célebres, como también descripciones de
monumentos y trozos de amena literatura".[9] Ochoa, recién re-

[9] Solicitud de 17-VI-1834; Archivo Histórico Nacional, Consejos, Leg.
11323.

gresado a España después de disfrutar de una pensión que le
había permitido estudiar en la parisina Escuela Central de Artes
y Oficial, y Federico de Madrazo, hijo, fueron los editores de la
publicación que, bajo el título de *El Artista,* comenzó a aparecer
en Madrid en los primeros días de enero de 1835 y que concluyó
su carrera a finales de marzo de 1836.

Los prestigiados talleres tipográficos de Sancha, en uno de
sus últimos trabajos editoriales, fueron la fábrica de esta cuidada
y hermosa revista cuyo modelo en cuanto al diseño periodístico,
el interés por las Bellas Artes y el origen de varios grabados y
textos era la revista parisina de Achille Ricourt del mismo título
e iniciada en 1831. Robert Marrast (1974, 411-414) ha señalado el original francés de algunos trabajos publicados en *El Artista;* pero, los préstamos son más de los que hasta ahora han sido
aducidos, véase, por ejemplo, la abreviación experimentada por
el libro IX de *Les Martyres* (episodio de los druidas galos) en el
trabajo anónimo "Sacrificios humanos entre los galos" (*El Artista,* III, 28-29). Las huellas literarias de Balzac, de Víctor Hugo,
de Dumas deben añadirse a las traducciones de textos en lengua
inglesa—, como la versión fragmentaria del "Sitio de Corinto"
de Byron o un relato firmado por Washington Irving—, a la
hora de hacer un balance sobre el contorno de referencias literarias contemporáneas de que disponían los jóvenes editores de
esta publicación.

La calidad artística de las láminas litografiadas que se incluyen en cada uno de los números de la revista ha sido unánimemente subrayada por los estudiosos (Le Gentil, 1909, 42-49;
Simón Díaz, 1946, 7-13; Donald A. Randolph, 1966, 15-28;
Calvo Serraller y González García, 1981, pp. IX-XXIII). Las
Cartas Españolas (1831-1832) y *El Correo de las Damas* (1834-
1835) habían precedido a *El Artista* en la utilización de estampas
cromolitografiadas, pero *Las Cartas* habían empleado el grabado
con menor intensidad y como atractivo gráfico añadido al texto
escrito. Las láminas de *El Artista,* sean retratos de personajes,
vistas de lugares o bocetos de obras monumentales, cumplen la
función ilustradora que, en el caso de los grabados *con argumento*,
va mucho más allá, puesto que estas estampas son correferenciales
a un texto narrativo del que forman parte indisoluble, con lo que
se entiende mejor el juicio de Lee Fontanella (1982, 67) cuando se
refiere a que el empleo del grabado en las publicaciones periódicas

vino a aumentar "la relativa falta de lógica sintáctica en el formato periodístico mediante la introducción del contenido pictórico".

Estos efectos son, además el resultado del programa de integración de las Bellas Artes que Madrazo y Ochoa habían expuesto en su solicitud y en el preámbulo del primer número:

> sabemos que las revoluciones van extendiendo lentamente por todos los imperios sus galerías subterráneas, ramificaciones de la gran revolución central, cuyo foco es la capital de la Francia; pero creemos también que no es dado a los hombres ni a las circunstancias, desterrar del mundo la poesía, y que si ésta a veces desaparece aparentemente de la faz de la tierra, es porque va a refugiarse en el fondo de algunos corazones sensibles y generosos, como en los antiguos tiempos de turbulencias se refugiaba la religión en las cavernas y monasterios solitarios (I, 1).

Vicente Llorens (1979, 258-270) ha señalado con muy fina percepción que la agrupación de escritores, pintores y músicos que se da en esta revista significa la ruptura con la concepción ilustrada del *literato* y que la *literatura* "que a fines del siglo XVIII comprendía tanto la poesía y el drama como la erudición y la prosa científica, queda ahora restringida principalmente a obras imaginativas en prosa o verso".

En fin, no sólo son las abundantes muestras de la obra gráfica de Federico de Madrazo, el hecho que marca la relación de *El Artista* con el trabajo del cabeza de la dinastía; la revista dedicó artículos y sueltos a la innovadora técnica litográfica (véase vol. I, 85-86, 72) y colaboraron en ella varios artistas extranjeros que habían participado en la *Colección lithográfica de cuadros del Rey de España* como Asselineau, Faramundo Blanchard, la hija de Feillet o Cayetano Palmaroli. Los trabajos gráficos publicados en la revista de Ochoa y Madrazo muestran una convivencia de tendencias que son un correlato del estado de crisis vivido por las artes plásticas en la España de los años treinta; "la reconciliación entre clásicos y modernos, potenciada sin duda por las relaciones familiares entre los *davidianos* españoles y los jóvenes románticos de *El Artista,* constituye un empeño característico de la inclinación hacia el eclecticismo que empezaba ya a insinuarse en el arte moderno, fruto del historicismo burgués, pero dentro de la ortodoxia romántica que suscitaba todavía muchos titubeos, cuando no francas arbitrariedades" (Calvo Serraller, González García, 1981 p. Xb).

Once años más tarde, varios participantes en la edición de la revista romántica volvieron a revivir las aventuras periodísticas en otra publicación de corta existencia: *El Renacimiento,* impresa desde marzo de 1847 hasta julio del mismo año. Simón Díaz (1974) ha dado noticia de esta *revival* periodístico cuya nota introductoria supone una confesión de parte sobre el proceso evolutivo experimentado por los redactores de *El Artista* romántico: "nuestros fogosos ímpetus de otros tiempos, nuestras febriles impaciencias por el triunfo de determinadas teorías literarias, la acritud de nuestras sensaciones en vista de la contradicción en este punto, pasaron con el verdor de nuestra primera juventud; hoy en cambio tendremos tal vez más calma y seguridad en el ataque, más profundidad y fijeza en los principios, más razón en la polémica". En este mismo preámbulo son recordados los colaboradores perdidos en las heridas del tiempo —Campo Alange, Espronceda y Larra— con manifestaciones de amistad personal que relacionan a Fígaro con el grupo de jóvenes que hicieron la revista de los Madrazo, todos ellos nacidos después de 1800 y representativos, por tanto, de la joven generación literaria: Santiago Masarnau había nacido en 1805, José de Castro y Espronceda en 1808, Pastor Díaz en 1811, Jacinto Salas y Quiroga en 1813, Salvador Bermúdez de Castro en el 14, Ochoa y Federico Madrazo un año después, el Conde de Campo Alange y Pedro de Madrazo en el 16 y García Tassara en 1817. Casi un año antes de que José Zorrilla irrumpiese en el círculo de poetas madrileños, *El Artista* publicaba seis poemas y un relato en prosa del desconocido poeta vallisoletano; bastantes años antes de las primeras ediciones de sus novelas largas, Cecilia Böhl de Faber publicaba el cuento "La Madre", celado bajo las iniciales de su nombre, C.B., e introducido por una nota ponderativa que señalaba "lo poco frecuente que es en España el que las personas del bello sexo se dediquen a cultivar la amena literatura". Las firmas de poetas consagrados de anteriores generaciones —Bartolomé José Gallardo, Juan Nicasio Gallego, Alberto Lista, Juan María Maury— apuntan hacia una convivencia de tendencias literarias que, si no llegó a un resultado tan integrador como en el caso de los artistas gráficos, documenta un afán de acercamiento entre los miembros de distintas generaciones literarias.

Las más explícitas tomas de posición respecto a cuestiones de

estética corren a cargo de Eugenio de Ochoa, plenamente identificado con el teatro de ruptura que en aquellos años personifi-
caban Victor Hugo y Alejandro Dumas. Ochoa fue el colaborador más generoso en contribuciones a la revista (D.A.
Randolph, 1966). Protegido por el grupo de antiguos afrancesados que capitaneaba Lista y antiguo alumno del Colegio de
San Mateo, era empleado en la *Gaceta* mientras pilotaba *El Artista*. La condición y compromisos sociales de los Madrazo y
Ochoa ayudan a explicar la posición polémica que mantuvo la
revista con publicaciones de signo progresista. Sirva de muestra
la discusión teatral de Campo Alange con *El Eco del Comercio* a
propósito del *Don Álvaro* (vol. I, 153-156) y, por supuesto, el
papel de defensores del nuevo teatro francés, en el que los redactores de *El Artista* parecen cifrar su entendimiento del romanticismo:

> La revolución literaria que empezaba a formarse cuando salió a luz este
> periódico, y que nosotros abrazamos con entusiasmo y convicción, ha sido
> ya coronada por el más brillante triunfo.
> A las piececitas de Mr. Scribe, que antes reinaban despóticamente en nues-
> tra escena, han sucedido los dramas de Victor Hugo, de Casimir de la
> Vigne {sic}, de Dumas y muchas producciones de ingenios españoles; la
> poesía lírica nacional ha tomado un carácter muy diferente del que antes
> tenía; el buen gusto en las artes ha hecho progresos evidentes; la afición a
> ellas y a la literatura ha aumentado de un modo casi increíble (ed. facsímil,
> III, *Introducción*, p. 1).

Independientemente de las circunstancias externas que pudieron determinar el nacimiento de *El Artista,* la publicación
desempeñó una función incomparable como vehículo de definición artística para el grupo de jóvenes que acertó a cristalizar los
ímpetus de cambio vividos por la sociedad española a raíz de la
muerte de Fernando VII. Muestra del valor de los textos aparecidos en sus páginas es la reproducción de varios de sus poemas en
el polémico librito barcelonés de Antonio Ribot *La emancipación
literaria* (1837) (Leonardo Romero, 1985, 124). La revista fue
órgano de exposición de un grupo que evitó deliberadamente la
referencia a las anécdotas políticas contemporáneas —salvo alusiones inevitables a la guerra civil o a la irresponsable política de
destrucción de monumentos artísticos— y que concedió una

atención singular a cuestiones literarias como eran la revisión de las
estimaciones dieciochescas sobre el teatro clásico español, el empleo de motivos medievales en la escritura de relatos en prosa y
verso y el rechazo de los "clasiquistas", denominación bajo la
que cabe entender la concepción reglada de la literatura que
tipificaba Gómez de Hermosilla en su divulgada *Arte de hablar*.
El predominio de estas preocupaciones ha sido identificado con
la tendencia conservadora del romanticismo europeo, la tendencia que concedía un primado especial a la visión nostálgica del
pasado, lo que según Robert Marrast (1974, 456) explicaría la
corta vida de la revista que, además, era una publicación de
coste elevado.

El fundido del material literario medievalizante con el elogio al más reciente teatro romántico francés ha sido interpretado
también como el incoherente punto de partida de unos escritores
que sólo pretendían disponer de "materiales decorativos sin tomar en cuenta la perspectiva histórica" (Marrast, 1974, 449).
Cierto que no resultaban entidades homogéneas la literatura clásica española y el teatro de Dumas o Hugo, elogiado y traducido
por Ochoa, pero la aparente contradicción, en caso de serlo, es
achacable más a éste que a otros colaboradores de la publicación.
Campo Alange en su reformista manifiesto "A la aristocracia
española" distingue con certera lucidez entre las condiciones sociales de la Edad Media y los resultados artísticos que ésta produjo:

> aquellos tiempos de barbarie han dejado sembrado por toda Europa estas
> magníficas catedrales que alzan sobre las ciudades sus frentes renegridas y
> gigantescas (...). Es indudable que, bajo el aspecto interesantísimo de la
> economía política, y aun de la moral, era en sumo grado perniciosa la
> preponderancia irresistible que algunas corporaciones, y en especial el cle-
> ro, ejercían en aquellas épocas sobre todas las clases de la sociedad, prepon-
> derancia que conservaron aún bastante tiempo después. Pero, considerando
> la cuestión bajo el aspecto del arte, nos parece, cuando menos, dudoso este
> mal efecto (I, 25).

En el orden de la literatura creativa, llaman la atención los
relatos cortos o poemas narrativos del género "troubadour", textos fantásticos —del tipo de "Luisa. Cuento fantástico" de Ochoa
o "El día de difuntos" de Bermúdez de Castro—, los motivos

orientales e, incluso, las canciones amatorias de estilo anacreóntico: una dosificada mezcla de formas nuevas y modelos periclitados. Las colaboraciones, en fin, de Espronceda dan un compendio de las posibilidades del poeta a la altura de 1836; *La Canción del pirata,* publicada en el mismo número en el que Campo Alange reseñaba ampliamente la traducción española de *El último día de un reo de muerte,* suscitó réplicas directas en la propia revista, como puede comprobarse en la secuencia versificada "Alberto Regadon" de Pedro de Madrazo o en "La Despedida" de M. Alcaide, poemas polimétricos que resultan ser una aportación innovadora de la revista. Formas literarias menos representativas de un romanticismo artísticamente combativo —algunos "cuadros de costumbres" firmados por José Augusto de Ochoa, imitaciones de la lírica tradicional por Bartolomé José Gallardo, los numerosos trabajos de temas artísticos que firman Federico y Pedro de Madrazo— completan el sumario de esta publicación, radicalmente nueva en su configuración periodística y plenamente representativa del estado de inquietudes que vivía la joven generación de escritores románticos españoles.

Los estudiosos de las publicaciones periódicas del romanticismo español suelen contraponer los resultados producidos por la revista de Ochoa y los Madrazo con los de la publicación fundada por Mesonero Romanos. El coste económico de ambas y la diversa concepción del arte que simbolizan explicarían dos caminos diversificados para las revistas que vienen después de 1836. Una dirección deriva de *El Artista* y su éxito o fracaso "está directamente relacionado con su posibilidad de conectar con la realidad del público español del momento, y otra, encarnada por *El Semanario Pintoresco,* que hará posible la auténtica divulgación de muchas de las ideas románticas sin preocuparse por acomodarse a las circunstancias, utilizando para ello incluso esos modos que definiera Pedro de Madrazo como *poco recomendables*" (F. Calvo y Ángel González, Introducción a *El Artista,* p. XXIb).

Resumir la historia de las publicaciones literarias del romanticismo español es un trabajo que está aún pendiente de indagaciones hemerográficas. En la "Colección de Índices de Publicaciones Periódicas" aparecieron vaciados los contenidos de revistas tan significativas como *El Europeo* (Barcelona, 1823-1824), el *No me olvides* (1837-1838), *El Alba* (1838), *El Liceo*

Artístico y Literario (1838), *La Palma* (Palma de Mallorca, 1840-1841), *El Reflejo* (1843), *El Laberinto* (1843-1854), *El Fénix* (Valencia, 1844-1849), *El Cínife* (1845) o *El Museo Universal* *(1857-1869)*. *A este imprescindible repertorio hay que sumar los trabajos de Salvador García (1964 y 1968) sobre el Observatorio Pintoresco* (1837) y *El Pensamiento* (1841), de Leonardo Romero (1970) respecto a *El Siglo* de 1834 y los antes citados para Aragón, Cataluña y Andalucía. Las revistas dedicadas a crítica erudita y a la investigación documental comienzan a surgir también por los años mediales del siglo. *La Revista de Madrid* (1838-1845) fue tribuna para la investigación teatral de Agustín Durán y medio para la edición de textos medievales inéditos como la *Vida de Santa María Egipciaca,* editada por P. J. Pidal en 1840 (pp. 302-322 y 400-419). *La Revista de Ciencias, Literatura y Artes de Sevilla* (1855-1860) presenta un doble frente, el creativo de la escuela poética sevillana del XIX con José Fernández Espino, Juan José Bueno, Gaspar Bono, Ruiz de Apodaca, Rodríguez Zapata, y el de crítica erudita con Manuel Cañete y José Fernández Espino.

La órbita de influencia directa de *El Artista* nos permite reconstruir la recepción del romanticismo entre los jóvenes escritores de la década de los treinta, tanto en las posiciones teóricas como en las creativas. En una de las revistas románticas más atentas a la publicación de textos poéticos se puede leer desde una condena radical del "*romanticismo* degradado cuyo fondo consiste en presentar a la especie humana sus más sangrientas escenas, sueños horrorosos, crímenes atroces, execraciones, delirios y cuanto el hombre puede imaginar de más bárbaro y antisocial" (Campoamor, "Acerca del estado actual de nuestra poesía"), hasta una profesión de fe y militancia románticas como la firmada por Jacinto Salas y Quiroga: "nosotros, jóvenes escritores del *No Me Olvides* no aspiramos a más gloria que a la de establecer los sanos principios de la verdadera literatura, de la poesía del corazón, y vengar a la escuela llamada *romántica* de la calumnia que se ha alzado sobre su frente y que hace interpretar tan mal el fin a que tiende y los medios de que se vale para conseguirlo" (Editorial de *No Me Olvides,* 1837, pp. 2-3).

5. *Metodología de investigación y estudios hemerográficos*

He apuntado en páginas anteriores que carecemos de una guía exhaustiva de las publicaciones periódicas de la primera mitad del siglo XIX. Los esfuerzos realizados para la recuperación y descripción del material periodístico aparecido en las regiones y localidades españolas del siglo XIX responden a iniciativas de esforzados grupos de investigadores vinculados a Universidades o a centros de estudios locales. Sin el cumplimiento riguroso de unos satisfactorios programas de rescate y catalogación, pocos resultados estimables podrán derivar de las investigaciones hemerográficas. Iniciativa complementaria de estos proyectos debe ser la confección de un catálogo colectivo de publicaciones periódicas españolas.

El estudioso de la literatura romántica, de igual manera que el investigador en otros campos de la vida colectiva del XIX precisa conocer la existencia de los periódicos y revistas de aquel tiempo y, de modo especial, precisa saber su localización y el perfil individualizador que los caracteriza. El catálogo colectivo subvendría a estas necesidades de modo satisfactorio si los datos de identificación de cada una de las publicaciones son suficientemente comprensivos de su historia y personalidad. Lo que los especialistas han llamado la "ficha hemerográfica" es un instrumento básico para las tareas preliminares de catalogación y descripción. J. Kayser[10] trazó las líneas maestras de este instrumento que, con algunas variantes también han empleado estudiosos de la prensa española del XIX. Celso Almuiña (1977, I, 377-396) ha aplicado recientemente una matizada adaptación de la ficha de Kayser al estudio de la prensa vallisoletana de la pasada centuria. Según la adaptación de Almuiña los datos inexcusables en una "ficha hemerográfica" son los siguientes: cabecera, datación, características técnicas de formato, estructura e impresión, empresa periodística, equipo redactor, línea ideológica, difusión y significación histórica.

El historiador y el estudioso de la literatura coinciden en la necesidad de disponer de un catálogo colectivo e, igualmente,

---

[10] J. Kayser, *Le quotidien français*, Paris, 1963; trad. española, Barcelona, 1974.

comparten algunos procedimientos comunes en el análisis de los textos periodísticos. Tanto filólogos como historiadores emplean el texto aparecido en la prensa periódica como documento informador de un acontecimiento. Un ejemplo memorable de estos usos es el del Azorín que utilizó las noticias de la prensa coetánea a la fecha del estreno del *Don Álvaro* para rehacer la atmósfera que rodeaba el significativo estreno teatral («Rivas y Larra, razón social del romanticismo español»).

La información contenida en las páginas del periódico o la revista —nota biográfica, comentario sobre un libro o una pieza teatral, anuncio de un acontecimiento literario— tiene la validez que otros instrumentos documentales referentes al mismo asunto puedan ofrecer. El valor excepcional que, en algunos casos, reúne la información obtenida por el camino hemerográfico no modifica su función de fuente secundaria y el carácter asistemático del material informativo que proporciona. El historiador y el estudioso de las ciencias sociales consideran, con razones de peso, que constituye un método insuficiente el aprovechamiento no contrastado de la documentación obtenida de las fuentes periodísticas. En una página de reflexión metodológica sobre la prensa española del decenio 1833-1844, un estudioso de este campo hace notar que "un periódico de estos años es tan sólo *dato histórico,* catalogable al nivel del tonelaje de trigo en un año señalado, o al número de nacidos en un lapso concreto. Por tanto, igual de lo que ocurre con las magnitudes anteriores, ha de ser seriado y tabulado antes de su utilización. Un diario, una revista, no es en sí significativo de nada" (J. Longares, 1979, 78-79).

Debe señalarse rotundamente que, una vez traspuestas las zonas de intereses comunes, los presupuestos metodológicos y los objetivos específicos del historiador de los fenómenos sociales y los del filólogo interesado en las publicaciones periódicas son de acusada divergencia. El imprescindible corte sincrónico que el historiador efectúa sobre un *corpus* de publicaciones periódicas a las que aplica la técnica del análisis de contenido, no es necesariamente un procedimiento imprescindible para el estudioso de la literatura. Al historiador, al estudioso de las ciencias sociales le preocupa, por modo fundamental, el contenido de la información recogida en los textos periodísticos, el *qué se dice en ellos;* para el filólogo, para el curioso de los fenómenos literarios prevalece el interés el *cómo se dice,* por la especificidad del texto considerado como una red de confluencias que remiten a otros textos, ajenos a los referentes inmediatos y, por supuesto, fuera y muy lejos del periódico en el que se publica (sobre las peculiaridades del discurso literario en el marco de los textos periodísticos, L. Romero, 1987a).

La página aislada de una publicación puede tener un interés absoluto para un filólogo. La página periodística funciona como un vehículo en el proceso de transmisión de textos literarios con análoga autoridad a una redacción manuscrita o una versión impresa en volumen. Sabido es que, desde el siglo XVIII, sólo disponemos de la versión periodística de algunos textos literarios de primera calidad. Y, en los casos en los que hay varias versiones, la impresión periodística fija estadios preliminares o definitivos, según los casos, de la elaboración de un texto literario; tal ocurre con varios poemas esproncedianos aparecidos en periódicos madrileños o barceloneses y con bastantes artículos de Larra. Para la obra de rescate de textos y para los estudios de crítica textual, el texto publicado en un solo periódico es pieza de indiscutible valor filológico.

Sentada esta premisa sobre el valor filológico de un texto periodístico individualizado, es preciso subrayar que el estudio de series de textos interrelacionadas es imprescindible para la historia del romanticismo literario. El número aislado de una publicación no significa gran cosa en los programas de investigación filológica que buscan el estudio del estilo de la prosa periodística o la determinación de los géneros literarios cuyas marcas caracterizadoras se conforman en las páginas de la prensa periódica. Para la realización de estos proyectos es imprescindible el manejo de un elevado volumen de periódicos y revistas cuya cuantificación no ha llegado a fijarse.

Los escritos periodísticos constituyen testigos cualificados sobre los cambios lingüísticos experimentados por la lengua española de la primera mitad del siglo. (Véase en este libro pp. 160-168). Los periodistas más cuidadosos de la lengua elaboraron para su uso personal —caso de Larra— o para el entendimiento de sus lectores —Usoz en *El Artista*— repertorios de sinónimos que aspiraban a delimitar con precisión el ámbito semántico de las palabras más usadas. Pero, más allá del valor testimonial de índole lingüística que aportan las publicaciones periódicas, hay que considerar las virtualidades paródicas del lenguaje periodístico y sus modulaciones en los registros expresivos que imitan o reproducen.

Como se ha señalado anteriormente, A.J. Cullen (1958) esbozó algunas tendencias características en los usos lingüísticos de la prensa madrileña durante el trienio liberal. El léxico jurídico-político y las nuevas acepciones del vocabulario atingente a los valores morales constituyen los relieves de la lengua que llaman la atención del lector de la prensa de este periodo. Las nuevas ideologías y las nuevas funciones sociales que se adjudican a viejas instituciones, como las Cortes, posibilitan un ostentoso cambio del vocabulario. Pero Cullen exhumó, además, muestras de noticias en las que el estilo —enumeraciones asindéticas y cuidado ritmo acentual, especialmente en cierre de cláusula, y el vocabulario, por supuesto, — remiten a otros fenómenos sociales distintos de los estrictamente políticos. A vía de ejemplo, *El Constitucional* de siete de agosto de 1820 explicaba los síntomas patológicos de un joven suicida con estas palabras:

> Mayor tristeza y taciturnidad que nunca, incansable apego al trabajo de escribir y a la lectura, sobre todo de libros y papeles amorosos, extraordinarias vigilias, tales que apenas estaba en la cama dos o tres horas, frecuentes raptos de enojo, cólera y meledicencia, desconocidos y enteramente ajenos de la dulzura de su carácter, son pruebas bastante seguras del delirio melancólico y amoroso que privándole de sus facultades intelectuales terminó en suicidio.

La simulación de actos comunicativos directos que, en muchas ocasiones, cumplen las publicaciones periódicas románticas se destaca singularmente en dos secciones muy frecuentes: la de cartas y la destinada a los debates y discursos parlamentarios. Por lo que a la primera sección se refiere, el eco de la comunicación epistolar que pervive en publicaciones de la primera parte del siglo toma cuerpo en las "cartas al editor" de los lectores y en las colaboraciones construidas bajo la vieja forma de la comunicación escrita entre ausentes; Larra escribió perpectivos artículos bajo la ficción de las cartas escritas o recibidas por los diversos seudónimos con los que fue identificando su trabajo.

Respecto a la imitación directa de la retórica sacra o política, apenas si se ha progresado en su conocimiento. De aplicar el modelo explicativo que ha sido empleado en los estudios sobre el arte concionatorio de los siglos anteriores, tendríamos que suponer a la prensa periódica como simple vehículo reproductor del discurso previamente actuado; el texto impreso pierde, por tanto, la vivacidad de la emisión directa, pese a los recursos gráficos que intensifican la significación y se limita a reproducir por escrito lo que antes ha sido improvisado o leído de un manuscrito inédito. Las muy influyentes conferencias sobre la literatura española que Lista dictó en el recién inaugurado Ateneo de Madrid aparecieron recogidas en un libro titulado *Lecciones de Literatura Española explicadas en el Ateneo Científico, Literario y Artístico* (Madrid, 1836); lo que en este caso, siguiendo la práctica de siglos anteriores, fue recogido en publicación exenta, en otras muchas ocasiones se limitó al registro de las páginas de los periódicos (María Cruz Seoane, 1977, 16). Pero no parece que sea exclusivamente de dirección única la influencia de la retórica parlamentaria sobre el discurso escrito de los periodistas (Ullman, 1971). Trabajos periodísticos memorables —"El rasgo" de Castelar, a modo de ejemplo— y una inmensa masa de artículos de opinión ofrecían las características del texto oratorio que en un segundo momento, cumplen su verdadero destino, es decir, la lectura pública.

La epistolografía periodística y la reproducción de los discursos no agotan, ni lejanamente, las mutuas influencias que relacionan prensa periódica y géneros literarios. Tres modalidades de prosa narrativa —el cuadro de costumbres, la novela de folletín y el cuento— tienen su molde generador en las páginas de las publicaciones periódicas de la primera mitad del siglo XIX. La importancia cultural y el interés artístico que revisten cada una de ellas nos permiten hablar de nuevas modalidades o subgéneros literarios surgidos en el marco de la prensa romántica, aspecto por el que la prensa periódica merecía ser objeto de estudio filológico, si no reuniera, los otros puntos de interés ya señalados. Otros géneros periodísticos —la crónica, la entrevista, la gacetilla— experimentarán singular desarrollo durante la segunda mitad del siglo.

Fuente informativa de noticias biográficas y bibliográficas, vehículo de transmisión de textos artísticos como son los poemas, las páginas de crítica y las tres modalidades narrativas acuñadas por intervención del propio medio, y el testimonio, en fin, de las innovaciones léxicas y estilísticas experimentadas por la lengua española, son motivos sobrados para que el estudio de la prensa periódica se incorpore rigurosamente al programa de trabajo de los historiadores de la literatura.

II

INTERPRETACIONES
DEL ROMANTICISMO ESPAÑOL

EL MARCO TEÓRICO

La idea de romanticismo es una noción clave en historia literaria en la medida en que fue troquelada desde el terreno autónomo de las *Bellas Letras* y con la finalidad inmediata de comprender, en un primer alcance, los fenómenos estéticos relacionados con el arte de la palabra. La coincidencia —*et per causam*— de la semantización literaria de la palabra con el asombroso cambio político-social que se verifica en el paso del siglo XVIII al XIX es uno de los más transparentes fenómenos de correspondencia entre Historia y actividad literaria que se han producido en el curso de la cultura occidental. Por ello, la determinación de los orígenes del romanticismo ha sido uno de los grandes debates en la interpretación de la historia literaria de Europa, y, dentro del campo de las cuestiones disputadas, no es la menor la tocante al origen y etimología de la palabra *romanticismo*.

Incluso, desde el punto de vista de la periodización de las secuencias literarias, el estudio del romanticismo se revela como sumamente pertinente, ya que la discusión teórica que comportó su troquelación sirve de modelo para el enfoque de otras épocas o movimientos literarios, tal como ha propuesto Martín Brunkhorts en reciente estudio sobre la periodización en literatura. Desde el ángulo, en fin, de otras consideraciones complementarias, el orto del romanticismo, en sus sucesivos avatares nacionales, constituye una ilustrativa exhibición de la modernidad artística, tal como sintéticamente han delineado Menene Gras Balaguer (1983), Octavio Paz (1986) y José Escobar (1993) en sugestivos ensayos pensados y escritos en español.

Los diagnósticos emitidos sobre el romanticismo español han

destacado las notas de debilidad ideológica y brevedad temporal del movimiento, lo que a todas luces contrasta paradójicamente con el papel emblemático que los románticos europeos concedieron a la *romántica España* y con el encarecimiento de la literatura española del XIX que repetían los hispanistas del primer tercio del siglo XX. Recuérdese que para Homero Serís (1938), que resumía un estado de opinión, la literatura del XIX había sido la segunda Edad de Oro española, o que el romanticismo hispano, en una feliz formulación reciente de Elena Croce (1986), significa *la splendida eredità di un romanticismo povero*. De modo que se podría aventurar que los valedores de la inanidad del romanticismo en España no han integrado en el caudal teórico del movimiento las dosis de historicismo conservador y utopismo socialista que éste supo incorporar al sentido de sus manifestaciones; del mismo modo que el retraso temporal del romanticismo español —en paralelo a lo ocurrido con los romanticismos latinos, tal como vio Farinelli— y su fugaz duración son dos *idées reçues* que la crítica ha ido repitiendo como explicación de su singular peculiaridad.

En este libro, aunque no discuto la primera hipótesis, sí mantengo amplias reservas sobre la segunda, pues he intentado abandonar el marco de las tesis consolidadas para buscar otros ángulos de enfoque que den razón más satisfactoria de la peculiaridad del romanticismo hispano; mi tesis, en síntesis es que el *conflicto de identidad vivido por individuos señeros y grupos minoritarios penetrados por el romanticismo europeo se proyectó sobre una cultura arraigada en la visión mítica del pasado.* El complejo juego de contrastes entre individuo y colectividad, entre tradición y modernidad será el *argumento* de las páginas que siguen, en cuyos preliminares no es impertinente recordar el debate general en que ha consistido la interpretación de tan peculiar fenómeno.

Las promociones de estudiosos que se han dedicado a esta tarea exegética han tenido que operar, necesariamente, con los componentes ideológicos que surgen a flor de piel en toda indagación sobre la Historia del pasado próximo; componentes ideológicos, por lo demás, que, para el romanticismo, son tan determinantes, que ellos solos provocan una especie de *test* proyectivo de la posición previa del investigador.[1] Como quiera que ello sea

---

[1] José Luis Varela ha sostenido muy plausiblemente que la disputada interpretación del romanticismo hispano es una variante del moderno *topos* "el tema

y sólo como advertencia metodológica, adelanto que las correlaciones entre fenómenos sociales, manifestaciones culturales y
creación literaria que se plantean en las páginas que siguen par-
ten de la consideración integradora de cada una de las series,
pero buscan, en último alcance, la iluminación de la especificidad de los hechos literarios.

El debate sobre las notas de peculiaridad que presenta el romanticismo en España ha generado una actitud de la crítica pe-
núltima que sólamente ve en este movimiento sus tardías manifestaciones y su parasitaria dependencia del romanticismo
europeo, es decir, la oquedad de sus contenidos y su falta de
originalidad. Esta síntesis puede valer como balance-resumen de
la crítica radical a la tesis de Peers que realizaron Ángel del Río
(1948) y Donald L. Shaw (1963), y cuyas explicables reacciones
han terminado convirtiéndose en dictados axiomáticos para los
estudiosos que han trabajado con posterioridad. En esta dirección crítica adversa al hispanista británico, las causas profundas
que dieron lugar al movimiento romántico europeo han sido
puestas en relación con las manifestaciones del romanticismo
español, bien para acentuar la crisis metafísica que presentan los
textos y los escritores más significados en los años treinta del
siglo XIX —Larra, Espronceda, Rivas—, bien para subrayar la
fundamentación en la filosofía sensualista que confiere entidad a
la literatura ilustrada del último tercio del siglo XVIII (es la tesis
firmemente sostenida por Russell P. Sebold en todas sus investigaciones y expresamente formulada en sus trabajos de 1968,
reed. 1970, o de 1971 y 1982a, reeditados en 1983).

Con todo, en el curso de estos debates, parece haberse olvidado lo que Francisco M. Tubino afirmaba ya en 1877 al considerar a Böhl de Faber como "el primer anuncio general y notorio
de la llegada a nuestras fronteras de la filosofía germánica": que
era una filosofía asumida en sus vertientes de crítica estética y
literaria y conformada sobre las ideas del *espíritu colectivo* para la
concepción de la historia nacional, del *organicismo* para la concep-

---

de España": "una concatenación crítica de los manifiestos románticos —en los
que la famosa controversia iniciada en 1814 tiene el valor de inscribirlos dentro
de esa polémica iniciada por los ilustrados, seguida por el 98 y de nuevo
exhumada por los hombres de 1936 sobre la asunción del pasado o su negación
progresista— nos evidencia el sentido ideológico de la polémica, heredada por
la crítica literaria de nuestros días" (Varela, 1982, 135).

ción de las relaciones habidas entre arte y sociedad, y de un vago *espiritualismo* justificador de la vigencia de un código cultural de carácter cristiano. De manera que, cuando un militante liberal aragonés de 1854 señalaba como rasgos nucleares del romanticismo "la nacionalidad, la libertad, el cristianismo",[2] se limitaba a resumir las que durante casi cincuenta años habían sido ideas comunes en los debates sobre la cuestión.

El análisis —aún no realizado con rigor— de las ideas de ambos Schlegel, de Herder, de Kant y de Schiller que Böhl de Faber había asumido y que fue divulgando en el curso de sus escritos polémicos, permitirá medir con mayor precisión la incidencia que tuvo en la España del primer tercio del XIX la crítica alemana contemporánea y la teoría de los Schlegel sobre el romanticismo. Los jóvenes que se educaron en la península durante el reinado de Fernando VII recibieron ideas literarias de alguna modernidad en las publicaciones francesas contemporáneas y en los escritos del cónsul hanseático; ideas, por cierto, que eran harto diferentes de lo que habían sido las ideas poéticas vigentes hasta entonces. Voces o ecos de todo ello les habían llegado a los escritores del primer tercio del siglo; a Leandro Fernández de Moratín, a Manuel José Quintana o a Francisco Javier de Burgos, para rechazarlas de plano; a López Soler, a los anónimos redactores del barcelonés *El Europeo* (1823-1824) y del madrileño *Diario Literario y Mercantil* (1825) o a Agustín Durán (1828), para asumirlas con gozosa identificación militante (Dendle, 1966; Donald Shaw. ed. de Durán, 1973; Gies, 1975). De manera que la reconsideración *total* de la "polémica calderoniana", después de ponderar todos los documentos en ella producidos, deberá integrar la corriente crítica que acentúa el ingrediente político reaccionario que Böhl proyectó en la controversia (Llorens, 1954, 1979, 11-32; Shaw, 1963, 1969; Herrero, 1963, 1971; Marrast, 1974; Carnero, 1978, 1982), con la tendencia exegética más interesada en los matices teóricos y literarios innovadores que se desplegaron en aquella aventura intelectual (Juretschke, 1954, 1969, 1982, 1989; Varela, 1977, 1982; Allegra, 1980; Flitter, 1986).

---

[2] Jerónimo Borao, "El Romanticismo", *Revista Española de Ambos Mundos,* II, 1845, 801-842; el texto puede verse en la antología de *Documentos* dispuesta por Ricardo Navas-Ruiz, 1971, pp. 150-207; el manuscrito autógrafo, en la Biblioteca de la Universidad de Zaragoza.

En resumen, puede asegurarse que en la configuración de las bases teóricas del romanticismo español, al inicial influjo historicista se irían superponiendo otros estímulos europeos: idealismo hegeliano y criticismo heineano (delineados por Juretschke en varios trabajos que ha sintetizado en su estudio general del romanticismo, de 1989), revivalismo británico en favor de lo gótico y la imaginación creadora (Llorens, 1968; Monguió, 1965; Leonardo Romero, 1986, 1992), contrarrevolucionarismo de Mme. de Staël y Chateaubriand (Flitter, 1986, 162-223) y antiacademicismo de los jóvenes románticos franceses, reflejado en el momento que Peers consideró como el de la "revuelta" del romanticismo español, es decir, en los años 1834-1837.

También presenta una peculiaridad respecto a las otras literaturas europeas la misma historia de la palabra *romanticismo* y su familia léxica, en su proceso de adopción por la lengua española. Si el término *romántico* se documenta por primera vez en inglés en 1650 y en un texto en que se refiere inequívocamente a una situación fuera de lo habitual,[3] no se encuentra la misma palabra en español, en un sentido próximo, hasta la segunda década del XIX. En el sentido del texto inglés de 1650 se ha documentado la palabra para francés en 1661, para el alemán en 1663 y para el italiano en 1685. La palabra equivalente que se emplea en español es la de *romancesco*,[4] que aparece empleada años antes del intento de aclimatación del término *romance* para la denominación de los relatos ficticios en prosa (como se puede ver en pp. 359-360), que Russell P. Sebold (1983, 137-163) ha tenido muy en cuenta para explicar la significativa ósmosis de lo novelesco y lo teatral en la literatura española de la segunda mitad del XVIII.

[3] *"Herba parietis or the Wall Flower.* As it grew out of the Stone Chamber belonging to the Metropolitan prison of London, called Newgate. Being a history which is partly true, partly romantick, morally divine. Whereby a marriage between reality and fancy is solemnized by divinity. Written by T(homas) B(aily) D.D., whilst he was a prisoner there" (texto conocido desde que lo exhumara Ferdinad Baldensperger en 1937; cito por AA. VV., 1972, 501-513, donde puede verse una selección de los textos más significativos de la historia de la palabra en varias lenguas europeas). Germán Colón (1961) desterró definitivamente un fantasmal *romanticus* de un manuscrito del siglo XV.

[4] Documentada por primera vez, mientras no dispongamos de otro texto, en 1745: "Así sucede frecuentemente que uno dice con gran razón que tal historieta tiene todo el aire de fábula o narración romancesca" (Feijoo, *Cartas eruditas y curiosas,* II, 1754, 253).

Pero el específico sentido tipológico-literario que adopta el término romanticismo no tiene existencia hasta los escritos de Federico Schlegel —de 1798 en la revista *Athenäum*, de 1800 en su *Gespräch über die Poesie*, y sus posteriores lecciones de Viena en 1812 recogidas en su *Geschichte der alten und neuen Literatur*—[5] y de su hermano Augusto Guillermo, principalmente en sus conferencias vienesas de 1808 *Über dramatische Kunst und Literatur* (ed. Heidelberg, 1809-1811, 3 vols.) (Hans Eichner, apud AA. VV., 1972, 98-156; Jurestchke, 1986). La vinculación personal que A.G. Schlegel tuvo con Mme. de Staël coadyuvó a la versión, simplificada, pero de fórmula eficaz, que ésta dio de las nuevas ideas literarias en su *De l'Allemagne* (1810, ed. destruida por la censura napoleónica; 1813 primera ed. distribuida al público):

> Le nom de romantique a été introduit nouvellement en Allemagne pour désigner la poésie dont les chants des troubadours ont été l'origine, celle qui est née de la chevalerie et du christianisme. (...) On prend quelquefois le mot classique comme synonyme de perfection. Je m'en sers ici dans une autre acception, en considérant la poésie classique comme celle des anciens, et la poésie romantique comme celle qui tient de quelque manière aux traditions chevaleresques. Cette division se rapporte également aux deux ères du monde: celle qui a précédé l'établissement du christianisme, et celle qui l'a suivi.[6]

En este nuevo sentido, estrictamente literario, es en el que Böhl empleó la palabra *romancesco* desde 1814; en 1818 sus oponentes en la polémica usaron para el nuevo sentido la palabra *romántico* que, desde esa fecha convivió con *romancesco*, hasta que *romántico* terminó por imponerse en los años treinta; Donald L. Shaw (1972) ha ordenado pulcramente algunos materiales léxicos que dibujan las líneas generales de la historia semántica de la palabra-clave y sus parientes léxicos. Del material léxico hoy conocido puede asegurarse que la adopción española de *romántico*

---

[5] Para la recepción de la obra de Friedrich Schlegel en España y, singularmente, la traducción, en 1844, de la *Historia de la literatura antigua y moderna,* ver Juretschke (1973). Los dos textos arriba citados son ahora accesibles en la traducción que han publicado Hans Juretschke y Miguel Ángel Vega Cernuda (1983, I, 53-120 y II, 497-890) de una selección de textos del autor alemán; véanse también los comentarios de Giovanni Allegra (1989).

[6] Cito por la edición crítica de la condesa Jean de Pange, París, Hachette, II, 1958, 127-129.

en el sentido específico de *nueva literatura* es cronológicamente
muy próxima a lo que ocurrió en Francia (primer empleo, de
1816) e Italia (primer empleo, de 1817) (AA. VV., 1972, 507-
508), con lo que el pretendido retraso del movimiento romántico español —al menos en las implicaciones semánticas de la
historia de la palabra que lo designa— no es tan lejano de lo que ←
ocurrió, para el mismo fenómeno, en los otros países latinos
(para la historia semántica de la familia léxica de *romántico*, ver
ahora Leonardo Romero, 1993).

Si la bibliografía dedicada a la historia de la familia léxica de
romántico es abundante, los trabajos teóricos o descriptivos que
han traído alguna clase de explicación general sobre el romanticismo son muy copiosos y forman un riquísimo cuerpo de crítica
y teoría sobre el que se han proyectado todas las orientaciones
metodológicas de los modernos estudios literarios. Entre otros
estudiosos, Henry H. Remak (1961, 1972), René Wellek
(1949, 1963, trad. española de los dos trabajos, 1983) y Morse
Peckham (1951; 1965) han facilitado valiosos panoramas críticos de actualización sobre los aportes y corrientes principales de
la crítica académica internacional aplicada al tema.[7]

Como ocurre con las otras nociones histórico-literarias, las
interpretaciones del romanticismo deparan proyecciones auto-
confesionales de los propios exegetas y de los grupos o contextos
en los que tales interpretaciones se verifican; valgan como muestras las lecturas románticas en clave maurrasiana que exhiben los
estudios franceses de Laserre, Seillière o Reynaud, la proyección
del utopismo del mayo del 68 en la bibliografía producida por
entonces (Henry H. Remak, 1972, 478-480) o la ironía de la
post-modernidad en las interpretaciones deconstructivistas (T.
Rajan, 1985); lecturas todas que, por sus implicaciones, abarcan
materias y observaciones distantes y distintas. Sin avanzar más en
esta dirección y reduciendo el marco a las proyecciones del hispanismo, pueden señalarse tres centros de discusión que proporcionan la trama básica para ordenar y entender, *prima facie*, la cada
vez más abundante producción bibliográfica sobre el tema.

[7] No se incorpora al cuerpo de este libro la teoría crítica elaborada en los últimos
años, singularmente en el ámbito de lengua inglesa y en torno a la revista *Studies in
Romanticism* porque su incidencia en los estudios del romanticismo español no ha
sido aún significativa; tampoco se incorporan las sugestivas aportaciones aparecidas
en la revista francesa *Romantisme*, de interés más reducido para el caso español.

1. *El romanticismo visto como una constante histórica*

En el ámbito de la teoría histórica, los años de entreguerras fueron territorio fértil para las grandes construcciones esquemáticas en las que se reducía la trama del acontecer histórico a un modelo teórico omnivalente y en perpetua duración. En el caso del romanticismo posiblemente sirvió la pauta Fritz Strich con su obra *Deustsche Klassik und Romantik* (1922), inspirada claramente en *Kuntsgeschichtliche Grundbegriffe* (1915) de Enrique Wölfflin, que tanta trascendencia tuvo para la transformación de los estudios de arte en una actividad caracterizada por el empleo del método científico.[8] La traslación de esta visión historiográfica al romanticismo español contaba a su favor con la tradición crítica decimonónica (ver pp. 29-32) que había insistido en la pretendida relación de continuidad entre la cultura española de la época austriaca y el romanticismo. El romanticismo que para la crítica nacionalista francesa de principios del XX era una anomalía histórico-literaria cuyas implicaciones con las dos tradiciones políticas —tanto la monárquica como la republicana— era preciso dilucidar, para un crítico español contemporáneo —tan relevante como Azorín— no ofrecía ninguna complicación a la hora de determinar los rasgos específicos de la cultura española.[9]

La investigación del primer tercio del siglo XX confirmaba la creencia en un romanticismo español permanente, tesis sostenida en escritos de muy diversa envergadura, ya se trate de un

---

[8] La obra de Wölfflin fue muy pronto conocida en España gracias a la traducción que hizo de ella José Moreno Villa para la casa editorial Calpe, en 1924. René Wellek (1983, 181) considera que Strich realizó ingeniosamente la traducción de las categorías wölfflinianas desde la historia del arte a la literatura, "pero uno se pregunta si la descripción del romanticismo como dinámico, forma abierta, oscuro, simbólico y afines no hace sino alinear al romanticismo con el barroco y con el simbolismo en la serie de alteraciones extremas entre el intelecto y el sentimiento, las cuales se supone constituyen la historia de Europa".

[9] "En España el problema romántico no se ha dado con tanta fuerza como en Francia; existía menos necesidad aquí de romanticismo; no había aquí las razones que en Francia para desear una liberación estética. Siempre en España ha existido, en literatura, el impulso personal, la espontaneidad creadora, la libre determinación del escritor. Y bien se puede decir que el primer romántico en España es fray Luis de Granada" ("El Romanticismo español", artículo de 1926, en *Obras Completas*, IX, p. 1072).

fascinante panorama dedicado al romanticismo de las literaturas románicas (Farinelli, 1927, I, 31-59), de los ensayos interpretativos de jóvenes escritores (César Vallejo en un candoroso trabajo académico de 1915; Ramón Sijé, en 1935, pero editado en 1973; Ricardo Baeza, 1930) o universitarios (Guillermo Díaz-Plaja, 1936; Joaquín de Entrambasaguas, 1939);[10] ya constituya, en fin, la tesis mantenida en la prolongada investigación de E. Allison Peers.[11] Estudio particular requeriría la reconstrucción de la estimativa que los novecentistas y vanguardistas españoles aplicaron al romanticismo. Figuras epónimas como Ortega y D'Ors en un extremo y Azaña o Valle-Inclán, en otro, polarizan posiciones contrapuestas y que, en parte, ha cribado Vicente Llorens en un sugestivo ensayo interpretativo (1974, 141-161). Las diversas trayectorias poéticas de los jóvenes creadores de los años veinte constituyen un laboratorio extremadamente vivaz de las reinterpretaciones que los artistas dieron al movimiento romántico y sobre lo que habrá que volver en algún momento.[12]

[10] Ricardo Baeza aseveraba que "clásico y romántico no constituyen sino las dos maneras de ser esenciales del espíritu humano" (1930, 11). Díaz-Plaja, en su monografía, premiada en un concurso nacional de 1935, distinguía con precisión que "o el romanticismo es una *constante* de la historia de la cultura, y en este caso debemos buscar su influencia, visible o subterránea, a lo largo de todos los siglos, o bien es un fenómeno específico de determinado período" (ed. de 1954, 32). Entrambasaguas (1939) mantenía idéntica distinción que él subrayaba con los términos *romanticismo y superromanticismo*.

[11] El nacionalismo de entreguerras dio también en España algún eco de imitación a propósito de las interpretaciones del romanticismo. Es el caso del ensayo de Eugenio Vegas Latapié *Romanticismo y democracia* (Santander, 1938) donde se pueden encontrar asertos tan sintomáticos de posiciones ideológico-políticas como que "la moderna escuela contrarrevolucionaria abomina de todo lo que se refiere al romanticismo, al que hace sinónimo de revolución" o que los ideólogos de esta escuela [Maurras, Laserre, Seillière y Karl Schmitt] sitúan las raíces del denostado movimiento "en Lutero y el protestantismo y consideran a Rousseau como su gran pontífice."

[12] De la importancia que los jóvenes creadores dieron a los contenidos sociales del romanticismo del siglo XIX es prueba capital la propuesta programática de José Díaz Fernández en *El nuevo romanticismo* (Madrid, 1930). Sobre la transformación de la actitud de los poetas juzgo precioso testimonio la *caramba* 44 de José Moreno Villa: "Todo hace pensar que las alondras y las violetas/ aguardan el regreso de los ojos en blanco./ Al subir a la sierra,/ o al pasear por el campo,/ miro siempre si debajo de las piedras/ o entre los jaramagos/ hay un Schubert, un Bécquer o un Heine lagarto"; (*Carambas (1.ª serie)*, Madrid, MCMXXXI).

En páginas anteriores he resumido los aportes documentales y metodológicos que sostienen la monumental obra de E. Allison Peers. Su tesis sobre la permanencia del romanticismo como una constante de la cultura española es la idea nuclear de su trabajo, que enuncia explícitamente desde las primeras páginas —acompañadas a este respecto del viático literario que aportan Gautier y Byron— y sostiene hasta los últimos párrafos de la obra (1967, I, 21-35; II, 456-457). Las aportaciones parciales que Peers había efectuado en sus monografías se explicaban a la luz de la tesis esencialista que, en el libro y a la hora de exponer el menudo de los acontecimientos, toma la forma de una muy bien dispuesta composición. El curso de una tempestad en la que los elementos terminan por volver a sus cauces es el ritmo metafórico que se sigue en la gran monografía, esquematizada de forma muy clarividente por Aubrun (1947): de 1818 a 1828 se habría dado la polémica del romanticismo con el neoclasicismo tradicional; de 1828 a 1834, el triunfo del primero, especialmente en el melodrama; de 1834 a 1837, la irrupción del romanticismo europeo, sobre todo del francés y, a partir de 1837, la consunción del romanticismo radical y su domesticación por un idealismo burgués; las dos primeras fases son las del *revivalismo*, la tercera la de la *revuelta* y la cuarta la del *eclecticismo*, en los propios términos clasificatorios empleados por el autor.

La reacción crítica a este esquema, endeble en su fundamentación teórica y rígido en su aplicación, fue relativamente rápida y se basó 1) en el rechazo de la categoría historiográfica del *romanticismo permanente*, apriorística y ajena a las condiciones de la evolución histórica, y 2) en el propósito de ajustar con la mayor exactitud posible lo que había sido mera *construcción crítica* —contradictoria en cuestiones capitales— y las complejidades de la *realidad histórica*, es decir, de los abundantísimos casos particulares (Ángel del Río, 1948), Donald L. Shaw, (1963, 1968, 1972), Cardwell (1970), Juretschke (en varios trabajos, pero de modo fundamental en 1989, *passim* y p. 59).

En una posición inicial, común con los estudiosos aludidos, Russell P. Sebold (singularmente 1982a, reed. 1983) ha manifestado gran interés en marcar la solución de continuidad que se produjo entre la literatura barroca y la literatura romántica, cuya visión en continuidad era una de las líneas claves en la argumentación de Peers y de sus inmediatos discípulos, de modo especial en los trabajos de Ivy L. McClelland (1937, reedición, 1975). "Si lo barroco y lo romántico son en el fondo, una misma cosa, las obras aureoseculares tendrán que caracterizarse por una inspiración tan impetuosa, tan irrefrenable como la que se atribuye a los románticos decimonónicos, y al mismo tiempo en estos tendrá que acusarse un tradicionalismo religioso y político tan tenaz como el de los poetas y prosistas del reinado de Felipe IV" resume Sebold (1983, 45) el inicio de su argumentación, para detenerse, seguidamente en la incomprensión de los autores del XIX por el arte barroco, en el supuesto origen neoclásico de la libertad creadora romántica y en varios rasgos específicos de la visión romántica del mundo.

2. Heterogeneidad y unidad del romanticismo

En un famoso artículo de 1924 recordaba el historiador de las ideas Arthur O. Lovejoy la propuesta que, justamente cien años antes, había hecho Victor Hugo para que se adjudicase "à ce mot de romantique un certain vague fantastique et indéfinissable qui en redouble l'horreur"; precisamente el artículo del historiador de las ideas, al constatar la multiplicidad de manifestaciones románticas concluía su aproximación advirtiendo de la conveniencia de que cualquier estudio sobre el tema comenzase con el reconocimiento de la "pluralidad de los romanticismos" existentes en cada país y en cada literatura.[13] Posiblemente la interpretación esencialista que, en los años de entreguerras se hizo del fenómeno romántico, coadyuvó implícitamente a la fabricación de una tesis que eliminaba todo intento de comprensión del fenómeno visto como manifestación complejísima, pero bien delimitada en su cronología y en la coherencia interna de sus motivaciones.

[13] En un capítulo de la imprescindible monografía del mismo autor *The Great Chaing of Being*, Lovejoy fundamenta teóricamente su posición al explicar que "el objetivo del arte no es alcanzar ninguna perfección ideal y única de la forma dentro de un pequeño número de *géneros* establecidos (...) sino, por el contrario, la expresión más plena posible de la abundancia de diferencias que existen, real o potencialmente, en la naturaleza y en la naturaleza humana", (cito por la trad. española, *La gran cadena del ser*, Barcelona, Icaria, 1983, 382).

René Wellek, en 1949 (trad. 1983) armonizando textos de los autores románticos y diversas propuestas interpretativas del fenómeno —singularmente las ofrecidas por el grupo francés cuya figura más visible era Albert Béguin— expuso una bien trabada explicación que, en sus líneas generales, puede considerarse como el núcleo de las exégesis e interpretaciones académicas que han venido después. Para Wellek tres aspectos son esenciales en el quehacer literario del romanticismo: 1) la concepción de una naturaleza orgánica que procede del neoplatonismo, 2) la idea de una imaginación creadora que tiene similares antecedentes, 3) el entendimiento del lenguaje poético romántico como una trama de los mitos y los símbolos trascendentes; esta trama también se había dado en otras etapas de la actividad literaria. Había, pues, una tradición, pero renovada por circunstancias inéditas: "en un sentido, el romanticismo es el resurgimiento de algo antiguo, pero es un renacimiento con una diferencia; estas ideas fueron traducidas en términos aceptables a unos hombres que habían sufrido la experiencia de la Ilustración" (Wellek, 1949; trad. esp., 1983, 175-176). En trabajo posterior de 1963 reafirmaba Wellek este entendimiento global de lo que había sido el fenómeno romántico[14], y a la validez de predicción falsable de esta tesis apuntaba Henry H. Remak en su recensión de estudios sobre literaturas "menores" en las que se reconoce el funcionamiento de una inter-acción europea de tendencia común (1972, 483).

La crítica del romanticismo español ha llegado a convertir en lugar común la interpretación de este fenómeno a partir de la oposición irreconciliable de *dos romanticismos* —un romanticismo conservador y un romanticismo liberal—, definidos cada uno por sus connotaciones políticas e ideológicas. Aunque entre los

---

[14] Después de dar un repaso a las monografías en que se manifestaba una heterogeneidad de puntos de vista respecto a su interpretación, Wellek consideraba un conjunto de importantes trabajos dedicados al romanticismo, para concluir su revisión sosteniendo que "en todos estos estudios, a pesar de la diversidad de método y énfasis, se ha alcanzado un acuerdo que convence. Todos ven la ilación de la imaginación, el símbolo, el mito y la naturaleza orgánica, y la ven como parte del gran esfuerzo por superar el cisma entre el sujeto y el objeto, el yo y el mundo, lo consciente y lo inconsciente. Este es el credo principal de los grandes poetas románticos de Inglaterra, Alemania y Francia. Este es un cuerpo de pensamiento y sentimiento íntimamente coherente" (René Wellek, 1963; trad. española, 1983, 177-178, 193).

protagonistas de los acontecimientos no se formulara expresamente una partición nacional en dos grupos literariamente irreconciliables, sí es frecuente leer alusiones a las diversas actitudes culturales de los absolutistas y liberales o los moderados y los progresistas, hablando en términos políticos válidos para el primer tercio del XIX[15]; como es sabido, ya Heine en 1830, había formulado las posiciones de los romanticismos contrarrevolucionario y postrevolucionario.

En Menéndez Pelayo y los críticos de la Restauración se encuentra ya consagrada la división de los dos romanticismos: "en su dominio breve y turbulento se dividió aquella escuela (si tal puede llamarse) en dos bandos completamente distintos: el _romanticismo histórico nacional_, del que fue cabeza el duque de Rivas, y el _romanticismo subjetivo o byroniano_, que muchos llaman _filosófico_, cuyo corifeo fue Espronceda".[16] La fórmula resultó útil para los historiadores y divulgadores del movimiento (Blanco García, García Mercadal) y también para sus intérpretes; el discutido "eclecticismo" en el que, según Peers, terminaría ahogándose el impulso revolucionario debe verse como una reacción conservadora y anti-romántica (Shaw, 1968) que desvitalizó el "romantisme agressif" y lo sustituyó, a partir de la fecha clave de 1837, por una tendencia "romantique abâtardie" (Aubrun, 1947). La dicotomía del romanticismo reaccionario frente al revolucionario se reproduce en la tesis de Robert Marrast sobre Espronceda (1974, 683-687), que distingue entre un _romanticisme_ y un _romantisme_, en la monografía de Carnero (1978, 48), en los romanticismos progresista y tradicionalista que evocaba Sugranyes (1980) y, por supuesto, en la configuración cronológica del panorama histórico de Vicente Llorens (1979), cuando hace suceder a una década progresista y romántica (años 1834-1844) una década moderada (años 1844-1854).

Vicente Llorens, por su parte, en su libro sobre la emigración

---

[15] Es ilustrativa, a vía de ejemplo, la consideración que efectúa Pablo de Xérica en su prólogo a la traducción de la novela de Scott _Waverley_ (impresa en Burdeos, Beaume, 1835), prólogo que se presenta como un diálogo entre el autor liberal y un lector absolutista y donde se propone para las novelas históricas, "que las lean los emigrados o los extranjeros que entienden el español".

[16] Marcelino Menéndez Pelayo, _Horacio en España,_ II, 1885, 202. Con anterioridad, Milà i Fontanals, en sus _Principios de literatura general,_ reconocía las dos direcciones del romanticismo hispano: una embellecedora de la Edad Media y conservadora, otra egocéntrica y progresista.

liberal en Inglaterra (1954) sentó las bases para la interpretación histórica de un romanticismo español aprendido por los escritores hispanos en sus exilios europeos.[17] La tesis había sido configurada en 1884 por G. Brandes en sus resonantes lecciones sobre las corrientes literarias del XIX y no había pasado desapercibida para los críticos españoles del cruce de siglos; sólo Courtney Tarr (1940, 41) había presentado algún reparo a la estima de los emigrados por el romanticismo y a su identificación como los auténticos causantes del cambio.[18] A la altura de nuestros conocimientos de los hechos y de los textos sería una pueril simplificación ignorar que las corrientes románticas occidentales fluyeron a España desde varios países y que no prevaleció en España un solo modelo excluyente de romanticismo nacional —alemán, inglés o francés— en la medida en que los artistas españoles asimilaron posibilidades de cada uno de ellos y en la medida, también, que la influencia foránea se ejerció desde dentro de la Península por los ejércitos partícipes en la guerra de Independencia, primero, y durante la ocupación absolutista después.[19]

[17] E. Martinenche y J. Sarrailh, entre los maestros del hispanismo francés, habían adelantado la hipótesis de que el romanticismo español fue obra de hombres maduros que lo habían descubierto en sus forzadas permanencias fuera de la patria (cf. del primero su *Histoire de l'influence espagnole sur la littérature française*, 1922, 12, y la ed. del teatro de Martínez de la Rosa realizada por el segundo en Clásicos Castellanos, 1933, 29).

[18] Hablando de los *reformadores* políticos de principios de siglo, recuerda que "imprisonment, exile, and even death was the portion of many of them in the reactions of 1814-20 and 1823-33. No wonder, then, that they and their disciples should oppose romanticism, as the imperfectly knew it, identified as it was, in their eyes, with the figure of Chateaubriand, the arch-enemy of liberal Spain" (Tarr, 1940, 41)

[19] Juan Grimaldi y Eugène Sue llegaron a España con los llamados "cien mil hijos de San Luis"; el primero se afincó en Madrid, el segundo volvió a París con vivos recuerdos de Andalucía, como el de una canción popular que nos recuerda el estribillo de la esproncediana "Canción del pirata": "Nous relâcherons à Cadix…Ah! capitaine…capitaine…je vous vois déjà sur la place San Antonio…Tonnerre de diable…c'est là qu'il y en a des femmes! des yeux grands comme les écubiers d'une frégate, les dents comme des râteliers de tournage, et puis comme dit la chanson:

> Y una popa
> caramba
> como un bergantín".

(*Atar-Gull*, cit. por Jean-Louis Bory, *Eugène Sue. Le roi du roman populaire*, París, Hachette, 1962, 64). Otro francés llegado a Madrid en parecidas circunstancias,

En la nómina de los extranjeros afincados en España hay originarios de países europeos como Böhl de Faber (relacionado comercialmente con la casa Rothschild; Carnero, 1978, 107-110), Juan Grimaldi, Luigi Monteggia, E. C. Cook, el pintor y decorador Blanchard; y hay también, entrado el siglo, hijos de extranjeros, nacidos ya españoles, como Cecilia Böhl, Juan Eugenio Hartzenbusch, los Madrazo y Kuntz (relacionados con los pintores nazarenos afincados en Roma). Con todo, la fuerte y enérgica impronta que los liberales desterrados ejercieron sobre la vida española del momento sumada a la fórmula del manifiesto victorhuguesco[20] han sido síntomas suficientes para la identificación del romanticismo artístico con el liberalismo político (Díaz Larios, 1967; Abellán, 1984).

Los acontecimientos bélicos y políticos del primer tercio del XIX trajeron cambios estructurales a la sociedad española, que inició entonces su despegue de las estructuras del Antiguo Régimen para ir penetrando paulatinamente en la modernidad. El radio de alcance de estas transformaciones alcanzó con efectos inmediatos a la vida cultural de una colectividad en la que el horizonte de expectativas estaba construido sobre una mentalidad mágica y supersticiosa —en el sentido que da a este término Tobin Siebers—[21] que los escritores románticos recuperaron con intensa fruición. El inmenso peso de las creencias míticas y de las constricciones sociales de la sociedad estamental todavía gravitaba en la vida cotidiana de las ciudades españolas antes de la guerra de 1808 y después del retorno de Fernando VII;[22] las

---

aunque de personalidad literaria menos definida, fue Chalumeau de Verneuil, director de la Institución Hamiltoniana y amigo de Larra (A. Rumeau, "Un français à Madrid entre 1824 et 1840", BHi, XXXVI, 1934, 444-458).

[20] "Le Romantisme, tant de fois mal défini, n'est, à tout prendre, et c'est là sa définition réelle, si l'on ne l'envisage que sous son côté militant, que le libéralisme en littérature" (prefacio del Hernani, 1829).

[21] "Los románticos más nostálgicos abrazaron la superstición como forma de primitivismo poético. Los filósofos más humanistas de la época especularon acerca del mito y la superstición, y concluyeron que ambos representaban lenguajes naturales que contenían auténticos atisbos del mundo natural. Para ambas escuelas de romanticismo, la superstición llegó a ser un medio de combatir las prácticas excluyentes de la Ilustración y de afirmar el pluralismo poético ante lo que les pareció una mentalidad obsesa y restrictiva" (Tobin Siebers, 1989, 29).

[22] Javier Herrero ha acentuado en sus últimos trabajos la dimensión de irracionalismo timérico que dominó a quienes fueron testigos de los terrores de

páginas memorialísticas de Blanco White o Mesonero Romanos —dos testigos de talantes muy distintos— corroboran estas vigencias. Las impresiones viajeras registradas por los románticos europeos en tránsito por la península insisten —para las décadas de los treinta y los cuarenta— en las pinceladas que retratan un mundo inmóvil y tibetanizado (Fernández Herr, Alberich, Robertson, Aymes, Sánchez Mantero). Poetas, narradores y autores de teatro justifican su trabajo literario a partir de la fuerza impresiva de la tradición en el *imaginario* del artista (Rubén Benítez ha documentado convincentemente los presupuestos teóricos del Bécquer tradicionalista; 1971, 16 y siguientes) y algunos escritores llegan hasta la formulación de una teoría postherderiana del *espíritu colectivo* para la explanación de su folclorismo *avant la lettre* (Fernán Caballero, de modo eminente; Javier Herrero, 1963, 317-331 y Flitter, 1986, 260-301).

Las consecuencias culturales de las transformaciones del régimen político y, sobre todo, del sistema de propiedad, es decir, los resultados inmediatos a la liquidación del sistema feudal son, sin embargo, más difíciles de apreciar en un ámbito histórico de corta duración como es el de los años en que transcurre el final del reinado de Fernando VII y las iniciales etapas del de Isabel II. De manera que el arraigo social de los principios liberales y del *ethos* del trabajo fueron dilatados estímulos de la moral burguesa española (Aranguren, 1967), cuyos episodios históricos van muy unidos a la trayectoria del romanticismo, aunque no llegan a solaparse en todas sus manifestaciones. Jean-Louis Picoche (1981), David T. Gies (1980a), Hans Juretchske (1989), Javier Herrero (1989), entre otros estudiosos, han acentuado otras dimensiones de los avatares románticos peninsulares, en una coincidencia de percepciones del fenómeno que se pueden cifrar en el título del artículo-reseña que David T. Gies dedicó a una monografía de Guillermo Carnero: la *pluralidad de los roman-*

---

la Revolución francesa; la literatura contra-revolucionaria de fines del siglo XVIII y principios del XIX fue un vehículo eficaz para la propagación de estos sentimientos: "el retorno a la Edad Media; la nostalgia de los viejos valores de la caballería, del amor cortés y de la lealtad monárquica; el ansia de libertad y la rebelión contra las reglas; todos estos factores desempeñaron un papel en los orígenes del movimiento romántico, pero su causa última es más profunda: el terror de una sociedad al borde del abismo y la literatura popular en la que ese terror se expresa" (1989); véase también, desde otra perspectiva, José Escobar (1986).

ticismos hispanos (1981), bien que hablar de pluralidad de romanticismos pueda entenderse como el planteamiento descriptivista de Arthur Lovejoy a que antes he hecho referencia.

Traducir los planteamientos conceptuales de René Wellek a la interpretación del romanticismo español requiere de la realización de estudios monográficos que aborden con rigor la validez de la idea de *naturaleza orgánica*, la vigencia de la idea de *imaginación creadora* y la productividad de *nuevos mitos* y *nuevos símbolos* en el lenguaje literario, en cuanto todo ello se produjo entre los escritores españoles de la primera mitad del siglo XIX. Y esta es tarea que sólo ha sido planteada en términos muy reducidos y que se ha de proyectar sobre la juntura de dos alvéolos histórico-literarios cuales son la Ilustración del XVIII y el romanticismo del XIX. Mientras no tenga cumplimiento, al menos parcialmente, este irrenunciable programa de trabajo, no juzgo disparatado el contemplar las líneas centrales del romanticismo europeo (Alfredo de Paz, 1987) reflejadas en España y, complementariamente, acentuar las peculiaridades de los romanticismos nacionales y regionales. En resumen, sostener un entendimiento del romanticismo español como una réplica del europeo para los fenómenos de "larga duración" y admitir los rasgos *diferenciales* que delimitan lo específicamente nacional. Lilian Furst, en una conocida monografía de 1969 que resumió J. L. Alborg (1980, 22-30), ha procurado idéntica aproximación entre la diversidad de los romanticismos nacionales y la unidad básica del movimiento.

3. *Ruptura o continuidad entre Ilustración y romanticismo*

Russell P. Sebold ha insistido en la solución de continuidad que se produjo entre la cultura barroca del siglo XVII y el romanticismo del XIX y, por contra, ha sostenido el *continuum* que forman la literatura del último tercio del siglo XVIII y la de la siguiente centuria, "un período aproximado en el que la cosmovisión romántica goza de una relativa hegemonía y en el que coexiste esta cosmovisión junto con otras visiones del mundo como la neoclásica y la realista naturalista" (1971, reed. 1983, 38). Desde su proclama contra los "mitos antineoclásicos españoles" (1964, reed., 1970) hasta la afirmación de que el sensualismo constituyó la plataforma filosófica que dio legitimación teórica a la visión del "panteísmo egocéntrico" —tesis ampliada y matizada en estudios posteriores, por ejemplo, 1974, 103-107;— [23] ha llegado a sostener la inexistencia específica del romanticismo del XIX, porque, en su opinión, "en lugar de distinguir entre el prerromanticismo y el romanticismo, sería quizá más a propósito hablar en términos del romanticismo en las últimas décadas del siglo XVIII y del romanticismo manierista consciente en el siglo XIX" (1983, 103). Otros estudiosos (Ruiz Lagos, 1969, 448) paralelamente han hablado de la *ilustración romántica*, con planteamientos que han sido discutidos en su estricta concepción historiográfica (Carlos Moreno, 1984).

Esta tesis puede considerarse como otra réplica a las que, desde Allison Peers, han esquematizado la interpretación del romanticismo hispano como una atrofia de la actividad literaria peninsular. Es evidente que la tesis de Sebold es un rotundo desmentido a la arcaica creencia en el romanticismo permanente y que su estimación de la moderna literatura española como algo más que un mero hacer repetitivo resulta una propuesta estimulante, por no insistir en el rigor con el que este crítico evita la exégesis sociológica de corto alcance y en su percepción lectora capaz de iluminar muchos matices de textos importantes y de textos desconocidos. Todo ello es muy valioso para los interesados en la especificidad de los hechos literarios y añade viveza y rigor a los estudios hispánicos; ahora bien, el lector de los trabajos de Sebold —muy en consonancia con sus presupuestos— no puede olvidar las corrientes interpretativas del romanticismo occidental que han enriquecido la actividad crítica y académica de los últimos cincuenta años.

El hispanista norteamericano ha dedicado penetrantes estudios monográficos a autores y temas de la literatura romántica; los análisis textuales que ha realizado en comprobación de su

---

[23] Explica la superación del cartesianismo por el empirismo sensualista con la exégesis de un elocuente texto de Jovellanos en el que el ilustrado asturiano contrapone el ideario artístico de los "idealistas" al de los "naturalistas" y asevera que, gracias a estos últimos, "los poemas, las novelas, las historias y aun las obras filosóficas del día, están llenas de descripciones de objetos y acciones naturales y morales que encantan por su verdad y su gracia y, sobre todo, por la fuerza con que despiertan los sentimientos del corazón" (corresponde la cita al ensayo "Sobre la arquitectura inglesa y la llamada gótica", en B.A.E., LXXXVII, 1956, 379b).

hipótesis abarcan desde los escritores ilustrados (Trigueros, Meléndez, Jovellanos, ...) hasta los creadores de la mitad del XIX (Mesonero, Zorrilla, Bécquer...). Sin embargo, no son tan copiosos los trabajos que ha dedicado a la trayectoria de los varios géneros de la literatura romántica o a los fenómenos de correlación entre la actividad artística y sus circunstancias sociales. Ha estudiado el teatro de modo preferente (1973, 1981, 1982, 1983, pp. 137-163, 1985b, 1986), como prueba de la continuidad que se produjo entre el melodrama de fines del XVIII y el drama histórico del romanticismo (p. 290).[24] Con todo, la parva atención que ha prestado a la prosa periodística y a la ficción atenúa la fuerza probatoria de la continuidad dieciochesca en formas literarias de amplio cultivo; la confirmación de su tesis reclama más detenidas averiguaciones en la evolución de los géneros literarios arraigados durante el segundo tercio del XIX —poesía narrativa, drama histórico, novela, cuento, *costumbrismo*— y en las facetas más productivas de la lengua literaria de ese tiempo, para cuya interpretación lo que no resulta prueba convincente es la reducción del romanticismo a un inerte manierismo de lo escrito en los últimos años del siglo XVIII. Parece, en fin, que en el sistema interpretativo del profesor Sebold resuenan ecos de otras tesis historiográficas que han aportado su exégesis a la historia del romanticismo europeo.

La peculiaridad cronológica y estética del romanticismo italiano, por ejemplo, fue interpretada por De Sanctis como otro manierismo: "il romanticismo in Italia durò appena quindici anni. Era qualcosa di vago, d'indefinito, corrispondente allo stato d'accasciamento in cui si trovavano gli italiani. Fuori erano V. Hugo, gli Schlegel, Chateaubriand, ed altri che fecero grande impressione. In Italia il romanticismo si trasformò subito in maniera".[25] Análogamente, se han mantenido juicios idénticos para el romanticismo portugués. Por otro lado, la fundamenta-

---

[24] Donald L. Shaw ha precisado que "en el teatro existe una diferencia importantísima entre *Don Álvaro* y *Alfredo,* por una parte, y otros melodramas, comedias lacrimosas o refundiciones por otra, si bien estos manifiestan ciertas características románticas. Como Caldera y Real Ramos han demostrado, fue fundamental a las piezas dramáticas anteriores su apoyo a la moralidad convencional" (Shaw, ed. del *Don Álvaro,* 1986, 23).

[25] F. De Sanctis, *Storia della letteratura italiana nel secolo XIX,* Milán, 1958, II, 39.

ción filosófica del movimiento romántico, en estricto sentido, fue postulada desde las primeras manifestaciones explícitas sobre la cuestión, es decir, desde que Friedrich Schlegel iniciara las formulaciones (1798) de la noción tipológico-literaria que va aparejada con el término romanticismo. Cuestión diferente, que quedó consignada a las especulaciones de los estudiosos posteriores, fue la del ángulo filosófico en el que se podría incardinar la definición de su especificidad.

Para algunos críticos anglosajones ese fundamento se situaba en la filosofía sensualista del XVIII; ésta fue la dirección que marcó Morse Peckham (1951) en su primer trabajo sobre el tema, en que reconciliaba las posturas de Lovejoy y Wellek y que el propio Peckham determinaba con una fórmula de síntesis expresada en el sintagma "dinamismo orgánico".[26] En ensayo posterior que inauguraba el primer volumen de la prestigiada revista *Studies in Romanticism*, Peckham (1961) fue más rotundo a la hora de radicar el movimiento. Apoyándose, ahora, en una tesis de Ernest Tuveson sobre la imaginación en Locke, centraba su explicación del romanticismo en el ejercicio redentor que la naturaleza efectúa sobre la imaginación humana, entendiendo esta facultad en los términos en que la entendían los sensualistas ilustrados, con lo que pasaba a colocar la fuente del romanticismo en la Ilustración dieciochesca. René Wellek (1963, trad. española, 1983, 178-180) fue contundente en su réplica a Peckham: "en cualquier caso, la ruptura con la tradición de Locke es, precisamente, una prueba crucial de la estética romántica. Sólo es necesario mencionar el rechazo que de Locke hizo Coleridge o la idea de Schelling sobre las *bestialidades* de Locke, referidas por Henry Crabb Robinson". Las perspectivas que abrió el debate Wellek-Peckham siguen permeando los supuestos implícitos de buena parte de la bibliografía que se está publicando sobre el tema. Y todo ello, sin necesidad de prestar un crédito indiscutido a las numerosas declaraciones programáticas de la época que proclamaban de modo ro-

---

[26] Donald L. Shaw, en su trabajo de 1963, recordaba cómo Peers y Tarr habían definido el romanticismo español sólo por su vertiente literaria, mientras que Morse Peckham incorporaba en su tesis las dimensiones ideológicas e históricas; al hilo de estas consideraciones, daba por superada la concepción esencialista del romanticismo y él mismo se situaba en la interpretación que explicaba el ascenso del movimiento como "a change in the climate of ideas in a given period".

tundo la existencia de una ruptura entre la cultura del XVIII y la
literatura del segundo tercio del XIX.[27] La *modernidad*, en fin, es
una moneda de dos caras opuestas por el vértice: la Ilustración y
el romanticismo (Octavio Paz, 1986; José Escobar, 1993).

LA PECULIARIDAD DEL ROMANTICISMO ESPAÑOL

Dos han sido, como se ha visto, los grandes *tópicos* en la
interpretación del romanticismo hispano; por un lado, la relación de dependencia o de ruptura que haya podido mantener con
la Ilustración vivida por las muy limitadas minorías españolas
del siglo XVIII y, por otro, su dependencia de los modelos teóricos y artísticos foráneos, importados a la península bien por los
emigrantes españoles, bien por la minoría influyente de europeos que aquí se afincaron. La inquietante conflictividad de la
vida española de la primera mitad del XIX y las anestesiadas
reacciones intelectuales de muchos escritores españoles de la
época han servido la plataforma para la tesis del "eclecticismo",
implícitamente aceptada por numerosos estudiosos. El hispanista Peers (II, 402-405, 440-457) encontraba un apoyo elocuente
para ella en la constatación de los fenómenos de pervivencias
románticas que se manifiestan a lo largo del XIX y que, todavía
en la llamada generación del 98, resultaban ostentosos.

La ampliación de la secuencia temporal del romanticismo
que facilitaba Peers con estas observaciones era más el reflejo de
una buena crítica impresionista que la categorización establecida
por un historiador de la literatura; el no distinguir lo que en este
fenómeno de continuidad romántica había de rasgos característicos de la *modernidad* —entendida como hecho de *larga duración*— de lo que eran ritmos de *corta duración*, según se produ-

[27] De modo implícito en los textos en que se contrapone el modelo poético
anacreóntico al de la nueva poesía romántica ("jamás hasta ahora, es preciso
confesarlo, se había visto el principio poético elevado a tal altura ni reconocido
en él tanta dignidad. No es ya una suave lira, ingenioso solaz de los ocios, o
docto tema de un círculo académico; es un elemento constitutivo del hombre y
una de sus facultades más sublimes (...)" (José María Quadrado, "De la literatura en el siglo XIX", *La Palma*, 1840, 1-4); de manera programática en trabajos sintéticos como el de Juan Eugenio Hartzenbusch "Apuntes sobre el carácter de la literatura contemporánea" (*El Siglo Pintoresco*, III, 1847, 149-152; cf.
Lloréns, 1979, 542-548).

cían en los varios espacios geográficos y sociales de la Península, ha podido llevar al enmascaramiento del romanticismo hispano, que tuvo sus márgenes temporales en concordancia con el desarrollo paralelo de un cúmulo de circunstancias sociales y políticas.[28]

La interpretación de la "generación del 98" como un último avatar —o la mejor realización— del romanticismo español es una tesis histórica que, contenida en las páginas finales de la monografía de Peers, había sido previamente aceptada por F. Courtney Tarr (1936), para quien "the one really romantic generation in spanish literature" era la generación de Unamuno y Baroja.[29] Por otra parte, el difuso estado de opinión de los poetas vanguardistas sobre la calidad lírica del romanticismo se tradujo, más tarde, en la rotunda negativa de Vicente Gaos (1959) sobre su existencia. El argumento empleado por éste procedía del subjetivo laboratorio de las estimativas poéticas, y a este argumento se sumó otro, elaborado en el laboratorio de la crítica universitaria de los años sesenta. Es el caso del ensayo de Edmund L. King (1962) que, a partir de los trabajos de Llorens, Montesinos y Tierno Galván, sostuvo que la fragilidad de la Ilustración española no produjo la consecuente reacción liberadora que fue el romanticismo en Europa, y que, en consecuencia, en la España del XIX, al no darse un sistema de pensamiento racional hasta la llegada del krausismo, la auténtica manifestación romántica —no la "mascarada de disfraces románticos"— se produjo con la "generación del 98". Tesis tan rotunda no ha carecido de reparos críticos, desde la breve nota de Octavio Paz (1974, 216-217), hasta las ponderadas reflexiones de Lafuente Ferrari (1975, 122-124) encuadradas en la diagnosis pidaliana de los "frutos tardíos" —"observación que comienza a dar razón de muchas correcciones que hay que hacer en nuestra historia literaria o artística al aplicar a nuestro país los esquemas históricos ready-made"— o las más próximas y buidas apreciaciones de José Luis Varela (1982, 133-134).

[28] Una visión paralela que predica un "extenso eclecticismo" para las literaturas de la América hispana, desde Jicotencalt (1826) hasta el Modernismo, en Federico Álvarez, "¿Romanticismo en Hispanoamérica?", Actas III Congreso de la Asociación Internacional de Hispanistas, México, 1970, 67-76.

[29] Bien es cierto que, en coincidencia con las tesis que en las mismas fechas mantenía Homero Serís y que he recordado más arriba, Tarr afirmaba que "taken as a whole, spanish letters of the romantic period form the first considerable body of respectable stature since the golden days of Lope and Cervantes" (1936, 45).

Desde la perspectiva histórica, los estudiosos venían afirmando las virtualidades dinámicas de la sociedad española en su reacción de 1808 y en todos los acontecimientos políticos y sociales que vinieron más tarde (Julián Marías, 1949, reed, 1959; Vicens Vives, 1950; José Luis L. Aranguren, 1965, 45-68).[30] Y, aunque los historiadores literarios, en su mayoría, han contemplado el tejido romántico a la luz de los hechos históricos, en su consideración ha prevalecido la proyección de las vertientes ideológico-políticas en detrimento de otras manifestaciones significativas del quehacer colectivo.[31] Jean-Louis Picoche (1981), en su respuesta afirmativa a la pregunta sobre la existencia del romanticismo español, después de situar su génesis en una mitologización de héroes individuales contemporáneos —la figura de Napoleón en el marco europeo[32] y la de Goya en el hispa-

[30] "La vida española está inmersa en el romanticismo desde 1812, aproximadamente, pero se vierte literariamente durante tres lustros en moldes neoclásicos. La literatura romántica es tardía respecto de la vida, y en esta medida se hace pronto inauténtica" (Julián Marías, 1949). "Si el romanticismo existió, y de ello caben pocas dudas, porque fue ya afirmación en sus creadores, existió primero en cuanto a hecho social, difuso en el seno de la sociedad y transparente en alguno de sus miembros; y luego, como mentalidad propia de una o dos generaciones, capaz de imponer un estilo a cuanto se emprendiera" (Vicens Vives, 1950). Con formulación más austeramente descriptiva ha señalado José María Jover que "el mecanismo de conexión entre sociedad y literatura es aquí más complicado o, mejor dicho, menos propicio a simplificaciones. La literatura de evasión se presta menos que la literatura de observación a que el historiador la considere, de inmediato, como una más entre sus fuentes; y el campo queda, en mayor medida, como jurisdicción exclusiva de los historiadores de la literatura. La verdad es que es poco lo que se ha avanzado en el empeño de integrar el fenómeno histórico del romanticismo español en una historia global de nuestro siglo XIX" (Jover, 1974, 116).

[31] La idea también en críticos de poesía; valga este texto extraído de las páginas que Gil de Biedma dedicó a la poesía de Espronceda: "es juicio aceptado, y es muy posible que sea juicio cierto, que el interés histórico del movimiento romántico español supera a su interés puramente literario" (*El pie de la letra*, 1970, 276).

[32] Las veintiséis traducciones españolas del "Cinque Maggio" de Manzoni que recuerda Joaquín Arce (1982, 303) son un testimonio de la vigencia del mito napoleónico en España. El "después del coloso, los enanos" afirmado en París por el Larra de "Quasi", las exaltaciones líricas de Espronceda, Arolas, Ros de Olano o García Tassara a propósito de la "traslación de las cenizas" del corso, el poema *Napoleón* de José A. Sazatornil, el "Diálogo Napoleón-Robespierre" de López Soler en *El Europeo*, la rendida admiración por el mito que transmiten los poemas "Bailén" de Rivas o "A Napoleón Bonaparte" de López Peregrín tienen su réplica descriptiva en la prosa de Mesonero Romanos (cap.

no—,[33] adelanta una explicación que reclama la atención de otras dimensiones históricas, escasamente atendidas hasta el presente.[34] Lo que los viajeros extranjeros captaban en su aproximación a la "romantique Espagne" era mucho más que las equivalencias con sus países de origen; percibían la singular presencia de una cultura tradicionalista cuyas raíces llegaban al fondo del Antiguo Régimen. Lo que les sorprendía era, lógicamente, este segundo aspecto; por ejemplo, Humboldt veía cómo pervivía aún en España la Europa de los siglos XVI y XVII y August W. Schlegel, con menos conocimiento directo del país, sostenía que el siglo XVIII había sido para los españoles una etapa de modorra paralizante (Juretschke, 1954, 8-9).

Ahora bien, los artistas románticos españoles se ajustaban a las dos caras de esa moneda; de manera que, tanto podían repetir ecos de la música, la pintura o la literatura de la Europa contemporánea, como se empleaban en la traducción de las voces, los tonos y los colores de un mundo arcaico prolongado en los usos tradicionales de una sociedad no suficientemente modernizada. De modo que, sin abdicar de estos últimos aspectos, los escritores fueron conscientes de que elementos claves de la nueva visión del mundo troquelada en el cruce de los dos siglos ofrecían ins-

---

XV de sus *Recuerdos de un viaje por Francia y Bélgica,* 1841). Desde el lado editorial, las prensas españolas de los años de la guerra de Independencia y posteriores dieron publicidad a textos, primero, vejatorios, y más tarde, apologéticos, del emperador; algunos modelos de la primera función, en el teatro anti-francés (E. Larraz, 1974), como la comedia *Napoleón rabiando,* 1808, que se anunciaba "para diversión de cualquier casa particular"; modelos de la visión mitificada y romántica: F. P. (¿Patxot?), *Historia de Napoleón. Edición pintoresca y popular adornada con 90 láminas grabadas,* Barcelona, 1839; Balzac, *Historia del Emperador Napoleón, referida en una granja por un veterano de su ejército,* Madrid, 1843, que es traducción del capítulo tercero de *Le médecin de campagne.* Breves aproximaciones a la visión de Napoleón en las letras españolas de la época, Gabriel H. Loverr, 1971 y Guillermo Carnero, 1981.

[33] Para el éxito de Goya entre los críticos de arte, véase Ilse Hempel Lipschutz (1972), y para el inicio de la mitificación legendaria de la personalidad del pintor, Nigel Glendinning (1982, 83-96).

[34] "El romanticismo español que se desarrolla después de 1830 representa algo más que una evolución con respecto al movimiento anterior. Otras formas, otras aspiraciones, otras expresiones. No se trata de una progresiva intensificación de tópicos ya acumulados antes, sino de algo nuevo. Lo que, en cambio, permanece perfectamente estable son el ambiente religioso y el profundo patriotismo dinámico que es la característica esencial de todo el movimiento" (Picoche, 1978, 156).

trumentos privilegiados para la expresión de su mundo particular y para la ejecución del imperativo —puesto de moda en los años treinta— de la *misión del artista* (Sebold, 1983, 165-184). De manera que componentes de la tesis paneuropea de Wellek se manifiestan también en la historia del romanticismo español.

De los rasgos unitarios del romanticismo occidental encontramos, en los escritos de los españoles, huellas ostensibles de la nueva idea de imaginación. Cuando Alcalá Galiano, en el prólogo al *Moro expósito*, repitiendo ideas del siglo XVIII sobre la correlación de paisaje geográfico y desarrollo cultural, rompía lanzas en favor de la imaginación como núcleo de la poesía,[35] no hacía otra cosa que sumergirse en la corriente de escritores de la época que situaban la facultad imaginativa en el ápice de la creación literaria. La idea de la imaginación como una fuerza creadora independiente de las percepciones sensoriales y del control del entendimiento, es uno de los grandes aportes de la poética de los románticos (Abrams, 1953) que, si no fue originada en España, sí encontró aceptación clarividente en exiliados como Blanco[36] y en textos publicados en la Península a partir de 1834 (Leonardo Romero, 1986). Los estudiosos del romanticismo europeo han explicado los orígenes y alcances del cambio gnoseológico que supuso la superación de una noción mecánica de imaginación por la concepción orgánica que trajeron los románticos (ver textos fundamentales en Lilian Furst, 1969, 119-202; 1980, 81-82).[37] La idea —matizando los asertos de Inman Fox

[35] "Si la buena y legítima poesía es espejo y lenguaje de la imaginación y afectos de los hombres, claro está que en Alemania y en otras naciones septentrionales es la poesía romántica indígena".

[36] La conclusión del artículo "Sobre el placer de las imaginaciones inverosímiles" (*Variedades*, 5, octubre, 1824) es un texto capital: "la superstición en que se fundan ambos cuentos, de que la mente humana es capaz de impresiones independientes del universo físico, y de una existencia en que ni el *Tiempo* ni el *Espacio* tienen parte ni influjo, es una de las ideas, aunque vagas, grandiosas, que flotan en la imaginación, como si fuesen barruntos del mundo invisible que nos espera"; en los trabajos de Leonardo Romero (1986 y 1992) se recogen textos de Blanco y otros autores románticos españoles concordes con la idea moderna de una imaginación libre y creadora.

[37] "In short, while Western philosophers, for more than two thousand years, had thought of truth as something to be *discovered* in the world outside them, through reason or faith, through tradition, revelation, or the evidence of their senses, the Romantics, as Isaias Berlin put it, sought not to discover truth but to *invent* it" (Hans Eichner, 1982, 17).

(1983; 1985), o la revisión parcial de la escuela sensualista durante el trienio liberal tal como la plantean Sanchéz Blanco (1982), y Abellán (1984, 181-203),[38]— irá abriéndose camino hasta encontrar una aceptación plena en las cogitaciones de Gustavo Adolfo Bécquer (Leonardo Romero, 1992).

Pujante Sánchez (1990) ha vuelto a recordar cómo la concepción kantiana de imaginación es la visión de una facultad creadora de formas que nunca genera contenidos; el paso decisivo para la nueva idea de imaginación habrían de darlo los idealistas Fichte y Schelling, a quienes reelabora Friedrich Schlegel en su *Gespräch über Poesie*, con su interpretación de que la poesía absoluta florece "por sí misma a partir de la invisible fuerza original de la humanidad" (Rötzer, 1988). El giro copernicano que supuso este nuevo entendimiento de la actividad poética es bien conocido y marca con suficiente contundencia la línea de fractura que separa la modernidad dieciochesca de la modernidad alumbrada por el romanticismo.[39]

Los símbolos y los mitos generados en la nueva literatura europea encontraron asimismo sus ecos hispanos, en muchos casos desde el traslado de imágenes y lenguajes preexistentes en hitos señeros de la literatura tradicional. Sirvan de ejemplo, el tema de los bandoleros, variante de un fenómeno antropológico-social arraigado desde el siglo XVI (Álvarez Barrientos-García Mouton), o el mito de don Juan, como peculiar contribución española al panteón temático de la literatura universal.

[38] Repárese en la reacción superadora del sensualismo que, desde reflexión no inducida por otras lecturas filosóficas, planteaba Donoso Cortés en su correspondencia con Manuel Gallardo y que repite ideas del *Discurso* de Cáceres: "ese sistema [el sensualismo] es preciso conceder que tiene un carácter de falsedad e insuficiencia, porque, siendo su objeto explicar la genealogía de nuestras ideas y el sistema de nuestras facultades intelectuales, todo en él es fijo, cuando todo en el hombre es vago; él parece decir al hombre *no hay más allá*, y éste, impelido por una fatalidad, la mayor de todas las fatalidades humanas, se halla lanzado más allá de la meta trazada por el compás ideológico, y, no hallando apoyo en él, se pierde en sus abstracciones" (*Obras Completas*, B.A.C., 1970, I, 171-178).
[39] "El Romanticismo es la gran negación de la Modernidad tal como había sido concebida en el siglo XVIII por la razón crítica, utópica y revolucionaria. Pero es una negación moderna, quiero decir: una negación dentro de la Modernidad. Sólo la Edad Crítica podía engendrar una negación de tal modo total" (Octavio Paz, 1986).

Si la conformación histórica del grupo social de los bandidos
o bandoleros había entreverado elementos simbólicos del viejo
código del honor y pautas de comportamiento propias de la organización parental en la cuenca mediterránea, los valores morales suscitados por la sociedad romántica potenciaron, como es
bien sabido, el arquetipo del *fuera de la ley*, del marginal y mar-
ginado que, a mayor abundamiento de sus connotaciones morales, puede llegar a ser un sustituto de la Justicia. Los modelos
literarios foráneos eran abundantes y llegaban tanto desde la literatura melodramática previa al romanticismo— Zschokke, Schiller— como de la más ortodoxa militancia, romántica —Byron,
Hugo, Manzoni, Balzac...—. La vida española, desde el siglo
XVI, había acuñado un modelo de marginalidad social que llegó
a convertirse en un tópico de los textos literarios del Siglo de
Oro, de la literatura de consumo popular y de las representaciones pictóricas del XVIII, como atestigua Goya, entre otros trabajos, en la serie de seis paneles sobre el bandido Maragato (estudiada en todas sus implicaciones por Lucienne Domergue,
1987). A los estímulos anteriores se añaden las especiales circunstancias políticas y sociales que vivió la nación con posterioridad a 1814 —aunque Antonio Giménez haya atenuado la trascendencia social del bandidismo en los años románticos—, todo
lo cual da razón de un tópico costumbrista (pp. 425-426) y de
los diversos tratamientos que recibieron los bandidos en novelas
históricas —*Jaime el Barbudo* (1832) (ed. de Enrique Rubio,
1988, pp. 20-39), *Sancho Saldaña* (1834), la docena de ediciones
que Cacho Blecua (1986) ha recogido para el relato medieval
Roberto el Diablo—, en novelas de ambientación contemporánea
—*La familia de Alvareda* (escrita en 1828), *Los Misterios de Madrid* (1844) de Martínez Villergas—, en textos dramáticos —la
Elena (1834) de Bretón, *Los amantes de Teruel* (1836)—, o en
textos poéticos como *El Diablo Mundo* (1841).

Sobre la revisión del mito de don Juan en el drama de Zorrilla (pp. 324-325) y en los poemas de Espronceda (pp. 233-236),
algunos estudios recientes en la amplia bibliografía dedicada al
mito hispánico —Daniele Becker (1980); David T. Gies
(1980a); Jean-Louis Picoche (1988b); Carlos Feal (1984), que
abordan la ampliación del mito en los años del romanticismo
español— sirven muestras para el estudio de una cuestión abierta al análisis y la interpretación.

EL ROMANTICISMO ESPAÑOL EN LA PERIODIZACIÓN
DE LA HISTORIA LITERARIA

Las propuestas de parcelación del acontecer histórico tienen siempre altas dosis de imprecisión, en la medida que traducen construcciones teóricas poco flexibles y, también, peculiares índices de refracción personal de los proponentes. La delimitación temporal del romanticismo español es prueba elocuente de ello. Los dos caminos empleados para la periodización del romanticismo hispano han sido o bien el de la encapsulación cronológica dentro de fechas emblemáticas, o bien el de su engaste en el *continuum* histórico-cultural del siglo XIX. Cuando los estudiosos han elegido el primer camino, determinados acontecimientos públicos o la función simbólica adjudicada a hechos editoriales o teatrales concretos han servido para perfilar fechas demarcativas de la temporalidad del fenómeno. Desde estos planteamientos han sido propuestos, para el inicio del movimiento, los años de 1833-1834 (muerte de Fernando VII, regreso de los emigrados, primeros pasos en el cambio de régimen político) o el de 1828 (muerte de Moratín y Goya, *Discurso* de Durán, primer tomo del *Romancero* de este erudito, probable primera edición completa de la *Tauromaquia*). Estas fechas cuentan en su haber con la tradición crítica, que desde el siglo pasado, ha apuntado hacia los finales de la década de los veinte y comienzos de los treinta[40] como la frontera que separa la literatura romántica de la anterior, por mucho que los hechos anteriores fueran dignos de atención a la luz de los nuevos acontecimientos. Menéndez Pelayo (1883, reed. 1942, 260) fijó, para la crítica tradicional, los términos de la periodización del romanticismo y los presupuestos teóricos bajo los que ésta iba a ser comprendida durante mucho tiempo:

> Generalmente se confunden los orígenes de la moderna literatura romántica con su triunfo definitivo. Este no se cumplió hasta 1834 ó 1835, pero desde principios del siglo y aun desde fines del anterior, venían no-

[40] Juan Eugenio Hartzenbusch establecía dos épocas en la producción literaria habida durante la primera mitad del siglo XIX: la primera duraba hasta la revolución de Julio (1830) y la segunda hasta los momentos en que él escribía sus "Apuntes sobre el carácter de la literatura contemporánea leídos en el Ateneo científico y literario de Madrid" (cf. *El Siglo Pintoresco*, III, 1847, 149 y siguientes).

tándose en España, síntomas de rebelión contra el falso clasicismo, importado de Francia; ¿y cómo no, si para encontrar una forma más amplia y simpática, sólo tenían nuestros artistas que volver los ojos a los monumentos olvidados del arte nacional?

De modo que los estudios monográficos y las síntesis generales han abundado, desde el pasado siglo, en la propuesta del corte histórico efectuado en los años treinta[41] y, subsidiariamente, en la determinación de una breve secuencia de no más de quince años de plena vigencia del fenómeno; para Peers el acmé del romanticismo español se fijaba en un trienio —años 1834-1837—. Según otros estudiosos, no pasaría de más de una década; quince años son para Navas Ruiz (1970, 24-25) los de la duración del fenómeno, con criterio que cohonesta opiniones adquiridas y el canon orteguiano de vida activa de una generación. Precisamente, el generoso empleo del "método histórico de las generaciones", que con tanta frecuencia ha aplicado la historiografía española, alcanza también a las propuestas de periodización del romanticismo; Manuel Azaña en sus estudios sobre el Ateneo, José Luis Varela (1947), Vicens Vives (1950), Julián Marías (1975b, 41-43), recientemente, Moreno Alonso —que mantiene como grupo tipificado una "generación de 1808", (1979, 176)— han contribuido de modo decisivo a la extensión de la idea de la existencia de una "generación romántica", caracterizada por rasgos y marcas individualizadoras.[42]

---

[41] Por ejemplo, para Bertrán y Amat (1908) la escuela romántica barcelonesa se manifestó "en la década del 35 al 45 de la presente centuria"; Casalduero, al enmarcar el tiempo histórico-literario de su *Espronceda* (1967, 70), señala también una corta duración "de 1830 y tantos hasta 1840 y pico" de la que deduce que el romanticismo español "llegó tarde, tuvo un período de incubación irregular y no muy sostenido, duró poco". Vicente Llorens, 1979, establece tres décadas sucesivas (1824-1834, 1834-1844, 1844-1854) en las que se superponen acontecimientos políticos y hechos literarios.

En planteamientos de la periodización del XIX menos matizados, algunos repertorios bibliográficos sostienen la continuidad en el paso del siglo XVIII al XIX y la secuencia uniforme que constituye el quehacer literario durante esta centuria. Así, la organización que adoptan los capítulos correspondientes del *Year's Work of Modern Humanities Association* al fijar una sección informativa entre los años 1700 y 1823 y otra entre 1823 y 1898 o la decisión de Francisco Aguilar Piñal que excluye de su *Bibliografía de Autores Españoles del Siglo XVIII* a los escritores nacidos con posterioridad al año 1775.

[42] Max Milner argumenta en favor de una "generación romántica" francesa apelando a la experiencia histórica de sus componentes: "ser romántico signifi-

El discutido "método de las generaciones" —a pesar de las insuficiencias de diverso carácter que la crítica ha ido poniendo de relieve— aporta evidencias factuales que describen gráficamente las relaciones internas de los grupos aunados por alguna clase de complicidad; desde este entendimiento del "método", resultan de menor entidad las categorizaciones teóricas frente a las testificaciones de los individuos pertenecientes al grupo generacional. Las ideas que estos tuvieron de sus implicaciones en la supuesta "generación" constituyen preciosos documentos que acreditan la conciencia de cohesión y la unidad de propósitos que, todo lo engañosamente que se quiera, los asoció. Cuando Larra hablaba de la "juventud del día", de la "generación presente", de la "generación de 1835" o de la "joven España"[43] (Rafael Lapesa, 1984, 349-352), adelantaba en muy pocos años aserciones paralelas de otros románticos indiscutidos[44] y sincronizaba con afirmaciones contemporáneas del impulso vivido por la sociedad española de los años treinta, tal como podemos leer en muchas páginas de las revistas del momento: "sentimos que nos hace falta algo, pero no sabemos qué"

---

ca ante todo haber nacido antes de la caída del Imperio, no haber conocido ni la dulzura de vivir en los últimos años del Antiguo Régimen, ni los horrores revolucionarios, ni los violentos hechos y grandes acciones del Imperio" (*Le Romantisme (1820-1843),* París, 1973, 40).

[43] Doris Ruiz Otín (1984a, 60) ha apuntado la coincidencia del sintomático marbete "la joven España" con los entonces frecuentes: "joven Alemania" (Heine), "joven Polonia" (Mickiewicz), "joven Italia" (Mazzini).

[44] Nicomedes Pastor Díaz en su *Prólogo* a las *Poesías* de Zorrilla: "nuestra época se afanaba en producir un poeta que estuviese a su nivel y en armonía con ella, que fuese como el representante literario de la *nueva generación";* "esta *generación* ha nacido en una época de transición y trastorno" (Gil y Carrasco); "¿qué ha visto esta *joven generación* en el camino de la vida, que arroja rebelde su carga y retrocede espantada invocando el caos y buscando con sus ojos el peligro?" (José María Quadrado, *La Palma,* 1841, 125); "la *generación actual* española, polaca o democrática, que se presume hija del siglo, nada tiene que ver con el siglo XIX, sino con su exclusivo materialismo (...) a Balzac le llaman literatura, a Peledan, filosofía... y a *nuestra generación,* ineficaz e ignorante... a la del 34, que tanto hizo" (Nicomedes Pastor Díaz, n.º 325 del manuscrito de sus *Pensamientos,* conservado en la Real Academia Española). La coincidencia de un grupo de jóvenes alumnos de Lista en el Colegio de la calle de San Mateo durante los años 1821-1823, las tertulias en los despachos jurídicos de Gómez de la Cortina (Mesonero, B.A.E., vol. CCIII, 158a) y de Cambronero en los años fernandinos, la posible denuncia del grupo juvenil que levanta *El Correo* a fines de 1828 (Escobar, 1973, 231-238) son otras tantas anécdotas que fijan la realidad madrileña de una "generación romántica española" (Varela, 1947).

(*El Artista,* Eugenio de Ochoa, I, 216); "vivimos en el siglo XIX: el XVIII, a nuestro parecer, ya se cayó de puro viejo" (*El Artista,* III, 160).

De todas formas, y aun cuando miembros de la *joven generación* tuvieran diferencias con escritores más viejos —Espronceda y sus amigos con Lista o Toreno—, los enfrentamientos no pasaron, según nuestras noticias, de cuestiones episódicas, en la medida que la vida literaria española de los años treinta no vivió una "batalla" del romanticismo tal como en los años próximos se había producido en Francia. El ingreso en la Academia —el 9 de octubre de 1834— del duque de Rivas y Agustín Durán o el emblemático cuadro de Esquivel, de 1843, dan fe de una convivencia de generaciones y de una sosegada integración de los más jóvenes en los espacios sociales de relieve público. Las figuras de los cuarenta y tres escritores que posan en el taller del pintor para asistir a una lectura de José Zorrilla reconstruyen los varios grupos generacionales actuantes en la vida cultural de la época, simbolizan en Rivas y Espronceda —como ha visto Casalduero (1967, 82)— la personificación de la poesía dramática y de la poesía lírica, y evidencian, en fin, las banderías que denunciaba Martínez Villergas en su sátira "El cuadro de la pandilla" (véanse los trabajos que han dedicado a este cuadro Pardo Canalís, 1971, y García Castañeda, 1973). Ferrer del Río, aquejado de la misma parcialidad, incluiría en su *Galería* (1846) a casi todos los retratados en el cuadro de Esquivel, corroborando, desde el ángulo de la *prosopografía,* el proceso de domesticación por parte de los poderes públicos al que se habían prestado los jóvenes de la *generación romántica.*

"Era aquella una juventud alegre y descreída, frívola y danzadora que, con el transcurso de los años, la experiencia de la vida y la revuelta de los tiempos, se convirtió luego en representante de las nuevas ideas de una nueva sociedad. Algunos condujeron nuestros ejércitos a la victoria: Córdoba, Concha, O'Donnell, Narváez, Pezuela y Ros de Olano. Otros brillaron en la tribuna y en los Consejos de la Corona: Olózaga, Caballero, Escosura, González Bravo y Roca de Togores. Y otros en la literatura: Bretón, Gil y Zárate, Ventura de la Vega, Hartzenbusch, Vedia y Ferrer del Río, Larra, Estébanez Calderón, Mesonero Romanos"; la nómina y el diagnóstico, que proceden de las *Memorias* de este último, epitomizan lo que fue rasgo social distin-

tivo de la *generación romántica*, esto es la instalación en el aparato
estatal de los hombres que habían inaugurado en España la nueva fórmula del libre mercado de la pluma, fórmula que implicaba, como gran innovación sociológica, la autonomía del artista
respecto a sus mecenas tradicionales. Mesonero y Zorrilla subrayaron en varias ocasiones, este fenómeno social, bien que, *pro
domo sua*, resaltase el primero la independencia de profesionales
de las letras que ambos habían mantenido siempre. El peculiar
modo de inserción social que vivieron los escritores de la *generación romántica* y su llamativa diferenciación respecto a los caminos
profesionales que habrían de seguir los escritores surgidos a partir
de 1850, me han permitido fijar una tipología social de escritores
funcionarios y escritores bohemios (Leonardo Romero 1993), válida para explicar actitudes opuestas por el vértice —Bécquer
frente a Valera, a vía de ejemplo— y válida también para señalar
la secuencia de otra generación de escritores, comúnmente ca-
talogados como *post-románticos* (Simón, 1975, 314-15).

El otro sistema de periodización recordado más arriba atiende, de modo preferente, al proceso evolutivo de la literatura
moderna y, dentro de él, a las grandes zonas de transición que
implican el cambio de una Poética universalista —el *neoclasicismo*— hacia una Poética histórica —el *romanticismo*—, y la evolución de una idea de la poesía total —la *romántica*— hasta el
entendimiento de ésta como una realidad de base irracional y
subjetiva —el *simbolismo* y las escrituras analógicas practicadas
por el *realismo* y el *naturalismo*. En este segundo planteamiento
de la periodización, los historiadores de la literatura —al observar la mutación experimentada por la lírica española en la década de 1770 (Sebold, 1973 y estudios sucesivos; Joaquín Arce,
1981) y la irrupción de la sensibilidad como virtud pública y
privada (José Antonio Maravall, 1979)— han construido una
categoría historiográfica que explica la transición desde una
Ilustración racionalista a una Ilustración localizada en la sensibilidad. La categoría fue etiquetada con el rubro de *pre-romanticismo* y tuvo existencia desde la bibliografía crítica de los años
veinte, aunque su interpretación haya estado cruzada por los más
diversos entendimientos (Joaquín Arce, 1981, 420-425).

El teatro sentimental del último cuarto del XVIII, la poesía
de Cadalso, Meléndez, Cienfuegos, la prosa de Montegón, Olavide o Capmany —por recordar casos conocidos— deparan mo-

tivos suficientes para la consideración de la literatura española
producida en el último cuarto del XVIII a la luz de categorías
historiográficas que matizan la visión de una literatura de la
Ilustración absolutamente uniforme. Por otra parte, las peculiares circunstancias históricas vividas en España durante el primer
tercio del siglo XIX abonan también la perspectiva histórica que
sitúa en un mismo marco la lírica de Leandro Fernández de Moratín, Arriaza, Cabanyes, José Joaquín de Mora o Maury, el
teatro de Dionisio Solís, María Rosa Gálvez, el primer Rivas o
el joven Martínez de la Rosa, las prosas de Quintana o José
Somoza —por recordar, de nuevo, autores suficientemente notables. Todos los casos citados vienen a justificar la periodización
que fija la ruptura romántica en torno a 1830 y la estabilidad
previa de más de cincuenta años de duración que habría experimentado la literatura española (David T. Gies, 1982), con escritores que, además, se situaban en los márgenes de la ortodoxia
(heterodoxos y prerrománticos, según José Luis Cano, 1974; y,
liberales desde la historia política, Dérozier, 1980). Con todo,
la lectura detenida de cada uno de estos autores —como ha hecho Sebold (1984), para Manuel de Cabanyes— explica la coincidencia de una "fecundante fermentación de tendencias".

La bibliografía hispanística de los últimos veinte años ha
dedicado una atención pormenorizada a la distinción entre *neoclasicismo* y *romanticismo*, en el común propósito de individualizar
los rasgos singulares de la literatura de las décadas finales del
XVIII. Aguilar Piñal que sustituía en sus indagaciones dieciochescas el marbete *pre-romanticismo* por el de *proto-romanticismo* ha
terminado hablando de una "alborada romántica" para los años
últimos del siglo XVIII (1991, 209-211); Eva Kahiluoto (1981)
ha incardinado dentro del neoclasicismo las nociones de *sensibilidad*, *sensualidad* y *sentimiento* postuladas por Azara y Arteaga;
Joaquín Arce, que se había ocupado en varias ocasiones de la
determinación del *pre-romanticismo* español, volvió sobre esta categoría en su libro sobre la poesía del siglo XVIII (1981, 420-
431), donde mantiene que el *pre-romanticismo* es "una corriente o
tendencia en el seno de la Ilustración madura, que nos es imprescindible para individualizar actitudes vitales y sociales que
tienen su indudable e inconfundible reflejo literario". Sebold, en
una pormenorizada reseña de este libro (1982b), discrepa la idea
de neoclasicismo sostenida por Arce y matiza, una vez más,

sus propuestas de periodización de la literatura de los dos siglos en los siguientes términos:

> Después de 1770, la tendencia romántica y la neoclásica se presentan, ya mezcladas, ya alternativamente cultivadas, incluso por los mismos poetas, ya opuestas entre sí, pero siempre en relación dinámica, fecunda. Durante los treinta primeros años del siglo XIX, por muy conocidas razones políticas que no es necesario reiterar aquí, se prefiere por lo menos públicamente dar preferencia al cultivo de la tendencia neoclásica afirmadora del orden establecido (odas y tragedias patrióticas de Quintana y a lo Quintana, etc.). Después de los años de represión, lo romántico (que siguió vivo como corriente subterránea) sale otra vez a la superficie, con tal explosión, que parece un movimiento completamente nuevo, y con este motivo lo he llamado alguna vez el segundo romanticismo. Mas en realidad hay un solo romanticismo que va cambiando con la madurez y la vejez, y es una de tres tendencias de vida larga heredadas del siglo XVIII —neoclasicismo, romanticismo, realismo— que todavía hacen un papel importante en el XIX (...) (1982b, 325).

A diferencia de otras propuestas, la periodización de Sebold insiste en la fundamentación sensista de la actividad artística moderna —romanticismo y realismo— y elimina la noción de *pre-romanticismo*, enmarcándola en una interpretación continuista de la cultura ilustrada a través del siglo XIX.[45] Esta tesis, además de los debates que ha suscitado en la versión internacional recordada en páginas anteriores, ha propiciado determinadas reservas en el campo específico de los estudios hispánicos. El dieciochista Caso González, que desde 1980 viene postulando la preterición del término *pre-romanticismo*,[46] interpreta la tesis de Sebold como una retroproyección del universo específico que fue el romanticismo del XIX al ámbito de la cultura ilustrada del XVIII. Rinal-

---

[45] Algunos estudiosos anteriores, tomando punto de partida de las observaciones de Menéndez Pelayo sobre la literatura de fines del XVIII, habían distinguido entre dos romanticismos: "le seconde romantisme espagnol se distingue de celui qui troubla la Péninsule vers la fin du XVIIIe siècle et dans les premières années du XXe" (Jean Sarrailh, *Enquêtes Romantiques. France-Espagne,* París, 1933, 129-130).

[46] "Preferiría sustituir ese término, con el riesgo de que eso fuera más arbitrario que mantenerlo, puesto que no creo que pueda prescindirse ya de él. Lo que sí es necesario es volverlo a su atmósfera propia, la ilustrada, para interpretarlo como una matización de la misma" (*Ilustración y Neoclasicismo,* Barcelona, Crítica, 1983, 38; para las observaciones sobre la tesis de Sebold, ob. cit., 17-18).

do Froldi, más rotundo en el rechazo del marbete *pre-romanticis-mo* (1983), se manifiesta muy convencido de una visión diferenciada de la cultura sensualista del XVIII y el romanticismo decimonónico,[47] otorgando a cada período cultural los andamiajes filosóficos que le son propios. José Antonio Maravall (1979) no dudó en diagnosticar las manifestaciones sentimentales y sensibles del XVIII como "el pulso de la sociedad dieciochesca al nivel de su historia" frente a los estudiosos y los críticos que —como Daniel Mornet en Francia o Azorín en España— habían visto en esas exhibiciones la prueba del *pre-romanticismo*; Fernando Lázaro, estudiando la poesía del XVIII, tampoco había tenido reparos en presentar sus cautelas respecto al del equívoco marbete.[48]

El mantenimiento de la noción de *pre-romanticismo* supone planteamientos historiográficos en escasa medida inocentes, ya que establece líneas de permanencia donde hubo rupturas, y rupturas tan resonantes como las transformaciones de los Estados y las sociedades europeas a partir de la Revolución francesa (ver Pérez Vidal, 1991) o la consolidación de la idea de *imaginación creadora*, opuesta por el vértice a las concepciones gnoseológicas de la filosofía sensualista. Cierto es que los acontecimientos históricos y literarios en la España de 1770 a 1830 no fueron exactamente idénticos a los de los países europeos del entorno, pero los ritmos de ralentización y acceleración que se dieron en esos años solamente matizan el cuadro general de lo ocurrido en el continente, nunca lo ocultan.

La delimitación cronológica del romanticismo a una breve secuencia de años tiene también, como consecuencia, el intento

[47] "A través del examen nuevo de la naturaleza y del hombre, bajo la guía del pensamiento sensista, la estética ilustrada presta atención sobre todo a los aspectos sicológicos que produce la obra de arte. Se persigue el equilibrio entre entendimiento y sensibilidad y se añaden al arte funciones educadoras, buscando lo que es socialmente útil, a través de los impulsos afectivos y siempre bajo el control de la razón. Nace de esto una literatura muy variada y compleja, a menudo experimental. (...) El romanticismo, que tendrá un concepto profundamente distinto tanto del *yo* como de la naturaleza, dará un valor absoluto al sentimiento, viniendo a romper así el buscado y realizado equilibrio de los autores ilustrados" (Froldi, 1984, 69).

[48] "Utilizando este nombre [pre-romanticismo], se corre el riesgo de sufrir un error de perspectiva al supeditar los caracteres culturales de este período a los del que habrá de seguirle" ("La poesía lírica en España durante el siglo XVIII", *Historia General de las Literaturas Hispánicas*, Barcelona IV, primera parte, 1953, 104, nota 52).

de consolidación de otra categoría historiográfica más difusa que la de *pre-romanticismo* —el *post-romanticismo*— y, con mayores alcances, la compartimentación de la diacronía literaria decimonónica en movimientos alternativos que se niegan mutuamente en una dialéctica de contrarios.

Con menos fortuna crítica que el rótulo de *pre-romanticismo* se ha ido extendiendo el de *post-romanticismo* para acotar una supuesta etapa de consunción vivida por el impulso artístico de los años treinta y cuarenta. Dejando al margen las clasificaciones cronológicas de las últimas Historias de la Literatura y estudios de carácter divulgativo, es en monografías relativamente recientes donde encontramos formulada la existencia del avatar *postromántico* en la escritura literaria española. Reginald Brown (1953, 33), cuando sostiene que "la fase post-romántica de la novela se inaugura en 1844 con el mayor éxito editorial que se conoce en toda la época romántica", o José F. Montesinos, cuando explica en términos de exaltaciones inducidas la peculiaridad de la "generación postromántica"[49], han contribuido con su magisterio al arraigo de una categoría histórica que ya estaba apuntada por los estudiosos del pasado siglo, aunque no le hubiesen puesto nombre. Efectivamente, al proponer el P. Blanco García (II, 7-1), a la zaga de Sainte-Beuve, la fecha de 1850 como frontera indicativa de las transformaciones de la literatura española, volvía sobre los argumentos expuestos en 1854 por Juan Valera y Jerónimo Borao (cf. el texto de este último, editado en AA. VV., 1971, 150-207) acerca de la conclusión de la etapa romántica.

---

[49] En mi opinión, el núcleo del capítulo que dedica Montesinos al "postromanticismo" en su libro sobre Alarcón estriba en este párrafo: "Los románticos legaron a sus más inmediatos sucesores, los que ya convivían con ellos y eran como sus hermanos menores, con las mayores exaltaciones los más amargos testimonios de su fracaso. La consecuencia inevitable de aquel anticlímax en que se acabó siempre una situación exaltada en extremo sentimentalismo, lo que se ha llamado la ironía romántica, pasó a los segundones sin que fuese el resultado de una real experiencia suya. Por esta peculiar cualidad de lo romántico, podría decirse que estos jóvenes llegados a las letras de España hacia 1850 —empleando una frase de Larra escrita a otro propósito— que estaban tomando el café después de la sopa. De aquí que esta generación postromántica, sobre todo entre nosotros, tenga ese aire canijo y envejecido que la distingue" (1977, 43). La antología de Walter A. Dobrian *Poesía española. Postromanticismo* (Madrid, Gredos, 1988), aplica el término en un sentido estrictamente cronológico de segunda mitad del siglo XIX.

La precariedad del romanticismo español en que suele abundar la crítica, además de valoraciones comparativas con otros romanticismos nacionales, ha venido explicándose por la atmósfera de controversia y de rechazo de que estuvo rodeado, ya desde sus primeras manifestaciones. Singularmente a partir de 1837 —recuérdese que es la fecha que Peers indicaba como final del romanticismo triunfante— se repiten en las publicaciones periódicas manifestaciones de censura sobre "el romanticismo y los románticos", título del memorable artículo de Mesonero. Allison Peers exhumó textos de crítica de la primera mitad del XIX adversa al romanticismo, textos que han incrementado estudiosos recientes (Donald Shaw, 1968; García Castañeda, 1971, 1-14; Robert Pageard, 1978, 73-115; Piero Menarini, 1982a, 11-13). Estos investigadores han tipificado los argumentos adversos, expresados en las controversias sobre el movimiento, que pueden sintetizarse en los siguientes aspectos: 1) la reafirmación en la veta clasicista de la literatura española, 2) el rechazo de los modelos morales de excepción propuestos en los textos románticos, 3) la defensa de una producción nacional ajena a las influencias foráneas. La tesis de Peers tiene uno de sus más sólidos fundamentos en esta corriente de rechazo, que Donald Shaw (1968) ha conducido hacia el territorio político de las posiciones moderadas y reaccionarias expresadas por la actitud conservadora, impuesta como tendencia dominante durante el reinado isabelino. Peers denominó *eclecticismo* a la fórmula de compromiso que fagocita el romanticismo militante y consideró la influencia de Alberto Lista como el más significado motor del fenómeno.

Si bien es cierto que la crítica literaria de Lista no fue nunca un bastión de la ideología romántica, los estudios recientes sobre su compleja aportación en este campo (Martínez Torrón; Reyes Soto; García Tejera) no repiten la simplificatoria propuesta del hispanista inglés; con todo, no tenemos aún un plano exacto de la influencia intelectual y moral que el clérigo sevillano pudo ejercer en ambientes madrileños y andaluces de los años treinta y cuarenta. A este respecto, un dato significativo es el que proporcionan los poetas sevillanos Juan José Bono y José Amador de los Ríos en los preliminares del tomo que colecciona sus *Poesías escogidas* (Sevilla, 1839, 4): "en una palabra, para nosotros han perdido su significación las voces *clásico* y *romántico*, y nos hemos acogido a un completo *eclepticismo (sic)*, que adaptado ya por nuestros más distinguidos literatos, reproducirá con el tiempo la escuela *original española,* que no debe nada a los griegos ni a los franceses".

El *eclecticismo* al que aluden estos escritores subraya una conciliación de la dicotomía clásico/romántico tal como la planteaban los críticos españoles contemporáneos, en términos muy lejanos a cómo la habían formulado los hermanos Schlegel. También suele adjudicarse a Antonio Alcalá Galiano (E. A. Peers, II, 138-139, 146; García Barrón, 1970, 137) una explícita toma de postura en favor de posiciones eclécticas[50] que, según Juretschke (1989, 59 y 114), sólo responde a una sucesiva asimilación, primero, de la obra de August Wilhelm y, posteriormente, de Friedrich, de quien procede el "que Alcalá Galiano subrayara siempre el valor de lo espontáneo y que llegara a llamar románticos a los griegos o que criticara en poetas españoles del siglo XVI su imitación de los antiguos como mengua".

El rearme nacionalista que trajo consigo el historicismo romántico explica las reacciones morales y literarias contra el teatro francés contemporáneo (Flitter, 125-162) de las que son emblemas el poeta Zorrilla (pp. 213-215 y 323-327) y otros muchos que, a su zaga, proclamaban —como Eulogio Florentino Sanz— su credo inequívocamente nacional: "soy romántico, pero romántico español y tradicionalista. Amante de la libertad —la libertad, digo, no la licencia".[51] Iluminarán estas dimensiones misoneístas de la conciencia nacional el estudio de los valores vigentes durante la época isabelina, pues no se ha estudiado aún la oleada de las tendencias xenófobas que vivió la sociedad española de la década moderada y que encontró un amplificador sustantivo en la actividad literaria —*teatro histórico nacional y novelas de costumbres españolas*— y en la industria editorial de la época; recuérdese a este propósito cómo el éxito de las publicaciones ilustradas se debió tanto a sus tímidas innovacio-

---

[50] Cf. sus artículos "Literatura" (*Revista de Madrid,* I, 1838, 51 y siguientes) y "De la influencia de lord Byron en la literatura contemporánea" (*La América,* 8, II, 1862): "sea el eclecticismo bueno o malo en filosofía o en política (...) quien esto escribe se arroja a declararle digno de ser aprobado, aplaudido y adoptado por regla en materia literaria".

[51] *La Ilustración Española y Americana.* I, 1877, 374-375, 394-395; en el texto del poeta-diplomático resuenan las entonces frases canovistas del manifiesto de Sandhurst: "ni dejaré de ser buen español, ni como mis antepasados buen católico, ni como hombre del siglo verdaderamente liberal".

nes técnicas como al énfasis en los temas castizos y en la nacionalidad española de los artistas que los desarrollaban (Leonardo
Romero, 1990a, 163).

Otra reacción de la crítica decimonónica, de carácter an-
tirromántico y enmarcada en el ámbito europeo, establecía la
solución de continuidad entre la primera y la segunda mitad del
siglo; "los culturalistas o filósofos de la segunda parte del siglo,
someramente hablando, se creían no sólo diferentes, sino que se
sentían opuestos y hostiles a toda corriente idealista en el arte y
el pensar" (Juretschke, 1982, 14). El programa de trabajo de los
primeros *realistas* franceses —Duranty, Champfleury, Courbet,
Proudhon— insistió enfáticamente en los imperativos artísticos
de la observación inmediata; de ellos y de los debates posteriores
sobre el arte *naturalista* se derivó una oposición radical de las
categorías histórico-literarias romanticismo/realismo que ha tenido vigencia historiográfica hasta hace muy poco tiempo.[52]

Sólo la bibliografía reciente ha iniciado una revisión del esquema, revisión tendente a matizar la ósmosis de los rasgos propios de cada movimiento y, de modo fundamental, a fijar la
novedad radical que es el romanticismo como inicio de la modernidad estética. Erich Auerbach (*Mimesis*, 1953), U. Bosco
(*Realismo Romántico*, 1959), Donald Fanger (*Dostoevsky and Romantic Realism*, 1966), por citar estudios consagrados, han adelantado supuestos críticos para una concepción de la cultura del
XIX como realidad generada en el romanticismo. Sus puntos de
vista pueden haber influido en la formulación de Historias de
literaturas nacionales que ven la relación romanticismo/realismo
como un fenómeno de continuidad más que de rupturas y enfrentamientos (piénsese en el capítulo de M. Marcazzan "Del
romanticismo al decadentismo", en los volúmenes de la *Littérature Française* coordinados por Claude Pichois, o en el reciente
volumen coordinado por Hans Juretschke en la *Historia de España* dirigida por Menéndez Pidal y José María Jover).[53]

---

[52] George J. Becker (*Documents of Modern Literary Realism*, Princeton, New
Jersey, 1963) resumía tajantemente esta oposición conceptual que, en la crítica española, también ha tenido profundo arraigo, desde el pasado siglo.
[53] M. Marcazzan, apud *Letteratura italiana. Le Correnti*, Milán, 1956, 663-
896; Max Milner, *Le Romantisme I, 1820-1843*, C. Pichois, *Le Romantisme II,
1843-1869*, Raymond Pouilliart, *Le Romantisme III, 1869-1896*, París, Art-
haud, 1973-1979; Hans Juretschke, *La época del Romanticismo (1808-1874)*,
Madrid, Espasa-Calpe, 1989.

En la literatura española, con mayor acierto que en los perezosos apelativos de "románticos rezagados", algunos estudiosos han ido señalando relaciones de coincidencia entre las tradicionales concepciones de *romanticismo* y *realismo*. Reginald Brown en un madrugador trabajo de 1956 recordaba el esfuerzo de recreación de ambientes cotidianos que efectuaban algunos autores de novelas publicadas en las décadas cuarenta y cincuenta y, más recientemente, Russell Sebold (1981) ha acentuado la implicación *realista* en la técnica de los *cuadros de costumbres* de Mesonero; Claude Poullain (1981) ha reiterado la peculiaridad de la lírica española de 1850 a 1870, influida por temas musicales y dirigida hacia el universo de la ensoñación, que caracterizaría un "romanticismo de evasión" frente a un "romanticismo de acción", propio de los veinte años anteriores; Biruté Ciplijauskaité (1988c) ha proclamado con acentos inauditos en la crítica hispánica la función del romanticismo "como hipotexto en el realismo", algo que en términos aproximativos sugiere también Joaquín Marco (1988, 176) al afirmar que la sensibilidad romántica se prolonga hasta el Modernismo o más tarde (idea también de D.L. Shaw, 1967 y G. Díaz-Plaja, 1975, 9-23).

Ante las direcciones de la crítica reciente, puede sostenerse que la metamorfosis del discurso del romanticismo, desde las primeras formulaciones de los paleo-románticos hasta las adivinaciones de la poesía simbolista y la prosa del arte taraceada en los últimos años del XIX, son los varios rostros de la modernidad artística, rostros que, como el de un ser vivo, fueron registrando los conflictos colectivos y las tensiones particulares de un tiempo singularmente fecundo.

III

LOS CÓDIGOS DEL ROMANTICISMO

DESDE LAS propuestas teóricas de los formalistas rusos el estudio de los hechos literarios se ha entendido como un análisis entrelazado de múltiples series, en la medida que con este procedimiento se atiende con mayor fidelidad a lo que la literatura tiene de supranacional y de diverso. El texto literario está en la historia y es, a la vez, historia, lo que supone su integración en el proceso de muchos acaeceres específicos de la vida social, y de modo singular, en los acontecimientos propios de códigos culturales especializados. El avecinamiento de la literatura en las series culturales más próximas es, por tanto, el corolario de un entendimiento del fenómeno literario en su dimensión de actividad inserta en el común hacer de los grupos humanos y en su específica naturaleza de mensaje simbólico propietario de un territorio autónomo.

No sería inteligible el fenómeno romántico si no se incluyese en la gran transformación histórica que, en el mundo occidental, supuso el establecimiento del sistema económico de producción industrial y capitalista que, además, se manifestó estrechamente unido a llamativos episodios políticos, bélicos y tecnológicos. De manera que la aceleración del ritmo histórico fue adquiriendo un movimiento uniformemente acelerado capaz de alterar el tono vital de las gentes, tono que ya había iniciado su mutación cuando la estética dieciochesca de la subjetividad comenzó a reorientar la sensibilidad y los valores morales. Un mundo en cambio total en el que sus piezas más significativas mantenían estrechas relaciones entre sí fue el contexto en el que la actividad de los artistas generó el discurso artístico de la modernidad. Como es bien sabido, a este complejo fenómeno cultural, iniciado en los países europeos y en los años del tránsito entre los siglos XVIII y XIX, se denomina *romanticismo*, palabra, además, cuya significación tipológica fue acuñada en las reflexiones de los teóricos del arte y de la literatura de aquellos años.

El peculiar romanticismo español no fue fenómeno distinto del que se dio en las literaturas más cercanas, es decir, que su interrelación con los fenómenos sociales y culturales, lejos de constituir una circunstancia de segundo orden, lo conforma como acontecimiento histórico dotado de rasgos específicos que, en buena medida, pueden explicar su anomalía.

EL MEDIO SOCIAL

Hasta la eclosión del romanticismo nunca se había afirmado tan enfáticamente la relación de dependencia existente entre literatura y sociedad. Un testimonio español fríamente representativo puede ser el aserto de un escritor romántico, esforzado pero carente de personalidad artística: "la literatura es, en todas las épocas y en todos los países, la expresión más exacta del estado social" (Eugenio de Ochoa, *El Artista*, II, 265). El postulado, recuperado por estudiosos recientes, ha originado modos específicos de análisis de los fenómenos literarios y abundantes consideraciones genéricas sobre el binomio "literatura-sociedad" en la época romántica (véase, Díaz Larios, 1967). Las iluminaciones que la investigación histórica puede aportar en la profundización de los hechos literarios son muy oportunas (panoramas sintéticos y actualizados de la investigación histórica sobre la España del XIX, en los vols. 32 a 35, I y II, 1968-1989, de la *Historia de España* que dirigió Menéndez Pidal, y ahora continúa José María Jover, y también en el estudio de conjunto de Miguel Artola, 1973). Tanto las aportaciones documentales referidas a cuestiones monográficas como los análisis de naturaleza global resultan sumamente pertinentes para la elucidación del fenómeno romántico español y sus innumerables casos individuales, tal como se advertirá en este panorama crítico, que, por otra parte, no puede consistir en un mero repertorio bibliográfico ni en un sucinto resumen de los alcances de la investigación historiográfica, como el que realizó José María Jover (1974) para la producción bibliográfica de 1939-1972, ya que son otros los supuestos y finalidad de este libro.

Del debate histórico referido al significado del fenómeno modernizador que fue la instauración española del Estado liberal conviene recordar que diversos estudiosos de la literatura española han explicado la inexistencia o las carencias de determinados géneros literarios —novela gótica, novela histórica, drama histórico— y las limitaciones de algunos instrumentos esenciales del romanticismo —la idea moderna de imaginación, el costumbrismo periodístico, la misma conciencia de ser romántico— como consecuencia inmediata de la inexistente transformación de la sociedad española durante esta época. Frente a esta visión mecánica, y posiblemente apriorística, del proceso histórico experimentado por la sociedad española de la primera mitad del XIX, otros analistas han sostenido la realidad del cambio, bien que insuficiente, de estructuras económicas y sociales en la España de la primera mitad del siglo.[1]

En este orden de consideraciones, debe recordarse que, en España, los agentes de la actividad literaria de la primera mitad del XIX son individuos pertenecientes en su mayoría a las clases dominantes, entre los que no faltan miembros de las familias linajudas del Antiguo Régimen; es sintomático a este propósito el manifiesto progresista "A la Aristocracia española" que publicó el conde de Campo Alange en El Artista;[2] y del mismo modo debe advertirse que, una vez asentadas las bases del moderno Estado liberal, es decir, a partir de 1844, los artistas de la

---

[1] Refiriéndose a la sociedad isabelina considera José María Jover que "lo que uno tiene ante los ojos es una sociedad dual: una sociedad de transición en la cual los elementos residuales del antiguo Régimen y los pertenecientes, ya, a una sociedad capitalista se equilibran y entremezclan" (1976, 31). Otro estudioso de la década 1834-1844 concluye: "in summary, the new political and social system born in the period 1834-1844 was fundamentally the product of the mobilization and politization of the spanish urban population. The difusion of the ideology of liberalism, the establishment of parliament institutions and of the electoral process, constitued an important political revolution which served as the basis for the construction of a bourgeois parliamentary state. This new political state, however, was built upon a social structure which had undergone profound changes and reforms, but not a true social revolution, for in order to have been a revolution it would have had to radically transform the social relations of the rural population of Spain" (C. Marichal, 1977, 4-7).

[2] Como es de suponer, las bibliotecas privadas mejor abastecidas eran las de los individuos pertenecientes a las clases dominantes, y, especialmente, a la aristocracia (Martínez Martín, 1986, 627; 1981).

"generación romántica" se fueron integrando en el tejido del poder al tiempo que producían un llamativo proceso de desactivación de sus inquietudes juveniles, tal como denunciarían, desde el ángulo estricto de la creación literaria, Mesonero Romanos, José Zorrilla o Martínez Villergas (Leonardo Romero, 1993). En último término, y por lo que respecta a la hipótesis de interpretación que en este libro se mantiene, la mixta situación del cambio social vivida por el país explicaría las abundantes vías de ruptura y novedad que comporta el romanticismo hispano y, simultáneamente, el denso apresto de mentalidad tradicional que subyace en muchas de sus manifestaciones.

1. *Emigración, cultura provincial, vida cotidiana*

Solamente como adelanto de algunas de las perspectivas de correlación entre hechos artísticos y acontecimientos sociales que se plantearán en las páginas de este libro, adelanto un selectivo extracto de fenómenos muy delimitados que, gracias a la investigación de que han sido objeto, ya pueden aclarar hechos específicos de naturaleza cultural o literaria. Sea el primero la consideración referida a los espacios geográficos en que los románticos españoles desplegaron su trabajo de escritores; lugares que, por su proximidad a España o por la potencia de difusión de las energías de su propia vida social, permiten suponer una estimulante recepción peninsular de las iniciativas culturales surgidas en su seno. Quedan fuera de esta consideración los desplazamientos individuales de los escritores que trasladaron su campo de acción, durante un tiempo, a países americanos —José Joaquín de Mora, Martínez Villergas, José Zorrilla, Antonio García Gutiérrez...—, por cuanto estos movimientos implican proyecciones individuales con escaso o nulo efecto de réplica colectiva en España. La abrupta ruptura entre la metrópoli y las colonias dificultaba extremadamente la comunicación entre las dos riberas del Atlántico hasta el punto que sólamente Larra fue el romántico español que tuvo un eco inmediato en la América hispana, mientras que en España eran prácticamente ignoradas las figuras relevantes de las literaturas americanas contemporáneas (véase el estudio clásico de Emilio Carilla, 1958), aunque algunas llegaron a tener proyección notable en la península (Millares Carlo, 1969, para el caso de Baralt).

Como fenómeno de traspaso de nuevas pautas culturales y literarias, es de indeclinable importancia el de las emigraciones políticas que se vivieron durante el primer tercio del siglo XIX, hasta el punto que para estudiosos del romanticismo español sólo el regreso de los emigrados permite fijar el punto de partida del movimiento romántico (pp. 85-87). El modélico estudio que Vicente Llorens (1954) dedicó a las actividades culturales de los refugiados liberales en Inglaterra y los más recientes trabajos de Sánchez Mantero (1975) sobre la emigración liberal en Francia y de Jean-René Aymes (1987) sobre la deportación de patriotas en la Francia del primer Imperio —aunque más pertinentes para los aspectos ideológicos y sociales que para los estrictamente literarios— constituyen útiles puntos de apoyo para reconstruir cómo los españoles de la segunda y tercera década del XIX conocieron la vida inglesa y francesa contemporáneas y de qué manera supieron asimilar los nuevos valores morales y tendencias artísticas que allí observaban.

Algunas localidades cercanas a las fronteras españolas resultaron zonas de retaguardia estratégica para la conspiración política y, por descontado queda, para las actividades de propaganda impresa; las regiones limítrofes a los Pirineos habían representado un activo papel en el curso de la Revolución Francesa y su asimilación por parte de la sociedad española en los finales del Antiguo Régimen (AA.VV. ed. Jean-René Aymes, 1989b). Durante el reinado de Fernando VII deben ser atendidas localidades como Bayona, sede de la *Gaceta* editada por Lista entre 1828 y 1830 (Juretschske, 1951), Gibraltar refugio para liberales meridionales y escala de viajeros románticos (Sánchez Mantero, 1985) y Perpignan (Marrast, 1988a; 1989), con una intensa actividad editorial de signo saint-simoniano y pro-romántico (Marie Grau, 1985 y 1992). Estos núcleos urbanos fueron espacios de frontera que cumplieron una función de filtro para el trasvase a la península de inquietudes de muy diverso tipo.

La centralización de la vida pública española experimentada en el curso del XVIII no había eliminado la floreciente actividad cultural y literaria de muchas localidades de los antiguos reinos, de modo que la vida literaria de las minorías dirigentes en las capitales de las nuevas provincias quizás fue menos asfixiante de lo que los documentos novelescos de la segunda mitad del XIX nos sugieren sobre la parálisis de los *burgos podridos*. Allison

Peers (I, 250-265, 375-382, 430-440, II, 27-40, 142-145), precedido en estas observaciones por los trabajos de Tubino y Méndez Bejarano, ya había valorado la estimable variedad del romanticismo provincial español, combativo y distinto del madrileño en muchos casos, sobre todo en Cataluña y Andalucía.

La práctica de un medievalismo riguroso —Próspero Bofarull y, más tarde, Manuel Milà— y el inicio de la difusión del socialismo utópico tuvo su asiento en Barcelona desde los primeros años treinta (Juretschke, 1954a; Marie Grau, 1985 y 1992); la comunicación francesa —saintsimonianismo y scottismo precursor del impresor Alzine de Perpignan— y la vía italiana —romanticismo de *Il Conciliatore* milanés reflejado en *El Europeo*, como sugirió Alfonso Par (1935, I, 211)— son dos condicionantes de situación geográfica que hay que sumar a la trayectoria del romanticismo catalán (descrita en síntesis por Xavier Fábregas, 1982, y para el teatro, también por este estudioso, 1974; Molas, 1986). Los componentes ideológicos del socialismo utópico (Anna Rampsott y Jordi Maluquer para el de origen catalán; Antonio Elorza, para el peninsular en su conjunto) y el traslado a Madrid de escritores catalanes doblados en empresarios de la cultura —Aribau, Ayguals de Izco, Ribot i Fontseré..., algunos estrechamente vinculados al banquero Remisa— son caras diversas del perfil pragmático que caracteriza el romanticismo catalán, en el que conviven un militante romanticismo liberal (Juretschke, 1954) y un sólido romanticismo reaccionario —María Josefa Massanés, José María Quadrado, Joaquín Roca i Cornet—, aún insuficientemente estudiados.

Andalucía servía el tópico por excelencia de la romántica tierra del Sur (AA.VV., 1987); algunas ciudades andaluzas habían contribuido decisivamente al movimiento romántico y liberal (caso de Cádiz, considerado de nuevo por González Troyano, 1984) y otras —como Granada y Sevilla— compendiaban el modelo de *diwam oriental-occidental* que extasiaba a los viajeros europeos; buena parte de la literatura de viajes de la época y la invención del *orientalismo* hispano, como tema literario, tuvieron su primer estímulo en las gentes y los paisajes de la España meridional. Otras regiones y ciudades, sin llegar al nivel de iniciativa económica barcelonesa o a la potencia sugestiva de las tierras del Sur, tuvieron también una estimable actividad literaria, editorial y asociativa: Alicante (Ríos Carratalá, 1987), Zaragoza (Mainer, 1983; Soria Andreu, 1993), Extremadura (Manzano Carias, 1969) son casos sintomáticos, para citar enclaves estudiados en monografías recientes.

El estudio de la vida local sitúa al investigador en una óptica micro-histórica a la que no es indiferente la perspectiva de los elocuentes relieves surgidos de la monótona vida de todos los días; el hispanista Jean Descola (1971) es autor de un libro de conjunto sobre la vida cotidiana en la España romántica que presenta un material documental mucho más depurado que las biografías de mujeres románticas publicada por Concha de Marco (1969); con posterioridad a estos libros, Elena Catena (1989, 681-742) y Gonzalo Menéndez Pidal (1989) han compendiado datos significativos referentes a muy varias parcelas de la vida cotidiana en el siglo XIX.

Fiestas públicas y conmemoraciones (pp. 296-297), tertulias particulares y convivencia en los teatros y en los cafés (pp. 338) son manifestaciones de la cultura colectiva del XIX que apenas han sido estudiadas. Otro acto de la vida cotidiana es la lectura, además de su significación como acto de elección individual y ejercicio proyectivo de los demonios íntimos. La historia de la lectura durante el romanticismo importa al investigador de la literatura tanto en su vertiente de fenómeno colectivo —editores, canales de difusión, grupos sociales que consumen los textos impresos, y en otro plano comunicativo, la recepción de textos por vía oral— como en su costado de apropiación intelectual o imaginativa de los mensajes artísticos. Los estudios de Almela y Olives sobre los editores Cabrerizo y Bergnes de las Casas respectivamente no han tenido seguidores, en los últimos años, mientras que sí ha interesado la indagación referida a las publicaciones de consumo popular, tanto las que continuaban la modalidad de la literatura de cordel (Botrel, 1974; Joaquín Marco, 1977) como las que inauguraron las empresas editoras de folletines o enciclopedias de divulgación (AA.VV., 1977a) y, por supuesto, los estudios positivistas sobre bibliotecas particulares, de los que resulta un índice expresivo la monografía de Martínez Martín (1986) dedicada a las bibliotecas privadas en el Madrid de la época de Isabel II. Como aportación de conjunto, Robert Marrast (1974b) es autor de un estudio general que traza algunas líneas maestras definidoras del plano de la lectura en la España del XIX.

2. Relación entre la sociedad española y otras sociedades

Un abonado campo de trabajo en los estudios de literatura comparada es el de las relaciones culturales entre los distintos países. La agilización de las comunicaciones y los intereses económicos en el siglo XIX, los viajes forzados o voluntarios de muchos españoles fuera de las fronteras nacionales y el fuerte tirón que tenía la península para los viajeros europeos hacen de las relaciones intelectuales y literarias de España y los países vecinos uno de los más significativos fenómenos de la vida social del XIX.

La apertura española a las manifestaciones literarias contemporáneas es, según avanza el siglo, más intensa y estimulante. De la lectura en la lengua original que los ilustrados egregios hicieron de las obras más significativas de la cultura dieciochesca, a las traducciones masivas de las novelas de Scott, el teatro de Victor Hugo o los textos de Manzoni, dista un considerable trecho que es preciso explicar a partir del cambio vivido por la sociedad española de la primera mitad del XIX; la simultaneidad a la publicación de los textos originales con la que Larra podía hablar de novelas de Balzac o de ensayos de Heine da también idea de una cierta fluidez en el proceso de comunicación cultural. Precisamente la prensa periódica fue un canal de primer orden en este proceso —Simón Díaz (1967), inició un catálogo de noticias sobre autores franceses en periódicos madrileños—, aunque la traducción de textos por la vía de la copia manuscrita o el libro impreso siguió siendo abundantemente frecuentada (Anoll, 1979, 1984, 1987 para los textos de Balzac; Lafarga, 1983 y 1988 para traducciones de teatro francés conservadas en impresos y en manuscritos).

Francia fue la etapa intermedia para la difusión de la cultura y la literatura románticas alemanas, según ha ido poniendo de manifiesto Hans Juretschke (1973, 1974, 1975, 1978) en sucesivas recopilaciones de las más variadas traducciones germanas al español. Gerhart Hoffmeister (1980, 169-212) ha compendiado en una síntesis de conjunto los casos y tópicos más significativos de las relaciones literarias hispano-alemanas, mientras que para la difusión de las literaturas inglesa o italiana sólo disponemos de monografías ceñidas a autores o fenómenos individuales: Isidoro Montiel para Ossian, Pujals para Byron, Gil Novales (1981) para Burke, Moreno Alonso (1983) para lord Holland,

Joaquín Arce (1968 y 1982), Macrì (1976) y Meregalli (1977) para algunos escritores románticos italianos y su presencia en España.

La curiosidad que lo español antiguo y moderno suscitó entre los europeos contemporáneos se refleja en el fascinante descubrimiento de Calderón, el romancero y la pintura española (pp. 132), en la recuperación de temas hispanos para la creación artística autóctona (como ha mostrado José Alberich, 1974, 1978, para la literatura inglesa de la primera mitad del siglo) o en el nuevo énfasis que los escritores galos dieron a temas y asuntos peninsulares (Margaret Rees, 1977; Ramos Ortega, 1981, para el Cid romántico en Francia). La traducción de textos, la exposición de cuadros o la divulgación de estampas y grabados, los aires musicales puestos de moda, el préstamo de temas y motivos literarios de caracterizada connotación ibérica, los numerosos viajes, en fin, fueron formas diferentes que abrieron culturalmente el mundo español al mundo europeo en un estimulante recorrido de ida y vuelta que fecunda la trayectoria del romanticismo español. Ilse Hempel Lipschutz (1981a, 47) ha resumido con elocuencia el efecto que tuvo el descubrimiento de la *romántica España* (Hoffmann, 1961) para los franceses:

> Todos los críticos y artistas, desde el más famoso al menos notorio, desde Victor Hugo a Joseph Méry, de Delacroix a Casserot, estaban hechizados por el "Milagro Español". Sus novelas, obras de teatro y poemas crearon una España teñida de romanticismo, un país de aristados contrastes, emociones violentas, de profundo misticismo, negro satanismo y áspera belleza. Era una España habitada por nobles reyes, altivos hidalgos, gitanos y proscritos no menos nobles y generosos. Descubrían en sus gentes el prototipo de la belleza mediterránea, casi árabe, y veían mártires, santos y monjes sólo posibles en un país incrustado durante siglos en el más profundo y militante de los catolicismos.

La visión de los viajeros, con todas sus magníficas aportaciones, era un caso de reduccionismo de la realidad española que se operaba en la geografía de sus consideraciones sociales y culturales, ya que la ruta casi obligada de los viajeros tendía a prescindir de la visita a ciudades y regiones no situadas en los caminos habituales del viaje ritual a la península. Enrique Gil y Carrasco denunció la menesterosa limitación de horizontes geográficos

que se producía en muchos de los escritos de viajeros[3], en planteamiento concorde con los costumbristas y su reacción de herido
nacionalismo sobre la que estimaban sesgada percepción sociológica de sus visitantes. Acerca del abundante material escrito que la
experiencia viajera produjo se han realizado algunos estudios monográficos que no agotan las posibilidades que el tema depara.
Helena Fernández Herr (1973) y Ian Robertson (1975) son autores,
respectivamente, de sendas monografías encaminadas a mostrar la
imagen elaborada en Francia y en Inglaterra de la España en transición desde el Antiguo Régimen a la sociedad romántica; José Fernández Sánchez (1985) ha reunido un breve repertorio biobiblio-
gráfico de viajeros rusos en la España del XIX. Con punto de vista
restringido a áreas geográficas precisas, José Alberich (ed. de textos
de 1976) para Andalucía y Jean-René Aymes (ed. de textos de
1986) para Aragón han puesto al servicio de los lectores dos sugestivas antologías de textos de viajeros; Concha Casado y Antonio
Carreira (1985) han elaborado una modélica monografía referente a
la visión que estos tuvieron del reino de León; José Alberich
(1975), en fin, ha releído la anotación poco favorable hacia la ciudad de Sevilla que formuló la inevitable autoridad en el tema de
viajeros, el inglés Richard Ford.

Una construcción imaginativa que resultó, en buena medida, hallazgo de los viajeros románticos fue el *orientalismo* hispano (Gallego Morell, 1972, 29-41). El arabismo español, iniciado en el XVIII, tuvo en la figura de José Antonio Conde un
pionero que con su *Historia de la dominación de los árabes en España*
(1820-1844, 3 vols.), más allá del descrédito que suscitó entre
los expertos, proporcionó a los escritores románticos una valiosa
fuente de información histórica. En la generación romántica,
Estébanez Calderón, que vivió el lado pintoresco del arabismo
(Manzanares de Cirre, 1972, 105-118), tuvo el contrapeso téc-

---

[3] "¿Qué hacen [los viajeros extranjeros] de todas las provincias del interior
y de su parte más occidental? ¿O no son para ellos España Castilla la Vieja,
Extremadura, el reino de León y el de Galicia? (...). Por otra parte, acostum-
brados al espectáculo de naciones ordenadas y compactas, ya por haber pasado
encima de ellas el nivel revolucionario, ya por la energía y ciencia del gobierno
que extendiendo su acción con igualdad y prontitud sabe asimilarse aun sus
más discordes elementos, poco tiene de extraño que clasifiquen y juzguen por
inducción al pueblo español, sin comprender los vivos y fuertes matices en que
se reparte y *degrada* su nacionalidad" ("Bosquejo de un viaje a una provincia del
interior", *El Sol*, 3-II-1843).

nico de un Pascual de Gayangos, a quien se puede considerar iniciador moderno del arabismo español. Si estos eruditos contribuyeron a divulgar conocimientos sobre el mundo hispano-árabe, la recuperación del romancero morisco y de otros textos maurófilos del Siglo de Oro, sumada a la veta de orientalismo dieciochesco, dio lugar a la *invención* literaria de un universo poblado de ruinas y tópicos de la cultura musulmana, sumariamente caracterizador de la literatura romántica; el moro de Granada (Carrasco Urgoiti, en reedición de su sugerente monografía de 1956, ha dibujado un completo panorama y Mohammed Abdo Hatamleh, 1972, ha hilvanado un repertorio de textos literarios que recrean la Granada nazarita). En otros horizontes exóticos y con menor exactitud técnica que la exhibida por los arabistas románticos, la curiosidad hacia culturas orientales más lejanas se fue manifestando en las revistas de la época como tibio despliegue de una apertura hispana al orientalismo. Posiblemente los artículos de *El Europeo* sobre la India y su literatura clásica sean la primera manifestación española de esta apertura de horizontes culturales.

LAS BELLAS ARTES

En 1975 parangonaba Enrique Lafuente Ferrari el más reducido esfuerzo investigador que hasta esa cercana fecha se había aplicado al estudio del arte español moderno y contemporáneo en relación con los estudios literarios[4] para, en un sintético repaso de las principales aportaciones habidas en el campo de la pintura y la escultura, diagnosticar que, en artes plásticas, "el romanticismo español es un estilo tardío, heterogéneo, que si está lastrado superficialmente de influencias muy varias, es no menos continuador de tradiciones españolas de dilatada vida que se renueva en este período a favor de circunstancias europeas que son la causa ocasional, solamente, de su reflorecimiento" (1975, 129). El panorama apuntado en este juicio, pese a contener un tributo a la teoría del *romanticismo permanente,* no ha sido sustancialmente modificado por las monografías posteriores, bien que

---

[4] En algunos trabajos de conjunto disponemos de información sobre lo que se ha avanzado en este camino de la investigación; además de las monografías que incorporo a la exposición, téngase en cuenta AA.VV., *Historia de España,* vol. 35 (II), 1989, pp. 189-676.

la tendencia historiográfica que tiende a difuminar las fronteras entre las nociones de "clasicismo", "romanticismo" y "realismo" y la incorporación de pleno derecho de las "otras iconografías" —grabados, fotografía— a los estudios de las artes plásticas de la primera mitad del XIX (A. Gallego; Hugh Honour, 1979; Charles Rosen y Henri Zerner, 1984; trad. española, 1988) han modificado el contorno de este planteamiento.

La mutación histórica que se vivió en el cruce de los siglos afectó también profundamente a la función social de las Bellas Artes y al papel que, durante el Antiguo Régimen, se había atribuido al artista. Fenómenos específicos, muchos conectados necesariamente con la metamorfosis experimentada por las estructuras de las sociedades europeas, corroboran las nuevas direcciones del arte, cuyo fundamento teórico experimentó análogo tratamiento al vivido por la creación literaria. Los viajes de formación y años de aprendizaje de los artistas —como había ocurrido en otros tiempos—, la invención de nuevas técnicas, la exhibición permanente de las grandes colecciones al público y la práctica de la exposición de temporada, son otros tantos datos de las nuevas circunstancias que importaron aires nuevos a la actividad de las Bellas Artes.

Recordemos algunas de estas circunstancias en la coyuntura del romanticismo español. La apertura oficial, el 19 de noviembre de 1819, del Museo del Prado había sido precedida de un proyecto museístico durante los años del reinado de José Bonaparte (el llamado Museo Josefino, estudiado por María Dolores Antigüedad, 1987). Las exposiciones de pintura que, como iniciativa de grupo, habían iniciado la Academia de San Fernando en 1835 o los socios del madrileño Liceo Artístico, desde 1837, condujeron a las Exposiciones Nacionales que, desde 1856, sirvieron de sismógrafo registrador de las tendencias e innovaciones de pintores y escultores. Las revistas literarias y culturales, que desde *El Artista* y el *Semanario Pintoresco Español*, abrieron sus páginas a la teoría y a la crítica del arte fueron otro cauce informativo y formativo de gustos artísticos e ideas estéticas; Henares Cuéllar y Juan Calatrava (1982) han dispuesto una elocuente antología de textos aparecidos en estas revistas además del *No Me olvides*, el *Observatorio Pintoresco, El Renacimiento, El Siglo Pintoresco* y algunos libros especializados, que no sólo sirven para trazar el panorama de la teoría artística española vigente durante los años treinta y cuarenta sino también para recordar cómo estas tareas críticas eran realizadas por hombres conocidos en el terreno de la creación o la crítica literarias (Eugenio de Ochoa, Pedro de Madrazo, Luis Usoz, José Amador de los Ríos, Pablo Piferrer, Manuel Milà i Fontanals son los autores de la mayor parte de los textos recogidos en esta antología y en el trabajo de Henares Cuéllar, 1989).[5]

El proceso económico-político de la desamortización introdujo también notables cambios en el horizonte de la vida artística contemporánea. La incuria que produjo el abandono o destrucción de venerables edificios —con la consiguiente denuncia desde las posiciones contrarrevolucionarias, como ocurre en *El Señor de Bembibre*, más tarde en *La Gaviota* o *Las ruinas de mi convento* de Patxot—, la especulación urbanística que llevó a la demolición de edificios de culto —y que denunciaría desde una posición radical el poeta Espronceda—, la codicia que aventó fondos cuantiosos del patrimonio bibliográfico y artístico —recuérdese el "gran barato" de pintura española que fue, según Gaya Nuño, el viaje a la Península del barón Taylor en 1836 (Leonardo Romero, 1992a)— o que, con previsión correctora, dio lugar a los Museos y Bibliotecas públicos de las capitales de provincia (caso cordobés, estudiado por María Josefa Porro, 1983) son rasgos de un comportamiento colectivo que manipuló con diversos efectos un impresionante capital de bienes artísticos. La creación de un mercado internacional y nacional de gentes acomodadas que adquirían obras de arte[6] y la aplicación jurídica de la idea de un Estado responsable del patrimonio artístico contribuyeron, desde sus peculiares plataformas de influencia, a la intensificación del coleccionismo y a los primeros trabajos modernos y sistemáticos de recopilación y catalogación de los materiales arqueológicos y artísticos. Este clima de mercantili-

---

[5] Observa Henares Cuéllar (1982, 14-1540-41) que en estas publicaciones se impone un sentido pragmático que evita las polémicas y busca armonizar la ideología de la Ilustración y la tradición cristiana, tendencia quebrada parcialmente por los trabajos de Pi i Margall en *Recuerdos y Bellezas de España*. *Introducción al Reino de Granada*, que se sitúa en la línea de la izquierda hegeliana.

[6] El manuscrito juvenil de Gustavo Adolfo Bécquer (Biblioteca Nacional, Ms. 22511) fue, en sus primeras páginas, el libro de los encargos pictóricos que recibía su padre, José Domínguez Bécquer, en Sevilla, ciudad que en el curso de los años treinta y cuarenta ofrecía un floreciente mercado de pintura antigua y moderna (Reina Palazón).

zación explícita de la obra de arte hace posible la reflexión teórica y la invención literaria de una tipología humana, la del artista como *genio* excluido y excluyente. El *topos* encontró sus primeras manifestaciones en la literatura alemana (invención de un tipo de relato, el de la novela de artista, que ha contado con intenso cultivo, según mostró Herbert Marcuse),[7] y desde ella fue desplegándose en las otras literaturas europeas; en España el tópico del artista como héroe literario fue cultivado mucho antes en el teatro (Susana Vedovato, 1984) que en la novela.

La música fue actividad artística absolutamente imprescindible en la España de los años románticos (C. Gómez-Amat, 1984). Tanto la música de concierto[8] como la música teatral, singularmente la de origen italiano (López Calo, 1984) se cultivaron ampliamente durante los años del reinado de Fernando VII, la Regencia y el posterior de Isabel II. El "furor filarmónico" que hizo proferir a Bretón una conocida sátira o el "Madrid filarmónico y social" de las *Memorias* de Mesonero tuvieron sus efectos positivos tanto en la educación del gusto de las gentes como en la específica actividad de los profesionales. En las zonas de influencia inmediata entre música y literatura románticas deben ser situados hechos tan pertinentes como la creación del Real Conservatorio (Federico Sopeña, 1967), con sus difusos efectos para el proyecto de una "ópera nacional",[9] y la serie de revistas musicales —desde *La Miscelánea curiosa* de 1836, *El Anfión Matritense* de 1843 o *La Iberia Musical y Literaria* de 1842-1843— que recogieron el trabajo crítico de muchos creadores

---

[7] Traducción italiana de su tesis doctoral, *Il romanzo dell'artista nella letterature tedesche*, Turín, Einaudi, 1985.

[8] La audición musical de conciertos públicos o familiares se convirtió en referencia frecuente en los textos críticos y costumbristas. En un relato, de fecha tan temprana como 1817, leemos la siguiente parodia de los *tipos románticos*: "Prendado desde mi más tierna juventud de todo lo exótico, raro y romancesco, mi estrella me condujo cierta noche a un concierto donde cantó una señorita que se llamaba Flavia. Este nombre tan digno de la heroína de una novela, empezó a cautivarme, y concluyeron ciertas miradas lánguidas, el romance del *troubadour* y sobre todo el no haber cantado un solo verso en castellano" (E.A. "Artículo remitido", *Crónica Científica y Literaria*, n.º 72, diciembre, 1817).

[9] S[antiago] M[asarnau] en *El Artista* (I, 1835, 66), por ejemplo, lamenta la amenaza de cierre del recién creado establecimiento, cuya existencia justifica, entre otras razones por la de que "bien dirigido, debe producir todos los elementos necesarios para la creación de una ópera nacional".

literarios (Claude Poullain, 1982). Como símbolo de las preocupaciones contemporáneas que veían un puente transitable entre música y poesía, valga el discurso de ingreso en la Academia Española del poeta Antonio Arnao que en 1873 disertaba acerca "Del Drama lírico y de la lengua castellana como elemento musical".

1. Medievalismo y pintura española

Menéndez Pelayo concibió un plan para su *Historia de las ideas estéticas en España* en el que, al llegar a la teoría de las artes del siglo XIX, concedía un extenso espacio a la estética y la crítica europeas —vols. IV y V de la llamada edición nacional— que serviría de preámbulo al tratamiento del tema en la España contemporánea; la obra quedó inconclusa y los lectores sólo podemos disponer de un índice del contenido de lo que habría de ser la obra definitiva. En la articulación interna de las ideas estéticas modernas señalaba la línea, en consonancia con su planteamiento historiográfico general (pp. 29-30), que marca significativamente la frontera entre la estética vigente durante la Ilustración y la del romanticismo. La investigación y la historiografía posteriores fueron por otros caminos (véase la aclaradora antología de textos estéticos de la Ilustración y el romanticismo dispuesta por Calvo Serraller, 1982), hasta el punto que resultan dos caras de la misma moneda las tesis que acentúan la continuidad de fenómenos históricos entre Ilustración y romanticismo como las que propugnan la ruptura paradigmática entre ambas etapas. (pp. 89-93). Actualmente, ni el más fervoroso partidario de la interpretación rupturista entre Ilustración y romanticismo puede olvidar la potencia de transformación que comportaba la cultura de la sensibilidad y la estética subjetiva que se desarrollaron durante la segunda mitad del XVIII. El interés que estas tendencias ponían en nociones como la de *sublimidad, genio, inspiración* e, incluso, la de *imaginación* explica un proceso complejo de cambio artístico en el que convivían concepciones artísticas propias de la tradición clásica y formulaciones de rigurosa novedad (Henares Cuéllar, 1987, 171-180, ha ilustrado el fenómeno con el testimonio de algunos tratadistas españoles de finales del siglo XVIII).

La poética de las ruinas, por ejemplo, es un precioso taller de experimentación a propósito de lo anteriormente dicho. Ruinas reales o ruinas artificiales, ruinas de la antigüedad clásica o ruinas del medievo, todos los fragmentos sobrevivientes de un cuerpo artístico que había tenido su propia historia suscitan la emoción ante el sagrado pretérito' o ante la fusión de arquitectura y paisaje y remiten a la noción central de la unidad originaria de arte y naturaleza (Marchán Fiz, 1985). Los estímulos literarios que Horace Walpole (1717-1797) aportó para el redescubrimiento del arte gótico, las *carceri d'invenzione* (1745-1760) de Piranesi, el dibujo y la lírica visionarios de William Blake (su primer trabajo original es de 1780), los ensayos sobre la belleza pintoresca de William Gilpin (1792), la *Teoría del color* (1805-1810) de Goethe —para evocar algunos hitos de primer orden— son sucesivas manifestaciones de la cultura ilustrada que allanaron caminos a teorías y técnicas propias de los románticos.

Goethe, en su *Autobiografía*, evocaba la impresión que le había causado la catedral de Estrasburgo en su primera visita a la ciudad; identifica lo gótico con el glorioso pasado alemán y percibe en el edificio la unidad grandiosa que le dan la infinidad de detalles constructivos; por otra parte, su conocido ensayo sobre la arquitectura gótica es de 1772. Desde 1747, en que Walpole adquiere su villa de Strawberry Hill, puede señalarse en Inglaterra el flujo del revivalismo gótico, tan ampliamente estudiado, [10] y que Guillermo Carnero (1983, 105-109) ha evocado en sus episodios más conocidos. En España —ya lo apuntó Menéndez Pelayo en las *Ideas estéticas*— fue Antonio de Capmany uno de los primeros escritores que reivindicó rotundamente el arte gótico. En sus *Memorias sobre la Marina, Comercio y Artes de antigua ciudad de Barcelona* (1779) leemos afirmaciones del tenor de la siguiente: "la arquitectura gótica imprime cierto género de tris-

---

[10] Trabajos clásicos y pioneros sobre el tema: A. F. Longueil, "The Word *gothic* in the 18th century criticism", *Modern Language Notes*, 38, 1923, 453-460 y A. Lovejoy, "The gothic revival and Return to Nature", *Modern Language Notes*, 48, 1932, 419-446. Un ejemplo de cómo se habían asimilado la teoría de la sublimidad y el revivalismo gótico ofrece el traductor español de Hugh Blair: "una catedral gótica excita en nuestros ánimos ideas de grandeza por su tamaño, su elevación, su respetuosa oscuridad, su robustez, su antigüedad y su durabilidad" (*Lecciones sobre la Retórica y las Bellas Letras*, Madrid, I, 1789, 69).

teza deliciosa que recoge el ánimo a la contemplación, y así parece la más propia para la soledad augusta de los templos". Desde este texto memorable a las consideraciones de Isidoro Bosarte en su *Viaje artístico a varios pueblos de España* (1804) hay una continuidad en la estimación positiva del arte gótico[11] de la que será el más notable portavoz Jovellanos en su "Carta sobre la arquitectura inglesa" y en sus observaciones sobre el castillo de Bellver.[12] La portada de la primera edición de las *Poesías* (1802) de Manuel José Quintana dibuja una síntesis de paisaje pintoresco coronado por un lejano templete clásico al que se contrapone en primer término una inequívoca ruina gótica. Las decoraciones de este estilo irán apareciendo en grabados y en las arquitecturas efímeras de celebraciones públicas —tal como atestiguan algunas de las láminas de la Real Litografía (Jesusa Vega, 1990, 237, 240-241, 252, 220) o en las prácticas de los escenógrafos de los años treinta, tal como documenta irónicamente Larra en su crítica de *El espía*, drama de Fenimore Cooper: "con respecto a la representación, es muy de celebrar una decoración de adornos góticos en los Estados Unidos, adonde nunca alcanzó la arquitectura de esta especie".[13]

[11] "Y si la arquitectura madre refería que los primeros hombres procuraron alojarse en las grutas de las montañas, la arquitectura de crestería daba la idea del origen de este arte figurando en sus mayores edificios una imagen indisimulable de su origen. La crestería es alusiva a las puntas de la roca (...). Las entradas o puertas principales de las catedrales de aquel estilo suelen ser de mucha profundidad horizontal, para denotar el espesor de la apertura de la montaña donde se entra a las cuevas o rocas" leemos en el *Viaje artístico a varios pueblos de España*, (ed. facsímil de A. Pérez Sánchez, Madrid, 1978, pp. 40-41).

[12] Con un ejemplar sentido de los extravíos a que pueden llevar las modernizaciones impertinentes, escribe sobre la fachada principal de la catedral de Burgos en el *Diario sexto* (23-III-1795): "grande, magnífica, renovada, una portada antigua con otra muy bella moderna, pero que, por lo mismo, desdice". En el escrito "Sobre la arquitectura inglesa y la llamada gótica", fechado en Bellver, 1805, discute con sentido crítico las teorías sobre los "tipos" generadores de las construcciones góticas, de la cabaña y el bosque (ed. en B.A.E., vol. LXXXVII, 374-5).

[13] Agustín Durán argumenta en su *Discurso* (1828) a favor del historicismo con esta observación: "¿Por qué tendré derecho a exigir que Racine, en su *Atalía*, y Calderón en su *Tetrarca*, se valgan de los mismos medios y formas para interesar mi corazón, si uno y otro lo logran con aquellos que respectivamente emplean? ¿Y cuánto más injusta será tal exigencia, si se atiende a que los géneros adoptados por uno y otro no pueden acomodarse a iguales reglas ya

El descubrimiento del arte medieval y de los pueblos orientales —Egipto, India de modo especial— que se opera en los años del cruce de siglos, al tiempo que modela una sensibilidad artística respecto a lo lejano o exótico, contribuye desde su propia focalización al gran desarrollo de la *pintura de tema histórico* que, junto con la de tema *costumbrista*, determina el hacer de los artistas españoles durante casi todo el siglo XIX. Efectivamente, el escaso interés que los asuntos históricos habían suscitado entre los artistas de la Edad de Oro y del XVIII manifiesta un cambio radical entre los pintores de la primera promoción decimonónica, entre cuyas motivaciones hay que señalar el historicismo propio de la visión romántica del mundo y el estímulo técnico que supuso el taller de Jacques-Louis David. "La concepción davidiana de la pintura de historia creó escuela en los cuadros grandilocuentes de sus discípulos españoles José de Madrazo (1781-1859), José Aparicio (1773-1863) y Juan Antonio de Ribera (1779-1860), quienes fomentaron, desde las posiciones de privilegio que les conferían sus cargos rectores de las principales instituciones artísticas del país, este género en las décadas intermedias del siglo XIX con su dibujo purista y con la afectación casi general de las composiciones" (García Melero, 1985, 50-51).

José de Madrazo es, además, el responsable del Real Establecimiento Litográfico (para cuya historia y trascendencia en la aplicación de la innovadora técnica de grabado veánse Antonio Gallego, 1979, 341-356 y Jesusa Vega, 1990, 123-357), institución que gozó de la protección de la Corona y, como consecuencia de ello, dispuso del privilegio para reproducir cuadros de la colección real y las estampas emblemáticas de la vida palaciega durante el reinado de Fernando VII. La pérdida del privilegio auspiciada por el cambio de régimen dirigió posiblemente la actividad de la familia Madrazo (AA.VV, *Los Madrazo*) hacia otros trabajos litográficos, como puede ser la lujosa edición de *El Artista* (1835-1836) (pp. 58-65). Los hijos de José de Madrazo intensificaron la impronta marcada por el padre en el mundo artístico español, y tanto por su apertura al panorama de la pin-

---

que se escribieron para dos naciones diferentes en *su carácter, su existencia social y en sus necesidades morales?* (...). Si se erigiese en principio que todos los edificios debían construirse bajo las formas de la arquitectura griega, desde tal punto la gótica dejaría de existir, con todas sus bellezas y primores" (ed. Navas Ruiz, 1971, 67).

tura contemporánea —Federico estudia en Roma donde se relaciona estrechamente con Overbeck—[14] como por sus funciones en la administración pública —Pedro será director del Museo del Prado y autor de su *Catálogo*, que desde la primera edición de 1843 vivió un gran éxito de sucesivas impresiones—, contribuyeron de modo decisivo a la conformación de las tendencias pictóricas de mitad del siglo, entre las que el tratamiento de la materia histórica era el inevitable punto de referencia. El citado trabajo de conjunto de García Melero no sólo da noticia de los hitos más señalados en la trayectoria de esta tendencia sino que añade una sólida documentación en publicaciones técnicas que supusieron el marco de referencia iconográfico y teórico para la gran difusión que tuvo esta variante gráfica del historicismo nacional (Carlos Reyero, 1987, 1989 y AA.VV., 1992).

En una cronología casi coincidente con el éxito de la pintura histórica, la representación plástica de los tipos y los espacios característicos del pintoresquismo nacional tuvo también su amplio desarrollo, posiblemente más acentuado en Andalucía (Reina Palazón) donde un público de viajeros conformaba un mercado de incansables compradores; Calvo Serraller (1981a) ha trazado un panorama de síntesis sobre esta pintura de costumbres que en sus aspectos iconográficos es de necesaria referencia para el estudio del costumbrismo literario y que, en sus implicaciones pictóricas, remite o a una corriente de "veta brava" —magisterio de Goya reflejado en Leonardo Alenza y Eugenio Lucas— o al modelo del repetitivo costumbrismo practicado por el grupo de pintores sevillanos.

Valentín Carderera, que tanto hizo por la divulgación de los tesoros artísticos nacionales, escribía sobre el genio de Fuendetodos que "la nueva escuela romántica de los pintores franceses ha puesto en evidencia el mérito de nuestro artista, y en bastantes cuadros pequeños y en muchísimas litografías y aguas fuertes que adornan las ediciones de Víctor Hugo y otros célebres contemporáneos, se ve el deseo de imitar a Goya, y se columbran los originales y románticos *duendecitos* esparcidos en sus ochenta ca-

---

[14] Véase la carta que dirige al músico Masarnau en 1840 y que editó José Simón Díaz en su índice de *El Artista* (Madrid, C.S.I.C., 1946, 24-26); para las relaciones del pintor catalán Pablo Milá con Overbeck y los *nazarenos*, además del clásico trabajo de Bertrán y Amat, debe verse la monografía de Benoch i Torrens (1958).

pítulos" (*El Artista*, II, 1835, 255). El artículo del artista y escritor oscense fue un toque de atención que marcó una nueva percepción de la obra goyesca. Los valores estéticos que habían dirigido la estimación de los ilustrado contemporáneos de Goya reciben una nueva perspectiva en la visión de los románticos, para los que se impone la dimensión satírica y fantástica de su ingente obra. Nigel Glendinning (1977; trad. española, 1982, 83-117) ha reconstruido la recepción artística del aragonés entre los escritores románticos y realistas con un acopio de documentación que prueba el impacto que tuvo para los espectadores del XIX la visión del hombre y del país expresada por el genial pintor. Valentín Carderera, Larra en algunos apuntes aproximativos —por ejemplo, "cuando el coche se movía era un milagro y cuando se paraba un *capricho* de Goya", (Lorenzo-Rivero, 1984)—, José Somoza en dos espléndidos artículos, entre los románticos españoles, y Victor Hugo, Alfred de Musset, George Sand, Louis Viardot, Théophile Gautier, Richard Ford, Charles Baudelaire, entre los extranjeros, fueron configurando la bibliografía literaria imprescindible en el camino de la fama del pintor en el curso del XIX.

Pero no sólo Goya contribuyó a la divulgación de una imagen de la tradición plástica nacional; Ribera, Velázquez, Murillo, Zurbarán fueron los pintores del Siglo de Oro con obra divulgada en Europa, a través de la vía francesa, que más intensamente difundieron fuera de las fronteras nacionales la imagen arquetípica del mundo español. Ilse Hempel Lipschutz (1972) ha reconstruido con notable finura los efectos que el descubrimiento de la pintura española, la clásica y la moderna, tuvo entre los románticos franceses. Las tropas de ocupación, primero, —colección atesorada por el mariscal Soult en Andalucía— y la fácil adquisición posterior que el barón Taylor realizó para la galería particular de Luis Felipe —inaugurada oficialmente en el Louvre el siete de enero de 1838— fueron momentos sucesivos de la difusión europea de centenares de obras maestras que, al tiempo que contribuían a la construcción de la tópica hispánica del romanticismo —religiosidad torturada, orgullosa caballerosidad de los reyes y los grandes señores, belleza africana de los tipos humanos—, sirvieron para corregir el desconocimiento que se tenía de la pintura clásica española, considerada en el XVIII como un mero apéndice de las escuelas italianas.

Otra dirección temática de la pintura de los años románticos es la que prolonga la literatura dieciochesca sobre los paisajes conmovedores y *románticos*. La tendencia paisajística no había sido muy marcada en la historia de la pintura española, pero "con la llegada del Romanticismo va a surgir entre nosotros el cultivo de la pintura de paisaje, no ya de una forma esporádica o discontinua, sino sistemática, con un interés creciente, con una plena conciencia de lo que se está haciendo y con un claro deseo de reivindicación de un género académicamente incomprendido" (Arias Anglés, 1985, 32). Independientemente de los estudios que puedan hacerse sobre paisajismo pictórico y descripción poética o narrativa, prácticamente inéditos para la literatura romántica española, otra vía de relación entre la pintura de paisaje y la creación literaria es la que se puede establecer con los diseños decorativos para exteriores de obras teatrales, tal el final del *Don Álvaro*, tan próximo en ideación escenográfica a cuadros como "Las gargantas de las Alpujarras" de Villaamil (Fundación Santamarca de Madrid) o "El paisaje con contrabandistas" de Eugenio Lucas (Museo Lázaro Galdiano).

2. *Nuevas técnicas*

Las innovaciones tecnológicas en la reproducción de las obras plásticas —grabado litográfico, daguerrotipo y fotografía— tuvieron rápida difusión en España, de modo que colaboraron en la construcción de la imagen romántica del país, tanto dentro como fuera, al tiempo que suscitaban cambios sustanciales en las expectativas receptivas de lectores y espectadores de pintura. Leonardo Romero (1990a) ha recordado cómo la lujosa y estéticamente acertada utilización de la litografía en los impresos no trajo consigo una interrelación semántica entre imagen y texto —caso de *El Artista*— como sí la tuvo, por contra, la rehabilitación del viejo procedimiento de la xilografía que con acierto mercantil implantó Mesonero en el *Semanario Pintoresco Español*. El valor crítico-social que tuvieron las caricaturas de la primera prensa política ilustrada (estudiada por Claudette Dérozier, 1983) es también otra contribución de los primeros años isabelinos en que se fue extendiendo la práctica hoy cotidiana de la correlación de discurso lingüístico e imagen gráfica (Lee Fontanella, 1982).

El caso de la fotografía, que también fue empleada como correlato plástico de textos a partir de 1844 en la fotomecánica,[15] tuvo más complejas implicaciones. En primer lugar, por su naturaleza de actividad científica, tal como los primeros divulgadores rigurosos del fenómeno manifestaron (existen tres traducciones del texto de Daguerre, en 1839, hechas por Pedro Mata, Eugenio de Ochoa y Joaquín Hysern y se da un extracto del mismo en sendos libros de Física, también de 1839); en segundo lugar, por la posición teórica que el fotógrafo y el espectador adoptan ante esta nueva forma de *imitación* de la realidad que, como ha subrayado Lee Fontanella (1989a, 19) debe explicarse "*en cuanto semejanza o distinción (diferencia) efectuada por el artista* en su presentación de la realidad observada"; en último término, porque muchas de las reproducciones fotográficas de mitad del siglo no son sino reelaboraciones de la categoría costumbrista del *tipo* pintoresco, tal como dan a entender los trabajos fotográficos de un Laurent y un Charles Clifford (Lee Fontanella, 1981 y 1989a).

La formación artística, en fin, que tuvieron algunos escritores es también un último dato que debe incorporar a su carpeta de trabajo el estudioso del romanticismo español. La debatida relación entre pintura y poesía alcanza sus perfiles más agudos en los casos de "poetas-pintores", como fue —dejando otros de mera afición circunstancial— el duque de Rivas, quien, como han recordado sus biógrafos, llegó a vivir de sus trabajos pictóricos en etapas de su exilio político (Ortiz Juárez, 1981). Gustavo Adolfo Bécquer desborda su inclusión en este capítulo, y ello no sólo por su condición de escritor que pone su palabra como marco para los trabajos plásticos de su hermano Valeriano sino porque su mundo poético pertenece a otra órbita lírica que, si enraizada en la modernidad del romanticismo, abrió nuevos horizontes para el decir poético en español.

---

[15] Félix Talbot dio "el paso decisivo con el negativo matriz y con la utilización del papel como soporte. Y en su *Pensil of Nature* se utiliza la fotografía directa que se acompaña de un texto impreso" (Marie-Loup Sougez, 1989a, 64); en España la práctica de la fotomecánica se inicia en 1862 (Sougez, 1989a, 70-85).

La Ciencia

En la etapa histórica que aquí consideramos se confirma el principio que establece la absoluta interdependencia entre saber científico y estado del medio social en el que éste se produce.[16] La tantas veces considerada coyuntura española de inseguridad pública que se prolonga desde 1808 hasta 1839 fue el clima menos favorable para el cultivo de la especulación teórica y la investigación sistemática de índole científica. Ello explica la continuidad en el campo del pensamiento de un sensualismo, ahora aplicado a la pedagogía política liberal desde el foco intelectual de la Universidad de Salamanca, y explica también la difícil historia del idealismo filosófico que, de haber sido negada por Menéndez Pelayo, ahora empezamos a conocer como un cuadro real, de pinceladas dispersas pero lo suficientemente consistentes como para que se haya podido sintetizar con anteriores aportaciones un elocuente capítulo sobre el hegelianismo en España (José Luis Abellán, 1984, 556-573).

Las circunstancias públicas y particulares en las que tuvieron que desenvolverse muchos científicos españoles también explican el silencio, el exilio o los callados esfuerzos de algunos eruditos como Diego Clemencín o Fernández Navarrete.[17] Casi todas las circunstancias dificultaban la práctica común del trabajo científico y, por supuesto, la difusión de la teoría romántica de la ciencia. Si la difusión en España de los autores alemanes de

---

[16] En el terreno de la teoría de las artes, Du Bos había sentado ya en sus *Réflexions critiques sur la poésie et la peinture* (1717) la dependencia de la creación artística respecto de los climas y el medio físico. Los ilustrados, desde todos los campos del saber, apuntaron a la relación imprescindible entre actividad artística y medio político-social, de modo que, cuando Larra inicia un famoso artículo afirmando que "razón han tenido los que han atribuido al clima influencia directa en las acciones de los hombres" y Espronceda titula un artículo "Influencia del gobierno sobre la poesía" (*El Siglo*, 28-II-1834) o Basilio Sebastián Castellanos publica otro trabajo sobre "El clima y la forma de gobierno influyen extraordinariamente en las artes" (*Observatorio Pintoresco*, 5-X-1837), no hacen sino reiterar ideas factorialistas ampliamente extendidas.

[17] Martín Fernández Navarrete era, en el panorama de la cultura española de la época fernandina que describió Alcalá Galiano (ed. 1969, 66), "el más laborioso de los escritores españoles"; el naturalista Félix José de Azara y el médico Hernández Morejón sobrevivieron en la España de esa época; desarrollaron su trabajo científico fuera del país, el médico Orfila en París, el naturalista La Gasca en Londres o el ingeniero Bethancourt en San Petersburgo.

primera línea —Schiller, Goethe, Friedrich Schlegel, Hegel...— fue incompleta, mediada a través de Francia y, en muchos casos tardía (Juretschke, 1975, 1978), no tenemos datos para asegurar que la difusión de los pensadores que edificaron las tesis de la filosofia de la ciencia fuera más ágil; sus nombres más egregios —Fichte y Schelling— no son nombres conocidos en la España de la primera mitad del XIX.[18] La íntima relación que Hans Eichner (1982) ha encontrado entre la teoría de la ciencia de Schelling y la idea de poesía romántica es, por tanto, desconocida para los españoles, bien que los temas de la ciencia newtoniana sigan siendo, como en el XVIII, un reservorio para *topoi* poéticos —para Cabanyes, para Aribau (MacAndrew, 1930)— o un repertorio de nociones con las que se puede acceder al lenguaje traslaticio de las imágenes (pp. 172-173).

Pero la ciencia que, por su sólida tradición hispana e inmediata incidencia en la sociedad (López Piñero y colaboradores, 1964) sí tuvo notable cultivo y estrecha relación con la actividad literaria fue la medicina; obsérvese que buena parte de los cultismos que presenta Lapesa (1984, 370) como introducidos en los años románticos son términos técnicos procedentes de la Física o de las Ciencias médicas. Determinadas ramas de este último saber, que habían surgido en los finales del XVIII como un intento de explicación psico-somática de los *caracteres morales* y las conductas anómalas, alcanzaron en España amplio desarrollo y se sumaron al prestigio internacional de que gozaban. La *fisiognómica*, la *frenología* y *frenopatía*, la *craneoscopia* y el método terapéutico que supuso la *homeopatía* traspasaron los límites de la práctica profesional para convertirse en tópicos de la caracterización sociológica —como ocurre en la comedia de Bretón *Frenología y magnetismo* de 1845— y de la definición psicológica de los individuos. Singularmente, la fisiognómica del suizo Lavater y la frenología de Gall tuvieron considerable difusión entre los españoles[19]. El médico catalán Mariano Cubí —autor de un *Sis-*

---

[18] Carlos Bousoño (1981-82, II, 507–517) ha esbozado un sucinto panorama de actividades científicas estrechamente vinculadas con los supuestos teóricos del romanticismo. Aproximación relevante a la relación romántica entre ciencia y poesía en Europa es la de M.M. Abrams (1972, 432-485); para España véase también José Luis Varela (1958, 193-201).

[19] Ya encontramos noticias sobre Gall en la *Minerva* de Olive (IV, 1806, 75).

tema completo de Frenología, 1843 — fue el científico que más significativamente concilió a Gall con Lavater (Ramón Carnicer, 1969). Los textos literarios fueron utilizados para la experimentación de los supuestos teóricos de la frenología —un caso ejemplar es el libro de Pi y Molist, *Primores del Quijote en el concepto médico-psicológico*, 1886— y las hipótesis *fisiognómicas* prestaron habilidades descriptivas a los costumbristas y a los autores de novelas (Lee Fontanella, 1987).

López Soler, por ejemplo, amplifica su retrato del conde Arnaldo de Urgel con esta observación: "aunque cierto aire de afabilidad y franqueza daba a primera vista mayor recomendación a las gracias de su persona, hábiles fisonomistas hallaran qué criticar en él examinándolo de cerca. Las cejas y el labio superior anunciaban la costumbre del mando; los ademanes, aunque naturales y sencillos, la ventajosa idea que tenía concebida de su propia superioridad, y a veces el involuntario movimiento de los ojos, su carácter fiero, orgulloso y vengativo" (*Los bandos de Castilla*, 1830, cap. VIII). Del mismo tenor son los retratos de Enrique de Villena y Macías que ofrece Larra en su novela, incrementados, además por la referencia expresa al arte de Lavater,[20] los de los protagonistas de *El señor de Bembibre* (cf. ed. de E. Rubio, 1986, 45-46) o la rotunda aseveración dirigida a los lectores por el narrador de *Sancho Saldaña*: "... y sólo les recomendaré el tratado de frenología del doctor Gall, donde se convencerán de la razón que me asiste, puesto que no le asistió a él más para asegurar que cada joroba de nuestra cabeza es un nido de vicios, de virtudes y de talentos" (cap. XIII).

Tópico de los escritos costumbristas es el uso de algunas prácticas terapéuticas o para-medicinales entonces prestigiadas, como la *homeopatía* (por ejemplo, en el *Teatro Social* de Modesto Lafuente, vol. I, 49-55, 104-110, vol. II, 138, 142-144, o en la adivinación psicoterapéutica de Zorrilla en el poema autobiográfico "Historia de locos") y el *magnetismo* —práctica por la que también mostró interés Modesto Lafuente (*Teatro Social*, I, 115-125, 145-154) y el abulense José Somoza—. El empleo traslati-

---

[20] Cf. en ed. de José Luis Varela, 1978, 107-109, pasaje que ha sido comentado por Georges Günter (1986, 59); Larra cita expresamente a Lavater en "El mundo todo es máscaras" y a Gall en "El ministerial", a lo que se ha de sumar su análisis naturalista de *tipos* inolvidables como "La planta nueva o el faccioso" o "El hombre-globo".

cio del término *fisiología* en el campo del análisis de los caracteres, que tanto sedujo a los costumbristas y primeros realistas (Montesinos, 1960, 95-106; Leonardo Romero, 1976, 47-48), o la curiosidad por aplicaciones técnicas como la fotografía no tuvieron consecuencias en el ámbito de la reflexión literaria hasta bien entrada la segunda mitad del siglo, casi en sincronía con los debates sobre la función de la *imitación* fotográfica que planteaban en Francia un Delacroix o un Baudelaire.

LITERATURA Y FOLCLORE

La actitud intelectual de los ilustrados dieciochescos estableció una abrupta ruptura con la mentalidad imperante en la inmediata cultura barroca y, como consecuencia de ello, con la más fluida comunicación que interrelacionaba manifestaciones de la cultura popular con las actividades artísticas de los grupos dominantes.[21] La campaña contra la superstición fue una de las líneas de ataque de los *philosophes* contra los principios rectores en la anterior etapa histórica; el "desengaño de los errores comunes" pretendido por Feijoo o la eficaz ironía aplicada por Voltaire en su programa de *ecraser l'infame* son grados diversos de un mismo proyecto, bien que en los ensayos del benedictino se registren abundantes usos de la cultura tradicional que hoy resultan de enorme interés para los cultivadores de la antropología. De todas formas, la enérgica reacción romántica en defensa de lo supranatural modificó sustancialmente la solución de continuidad que la cultura del XVIII había establecido entre el universo de la cultura popular y los programas de trabajo de los artistas.

Es un lugar común de la bibliografía sobre el tema —y, según el acuerdo de los estudiosos, no resulta identificación errónea— la vinculación entre el despliegue romántico y la difusión de la idea del *Volksgeist*. La concepción organicista de la historia sostenida por Herder y sus continuadores y el vigoroso componente irracional del movimiento romántico, entre otras

---

[21] Maxime Chevalier sostiene con un buen acopio de argumentos que en el siglo XVIII "el contacto directo entre el escritor y la tradición folklórica queda roto" y que esta situación es "comparable a la que había traído el Renacimiento, si bien de signo opuesto" (Maxime Chevalier, *Folklore y Literatura. El cuento oral en el siglo de Oro*, Barcelona, Crítica, 1978, 157; también 1984).

causas, avalan la correlación, y, de hecho, los artistas románticos, en su mayoría, difícilmente encuentran su definitivo perfil sin la apropiación de las oscuras incitaciones que les llegaban del fondo de las tradiciones colectivas.[22] A pesar de lo cual, los movimientos de población, el paulatino despliegue de los modernos sistemas educativos y la transformación de los agrupamientos de viviendas que vivieron las sociedades occidentales del siglo XIX, siguieron marcando las enormes distancias entre cultura popular y cultura de clases dominantes que se habían abierto durante la anterior centuria. El papel que, en el siglo XIX, tuvo la ciudad, como ámbito obligado para la creación artística —y, muy especialmente, las megalópolis que se iban consolidando—, alejó a los escritores de los espacios rurales en los que todavía perduraban múltiples formas de la vieja cultura popular. De manera que el deseo folclorizante, por una parte, y la realidad de la cultura urbana, por otra, marcaron zonas de difícil engaste, como en otros tantos aspectos de la experiencia histórica romántica.

La lectura de las copiosísimas páginas de los viajeros extranjeros que pasaron por España durante el XIX pueden llevarnos a suponer que la sociedad española ochocentista vivía en un estado letárgico, en una hipoteca sobre el pasado (la modorra a que se referían Humboldt y A. W. Schlegel, pp. 96) que le conferían un inactual alejamiento de las pautas de vida cotidiana establecidas en las sociedades burguesas de los otros países europeos. Los escritores españoles, en sentido contrario, denunciaron la falaz percepción de los observadores foráneos y procuraron subrayar los rasgos de la vida moderna que habían transformado el ritmo de la existencia española, o cuando menos, que podrían regenerarla. El énfasis en el tradicionalismo que acentuaban los primeros y la modernización acelerada que propugnaban los segundos son otros tantos testimonios hiperbólicos sobre la zozobrante instalación de los españoles de la época en el marco de la

---

[22] La apelación a las tradiciones y supersticiones de las comunidades ancestrales funcionó como fórmula retórica en muchos textos españoles de la época: "Veréis tornar los tiempos de magos y hechiceras, / sus fábulas medrosas, su infiel superstición, / con las querellas graves, ensueños y quimeras / de un pueblo, hasta en sus vicios de ardiente exaltación" (Gregorio Romero Larrañaga en la introducción a *Cuentos históricos, leyendas antiguas y tradiciones populares de España*, Madrid, I, 1841, 7).

cultura moderna. La sociedad española de la primera mitad del XIX, ha sintetizado José María Jover, ofrece una compleja dualidad de cambios y anclajes en el pasado que no han sido aún analizados en todas sus dimensiones.[23]

No es preciso insistir en cómo los artistas románticos situaron lo popular en el núcleo de sus preocupaciones —recuérdese solamente el poema de Mickieviezc *Romanticité*, 1821, acto de fe absoluto en la vitalidad del pueblo—, ni en la trascendencia de todo tipo que la teorización de Herder tuvo para la teoría del *Volksgeist* (René Wellek, 1959, I, 211-232), pero sí resulta pertinente precisar ahora que la traducción en España de estas ideas fue lenta y que su difusión, en una primera fase, se redujo a las discusiones de los artículos periodísticos. La aclimatación definitiva de la *Volkstheorie*, cuando tiene lugar en la página de un artista hispano, puede sufrir una manipulación llamativa[24] y, cuando se incorpora al quehacer de un investigador, puede no estar asimilada en toda su precisión.[25] Quiero decir que, en el

[23] La sociedad *diferente* que fue la española anterior a 1868, históricamente se explica por un entramado de causas económico-sociales: "inexistencia de una revolución campesina análoga a la desarrollada en Francia paralelamente a su revolución burguesa, transformación más bien que supresión del régimen señorial, empeoramiento de la condición de las clases campesinas como consecuencia del proceso desamortizador; conformación de un estrato superior formalmente burgués, pero que en realidad se ha aliado hasta la confusión con la vieja alta nobleza latifundista (...) En suma: todo un complejo de relaciones sociales y económicas propias del Antiguo Régimen y de la sociedad estamental que le sirviera de fundamento se ha injerido en la sociedad de clases propia del Estado liberal, previa asunción de las formas jurídicas de este último" (José María Jover, 1974, 62-63).

[24] Dos escritores de mitad de siglo profundamente convencidos del papel representado por el pueblo en la creación de formas literarias primordiales son Valera y Bécquer: el primero realizó en varias ocasiones convencidas apologías sobre el interés y valor literario de los cuentos folclóricos, en favor de los cuales reclamaba cosechas sistemáticas para, en una segunda aproximación, poder darles "forma literaria y duradera" (véase, por ejemplo, su prólogo al libro de Narciso Campillo, *Una docena de cuentos*, 1878). Bécquer situaba las canciones populares en el ápice de su estimativa poética y añadía, seguidamente, que "Trueba las ha glosado con una espontaneidad y una gracia admirables; *Fernán Caballero* ha reunido un gran número en sus obras; pero nadie ha tocado ese género para elevarlo a la categoría de tal en el terreno del arte" (reseña de la *Soledad* de Ferrán, 1861).

[25] Piénsese en las vacilaciones que manifiesta Agustín Durán al adaptar la teoría de Wolf sobre la precedencia de los romances respecto a otras formas poéticas primitivas, como los cantares épico-juglarescos (prólogo y apéndices de el *Romancero General*, 1849, que comentó Menéndez Pidal en el *Romancero Hispánico*).

curso del XIX, las relaciones habidas entre folclore y creación
literaria, aunque hoy aún nos sean conocidas muy insatisfacto-
riamente, sí fueron más intensas que en el siglo XVIII, y su estudio se presenta como tarea de muy ardua delimitación.

En cualquiera de los textos del XIX que registran ecos o manifestaciones de la cultura popular cabe preguntarse si el escritor
recoge directamente de la tradición folclórica o si lo hace de la
previa tradición literaria y de las elaboraciones de su taller particular. Y si en cualquier etapa literaria no se deben confundir lo
popular y lo popularizable, en el XIX este postulado metodológico debe ser aplicado con cuidadosísima exactitud, teniendo en
cuenta el despliegue de fenómenos para-literarios que llegaron a
grandes capas de la población no alfabetizada. El material "popular" que no haya sido tomado por el escritor de la comunicación en que la colectividad funciona, simultáneamente, como
emisor y como receptor, no debe ser incluido en el terreno de
las interrelaciones folclore y literatura, por muchos signos aparentes que pueda suscitar. Una muestra ilustrativa de esta confusión entre motivaciones y propósitos de trabajo se puede observar en el vario significado que se otorga a la palabra *leyenda*:
"narración ficticia" entre los románticos, pasó a significar para
los primeros folcloristas "relato escrito que procede de alguna
tradición popular" (por ejemplo, las *Leyendas moriscas,* 1885-
1886, de Francisco Guillén Robles), para llegar a la acepción de
"relatos fantásticos de la tradición oral" (p. ej., Federico de Castro y Antonio Machado y Álvarez, *Cuentos, leyendas y costumbres
populares,* 1873).[26]

Como ilustración de las zonas equívocas que pueden origi-
narse a propósito de las falsas folclorizaciones, valga el caso de la
divulgación de facecias o cuentecillos cuyos referentes han sido,
a todas luces, troquelados en el marco de la cultura moderna y
que nos llegan hoy a través de diferentes textos, capaces de producir la engañosa impresión de una transmisión folclórica. Don
Juan Valera, en el libro *Cuentos y chascarrillos andaluces* (1896),
pergeñado en su tertulia madrileña, transcribe una anécdota

[26] Una sistematización de la complejidad semántica que adquiere el término *leyenda* en el léxico de los estudiosos del folclore, en François Delpech
"Réflexions sur un colloque et notes pour un discours de la méthode",
AA.VV., *La Légende. Anthropologie, Histoire, Littérature,* Madrid, Casa de Velázquez, 1989, 291-305.

chistosa que satiriza las descortesías de un muchacho, hijo de un labrador manchego, que ha pasado una temporada en Francia; el joven afrancesado justifica sus informalidades echando mano de la expresión "sans façons, sans compliments et sans ceremonies", que le censurará su padre: "mira, hijo mío; vete muy enhorabuena y no me invoques ni me mientes más en tu vida a esos santos de Francia, que serán muy milagrosos, pero que están infamemente mal criados". El mismo juego de palabras aparece en una pieza teatral del primer tercio del siglo, la comedia de Francisco de Paula Martí titulada *El mayor chasco de los afrancesados* (1814)[27] y, más tarde, en las *Memorias de un setentón* de Mesonero y en el cuento "Los santos de Francia" de Emilia Pardo Bazán; por ello Maxime Chevalier sintomatizaba con acierto estos fenómenos de seudofolclore advirtiendo que muchos cuentecillos de este tipo se habían divulgado en la España del XIX y "corrían de boca en boca, rodaban de papel impreso en papel impreso, y eran, lo mismo que los cuentos folclóricos, bien mostrenco, del que cualquier escritor falto de inspiración podía echar mano".[28]

Con todo, el interés de las clases aristócrata y burguesa y, de modo singular, de los escritores ochocentistas por los fenómenos de la cultura popular marcan una diferenciación notable entre la actitud de las capas sociales ilustradas del XVIII y las del XIX frente a la cultura tradicional. Desde la *Colección de las mejores coplas de seguidillas* que, operando en el ámbito del majismo de la anterior centuria, había recopilado Juan Antonio Iza Zamácola ("Don Preciso") en 1799 y los *Cuentos jocosos* (1804) de Pablo de Jérica, hasta los numerosos registros de fiestas o cuentos populares que realizaron los escritores de los años románticos,[29] hubo

[27] La criada Sinforosa resume la moralización de un conflicto que ha opuesto patriotas españoles a afrancesados: "¡Cuidado que todos estos renegados son más lujuriosos que los micos. Ellos nada escrupulizan, ni aun con las mujeres de sus propios amigos, y eso que siempre tienen en la boca a San Fasón... Maldito sea tal santo que sin duda debía ser tan bribón como todos ellos!".

[28] "Juan Valera folklorista: *Cuentos y chascarrillos andaluces*", *Revista Hispánica Moderna*, XXXVIII, 1974-1975, 167-173.

[29] En la prosa de los costumbristas aparecen con frecuencia paremias, tipos proverbiales y usos patrimoniales de la tradición popular de la península. Mesonero retrató con precisión de investigador de campo algunas costumbres populares madrileñas, como la del entierro de la sardina ("El martes de Carnaval y el miércoles de Ceniza"). En la prosa de las novelas históricas pueden aparecer alusiones a fiestas tradicionales: "el pueblo entero que la había conta-

un cambio de tono en el interés por los materiales de la cultura popular, pero, también, una reorientación del punto de vista desde el que se vieron los fenómenos de la cultura tradicional.[30]
El "¿qué se me da a mí?" con que Larra resume la actitud de los *majos* y que, como Carmen Martín Gaite ha advertido,[31] "parece un resumen muy agudo y revelador de la actitud mitad insolencia y mitad desaliño de aquellos hombres", nos sitúa en el polo opuesto a la curiosidad que aplicaron los periodistas románticos para sus descripciones de los *tipos* oriundos de las regiones españolas. Ejemplos de las llamativas modificaciones habidas en la apreciación de la cultura popular encontramos tanto en el valioso fondo antropológico que publicaron los colaboradores del *Semanario Pintoresco Español* en sus descripciones de tipos y costumbres nacionales o regionales[32] —material que tiene su equivalente historiográfico en la abundante documentación arqueo-

_____

do por muerta la recibió como nuestros lectores pueden figurarse con fiestas, baileotes y algazaras que la esplendidez del señor hacía más alegres y animados. Hubo su danza y loa correspondiente, un mayo más alto que una torre, y por añadidura una especie de farsa medio guerrera, medio venatoria" (*El señor de Bembibre*, cap. XIII). En poemas de autores con veta casticista, el poeta recrea motivos tradicionales que remiten tanto al fondo común de la lírica popular como a las celebraciones colectivas, por ejemplo los versos "Alegre velada / noche de San Juan / de un año a otro año / ¡cuál vienes, cual vas! (...)", de Serafín Estébanez Calderón, en su poesía "La noche de San Juan", publicada en el *No Me Olvides*, (9, 1837, 5-6).

[30] Curioso folclorista *avant la lettre* es el Blanco White que rememora —cierto que desde la Inglaterra de 1821 impregnada de los escritos de viajeros a los más diversos parajes— capítulos de antropología social, en la Sevilla de principios del siglo que él había vivido (véase su *Carta* décima en que evoca los juegos de los niños, los carnavales y las fiestas religiosas, los peculiares antropónimos de la tierra y los entretenimientos domésticos).

[31] Carmen Martín Gaite, *Usos amorosos del dieciocho en España*, Madrid, Siglo XXI, 1972, 80-93 y 254-262.

[32] "Charros de Salamanca" (1838, 788); "El jeque de Andalucía (1838, 748); "Los alaveses, vizcaínos, guipuzcoanos y navarros" (1839, 307); "Los aragoneses" (1839, 251); "Los armuñeses" (1839, 385); "Los asturianos" (1839, 145); "Los gallegos" (1839, 345); "Los maragatos" (1839, 57); "Montañeses de León" (1839, 113); "Los pasiegos" (1839, 201); "Los segovianos" (1839, 257); "Sevillanos de Triana" (1839, 8); "Los valencianos" (1839, 109, 133); "Los aragoneses" (1840, 281); "Los catalanes" (1840, 224); "Los griegos" (1841, 372); "Los judíos" (1841, 363); "El valenciano y el gallego" (1843, 365); "Los bandoleros de Andalucía" (1846, 347, 356); "El pasiego" (1851, 190); "Habitantes de las cercanías de Panticosa" (1853, 3); "Tipos vizcaínos" (1857, 4).

lógica y artística aparecida en la misma revista—[33] como en la afanosa recogida de material folclórico andaluz que enriqueció el "joyero" de doña Cecilia Böhl de Faber. Sólo a partir de los trabajos de Manuel Milà y de las tareas investigadoras realizadas en torno a La Sociedad del Folklore andaluz (1881) puede señalarse una actividad que distingue con precisión las fronteras del material folclórico y sus zonas de solapamiento con la actividad de los artistas creativos.[34]

El singular trabajo de *Fernán Caballero* depara un caso ejemplar de folclorista *avant la lettre*, especialmente interesante tanto por el método que empleaba en la recogida de material como por su ideología, y cuyas implicaciones literarias explicaba el hispanista Antoine de Latour a través de una acertada analogía con el esfuerzo folclorista y novelesco de Walter Scott.[35] Efectivamente, sabemos que Cecilia Böhl, a la sazón marquesa de Arco-Hermoso, se dedicaba a la recogida de los cuentecillos orales narrados por los campesinos de la comarca sevillana de Dos Hermanas cuando la visitó, en 1828, Washington Irving (Javier Herrero, 1963, 280-290; Flitter, 267). El proyecto que subyacía a su trabajo era, como han puesto de manifiesto los estudiosos de la escritora andaluza, de indudable raíz herderiana (José F. Montesinos, ed. de *Elia*, 1968, 10; Javier Herrero, 1963, 107-117, 317-331; José Luis Varela, 1977). Las proclamas patéticas del ilustrado prusiano en favor de la tarea de salvación de la cultura tradicional —¡ahora! los restos de todos los modos de vida tradicional se precipitan con última y veloz zambullida en

---

[33] La encuesta formulada por la Comisión Central de Monumentos (de fecha 5-VIII-1844) pondera el cuidado que las autoridades civiles deben prestar a los fondos del legado artístico que, según un documento oficial, forman las "glorias nacionales, que como V. S. sabe son el *alma de los pueblos*" (cf. J.J. González Martín "Problemática de la desamortización en el Arte español" *II Congreso de Historia del Arte*, Valladolid, 1978).

[34] Recopilación de los trabajos previos a la Sociedad y de las actividades de sus miembros y otros grupos de estudiosos peninsulares, Alejandro Guichot y Sierra, *Noticia histórica del Folklore*, Sevilla, 1922; reed., Junta de Andalucía, Sevilla, 1984.

[35] Latour inició una campaña de difusión internacional de la obra de *Fernán Caballero* en *Le Correspondant* (25-VIII-1857) que él mismo continuaría en trabajos posteriores y que fue intensificada en revistas germanas (Wolf en *Jahrbuch für Romanische und Englische Literatur*, I, 1859) y británicas (*The Edinburgh Review*, CXIV, 1861).

los abismos del olvido. La luz de la llamada cultura lo corroe todo como un cáncer"— tiene formulación más sosegada en las declaraciones programáticas de la escritora, para quien su novela *La Gaviota* (1849) era "un ensayo sobre la vida íntima del pueblo español, su lenguaje, creencias, cuentos y tradiciones" y la *poesía popular*, que tanto le interesaba a ella, había servido "no sólo para mantener noble y patriótico el espíritu nacional, sino para esclarecer sucesos históricos y dar a conocer en todos tiempos el espíritu y sentimiento general de aquel en que se compusieron". Paul Valéry, un viajero que interviene en la breve novela *Una en otra*, sintetiza los ideales herderianos de *Fernán Caballero* con absoluta precisión: "las creencias del pueblo, su carácter, sus sentimientos, todo lleva el sello de la originalidad y de la poesía".

El material que esta señora iba recogiendo lo incorporaba bien a sus libros de material folclórico — *Cuentos y poesías populares andaluces, Cuentos, oraciones, adivinanzas y refranes populares e infantiles,* — o lo entretejía en la trama de los relatos publicados a partir de 1849. Maxime Chevalier (1980) ha inventariado los cuentos recopilados por la escritora, que cifra en un caudal de 84 piezas de indudable origen popular. Adviértase, con todo, que los materiales manuscritos de la escritora actualmente conservados permiten fijar las etapas que seguía en la utilización del material folclórico: un primer momento consistía en la sintética anotación de lo oído u observado; a partir de ahí, la inserción del cuentecillo, dicho o ensalmo en un relato supone la transformación artística que aportan la ampliación y el ornato (Javier Herrero, 1963, 289-290). La forma de trabajar de *Fernán Caballero*, por muy conspicua que sea, no difiere, claro está, de la que los otros artistas románticos dieron al material sobre el que elaboraban su captación del "alma popular".

Otro caso ejemplar de aproximación a la cultura tradicional es el de José Zorrilla, aunque su acercamiento resulte —comparado con el de *Fernán Caballero*— mucho menos empírico y mucho más difuso en el plano de la teoría. Sus romances y leyendas juveniles fueron recibidos por los lectores como una variante artística de la poesía de consumo popular; de las expectativas lectoras que supo mantener a lo largo de su trayectoria poética derivó el doméstico mito del "vate nacional", título con el que la España oficial lo coronaría en 1889. Sus calidades poéticas, su manierismo al estilo del Romancero nuevo del siglo XVI, explican cómo pudo verse envuelto en un proyecto de literatura popular fabricado en los despachos oficiales.

La sustitución de los macabros "romances de ciego" por otro tipo de poesía había sido empeño de los ilustrados y lo fue también de algunos románticos; los primeros aducían razones morales y educativas, los segundos se interesaban especialmente en la liquidación de privilegios procedentes del antiguo Régimen, como lo era el de la Hermandad madrileña de ciegos, en lo referente a la impresión y venta de los romances de crímenes. En la oleada de la reacción antigremial propia del liberalismo liberal, el joven Salustiano Olózaga, siendo gobernador de Madrid entre 1835 y 1836, promovió un relevo de los copleros populares por una comisión de jóvenes poetas a los que la Administración habría de encargar la redacción de un tipo de poesía "destinada —son palabras del político— a popularizar los hechos gloriosos y los rasgos únicos dignos de admiración" (Leonardo Romero, 1976, 22-25); en el plan de Olózaga se superponían dos modelos de literatura popular: la monotonía romanceril de las aventuras de guapos y crímenes popularizada por los ciegos y el reciente estímulo del poeta-cantor que era, por aquellos años, el francés Béranger. Olózaga quiso comprometer a Zorrilla en su condición de poeta de éxito popular; la evocación que más tarde haría Zorrilla de su conversación con el político es harto elocuente:

> Yo tengo a mi disposición los archivos de todos los juzgados y tribunales, y a la de usted todas las causas de los estafadores, ladrones, bandoleros y contrabandistas célebres del reino, desde Apolinario y José María, cuyas partidas empezó su padre de usted a destruir, hasta Candelas, a quien tengo yo ahora preso. En lugar de estas detestables coplas y bárbaros romances, con los cuales celebran sus hechos y los propalan por medio de ciegos, famélicos poetastros a quienes tales obras no sacarán jamás del olvido, ni daránles más que pan para no morirse de hambre, usted podría hacer un romancero popular, y con un romance semanal desinfectar ese albañal literario, inocular al pueblo un germen de mejor poesía (*Recuerdos del tiempo viejo, Obras Completas*, I, 2197).

El empleo hecho por Zorrilla de motivos tradicionales recogidos en textos del Siglo de Oro que reelaboran material tradi-

cional —por ejemplo, las *Soledades de la vida* de Cristóbal Lozano
para la leyenda "El Capitán Montoya"— están aún pendientes de
investigación sistemática; con todo, las prolijas declaraciones del
poeta sitúan su folclorismo en una imprecisa aceptación ideológica de la cultura patrimonial mucho más que en las indagaciones del folclorista que vive en contacto directo con los sujetos
reales de la tradicionalidad literaria.[36] También el duque de Rivas en sus *Romances históricos* y en la trama de algunas de sus
obras teatrales hizo uso de tradiciones populares o de material
seudofolclórico (A. Blecua, ed. del *Don Álvaro*, pp. XIX-XV),
bien que apelase a sus recuerdos de infancia o a las tertulias de
aldea. Constituye manifestación significativa lo que Rivas escribía al erudito cordobés Ramírez de las Casas Deza,[37] aunque se
superponga a su sentimiento popularista una tendencia a la
apropiación de tramas macabras procedentes de la cercana literatura gótica, tal como ocurre en el desenlace del romance "El
cuento de un veterano," que recoge una situación paralela a la
primera aventura vivida por el caballero Casanova a su llegada a
Madrid.[38]

---

[36] Ténganse en cuenta declaraciones tan explícitas como su idea del relato
fantástico, según la transcribe él mismo de una conversación con su mujer
(*Obras Completas*, I, 616-617).

[37] "... Debe V. haber topado con muchas tradiciones y consejos populares,
despreciables sin duda para su propósito, pero de mucho precio para el género
de literatura que yo cultivo, le ruego encarecidamente que se sirva comunicar-
me aquéllas de que se acuerde" (carta de 2-I-1843); curiosidad que se ilumina
desde la evocación que leemos en la dedicatoria del *Don Álvaro* a Antonio
Alcalá Galiano: "los recuerdos del Guadalquivir, de las costumbres de nuestra
patria y de los rancios cuentos y leyendas que nos adormecieron y nos desve-
laron en la infancia, tenían para nosotros todo el mágico prestigio que dan a
tales cosas la proscripción y el destierro".

[38] "El cuento de un veterano" de Rivas, escrito en 1837, relata la aventura
galante de un militar español con una monja, en la Parma dieciochesca; concluye con la macabra situación del hallazgo de un cadáver de un varón que
guardaba la monja en su celda; el aventurero, a su vez, después de enterrar el
cadáver, regresa a morir envenenado a su alojamiento. El *fabliau* de la "mujer
que guardaba en casa los cadáveres de tres jorobados" que estudió Joseph Bé-
dier (*Les Fabliaux*, reed. París, Champion, 1969, 245-250 y 298-301) tiene
una correspondencia lejana con la *leyenda* de Rivas, introducida por el narrador
como un relato oído en la infancia del poeta. Pero, posiblemente, el romance
romántico del cordobés debe ponerse en relación más directa con reelaboraciones modernas del motivo, como son la aventura que cuenta el caballero Casanova en el libro X de sus *Memorias* (iniciada, curiosamente, a raíz de su

Territorio especialmente rico en posibilidades de estudio sobre el comportamiento de las capas analfabetas y semiilustradas del XIX es el de la literatura de consumo popular, originada en medios ajenos a la anonimia y que invadió el tiempo del ocio e hipotecó el *imaginario* colectivo de casi todas las clases sociales de la época. El peculiar modo de comunicación que supuso la literatura de consumo popular y la fagocitación que ésta realizó de temas y motivos de la literatura auténticamente folclórica han atraído a los investigadores que han tratado especialmente de los romances de cordel (Caro Baroja, 1969), de la producción de las editoriales marginales (Botrel, 1973-1974b) o de la novela de folletín (Leonardo Romero, 1976, 9-30). Precisamente, el papel específico que representaron buhoneros y ciegos en la transmisión de la literatura seudofolclórica depara un precioso caso de confluencia e interacción cultural entre minorías alfabetizadas y mayorías ignorantes. Botrel (1973 y 1974) y, posteriormente, Álvarez Barrientos (1987) se han ocupado del análisis e interpretación de los ciegos como grupo especializado en esta peculiar forma de mediación cultural, estrechamente ligada a estructuras de organización económico-social, tal como ha advertido Álvarez Barrientos en su estudio sobre la función de los ciegos como transmisores de textos: "la paradoja quizá sea que, más o menos, cuando el ciego desaparece como institución vendedora se han instaurado en el mundo artístico y literario aquellas características económicas (...) que dieron carácter y singularidad a su actividad".

El "ciego de las coplas" se convirtió en un tipo más del costumbrismo literario y pictórico a la par que en signo de esa zona de indeterminación en la que confluían literatura de minorías y cultura popular. Con una idéntica función de ambigüedad, en los textos románticos se acreditó una matriz retórico-narrativa que sugiere un solapamiento entre la literatura de letrados y los vehículos de difusión de la cultura popular; me refiero a la am-

---

llegada a Madrid) y con el espeluznante final de la celda de la monja que esconde el cuerpo sin vida de su amante y el subsiguiente envenenamiento del varón que acude a tan horripilante lugar, que emplearon Espronceda y Eugenio Moreno López en el drama *Amor venga sus agravios* (estrenado en 1838) y Prosper Mérimée en su novelita *Colomba* (1840).

bientación de los relatos, fueran en verso o en prosa, en un marco rural. Simbolizar en el espacio campesino valores de vida natural y de poesía primitiva fue un socorrido recurso con el que los románticos reelaboraron el viejo *topos* petrarquesco de "la città son nemiche, amici i boschi" y a él aplicaron su visión de los escenarios naturales, incluso con símbolos troquelados específicamente para estos efectos, tal como realizó *Fernán Caballero* con el naranjo del patio meridional (Javier Herrero, 1978).

En los relatos breves aparecidos en las revistas románticas fue tan frecuente la espacialización en medios rurales (Montserrat Trancón) que una modalidad de la novela realista —la considerada por la crítica como el *regionalismo literario* de la escuela peradiana del fin del siglo— habría de llevar a sus últimas consecuencias. Los artistas plásticos contribuyeron también a la divulgación del tópico rural con pinturas y grabados que representan grupos de campesinos agrupados en algún acto comunitario como puede ser una fiesta, un baile, un acto religioso o una reunión en torno a un relator o lector.

Rasgo estilístico de los relatos románticos era la apelación al papel transmisor que desempeña la voz narradora; la indicación suele estar colocada en apertura o cierre de texto y actúa, por lo tanto, como elemento constructivo. La fórmula que más se repite es la del "como me lo contaron te lo cuento", fórmula que se lucraba, además, con los prestigios de la tradición épica hispana, puesto que repite endecasílabos del poema de Juan de Castellanos *Elegías de varones ilustres de Indias*. Encuentro la fórmula, por primera vez, como cita relevante en la portada de *El golpe en vago* (1835) de García de Villalta ("y, si lector, dijerdes ser comento, / como me lo contaron te lo cuento"); a fines del mismo año, y también como lema explícito, en el cuento "Luisa" de Eugenio de Ochoa (*El Artista*, II, 1835, 40-45) y en "El castillo de Monsoliú" de Piferrer (*El Vapor*, días 12 a 16-I-1837), hasta llegar a los versos que cierran *El estudiante de Salamanca* y que repite el mismo Espronceda en *El Diablo Mundo* (verso 3117). Ha de recordarse que todos los textos citados, salvo el último, se autoadjudicaron la clasificación genérica de *cuento* y que la cita, una vez lexicalizada, pasó a ser fórmula de introducción de relatos fantásticos, tal como escribe Bécquer en el arranque de su séptima misiva escrita en Veruela: "prometí a ustedes en mi última carta referirles, tal como me la contaron, la maravillosa historia de las brujas de Trasmoz".

La oralidad en la transmisión de los textos implicada en este rasgo de estilo nos abre la perspectiva de una investigación narratológica aún no cumplida y que nos vuelve a situar en la zona fronteriza de literatura culta y literatura de origen popular. A partir de las pautas de la transmisión oral de textos literarios en el Siglo de Oro, Rodney T. Rodríguez (1989) ha supuesto una continuidad en la práctica de la lectura pública de novelas en el curso del XVIII y primer tercio del XIX; las colecciones de relatos (pp. 357-358) publicadas en este tiempo permitirían suponer este uso[39] de lecturas en voz alta a grupos de oyentes, lectura de relatos y lectura de obras de teatro. Aunque no se ha realizado una búsqueda sistemática de alusiones escritas que certifiquen las prácticas de estas reuniones en las que se leían textos literarios, sí se puede señalar que no es raro ver recogido este uso en los textos literarios de la época. Las publicaciones periódicas de los años veinte y primeros treinta sacaron a luz breves relatos en que el narrador o algún personaje transmiten oralmente su *historia* a un grupo de oyentes; esta situación genera, dentro del texto, una peculiar estructura narrativa que ha sido denominada por los estudiosos de la novela realista como "narración interior". El procedimiento se repite con frecuencia en los relatos de *Fernán Caballero* y llega a su punto de perfección en las *leyendas* becquerianas (Sebold, 1989, 43-52, 70-77).

En el análisis de la literatura romántica debe distinguirse, en resumen, entre los textos que incorporan material folclórico directo y los que trabajan sobre esquemas que podrían ser reducidos a motivos folclóricos estandarizados. En los primeros, casi siempre se ha producido una elaboración artificiosa por parte del escritor, aunque su voluntad de acercamiento al mundo de la cultura popular y la austera enunciación del material permitan entrever un puente directo desde el folclore a la literatura. Maxime Chevalier (1978, 1979) ha conjeturado que hasta los cuentecillos de *Fernán Caballero* y las *Fábulas* de Hartzenbusch no se

---

[39] *La tertulia de invierno* (1829), colección de relatos de Francisco de Paula Mellado y último eco de las *Noches de invierno* (1607) de Antonio Eslava, documenta la lectura de novelas en voz alta para un grupo de contertulios.

refleja el folclore oral en los textos románticos españoles y en dos autores, además, que como observa el citado estudioso, "de origen alemán, [están] atentos ambos a los descubrimientos de los hermanos Grimm". El sucinto panorama de Chevalier podrá ser matizado cuando sean mejor conocidos los relatos breves de las revistas románticas. Carla Perugini (1988, 96-98) supone un origen folclórico para los relatos de terror aparecidos en este medio de publicidad, origen que, en mi opinión, deberá ser discutido en cada caso. También es preciso elaborar un repertorio completo de los textos traducidos en las publicaciones periódicas en los que se despliegan motivos del folclore europeo, como la leyenda del judío errante ("Asheverus" en *Semanario Pintoresco Español,* 1837, II, 66-67), las ondinas y las willis[40] o la más reciente y literaria de *Leonora* (estudiada en sus versiones hispanas por Juretchske, 1975-76 y José Escobar, 1989). La atención a escritores de circulación más restringida —los autores regionales a cuya lectura folclorista ha invitado Maxime Chevalier— aportará, sin duda, un enriquecimiento del panorama que aquí solamente se insinúa.

El aragonés Braulio Foz es un modelo de las posibilidades que ofrecen los escritores afincados en circuitos de difusión local. Su *Vida de Pedro Saputo* (1844) integra en una compleja estructura narrativa un copioso caudal de motivos folclóricos —la justicia de Almudévar, la comisión de los tres higos, el salto de Roldán, el milagro de Alcolea, el pleito al sol...—, material que ha sido estudiado desde varias perspectivas y, últimamente, en un trabajo sintético por Juan Villalba (1989).[41] De todas formas, los cuentecillos tradicionales del *Pedro Saputo* no se insertan en el marco de oralidad folclorista que acostumbra a componer *Fernán Caballero* en sus relatos sino que, por el contrario, buscan una finalidad didáctica muy precisa como es "aleccionar a sus paisanos, convirtiéndolos en protagonistas de sus propios

---

[40] C. de M., "La danza de las Willis", *La Ilustración,* III, 1851, 178-179; S. J. Nombela, "Aurelia y las Willis", *Semanario Pintoresco Español,* XX, 1856, 273-5, 284-5; Benito Vicetto, "Las Vilis", *La Crónica,* 37, 1845, 289-293; el tema reaparece en las *leyendas* de Bécquer.

[41] El salto de Roldán, que vale para explicar una proeza de héroe mítico y el origen de algún accidente geográfico, se puede leer en el *Theatro crítico* de Feijoo (vol. V, Discurso XVI) localizado en una montaña del territorio de Valdeorras y en la novela de Larra *El doncel de don Enrique el Doliente* (cap. IV) como atribuido al Cid "sobre la puerta de Burgos".

chascarrillos" (Juan Villalba, 1989b). Así pues, el índice de refracción personal del escritor de relatos breves cristalizará, según su formación y propósitos, bien en la ideología herderiana bien en progresistas lecciones de moral práctica.

De los diversos géneros literarios cultivados en la época romántica parece que el relato, en sus varias modalidades, es el que mejor y más ampliamente adaptó material de directo origen folclórico o de remota procedencia popular. Los motivos que pueden rastrearse en la *leyenda* de Miguel Agustín Príncipe *La casa de Pedro Hernández* (el de la casa donde irás y no volverás), en "El lago de Carucedo" de Gil y Carrasco (leyenda estudiada desde el aspecto que ahora nos interesa por María Paz Díez Taboada, y en un marco más amplio, por Picoche, 1978b), en las conocidas narraciones breves de Pedro Antonio de Alarcón o en las *leyendas* becquerianas son *tesellas* de una amplia investigación, aún pendiente, sobre literaturización de motivos folclóricos entre los escritores del romanticismo.

Posiblemente proporcionará resultados más limitados el estudio del teatro de la época,[42] aunque los textos poéticos ofrecen sugestivas facetas interpretativas aún no suficientemente exploradas. La actividad, por ejemplo, de José María Quadrado[43] o de Pablo Piferrer (Ramón Carnicer, 1963, 204-208) como recolectores de romances orales es un síntoma elocuente de la ósmosis entre tradicionalidad colectiva y actividad artística individual. Pero el caso más significativo a este propósito lo ha señalado Diego Catalán cuando se ha referido a Bartolomé José Gallardo como el primer coleccionador moderno de romances de la tradición oral; notas autógrafas del extremeño conservadas por Sainz Rodríguez acreditan que el polémico bibliógrafo había transcri-

---

[42] Para algunos textos teatrales ha sido estudiada la fortuna de un tema folclórico en su tradición escrita, como el de las fuentes tradicionales de *El zapatero y el rey* (ed. Picoche, 1980) o el motivo del amante de un solo ojo en la comedia de Hartzenbusch *La coja y el encogido* (J. C. Nicholls 1969).

[43] Quadrado incluía en las páginas de su revista *La Palma* ("Poetas mallorquines", 1841, 229-234) el romance catalán "Don Joan y don Ramon" precedido de esta iluminadora nota: "¿quién no recuerda los bellos romances que le han mecido en su cuna; el de la inocente Margarita que, objeto del incestuoso amor de su padre, halla sorda a sus lamentos a toda su familia y muere de sed entre las pompas de su palacio; el del príncipe disfrazado de mercader de sedas que roba en su barquilla a otra nueva Europa; el de don Ramón, muerto en la cacería por su hermano?".

to de oído, en 1825 y en el curso de su encarcelamiento sevillano, sendas versiones orales de los romances tradicionales de Gerineldo y La Condesita;[44] Estébanez Calderón incluía dos romances de la tradición oral en el capítulo "Un baile en Triana" de las *Escenas andaluzas*.[45] En una curiosa proximidad cronológica, Almeida Garrett en Portugal —su *Romanceiro* es de 1843— y Mariano Aguiló en Cataluña, iniciaban las recogidas sistemáticas de las tradiciones romancísticas de las dos áreas extremas peninsulares, tarea que tendrá su primer monumento científico cuando Milà i Fontanals publique sus *Observaciones sobre la poesía popular con muestras de romances catalanes inéditos (1853)*. Dos trabajos, en fin, aparecidas en el *Siglo Pintoresco* dan cuenta del tratamiento que los eruditos románticos deben a la materia poética tradicional; mientras Agustín Durán explica que ha corregido el texto escrito del romance "La Infantina de Francia" (1845, pp. 39-46 y 59–61), Isidoro Gil en su transcripción de "Miragaya. Tradición portuguesa" (1847, vol. III) explica cómo "el recopilador ha seguido puntualmente la narrativa oral del pueblo".

Con todo, los romances y leyendas románticos (pp. 197-199) tomaron sus tramas argumentales mucho más ostentosamente de las tradiciones librescas que de la oralidad popular; reconstruye este comportamiento Pérez Galdós, en su *Episodio Nacional* de 1875 *La batalla de los Arapiles* (cap. XIII). Idéntica fuente libresca hay que buscar en la adopción de las *baladas* germánicas que efectuó en 1853 Vicente Barrantes (cuestión considerada recientemente por Jorge Urrutia, 1989). Incluso motivos del fondo folclórico pan-europeo —como el de la inexorable Melusina— sólo llegaron al público hispano a través de los canales literarios de naturaleza culta (Leonardo Romero, 1988b). Jon Juaristi,

---

[44] Éste es el texto de la anotación: "N. B. Saqué esta copia en la cárcel de la Audiencia de Sevilla según me iba diciendo Curro el Moreno, natural de Marchena i P. Sánchez" (Pedro Sainz Rodríguez, *Revue Hispanique*, LI, 1921, 321).

[45] A la transcripción del romance del Conde Sol sigue esta anotación del escritor costumbrista que vale como una preciosa percepción de folclorista: "la música con que se cantan estos romances es un recuerdo morisco todavía. Sólo en muy pocos pueblos de la serranía de Ronda, o de tierra de Medina y Jerez, es donde se conserva esta tradición árabe, que se va extinguiendo poco a poco, y desaparecerá para siempre. Lo apartados de la comunicación que se encuentran estos pueblos de la serranía, y el haber en ellos familias conocidas por descendientes de moriscos, explican la conservación de estos recuerdos" (*Escenas andaluzas*, ed. de González Troyano, 255-256).

1986) ha perseguido este fenómeno en las modernas leyendas vascas que fecundaron la invención de una mitología nacionalista, en un exacto paralelismo con el fenómeno literario que suscitaron los poetas del Rexurdimento gallego, singularmente Eduardo Pondal (1835-1917) cuando reviste el panteón ossiánico de connotaciones galaicas (José Luis Varela, 1958).

El desentrañamiento del variado material folclórico que emplearon los escritores románticos españoles y la determinación de su procedencia, mediata o inmediata, de la tradición popular es una tarea investigadora pendiente de realizar. El estudio detenido de las declaraciones de poetas y escritores y el análisis pormenorizado de los temas o motivos folklóricos incorporados en los textos iluminarán un panorama que se puede suponer muy sugestivo; los motivos, por ejemplo, que emergen de forma trasparente en las *leyendas* poéticas de Zorrilla y Rivas[46] o en algunas formas de poesía popular, como las aleluyas (Helen Grant, 1964), permiten suponer futuros hallazgos de mayor entidad. Maxime Chevalier (1979) ha documentado de modo convincente las fuentes escritas y orales de las *Fábulas en verso castellano* que Juan Eugenio Hartzenbusch publicó en 1848, y que en la réplica posterior del mismo título efectuada por Miguel Agustín Príncipe (1861), resultan ostentosamente librescas (según el análisis de Aldea Gimeno y Serrano Dolader, 1989, 230-237).

Dos tradiciones superpuestas —la popular y la culta— y un impulso de inmersión de la segunda en la primera dan, en la España del XIX como en el resto de las literaturas europeas, un testimonio fehaciente de la ideología post-ilustrada y de unos procedimientos de trabajo artístico que marcan significativamente la literatura del romanticismo. El descubrimiento que los poetas y narradores realizaron de estas posibilidades de trabajo literario —desde Quintana en el romance "La fuente de la mora encantada" hasta el Bécquer de las *leyendas,* desde el erudito y poeta Bartolomé José Gallardo a los recolectores sistemáticos de romances orales de fines del siglo, desde los registros narrativos de Estébanez y *Fernán Caballero* hasta los de Valera o José Noga-

---

[46] Repárese en que el vocablo *leyenda* no adquirió el significado de "narración tradicional que no se ajusta a la verdad histórica" (Corominas-Pascual) hasta el siglo XIX y que, aunque no disponemos de una documentación lexicográfica suficiente, es síntoma indicativo de la novedad de esta acepción el que se incorporase en la edición de 1884 del diccionario de la Academia. (Cf. p. 141).

les— abre un capítulo central para el estudio de las relaciones folclore y literatura y marca una profunda solución de continuidad entre la mentalidad cultural de los ilustrados y los proyectos artísticos de los escritores románticos. La catalogación del abundante material folclórico que se puede encontrar en relatos, poemas, textos teatrales, páginas periodísticas, aún no suficientemente conocidos, matizará el gran fenómeno de ruptura cultural y artística que supuso el redescubrimiento de la cultura popular por los escritores del siglo XIX.

"Fígaro", en el curso de su visita a "Las antigüedades de Mérida" (*Obras*, II, 90a) y careciendo de una guía impresa, decide evitar la compañía de cualquier "literato del país": "sólo traté de sorprender la tradición popular en curso y atúveme a un extremeño que se me presentó como el hombre más instruido del común del pueblo". Los saberes arqueológicos de este *cicerone* resultan ser de un pintoresquismo sobrecogedor —recuérdese cómo en publicaciones del tipo del *Semanario Pintoresco Español* alternan los trabajos arqueológicos con los costumbristas y antropológicos— y sobre ello fulmina su condena el periodista madrileño. Escritor tan representativo como Larra simboliza con su actitud la confusa noticia que los primeros románticos españoles pudieron tener del modo de transmisión de la cultura tradicional y la pervivencia de actitudes escépticas que enraizaban en la mentalidad ilustrada.

EL CÓDIGO LINGÜÍSTICO

El giro copernicano que experimentó la sociedad española en el curso del primer tercio del siglo se manifestó, con su ritmo específico, en las instituciones públicas, en las nacientes estructuras de producción y propiedad, en los valores colectivos, en las pautas de comportamiento de los diversos grupos sociales. Un medio especialmente sensible para la captación de todos los cambios fue la lengua hablada por los españoles y, de modo muy especial, en sus niveles léxico y semántico (Rafael Lapesa, 1980, 429-434). Los cambios fueron obra de hombres que experimentaron la necesidad de un nuevo vocabulario político-moral para referirse a los problemas colectivos cuya solución sentían de ineludible necesidad, pero también de hombres que necesitaban nombrar y entender los muchos fenómenos científicos y culturales y los muchos usos sociales y objetos de la vida cotidiana que el cambio histórico traía consigo. Fernando Lázaro Carreter se ha referido a la espectacular mutación del léxico que se dio a raíz del año 1832, coincidiendo con el retorno de los exiliados —jóvenes como Espronceda y ancianos como Villanueva— y que ha de explicarse no como la obra de una generación determinada, sino como el trabajo de "una importante colectividad de personas ligadas por la ideología que, a favor de circunstancias históricas propicias, marca una firme impronta en el vocabulario general".[47] El diagnóstico, propuesta alternativa al rígido método de las generaciones, es certero en sus líneas generales, pero debería ser contrastado con las experiencias políticas individuales y de grupo para poder matizar lo que el léxico político de cada autor tiene de diccionario individualizado, y enriquecer con rigor lingüístico la primera aproximación que Jean-René Aymes (1985) ha realizado a esta clase de estudios.

Los protagonistas del romanticismo literario español sabían que, desde finales del siglo XVIII, se habían producido considerables esfuerzos para troquelar un nuevo lenguaje poético —de modo eminente en la obra lírica de Álvarez Cienfuegos (Joaquín Arce, 1981, 455-461)— y para enriquecer el vocabulario ideológico de los ilustrados —especialmente en el terreno de la contienda política que abrió el primer constitucionalismo español (María Cruz Seoane, 1968)—. Lenguaje poético y lenguaje político son dos polos especializados cuyas incidencias sobre la norma de la lengua estandar se hacen notar en circunstancias especiales que dependen más de las tensiones de la vida colectiva que de la propia evolución interna del sistema lingüístico; la imaginería sacralizada en los contextos de sentido emocional que se comentará más adelante o los peculiares dicterios de la "polémica entre serviles y liberales" que ha estudiado María Cruz Seoane (1968, 155-212) son dos casos ilustrativos. Por ello, Ermanno Caldera en reciente reunión suscitada para el estudio del "lenguaje romántico" en las literaturas hispánicas (AA. VV., 1984a, 9-12) manifestaba el crucial interés que tiene para los especialistas el conocer no sólo la especificidad de la lengua poética sino,

[47] Fernando Lázaro Carreter, *Estudios de Lingüística,* Barcelona, Crítica, 1980, 246-247.

además, la gramática y el vocabulario del habla común de los
románticos, que, parcialmente al menos, es rastreable en fuentes
registrales *adrede* —como el teatro, las sátiras y parodias— y en
el soporte de mayor calidad representativa del habla estándar
que constituyen las páginas de los periódicos.

1. *La idea de "estilo"*

Las ideas lingüísticas establecidas en la doctrina de la Academia Española hacían depender la concepción de la lengua del
esquemático logicismo de una Gramática General para la que
sirvió modelo teórico Gómez Hermosilla con sus *Principios*
(1835) (Mourelle Lema, 1968, 297-326, y, en más amplia interpretación, Val Alvaro). Frente a la concepción lingüística estática que estos planteamientos reiteraban de manera inerte,[48] la
visión dinámica de la lengua fue mantenida en párrafos volanderos de un Gallardo (Olimpia Rubio) o un Larra (A. Risco) y, con
sistematismo de especialista, por gramáticos como Vicente Salvá
(*Gramática de la lengua castellana como ahora se habla*, 1830) y
Andrés Bello (de modo global en su *Gramática de la lengua castellana destinada al uso de los americanos*).

Las polémicas puristas y casticistas que cruzan el siglo XIX,
en muchas ocasiones pintorescas, y a veces producidas por una
ignara falta de documentación, se insertan en el marco de la
diversa concepción del lenguaje que poseen quienes lo contem-
plan como una entidad estática o como una realidad dinámica.
La admisibilidad social del cambio lingüístico y de la mayor
agilidad en la administración de los diversos registros idiomáti-
cos estuvo en función de estos supuestos. El *cervantismo* pedagó-
gico, por ejemplo, que prosperó durante el XIX se explica por un
apego fetichista a la prosa del Siglo de Oro que veía en los textos
del autor del *Quijote* el momento de plenitud de la lengua castellana, sin distinguir lo que en esa prosa era impronta personal
del artista, lo que era rasgo de la lengua seiscentista y lo que

---

[48] Una apología de estas posiciones en el artículo de Buenaventura Carlos
Aribau "Sobre el dialecto poético de cada lengua y en particular sobre el de la
castellana" (*El Europeo*, vol. II, pp. 301-307), texto de 1823 que, proclamando
la especificidad de la lengua poética, señala la conveniencia del purismo léxico
y la inoportunidad del préstamo neologista.

constituía pura parodia de textos ridiculizables (Leonardo Romero, 1989a), aunque ya Larra hubiese censurado (*Obras*, I, 313-314) la imitación de los giros anticuados del *Quijote*. López Soler testifica, en el prólogo de *Los bandos de Castilla* de 1830, la voluntad casticista:

> (...) aún no se ha fijado en nuestro idioma el modo de expresar ciertas ideas que gozan en el día de singular aplauso. No es lícito al escritor el crear un lenguaje para ellas, ni pervertir el genuino significado de las voces, ni sacrificar a nuevo estilo el nervio y gallardía de las locuciones antiguas.

Con todo, desde los primeros años del siglo algunos escritores habían reclamado un lenguaje menos sujeto a convencionalismos establecidos en lo que a la escritura poética se refiere. El debate que suscitó la poesía del grupo lírico de Salamanca abrió las puertas a posteriores discusiones sobre la relación existente entre el nivel de la lengua de uso y el lenguaje de la poesía. Hacia 1821 Blanco White se mostraba muy reticente respecto a la capacidad expresiva de la lengua española —como, años más tarde, manifestaría otro escritor polígloto como *Fernán Caballero*—. Por contra, en 1827 Javier de Burgos se mostraba más flexible para el empleo poético de palabras no connotadas positivamente en las tradiciones estilísticas.[49] En 1835 el joven romántico, Eugenio de Ochoa, amparándose en el supuesto de que el uso es el criterio básico de elección lingüística aseveraba:

[49] Escribía Blanco en su carta undécima que "nuestra lengua, condenada durante siglos a ser empleada únicamente en las tareas diarias y familiares, a causa de la esclavitud de nuestras prensas, ha visto sus mejores ornamentos deslucidos y manchados por la poderosa fuerza de la asociación mental. Sólo una tercera parte de su copioso léxico puede ser usada en una prosa digna, y una menguada lista de palabras es lo único que está a disposición de la poesía si ésta quiere evitar el desagrado o el ridículo " (*Cartas de España*, trad. española, 1972, 288). Javier de Burgos, en su discurso de ingreso en la Academia Española, postulaba elevar "a la clase de hidalgas ciertas palabras y expresiones que pasan ahora por villanas" y reclamaba de la institución académica que determinase la calificación de lo que se debía considerar "frase humilde" (discurso comentado por Robert Marrast, 1974, 446-447). El grupo de poetas sevillanos pertenecientes a la Academia de Letras Humanas de principios de siglo se interesó vivamente en la cuestión del lenguaje poético; de Reinoso es un perdido *Discurso en que se persuade el estudio de un habla propia de nuestra Poesía, atendida a la negligencia que tuvieron en esta parte casi todos los buenos Poetas antiguos, propuestos como modelos del decir poético por los que han confundido el estilo con la dicción*.

(...) nuevas ideas exigen nuevas voces con que expresarlas; antiguas costumbres olvidadas por largos años y resucitadas en el día exigen la resurrección de las antiguas palabras con que expresaban nuestros mayores aquellas venerables costumbres; y las grandes mudanzas introducidas en nuestros usos y en nuestras ideas por las revoluciones políticas y sociales, hijas del tiempo y de la civilización, reclaman imperiosamente fundamentales modificaciones en el lenguaje.[50]

Uso frente a norma prescriptiva, integración de los diversos niveles del habla frente a la rígida tipificación de los estilos de la "rueda virgiliana", permeabilidad para el coloquialismo y la novedad léxica frente a purismo y casticismo son los polos de algunas de las tensiones lingüísticas manifestadas por los hablantes de la primera mitad del XIX.

Rafael Lapesa (1984, 359-364) ha documentado entre los cultivadores del costumbrismo y en la poesía de Espronceda frecuentes usos de arcaísmos —morfológicos y léxicos— que obedecen a necesidades artísticas como la verosimilitud propia de las ficciones históricas[51] o a ciertos apegos al pasado que no terminan por desaparecer, incluso en hablantes tan pendientes de la evolución histórica como Larra (para el arcaismo en las novelas de Larra y Espronceda, Martín Zorraquino, 1986, 192-210); del mismo modo, ha señalado Lapesa que la lengua usual de la época admitía formas hoy totalmente anticuadas (del tipo *la* Europa, *la* fantasma, *puesto que* con valor concesivo, qué *tengo de* comprar etc) y también ha destacado la abundante presencia de rasgos propios de la lengua coloquial y vulgar —especialmente marcas

---

[50] "Literatura. La Lengua castellana", *El Artista,* II, 1835, 52-53, 77-78. Alcalá Galiano en su prólogo a *El Moro Expósito* (1834) observa que "bien está que sea el poeta atrevido en la elección de voces, que se valga de giros nuevos, y hasta de palabras rejuvenecidas, o por él compuestas, o una u otra vez tomadas de otras lenguas, o en alguna rara ocasión, de todo punto inventadas; pero no por eso ha de excusarse de llamar las cosas por su nombre", e ilustra su juicio con una nota en la que refiere cómo Béranger prefería la palabra "mar" a cualquiera de las formas sustitutorias en la tradición literaria clásica.

[51] El narrador de *El Doncel de don Enrique el Doliente* advierte a los lectores en el inicio del primer capítulo de la novela que "si han de seguirnos en el laberinto de sucesos que vamos a enlazar unos con otros en obsequio de su solaz, han menester trasladarse con nosotros a épocas distantes y siglos remotos, para vivir, digámoslo así, en otro orden de sociedad en nada semejante a este que en el siglo XIX marca la adelantada civilización de la culta Europa".

de gitanismo—[52] en los textos literarios que reproducen situaciones de comunicación real —teatro, obras narrativas—, pero que se podrían documentar más ampliamente en epistolarios y artículos periodísticos cuando estos géneros sean estudiados desde esta perspectiva.[53] Las virtualidades innovadoras del sistema lingüístico y de los hablantes españoles del tiempo romántico son manifiestas en la productividad léxica generada desde el propio sistema o en la adquisición de abundantísimos préstamos de las modernas lenguas de cultura, el francés de modo fundamental, aunque no debe desestimarse el caudal incorporado del inglés (frecuentemente a través del francés) y del italiano. Para las preferencias lingüísticas de los escritores hispanoamericanos contemporáneos proporciona un sucinto panorama Emilio Carilla (I, 1967, 185-223).

2. *Palabras e ideas, palabras y cosas*

La innovación en el léxico posiblemente había sido la manifestación lingüística más vigorosa de los "novatores" y minorías europeizadas que trabajaron en favor de la renovación de España en el curso del siglo XVIII. El impulso neologista de la Ilustración se prolonga durante la primera mitad del XIX pero con una compleja red de preferencias y desvíos sobre los campos léxicos en los que había operado la conciencia renovadora de los ilustrados. Por ejemplo, el léxico de la afectividad y el sentimiento es, como resulta bien sabido, uno de los veneros más sintomáticos

---

[52] Sobre esta productiva faceta de la lengua española Lapesa remite al imprescindible libro de Carlos Clavería, *Estudios sobre los gitanismos del español,* Madrid, 1951; debe ampliarse la indagación en textos literarios y de interés antropológico publicados en la primera mitad del siglo; una muestra mínima: José Somoza emplea términos del *caló* en su romance gitanesco "Con que es fijo, chaira mía / que tu gracia ha camelado...".
[53] María Cruz Seoane (1977) ha mostrado la analogía de estructuras lingüísticas que se puede observar entre los discursos políticos —recogidos en publicaciones individuales de autores pero, sistemáticamente, en las actas parlamentarias— y los textos periodísticos, y que ambas clases de textos soportan una pesada carga de retorización. Siendo ésta una sólida hipótesis de trabajo, no se debe olvidar que, en los diarios, las secciones de carácter informativo o de expresión más libre son precisamente las que registran las pautas del lenguaje más próximas a lo coloquial.

de la moderna cultura de la *sensibilidad* ilustrada,[54] pero en la
época romántica parece producirse en este terreno una atenuación de fórmulas acreditadas —por ejemplo, la extensión del
sintagma "una lágrima, pero una lágrima sola" que ha estudiado
Sebold (1983, 185-194) como síntoma del profundo pesar romántico[55]—, atenuación que se vio compensada por la intensificación en el empleo de palabras denotadoras de la excitación de
los estados de ánimo y de la capacidad creativa de la *imaginación*
(Lapesa, 1984, 373-379).

Los aspectos lingüísticos de la época que han sido atendidos
más cuidadosamente por los estudiosos son aquellos que permiten dibujar el perfil del cambio político y social tan intensamente experimentado durante el primer tercio del siglo XIX; el modelo, por lo demás, de las investigaciones lexicológicas llevadas
a cabo por Greimas (sobre el léxico de la moda francesa en
1830), Quemada (el léxico amoroso) y Matoré (el vocabulario
político-social en la época de Luis Felipe) ha estimulado un
conjunto de estudios sobre aspectos muy significativos del vocabulario español de los años románticos. Y en este terreno, el léxico político y social ha sido el más beneficiado. Ya Arthur J. Cullen (1956) en un breve estudio pionero exhumaba escritos
paródicos aparecidos durante el trienio liberal en los que se afila-
ba la significación de un vocabulario constitucionalista reflector
de la nueva situación política vivida en la España del momento.[56]
Desde el trienio y, de manera singular, en torno a los aconteci-

[54] Cf. José Antonio Maravall, *La estimación de la sensibilidad en la cultura de
la Ilustración*, Discurso pronunciado en el Instituto de España, en la sesión
conmemorativa de su fundación, Madrid, 1979.
[55] Este sintagma cobra un grado superior de intensificación semántica en
su formulación negativa, como en los conocidos versos de Espronceda: ¡Pobre
Teresa! Cuando ya tus ojos / áridos ni una lágrima brotaban / (...) / y consumía
lenta calentura / tu corazón al par de tu amargura" (*El Diablo Mundo*, 1804-
1811).
[56] Exhuma Cullen la siguiente definición de la voz *liberal* según el periódico *El Censor* (9-VI-1821): "(...) emplear la palabra *liberal* para designar un
hombre que ama la libertad política y civil de los ciudadanos, que desea verla
establecida y asegurada en todas las naciones, y que contribuye a ello de la
manera que puede; fue al principio un verdadero galicismo de significación,
porque en castellano la expresión *un hombre liberal* no significaba antes otra cosa
que un hombre no avaro, no cicatero, que con facilidad y gusto se desprende de
sus riquezas para socorrer a sus prójimos (...). Ha venido al fin a ser ya castellana la acepción franco-revolucionaria del adjetivo *liberal;* del cual se ha formado

mientos y transformaciones estructurales que experimenta la sociedad española no sólo se consolida el vocabulario político-social surgido entre 1810-1814 sino que, además, surgen nuevas acuñaciones y se matizan diversas acepciones en palabras que se constituyen como "testigos" léxicos del habla en un corte sincrónico determinado.

Doris Ruiz Otín (1983) en su estudio sobre el vocabulario larriano tocante a la vida política y social ha compendiado en la prosa del gran escritor un conjunto de palabras-testigo de la época, unas propias del uso estandar del momento —*nación, país, ministerial, ministro* como sustituto de *secretario de despacho, justo medio, gobierno representativo, diputado* como alternativa a *procurador, carlista, clase media*— y otras, matizadas por las personales posiciones de Larra —*aristocracia* como ampliación de *nobleza, soberanía popular* y *democracia* sólo documentadas en los artículos de 1836, *república* como palabra que se debe evitar—. Claro está que se trata de los usos documentados en *un* solo hablante, por muy significativo que éste sea. Rafael Lapesa (1966-67) había ampliado esta indagación, insertándola en el campo de fuerzas que supone la tensión entre Ilustración y época romántica.

La determinación de las palabras-clave definidoras de las actitudes colectivas ante los procesos sociales se muestra harto problemática, en la medida que la documentación hasta ahora empleada ha sido la procedente de vaciados de textos de unos pocos escritores. Rafael Lapesa (1989, 397), a partir del análisis de textos de Larra y Mesonero, asegura que "*confusión* es la palabra clave en el vocabulario de la época, tanto en la visión del mundo como en la de la sociedad", mientras que de Llera (AA.

---

por derivación el sustantivo *liberalismo* para denotar la cualidad de ser el hombre liberal". Este texto no ha sido tenido en cuenta por los estudiosos de la nueva significación de la palabra (surgida en Cádiz, octubre , 1810): Vicente Llorens, *NRFH*, XII, 1958, 53-58, reed., 1967, 45-56; Pedro Grases, *NRFH*, XV, 1961, 539-541; Rafael Lapesa, 1966-67, pp. 214-15, nota 133; María Cruz Seoane, 1968, 157-162; también debe tenerse en cuenta el folleto *Aplicación de las voces de serviles y liberales, con alguna cosilla sobre la causa del diez de marzo en Cádiz,* Jerez, 1821 (biblioteca de Rodríguez-Moñino y Brey Mariño). *Guerrilla,* palabra cuya acuñación suele datarse en los años de la guerra de Independencia, ya existía en castellano y, con el sentido que tuvo en las acciones bélicas de 1808-1814; aparece ya en 1780 el título de la traducción de un tratado militar francés (Gabriel H. Lovett, 1968).

VV., 1984a, 47-56), que repasa escritos de Balmes, Donoso Cortés y Sanz del Río, propone como palabra integradora o sintética, la de *armonía*. En el estado actual de los estudios sobre la cuestión, quizás sólo la palabra *libertad* ofrezca testimonios suficientemente fiables para considerarla como palabra—clave de la época. Empleada por los reformistas y escritores políticos de la etapa gaditana cuando se referían a la futura Constitución que habría de fijar "los límites de la *autoridad* y de la *libertad* en todos sus aspectos" (Lapesa, 1966-67), durante el período fernandino y la Regencia de María Cristina es usada como bandera que define posiciones políticas y está abrumadoramente presente en los escritos políticos (Peira Soberón 1977) y en las meras informaciones periodísticas.[57] *Libertad* era para Larra la "divisa de la época", y el tema de la libertad fue uno de los más productivos en los géneros literarios románticos, desde el teatro comprometido de la época doceañista (Antonietta Calderone, AA. VV., 1984a) y la poesía civil de Quintana (Dérozier, 1968).

Una matización de método deberá imponerse en los futuros estudios sobre léxico de la vida política y social de la época, matización que procede de los sistemas ideológicos vigentes a la sazón y que fueron productores de innovaciones verbales; Ruiz Otín (1984a, 123) ha señalado muy oportunamente que "otra novedad en el vocabulario de Larra es el valor del adjetivo *social* que puede oponerse a *político*"; el nuevo empleo de *social*, enraizado en la teoría política rousoniana y basado en la distinción hegeliana entre la libertad formal y la libertad real, empezó a manifestarse como tendencia ideológica en la Francia de 1830 para diferenciar los ámbitos de la actividad del Estado y de la vida de la Sociedad, cuyas miserias y desigualdades no podían eliminarse con recursos estrictamente políticos.

También ha mostrado Rafael Lapesa (1989) que los campos léxicos de las relaciones sociales y la vestimenta son sintomáticos de los cambios profundos vividos en el tiempo que consideramos. La *moda* —y repárese en su derivado *modista*— funciona

---

[57] "Ayer sufrió en esta capital la pena de horca Juan de la Torre por haber dado en una calle pública (...) los gritos de *¡Viva la libertad, mueran los realistas!*" (de la *Gaceta de Madrid*, 1831, según Ruiz Otín, 1983, 213); Espronceda, señala con tipografía llamativa en "truena el cañón y el grito castellano / de INDEPENDENCIA y LIBERTAD responde" ("El dos de mayo", vv. 71-72).

como un sistema enmarañado de normas para la clasificación sexual y social cuya traducción en términos precisos da lugar a un variable diccionario de relativa complejidad. Un folleto de 1829 publicado por "Sir Satsbú" (con toda seguridad el polígrafo catalán Bastús y Carrera), el *Diccionario de los flamantes*— "oh vosotros llamados antiguamente currutacos, después petimetres, en seguida pisaverdes, luego lechuguinos y finalmente condecorados con el pomposo y significativo nombre de flamantes"— es pieza útil para reconstruir el vocabulario de la moda, junto con los textos costumbristas —en los que la moda funciona como signo descriptivo y como símbolo de adherencias culturales (pp. 423-425)— y las revistas para damas, que no han sido consideradas aún para estos efectos. En el citado trabajo, Lapesa analiza un *corpus* de palabras pertenecientes a las fiestas y reuniones, a los aspectos sartoriales e indumentarios y a algunas fórmulas del lenguaje de los amantes; enriquecedores han de ser los estudios que se dediquen al léxico de los juegos —naipes y otros juegos de mesa—, de la gastronomía, de los deportes y enfrentamientos duelísticos, incluso de la tauromaquia (tema este último estudiado lingüísticamente por José Carlos de Torres, 1989).

El pragmatismo que estimula las motivaciones de las gentes que van constituyendo la nueva clase burguesa explica la aclimatación de un extenso y rico vocabulario que denomina inventos científicos y tecnológicos —Larra comentaba los espectáculos de ascensiones y *globos aerostáticos; camino de hierro* o *ferrocarril* aparecen en el *Viaje de Fray Gerundio por Francia, Bélgica, Holanda y orillas del Rhin*, 1842, *daguerrotipo* en el *Semanario Pintoresco* y en las monografías impresas en 1839 que dan cuenta del procedimiento fotográfico—, objetos que hacen más *confortable* la vida cotidiana —como los *quioscos, ómnibus, secretaires* (*secretario* en Larra, *Obras,* I, 308a), *restauradores* y *bisuterías* que impresionan a Mesonero, autor en 1841 de sus *Recuerdos de un viaje por Francia y Bélgica*— y los mil y un adminículos de indumentaria y embellecimiento físico —como los *figurines* grabados en las revistas femeninas, el *frac,* la *chaqueta* o el *corsé* que visten hombres o mujeres, la *colonia,* el *patchulí* o el *bisoñé* que se incorporan a los hábitos de la cosmética—. Leonardo Romero (1990) ha estudiado la introducción en España de la moda de los *álbumes* femeninos, causantes de una interesante variedad de manuscritos poéticos y de una peculiar lírica epigramática y madrigalesca.

La atención al léxico de la afectividad y la imaginación (Lapesa, 1984, 373-376) puede iluminar, además, actitudes colectivas e individuales proyectadas en el terreno de la creación artística y la actividad literaria. La sensibilidad y el "fastidio universal" eran vivencias actuantes entre los ilustrados del último cuarto del XVIII;[58] la nueva sensibilidad irracional y nihilista acrecienta hacia el silencio interior las manifestaciones sentimentales de la anterior centuria. La *tristeza* (que es para Quadrado "el sentimiento del vacío"), la *melancolía* ("aquel deseo innato de lo que no tiene fin" para Gil y Carrasco) y la *amargura* (" a mí tan sólo penas y amarguras/ me quedan en el valle de la vida" en confesión de Espronceda) son grados sucesivos de la emocionalidad romántica, cuyo prototipo de comportamiento anómico reside en el *suicidio*. Suicidas reales y suicidas inventados definen el acto supremo del horror o la rebeldía. Don Leandro Fernández de Moratín explicaba, en 1793, la abundancia de suicidios en Inglaterra echando mano de un determinismo geográfico que para los redactores de *El Constitucional,* diario madrileño de 1820, cuando daban la noticia del suicidio del joven Atanasio de los Arcos,[59] se había mutado en una conjunción de circunstan-

---

[58] Russell P. Sebold (1968) nos ha hecho ver, en la *Elegía moral* que Meléndez Valdés dirige en 1794 *A Jovino el melancólico,* la presencia de la expresión *fastidio universal* en un contexto que interpreta como la primera acuñación designadora del "dolor romántico". *Misantropía, tedio, melancolía* son palabras frecuentes en escritores del último cuarto del XVIII para designar "un concepto ya más amplio que el del tradicional *tedium vitae*"; *spleen* es también usado desde Cadalso Iriarte, Viera y Clavijo. Leo una adaptación del *ennui* francés en este texto del duque de Almodóvar: "suplico a V. M. que es algo purista, me admita (interinamente a lo menos) las palabras *anyo,* si no me acuerdo de *fastidio* que es la que más se le acerca..." (*Década epistolar,* Madrid, 1781, 223). Larra ("Varios caracteres", *Obras,* I, 290) ofrece una vivaz descripción de los estados de ánimo que corresponden al *fastidio* y al *tedio.* Para las diferencias entre el *tedium vitae* de los clásicos y las nuevas vivencias de inestabilidad emocional, Russell P. Sebold, AA. VV., 1982, 57-58.

[59] "La época en que se verifican más suicidios es en el invierno; el mes de noviembre particularmente está reputado por mes fatal; y no es muy extraño, puesto que el invierno (especialmente en Londres), húmedo, nebuloso y triste, es capaz de dar fastidio al hombre más bien hallado con su existencia" (Moratín, *Obras Póstumas,* I, 187). "Mayor tristeza y taciturnidad que nunca, incansable apego al trabajo de escribir y a la lectura, sobre todo de libros y papeles amorosos, extraordinarias vigilias, tales que apenas estaba en la cama dos o tres horas, frecuentes raptos de enojo, cólera y maledicencia, desconocidos y enteramente ajenos de la dulzura de su carácter, son pruebas bastante seguras de su

cias biográficas y características psicológicas de la personalidad del suicida.

3. La expresión de la proximidad coloquial

Hemos visto más arriba algunas postulaciones programáticas en favor de una lengua poética menos atada a las formalidades de la tradición. Independientemente de los poemas escritos en jergas peculiares —gitanismo, *fabla* medievalizante— cuyo cultivo estaba acreditado por la tradición aureosecular, los poetas del grupo esproncediano realizaron ensayos para trasladar las convenciones propias del lenguaje coloquial al decir poético de los poemas narrativos. Este ensayo es un salto cualitativo en la concepción del acto poético tal como se había venido entendiendo en la poesía española y que abrió inmensas posibilidades expresivas por las que habría de transitar la lírica de la modernidad. Los casos, con todo, ni son tan abundantes ni tan significativos que permitan al investigador actual reconstruir sobre ellos las marcas de la expresión familiar y coloquial que estuvo vigente durante los años románticos. Arguyen, sí, sobre el estado terminal de los preceptos de la Poética clasicista y ostentan las pruebas de la voluntad de proximidad e inmediatez que el arte romántico aplicaba.

Pero son los textos periodísticos —apenas estudiados a este propósito— y los textos teatrales los que mayores posibilidades ofrecen para la captación de las situaciones de comunicación lingüística coloquial. Un emigrado español en Londres, Ángel Anaya, justificaba su apresurada edición antológica de textos teatrales españoles con argumentos didácticos de este tenor: "la lectura de las comedias se ha considerado siempre como el mejor medio de perfeccionarse en las lenguas, pues contienen expresiones y frases familiares que no se encuentran en otras obras";[60] la moratiniana *Comedia nueva,* sin ir más lejos, había servido para sendas ediciones bilingües de métodos de lengua española para hablantes alemanes y franceses, procedimiento que se ha seguido

---

delirio melancólico y amoroso que privándole de sus facultades intelectuales terminó en el suicidio" (*El Constitucional,* 7-VIII-1820; apud. A. Cullen, 303).

[60] En la "Advertencia" de su *Teatro Español,* Londres, I, 1817, 372-373.

usando infatigablemente en la didáctica de las lenguas extranjeras. De modo que la directa *imitación* de los personajes en su expresión, tanto por el supuesto teórico de raíz aristotélica como por las específicas pretensiones de los autores románticos, se convirtió en rasgo definidor del estilo dramático del teatro que, como ha sugerido Ermanno Caldera, produce la impresión de un "lenguaje que aspira a presentarse como simple y cotidiano pero que, en realidad, no renuncia a sus prerrogativas literarias" (Caldera, 1974, 174-175).

La censura purista de los nuevos usos lingüísticos y la parodia literaria de los nuevos valores sociales hacen imprecisa valoración del riquísimo material léxico que estas modalidades de "transcontextualización irónica" comportan. El francés o italiano macarrónicos hablados por personajes ridículos en las piezas teatrales anti-napoleónicas o anti-operísticas (E. Caldera, 1978, 49-50, 175) podemos considerarlos como simples mecanismos generadores de la burla y la risa, en la tradición de los entremeses clásicos o la comedia "de figurón". Pero los abundantes neologismos que se censuran en los "diccionarios" satíricos que ha estudiado Pedro Álvarez de Miranda (1984a) o los flagrantes galicismos que se censuran expresamente en el teatro de Bretón de los Herreros (Miguel Ángel Muro), han de ser estimados simultáneamente —en mi opinión— como recurso de autor y como registro sintomático de un fenómeno colectivo. Al ser las sátiras y parodias *diccionarios de época* o *diccionarios de autor* vueltos del revés, su valor no debe escatimarse por los estudiosos que, a pesar de lo muy frecuente que fue el vejamen anti-romántico,[61] apenas si le han prestado atención hasta el momento, exceptuando estudios parciales sobre el teatro (Piero Menarini, 1977; Crespo Matellán, 1979; Valentina Valverde, 1984) y otros sobre la prensa satírica (Rubio Cremades, 1984) o el empleo de la caricatura política en este medio de publicación (Claudette Dérozier, 1983). La risa que persiguen estas formas tradicionales de la censura encontró en la época romántica un ámbito de produc-

---

[61] Los escritores costumbristas bordean estos planteamientos (Mesonero, Somoza, Tapia, Modesto Lafuente, Ayguals de Izco), pero con mayor contundencia autores de teatro como Bretón de los Herreros, Granés más tarde, y profesionales de la sátira como Martínez Villergas. E. A. Peers (I, 544 y sigs.) y Narciso Alonso Cortés en su monografía sobre Zorrilla (1943, 161 y sigs.) han ofrecido el canon básico de los textos paródicos sobre el romanticismo.

ción hipertrofiado, ya que la hilaridad fue recurso de control
social sobre los disidentes románticos y, al par, síntoma de la
teratología fantástica que emergió con las formas negras del romanticismo de combate; las "carcajadas", las "risas convulsas" o
las "sonrisas sardónicas" que cruzan por los rostros de los personajes despreocupados o malvados de los textos románticos sitúan
a los lectores en el umbral de la risa violenta y absoluta (para la
vinculación de la risa con el universo supranatural que intuía
Baudelaire, véase Tobin Siebers, 1989, 104-140). Aunque para
la risa cotidiana, la risa generada, como pensaba Bergson por la
intromisión de lo mecánico en el flujo de la vida, quizás sean las
actas de los debates y discursos parlamentarios las más fidedig-
nas grabaciones que hoy nos quedan sobre cuándo y por qué
reían las gentes de la época.[62]

Los últimos textos que he citado, producidos en circunstancias comunicativas teñidas de teatralidad, no son, con todo,
los mejores registros del habla coloquial. La reiterativa presencia de formas interjectivas en los dicursos parlamentarios y en
la poesía implican la traducción de encendidos estados de ánimo que al hablante o al lector de hoy le resultan radicalmente
artificiosos, bien que estas actitudes de hablantes fueran senti-
das como naturales y espontáneas por las gentes de la época. La
inexistente bibliografía sobre rasgos suprasegmentales en los
textos de la primera mitad del XIX[63] y la reducida aportación
sobre el retórico procedimiento de la onomatopeya (sólo Gallego Morell, 1972, 43-58) hacen de este campo un sugestivo territorio para los estudiosos de la estilística y la lingüística
pragmática.

[62] Gabino Tejado en su *Noticia biográfica* sobre Donoso Cortés (Donoso
Cortés, *Obras*, Madrid, I, 1903, pp. IX-LXI) da una excelente muestra de la
producción de hilaridad por aplicación del mecanismo ridículo de la grandilo-
cuencia; resume un discurso parlamentario de Donoso en 1838: "La vida de
Mirabeau es un drama; ved aquí una de sus más interesantes escenas. El orador
entonces avanza algunos pasos hacia el centro de la sala, se pone en actitud
declamatoria y añade con enfático acento: la escena se pasa en París (extrema
hilaridad en el auditorio) en 1789 (...). Mirabeau era un progresista, señores, y
tan progresista que era el Júpiter del Olimpo revolucionario (risas y más risas
en el auditorio)".

[63] Una notable aportación sobre el empleo de interjecciones en el teatro del
llamado "realismo", en la segunda mitad del XIX, María Isabel Martín Fernández, *Lenguaje dramático y lenguaje retórico.* Cáceres, 1981, 69-105.

4. *Lengua y estilo*

Si los aspectos lingüísticos considerados pueden estar presentes tanto en textos que reproducen actos de habla común como en páginas afectadas por la marca de la literariedad, la intensificación de determinados rasgos o la utilización de registros expresivos previamente convencionalizados son signos exclusivos del discurso literario. Los no muy extensos trabajos que se han dedicado a las características del estilo en determinados autores[64] resultan monografías inconexas cuya integración podría ser muy oportuna en la edición anotada de las obras románticas que siguen publicándose en las colecciones escolares de textos. Un plan trabado de investigación sobre la lengua literaria de la época romántica debería incorporar el abundante material aprovechable que muchos de estos trabajos contienen y ampliarlo con catálogos de desvíos estilísticos en el ámbito románico, como el ampliamente documentado de L. Gáldi (1977).

Un significativo procedimiento lingüístico que se extendió en la literatura española del romanticismo fue el de la reconstrucción artificiosa de una lengua medieval con la que se extrañaba de manera inmediata a los lectores y, además, otorgaba a los textos históricos una garantía de verosimilitud en el arte de la imitación. Una de las epístolas dirigidas por Leandro Fernández de Moratín al Príncipe de la Paz está escrita en dodecasílabos de arte mayor salpimentados de pretendidos arcaísmos medievales, ejercicio que ponderó el propio autor anotando que era "un esfuerzo muy difícil". La comedia de Gorostiza *Las costumbres de antaño* (1819) también echa mano de la *fabla* antigua

---

[64] Para la prosa de ficción histórica en Larra y Espronceda, Martín Zorraquino; para la prosa de Larra, Lorenzo-Rivero, Varela y Ruiz Otín; para Bartolomé José Gallardo, Senabre y Rubio Hernández. Rasgos de estilo en el teatro de Gil de Zárate, por G. Paglia, en el de Bretón por Muro, en el de forma neoclásica de Rivas por Caldera; la poesía ha sido el género más beneficiado en esta clase de trabajos: para Reinoso, Ríos Santos; para Mármol, Rey; para Rivas, Shaw; para Espronceda, Ynduráin (cf., las páginas dedicadas a estos autores). Luis F. Díaz Larios (1978) ha perseguido la fortuna del verbo *rielar* ('moverse rápidamente y como temblando') en el lenguaje de los poetas románticos; contra lo que era opinión admitida (Espronceda tomó el término de Fernando de Herrera) ha demostrado que la veta herreriana se prolonga en poemas de Alberto Lista (1803) y Rivas (1824) hasta llegar al poeta romántico.

como un patente recurso de comicidad verbal que sirve para caracterizar a personajes. Con rotunda intencionalidad poética que busca la recreación de un espacio poético remoto, la primera muestra de la lengua medievalizante creo que aparece en las varias *Trovas en lenguaje antiguo castellano* que, desde 1829, fue publicando Agustín Durán para los elogios áulicos que la familia de Fernando VII requería. A partir de este hipotexto de autor, la fórmula se repite en relatos y en poemas, en textos que conforman un *corpus* medievalizante del que destaco aquí la conformación tipográfica en caracteres góticos que presenta el relato "Historia de la muy noble y sublimada señora doña Leonor Garavito" que publicó José Bermúdez de Castro (*El Artista*, III, 61-65, 73-78) y la delirante novela que en 1859 publicó don Mariano González Valls con el título de *El Caballero de La Almanaca, novela histórica escrita en lenguaje del siglo XIII,* redactada toda ella en una artificiosa jerga antigua; todavía en 1865 Galdós reprochaba a Luis Eguilaz el empleo del lenguaje medievalizante en sus dramas *Las querellas del rey sabio.* Por otra parte, el registro de las peculiaridades dialectales en los textos románticos no es frecuente ni, cuando existe, es excesivamente acertado (véanse las parodias lingüísticas de Bretón o Mesonero). José María García Martín (1987) ha estudiado el diverso tratamiento de los pronombres personales enclíticos en el teatro de Rivas y García Gutiérrez como una confluencia de factores en que la *norma lingüística andaluza* se habría visto superada por causas subjetivas y culturales.

En la zona coincidente del estilo individual y el lenguaje estándar deben situarse las imágenes que, troqueladas desde las necesidades del tiempo histórico, terminaron siendo otro reservorio de las palabras-clave de la época. La imaginería tradicional provee a los escritores y poetas románticos de un fondo mostrenco de metáforas lexicalizadas: el sol, la luna, las estrellas, las flores, la tierra, el mar, el viaje, la prisión...; nuevos contextos ideológicos y culturales renuevan las connotaciones asociadas a esta imaginería —la poesía ossiánica para la figura de un sol que personifica la consunción del universo; la cultura helénica para el mito del espacio primigenio irrepetible; las convulsiones de la Revolución Francesa y la aventura napoleónica para la nostalgia del destierro, el terror y el cesarismo; la divulgación del doble código de moral sexual para la alegoría floral con que se cubre la figura femenina; el revivalismo de la arquitectura medieval para las torres y las prisiones; la niebla como trasposición imaginística del anhelo insatisfecho....[65] La nueva función social y redentora que se adjudica al artista y la especialización simbólica que adquieren las grandes ciudades generan otro tipo de imágenes cuya presencia en las letras hispanas no se advierte hasta bien pasada la mitad del siglo.

Dos áreas de la actividad humana tienen singular productividad en la acuñación de imágenes románticas: el lenguaje sacro y el lenguaje científico. La idea optimista de *progreso* alumbrada por Condorcet y los ilustrados, a partir de los fastos de la Revolución Francesa se tiñe de adherencias apocalípticas que, como ha mostrado Cristopher Dawson, suponen el traslado de una cosmovisión religiosa a una actitud sedicentemente secularizada; se trata de la "Religión del Progreso", de la "misión revolucionaria" y del "sacerdocio científico" insistentemente repetidos en el lenguaje del XIX. Las emociones contrarrevolucionarias (Javier Herrero, 1989) están en la raíz del éxito de determinados escritos —Burke en Inglaterra, Chateaubriand en Francia, Olavide en España[66]— cuyos autores tuvieron especial capacidad para la construcción de imágenes **percutientes.** La función combativa que la imaginería sacra o litúrgica desempeña en los escritos de autores de esta órbita se derramará en posteriores textos de controversia o en los cauces expresivos de la emoción de los hablantes. La narrativa española de la primera mitad del siglo está

---

[65] Algunos ejemplos del empleo de estas imágenes: "Desde las tristes márgenes del Sena, / cubierto el cielo de apiñadas nubes, / de nieve el suelo y de tristeza el alma, / salud te envía tu infeliz amigo, / a ti, más infeliz (...)", (Martínez de la Rosa, "Al duque de Frías"); "Mas, huésped de la bella Andalucía, / cisne sin lago, bardo sin historia, / mi perdido cantar empañaría / el rutilante sol de tu alta gloria (...)" (Enrique Gil, "A la muerte del general Torrijos"); "Alzarse miro entre la niebla oscura / blanco un fantasma, una deidad radiante, / que mueve a mí su colosal figura / con pasos de gigante. / Reluce su cabeza / como la luna en nebuloso cielo (...)" (Nicomedes Pastor Díaz, "Mi inspiración").

[66] El cristiano para Olavide "es un hombre que desde el primer paso que dio en la religión fue marcado con la sangre de la víctima santa, y consintió desde entonces en ser él mismo una víctima que ofrece a Dios su propia vida, para obtener por esta oferta la expiación de sus pecados" (*El Evangelio en triunfo o historia de un filósofo desengañado,* Madrid, III, 1808, 96); imaginería victimista de este tenor será muy frecuente en la literatura de los años treinta que predica la imprescriptible *misión* del poeta.

penetrada por este fenómeno. Antonio Ferraz ha mostrado que la idea de culpa, cristalizada en la imagen de *mancha* o *pecado*, y la idea de fertilidad de la ideología política, acuñada en la imagen del *martirio* o de *bautismo,* están presentes en muchas novelas históricas pregaldosianas, tanto progresistas como reaccionarias.[67]

La prosa periodística acusa la invasión de la imaginería sacra —valga un ejemplo: "cada pueblo (...) es un ara inmensa cubierta de mártires, los hombres son mitad víctimas, mitad sacrificadores", Larra, *Obras,* II, 45b— que interviene en la poesía como un registro inevitable. Helmut Hatzfeld (1929) desmenuzó pormenorizadamente las expresiones e imágenes de origen religioso que emplearon los poetas hispánicos de la primera mitad del siglo. El trabajo, que aún no ha sido suficientemente aprovechado salvo en un perceptivo comentario de José Luis Varela (1984a) sobre la poesía religiosa de Lista, se centra en las denominaciones que las figuras del universo religioso cristiano suscitan al conjunto de poetas estudiados. Las conclusiones del estudio de Hatfeld reposan en dos constataciones: predominan los tropos de contigüidad sobre la metáfora, como continuidad de la perífrasis característica del siglo XVIII, y, cuando se producen metáforas, éstas responden a las formalizadas por la tradición del lenguaje bíblico y el misticismo español del Siglo de Oro. Hatzfeld dejó fuera de su consideración las imágenes que, desde el lenguaje religioso, trascienden al lenguaje sentimental o político —como es el caso del "cáliz de la amargura" (anotado por Carla Perugini, 1982, 165-167) y reiterado incansablemente hasta llegar el poemario de César Vallejo *España, aparta de mí este cáliz*— o la interpretación expresamente irónica o blasfematoria de los símbolos cristianos, de leve presencia en la creación literaria hispana (Sebold, 1968).

El uso traslaticio de las nociones científicas, iniciado como es sabido por los poetas de la Ilustración, apenas si ha sido considerado en la literatura romántica española (salvo una breve nota de Macandrew, de 1930). De las actividades científicas o paracientíficas que tuvieron mayor desarrollo en la España romántica (pp. 135-138) parece que fueron los experimentos físicos con la

---

[67] J. Velázquez y Sánchez, *Zurbano o una mancha más,* Sevilla, 1845; Antonio de Bofarull, *La mancha del siglo o las víctimas religiosas* (1850).

electricidad los que más intensamente avivaron la imaginería literaria. Luzán había sido un avanzado que asistió a los experimentos del abate Nollet sobre electricidad, y los españoles dispusieron desde mitad del XVIII de traducciones de su famoso *Essai sur l'eléctricité des corps*. De manera que los efectos de este agente físico llegaron a ser identificados con la virtud de la generosidad y el entusiasmo colectivos —"en vano se buscará en nuestro teatro moderno aquel interés nacional que se comunicaba a los espectadores como un *fuego eléctrico*" escribe Durán en 1828— o con el ataque de la inspiración, según la más clásica concepción de la posesión poética —"mira, cría, da grandes pinceladas y enardece tu imaginación; entonces la centella eléctrica se comunicará a los cerebros de los que te leen", escribe Lista en 1803 (Juan Rey, 1990, 122)— o los efectos de lectura que provoca la novela, al menos, según alardeaba la propaganda del librero valenciano Cabrerizo en 1818: "la novela viene a ser una máquina eléctrica, que el novelista dispone conforme necesitan los lectores para que reciban un sacudimiento más o menos fuerte".[68]

[68] A. Rodríguez-Moñino, *Historia de los catálogos de librería españoles (1661-1840)*, Madrid, 1966, 99. La imagen aparece también en otras lenguas; en una novela inglesa atribuible a Blanco-White leemos: "The Archibisphob was electrified with atonishment" (*Vergas*, London, III, 1822, 145).

IV

LA POESÍA

POESÍA LÍRICA Y NARRATIVA

La estimación de la crítica actual por la poesía romántica española no tiene consonancia con el volumen de textos poéticos que, desde principios del XIX, se escribieron y fueron publicados.[1] Cierto que cantidad no es equivalente de calidad ni, mucho menos, cantidad es equivalente a nuevo horizonte de posibilidades artísticas, pero, como operación previa a la estimación crítica, el historiador de la literatura debe atenerse *prima facie* a los datos que le ofrece la realidad investigada. Concorde con este supuesto previo, la elocuencia de los datos exhumados por Gloria Rokiski (1988) hace posible sostener, sobre una segura información bibliográfica, que la primera mitad del siglo XIX fue pródiga en la producción de textos poéticos. Las búsquedas de la citada estudiosa —que ha vaciado publicaciones periódicas, libros de poesía, folletos y *plaquettes*—[2] han dado como resultado un repertorio, en curso de publicación, de unas 25.000 papeletas que recogen referencias a textos poéticos de la época romántica.

Un cuidadoso tratamiento crítico de este material permitirá corregir bastantes juicios establecidos y sentará bases sólidas

---

[1] Valga como cifra el juicio de Cernuda: "si el neoclasicismo y romanticismo fracasaron en España, al tratar de hallar expresión nueva para nuestra lírica, al menos hicieron evidente con su fracaso dicha necesidad" (*Estudios sobre poesía española contemporánea*, Madrid, Guadarrama, 1970, 25).

[2] El único tomo hasta ahora editado de la *Bibliografía* de Rokiski reúne, para los cincuenta años primeros del siglo y para los autores alfabetizados entre las letras A y CH, 3.336 referencias bibliográficas; para las mismas letras y para el período 1801-1815 el *Nineteenth Century Short Title Catalogue*, catálogo colectivo de las publicaciones en lengua inglesa, proporciona 1.139 entradas de publicaciones poéticas inglesas.

para la edición de los poetas históricamente indiscutibles del romanticismo español, para los que hoy sólo disponemos de muy escasos modelos de ediciones críticas; sólo las que realizó Robert Marrast con las obras poéticas de Espronceda (1970 y 1978) se acercan a este rango y, parcialmente la recopilación dispuesta por Díaz Larios para los poemas de Juan Arolas (1982-1983). La idea, por ejemplo, de la solución de continuidad con la poesía greco-latina que Cernuda y otros críticos a su zaga han señalado como síntoma de la actividad poética de esta época ha de ser reconsiderada a la luz del abundante material que proporcionó en su día Menéndez Pelayo y que ahora actualizan nuevos descubrimientos de colecciones poéticas manuscritas de poesía clasicizante hechas durante el primer tercio del siglo (para las ediciones conocidas, Rokiski, 1977; Mainer, 1989, que anota los textos inéditos del aragonés Rafael José Crespo, y Picoche, 1977, editor de una colección de textos clasicistas).

Otras fuentes bibliográficas deparan, a su vez, textos poéticos musicados (como los villancicos y oratorios de la Biblioteca Nacional, editados en un *Catálogo* (1990a) y las series de romances impresos (Azaustré Serrano) o romances de la tradición oral, surgidos de acontecimientos del pasado siglo (Atero-Piñero, 1986). El lector interesado dispone de dos recopilaciones antológicas, aún estimables, que se realizaron en el pasado siglo; la de Leopoldo Augusto de Cueto para los poetas llamados "prerrománticos" (en el vol. LXVII de la B.A.E.) y la de Valera (*Florilegio* en cinco volúmenes, 1902-1903). Las antologías de poesía romántica que se han publicado durante este siglo son, en buena medida, tributarias de estas dos colecciones clásicas, singularmente, las que se agrupan en los años subsiguientes a la guerra civil española.[3] De las antologías editadas recientemente, muestran asimilación de las últimas tendencias historiográficas la de Díaz Larios (1977) y la de Pedro J. de la Peña (1984), y del ensayismo postmoderno la de Ramón Andrés (1987). Los estudios de conjunto que, desde 1970, han sido dedicados al romanticismo o a la literatura del siglo XIX también han incorporado

---

[3] Manuel Altolaguirre (1933; reediciones posteriores, colec. Austral); Félix Ros (Madrid, Emporyón, 1940); José Manuel Blecua (Zaragoza, Ebro, 1940); Manuel de Montoliu (Barcelona, Montaner y Simón, 1941); A. Jiménez-Landi (Madrid, Atlas, 1943); Narciso Alonso Cortés (Madrid, Aguado, 1956).

algunas de las aportaciones críticas referidas a la lírica de la primera mitad del XIX.[4]

1. *La transmisión de los textos*

La intensa oralidad que penetra la vida social del pasado siglo no ha sido planteada aún en términos de comprensión de los fenómenos culturales y literarios de la época. El siglo XIX, tiempo de transición entre las formas tradicionales de cultura colectiva y las nuevas manifestaciones masivas de los *medios de comunicación* impresos, tuvo en España un espacio privilegiado para el peculiar fenómeno de la cultura de la oralidad. De manera que, si la transmisión directa y en voz alta había permeado la creación y la transmisión de los textos literarios durante el Antiguo Régimen, algo semejante sigue aconteciendo en el XIX a pesar de la modernidad traída por el romanticismo, y todo ello a pesar de que estuviesen en trance de cambio la conformación de los grupos receptores, las situaciones de la comunicación y los lugares en los que ésta se producía. Las Fiestas de la Monarquía, por ejemplo, en las que el rey se manifestaba a sus súbditos rodeado de todo el aparato simbólico que le otorgaba prestigio y distancia serán, a partir de 1808, Fiestas Civiles en las que el súbdito cede terreno al ciudadano y el monarca magnífico se va transformando en una alegoría del nuevo Estado liberal e, incluso, cede el lugar a la representación de los símbolos democráticos y revolucionarios (Leonardo Romero, 1991). La condición de manifestaciones efímeras del arte y de celebración oral y musical que tienen estas conmemoraciones nos sitúa, pues, en el ámbito de unas prácticas de larga duración todavía no periclitadas.

La poesía, de modo específico, sigue transmitiéndose por vía oral y a través de los circuitos que ya estaban acreditados en los siglos anteriores: lecturas en tertulias y Academias, recitado y exposición de textos efímeros en actos públicos solemnes, inserción durante la representación teatral o la acción de los predicadores, recitado de los ciegos de las coplas o los buhoneros

---

[4] Donald Shaw, 1973, 40-69; Leonardo Romero, 1974; Vicente Llorens, 1979, 459-572; Valbuena Prat-Antonio Prieto, 1982(9 ed.), 269-298; Navas Ruiz, 1982(3 ed.), 131-137; De la Peña, 1986; Aullón de Haro, 1988 (también *Los poetas románticos. Antología*, ed. A. Fernández Molina, Barcelona, Plaza-Janés, 1975).

vendedores de papeles de diversas materias. A todos estos procedimientos consagrados han de sumarse aquellos que los usos sociales de la sociedad burguesa fue introduciendo; usos como las
lecturas en actos publicitarios y la recitación en reuniones políticas activadoras de la tensión emocional y el espíritu militante
de sus participantes. Bastantes poemas de Espronceda, a vía de
ejemplo, se dieron a conocer por medio de estos cauces de publicidad y su hechura estilística no se explica convincentemente
sin la reconstrucción del acto de comunicación oral para el que,
posiblemente, fueron escritos. La pindárica "¡Guerra!" ("¿Oís?
Es el cañón. Mi pecho hirviendo / el cántico de guerra entona-
rá") fue leída en una función patriótica que tuvo lugar en el
teatro de la Cruz el 22-X-1835; de los poemas "Himno al Sol",
la "improvisación" "A una ciega", "El Canto del cosaco", "A
una estrella" y la "Introducción" de *El Diablo Mundo* nos consta
que fueron leídos o recitados por el poeta en sesiones públicas
del Liceo madrileño; los epitafios dedicados a los héroes liberales
Pablo Iglesias y Guardia también se presentaron oralmente en
los actos que solemnizaban la muerte violenta de estos personajes.

Las *poesías patrióticas,* precisamente, constituyen una modalidad poética de la época que conjunta la lírica coral clásica, el
compromiso político de los tiempos modernos y el remedo de
romanidad republicana que introdujeron André-Marie de Chénier en la poesía francesa de los años revolucionarios y Quintana
en sus poemas de 1808. Pero, pese al sugestivo trabajo que, en
su día, dedicara Antonio Alcalá Galiano a las *poesías patrióticas* y
que contiene noticias de primera mano sobre el surgimiento y
desarrollo de este fenómeno, aún no han sido objeto de estudio
ni en su vertiente diacrónica ni en su análisis formal y temático
(ver Caro Baroja, 1969, 288-304). La exaltación de las pasiones
políticas está en la raíz de todo ello, como, por ejemplo, testifica el absolutista Josef Clemente Carnicer que, al describir el
regreso de Fernando VII desde Francia, anota que "el furor llegó
a tanto que los *liberales* compusieron unas canciones que llamaban *maricas constitucionales,* las hacían cantar a los ciegos y su
objeto era tratar a los serviles como enemigos de la Patria, del
Rey y de la Constitución sobre todo, por lo que debían morir.
Los *serviles* viendo tal sinrazón, compusieron otras queriendo
probar que los *liberales* a pretexto de la Constitución eran los

primeros que la infringían y querían perder la nación. En cada calle, si no en cada esquina de las principales, había de ordinario un gran corro oyendo estas canciones y disputas o metido en ellas de medio a medio".[5]

Las grandes tensiones vividas durante la guerra de Independencia (Lovett, 1976) y las gestas heroicas de estas jornadas (dos de Mayo, Bailén, Gerona, Zaragoza), las querellas entre absolutistas y constitucionalistas, la experiencia de los destierros,[6] la cruenta guerra civil de 1834-1839 y la exaltación de la libertad en otras tierras[7] dieron lugar a una riquísima producción de poemas patrióticos en la que participaron desde los más notables poetas y compositores musicales hasta apasionados copleros desconocidos. La *Revista Española* (26-X-1835) resumía el clima de exaltación pública que se vivía, de nuevo con poesías patrióticas, durante los años románticos y con aires musicales, ahora de signo inequívocamente liberal, oídos o leídos —es cuestión pendiente de estudio— en las canciones de Béranger:

> Sentimos que la brevedad del espacio de que podemos disponer no nos permita insertar ni dar noticia extensa de todas las que los periódicos de provincias están publicando. Himnos, canciones, odas, romances, productos todas estas composiciones de un estro entusiasmado y nacional, aparecen sin cesar en todos los papeles públicos que salen en España.

La música supone una dimensión insustituible en estos textos. Alcalá Galiano dio noticias valiosas sobre las apoyaturas melódicas de algunas *canciones patrióticas;* ciertas colecciones de este género incluyen, con paginación independiente, la parte musical —como las *Poesías Patrióticas* de Arriaza, Londres, 1810—.

---

[5] *Historia razonada de los principales sucesos de la gloriosa revolución de España*, IV, 1815, p. 163.

[6] La nostalgia de la tierra perdida en los poetas españoles del primer tercio del siglo no es tanto el resultado de una visión simbólica del perdido espacio original como la experiencia del conflicto personal y colectivo que fue el destierro; éste es el sentido de la apelación de Rivas "Al faro de Malta": "Arde y sirve a los bajeles / que de mi patria, aunque de tarde en tarde, / me traen nuevas amargas y renglones / con lágrimas escritos (...)" (véanse los trabajos de Vicente Lloréns "El retorno del desterrado" y "De la elegía a la sátira patriótica", 1967, 9-30 y 75-88).

[7] La oda que Larra no publicó, dedicada a la libertad de Grecia (Rumeau, 1948, 56-518) o la esproncediana "Despedida del patriota griego de la hija del apóstata".

Desde el punto de vista de la eficacia memorativa, la música del himno de Riego, en la vertiente patriótica, y la de la "Canción de Atala",[8] en la vertiente romántica, ilustran dos líneas permanentes de dos tipos de poemas musicados con intensa vigencia en el curso del siglo.

La recitación o lectura de poemas como espectáculos mercantiles —lecturas públicas de Zorrilla que reproducen las lecturas, también públicas, de un Dickens, en Inglaterra o Estados Unidos— y la comunicación oral en tertulias literarias o familiares fueron otras formas de transmisión poética de las que aún sabemos muy poco. Un apunte de la segunda manera de comunicación ofrece Pereda en su novela autobiográfica *Pedro Sánchez,* que reconstruye muchos aspectos de la vida literaria madrileña de los años cincuenta:

> Continuando el tiroteo de frases, no siempre de color de rosa, acertó alguien a preguntarle por "el poema"; respondió que "así" le tenía aún; rogóle el estudiante del frac azul que les recitara otra vez la introducción, y no hubo necesidad de repetirle el ruego. Con reposado y solemne ademán, sonora voz y magistral acento, comenzó a soltar octavas reales por aquella boca. No he oído jamás cosas más indecentes ni versos más gallardos, robustos y armoniosos (ed. José María de Cossío, Madrid, I, 1958, 91).

La transmisión manuscrita ofrecía las mismas características de las prácticas vigentes durante los siglos anteriores: manuscritos de un solo autor —autógrafos o copias— y manuscritos de diversos autores, a los que se puede seguir denominando *cancioneros.* Al no tener aún catálogos mínimamente fiables de las colecciones manuscritas de poesía del XIX todo intento de tipología de estas colecciones poéticas se hace muy arriesgado, aunque creo que podría adelantarse provisionalmente una distinción entre cuatro clases de *cancioneros* colectivos: 1) cancioneros que recopilan materiales poéticos característicos de la tradición ilustra-

---

[8] Se atribuye la música del himno de Riego al compositor José Melchor Gomis (John Dowling, 1974). Carmen Azaustré (1982, p. XII) ha señalado la gran abundancia de pliegos sueltos barceloneses que contienen versiones hispanas de los conmovedores personajes de Chateaubriand. El marqués de Custine tomó nota en su *Viaje* del texto y música de la famosa canción (Picoche, 1980) sobre cuya vigencia todavía trazaba Pío Baroja una pincelada evocadora: ("Juanita tocaba la guitarra y cantaba. Solía tener grandes éxitos con la canción del *Triste Cactas* que acababa con el estribillo de *sin mi Atala no puedo vivir", El sabor de la venganza, (Obras Completas,* III, 1167).

da y dieciochesca, 2) colecciones que incorporan eclécticamente nuevas modalidades poéticas y nombres de líricos románticos, 3) recopilaciones de poesía erótica[9] y 4) los *álbumes* de las románticas. Los últimos fueron los únicos que introdujeron alguna innovación sobre lo que había sido la tradición del traspaso manuscrito de textos poéticos.

He escrito en otro lugar (Leonardo Romero, 1990, 99) que el álbum poético del XIX es "un manuscrito constituido por textos autógrafos de distintos autores al que se incorporan materiales pictóricos y musicales y que tiene como finalidad el elogio de su destinataria". Su uso en España, como rasgo distintivo de la *moda de las elegantes,* debió de iniciarse a principios de los años treinta (un artículo de Larra titulado, precisamente, "El álbum" y mis propias pesquisas parecen confirmar esta hipótesis), aunque en Inglaterra y en Francia había empezado muy a principios del siglo. La integración de las artes espaciales —pintura, grabado, grafismos— y de las artes temporales —música y poesía— confieren a estos textos una peculiaridad exquisita que se compadece con la función ostentosamente exhibicionista que desempeñaban; el *álbum* desde mediados del siglo, se habría convertido en otra modalidad de los cancioneros de varios autores (ver el de la *Cuerda Granadina,* Gallego Roca, 1991). Pese a la reiterada afirmación sobre la inanidad de la poesía de álbum, a la que se suele despachar con el remoquete de "poesía de circunstancias", los poetas románticos y los posteriores escribieron bastantes textos destinados a estos manuscritos y, en determinados casos, con resultados felices. La convencionalidad temática y la panoplia retórica que abunda en los poemas de álbum —"en aquestos

---

[9] Alzieu, Jammes y Lissorgues han caracterizado las antologías de poesía erótica impresas en el siglo XIX por la anonimia o encubrimiento del colector bajo un seudónimo, la reducida dimensión de su tirada y la falsificación de sus datos editoriales (*Poesía erótica del Siglo de Oro*, Barcelona, Crítica, 1983, 2 ed.). Junto a los repertorios impresos a que aluden los citados hispanistas han de tenerse en cuenta las colecciones manuscritas —como *El Álbum de Príapo*, la *Colección de Poesías verdes*— y los poemas escatológicos o pornográficos que se copian en los manuscritos. A Espronceda —tradicional adjudicatario de poesías *secretas*— sólo se le puede atribuir en rigor un poema pornográfico, el de Dido y Eneas, que escribió en colaboración con Miguel de los Santos Álvarez (Bib. Nacional, Ms 18637/31); el estudio de la poesía erótica, según mis noticias y como ocurre con tantos aspectos de la literatura del pasado siglo, no ha sido aún atendido por los estudiosos.

libros / archivos de vuestras glorias, / donde guardáis el incienso / de los hombres que os adoran, / entre mil rasgos brillantes / de sus plumas ingeniosas...", escribía Quintana en un *álbum*— no justifican el desinterés con el que este importante vehículo de la transmisión poéticas del XIX ha sido considerado hasta ahora (Romero, 1993b). Variedad de la poesía de *álbum* es la poesía *de abanico*, con la peculiaridad de que la improvisación y el rasgo convencional son mucho más acusados. [10]

La poesía impresa también se difunde por medios muy parecidos a los de siglos anteriores (hojas sueltas, libros colectivos, libros individuales), pero se añade ahora un nuevo vehículo que, iniciado en el XVIII, tiene en el XIX su máximo desarrollo: la prensa periódica. Por una parte, la abundantísima publicación de poesía en pliegos sueltos recoge el romancero de crímenes y bandidos que tantas censuras morales y literarias había suscitado en el transcurso de los dos siglos; José Somoza prolongaba en su "Carta contra el abuso de la imprenta en España" las tesis de Meléndez contrarias a la difusión de los *pliegos sueltos*. Caro Baroja (1969) y Joaquín Marco (1977) han contribuido decisivamente a la sistematización del complejo fenómeno de cultura popular que hay detrás de esta "literatura de cordel"; ambos, Caro, desde el enfoque de los "romances vulgares" (de bandoleros, guapos, aventuras, crímenes, legendarios y religiosos...), y Marco, sin desatender esta dirección, han documentado la vulgarización de obras y autores cultos en el molde del romancero popular (narraciones de origen medieval, relatos legendarios y, especialmente, adaptaciones de Chateaubriand, Mme. de Staël, Sue, Dumas, Mor de Fuentes, Gallardo, Hartzenbusch, García Gutiérrez). Los estudios de Botrel (1973 y 1974) y Leonardo Romero (1976, 18-27, 229-233) complementan este aspecto a partir de datos que reconstruyen las redes de difusión de esta clase de poesía de consumo popular.

El citado estudio de Joaquín Marco (1977) es, además, una antología amplia de textos barceloneses, en prosa y verso; este material, que bibliográficamente ha descrito cuidadosamente María del Carmen Azaustré, ha sido presentado a los lectores en

---

[10] El catálogo de una exposición organizada en 1985 por la Fundación del Banco Exterior sugería, como evocación plástica y literaria, lo que habían sido los abanicos del XIX: AA. VV., *Otros abanicos*, Madrid, Banco Exterior, 1985.

otras recopilaciones selectivas de Julio Caro Baroja (1966), Enrique Rodríguez Cepeda (1984b) e Isabel Segura (1981 y 1984a). Situado ya en los márgenes de los años románticos, el erudito y bibliófilo Sancho Rayón ejecutó entre 1871 y 1874 una cuidada edición fotolitográfica de una serie de pliegos sueltos del siglo XVI y principios del XVII que inaugura en España la técnica de la reproducción facsimilar.[11] No debe olvidarse, en fin, la edición en hojas sueltas de poemas áulicos o patrióticos que determinadas instituciones distribuían con motivo de las fiestas civiles.

La edición de poesía en los periódicos y revistas del XIX no se ajusta a pautas predeterminadas. En algunos momentos y en publicaciones que conceden un mayor interés a la creación literaria podemos leer fragmentos de poemas o textos completos, impresos además en columnas o páginas que no constituyen una sección especial dentro del periódico. Suplementos literarios de diarios —como el de *El Español* de 1845-1847— o revistas de predominante cariz literario serán las publicaciones que den mayor cabida a la publicación de poesía. El componente efímero que esta forma de difusión implicaba obligó a que algunos de los autores de éxito se apresuraran a reunir en volumen los textos aparecidos en estos medios, tal como documenta Pastor Díaz cuando escribe en el *Prólogo* a las *Poesías* de Zorrilla que "el ansia con que se buscan los periódicos donde se publicaron algunas [poesías], ha obligado a recogerlas en la presente colección".

El libro, en fin, no fue medio habitual de transmisión poética hasta bien entrados los años cuarenta. Con anterioridad a esa fecha no son frecuentes los libros poéticos de varios autores ni los de autor individual. Entre los primeros se extendieron los elaborados con motivos funerarios o conmemorativos —cuyo título más arquetípico es el de *Corona Poética* o *Corona fúnebre*[12]— o los estrictamente laudatorios de un personaje y cuyo título más repetido es el de *Álbum*. Libros colectivos del tipo *Las cuatro Navidades* o *El Belén* fueron el resultado de tertulias literarias celebradas en casa del marqués de Molíns en fiestas particulares de los años cincuenta y constituyen variantes de los textos de *academia* literaria, bien que gravitando sobre la ambientación costumbris-

---

[11] Véase Víctor Infantes, *Una colección de burlas bibliográficas. Las reproducciones fotolitográficas de Sancho Rayón*, Valencia, Albatros, 1982.
[12] Ver Papeletas 24-39 de la *Bibliografía* de Rokiski.

ta que intensificó el tiempo del reinado isabelino. Los libros de autor individual, salvo en casos de éxito inmediato como Zorrilla o Campoamor, no fueron abundantes; como en otros tiempos y en otras literaturas no son raros los autores que nunca publican sus poesías en vida, y en libro independiente, —Larra, Vicente Sainz Pardo— ni los libros poéticos editados después de la muerte del poeta —Pablo Piferrer (1818-1848) y Juan Francisco Carbó en 1851, Enrique Gil y Carrasco (1815-1846) en 1873, Francisco Zea (1825-1857) en 1858, Juan Antonio Pagés (1825-1851) en 1852, Gustavo Adolfo Bécquer (1836-1870) en 1871, José Martínez Monroy (1837-1861) en 1864— [13] o los autores que publicaron cuando hacía mucho tiempo que se había cerrado su hontanar poético (Gabriel García Tassara, *Poesías* en 1872; Miguel de los Santos Álvarez, *Tentativas literarias* en 1888). Recuérdese, en fin, el caso de los españoles que cultivan la poesía en otros idiomas, como Blanco White (Garnica, 1975-76).

2. *La Poética del género*

Si juzgamos del estado de la producción lírica sólo por los libros de poesía editados durante los años de los grandes cambios románticos, encontramos que lo fue en volumen muy reducido. Pendiente de concluir la publicación de la bibliografía realizada por Gloria Rokiski, puede sospecharse que en la década de los años treinta no pasaron de pocas docenas de volúmenes los libros poéticos impresos, entre los que habría que destacar los *Preludios de mi lira* (1832) de Cabanyes, las *Poesías* (1833) de Martínez de la Rosa, *El Moro Expósito* (1834) de Rivas, las *Poesías* (1834) de Jacinto Salas y Quiroga precedidas de un prólogo-manifiesto ya elogiado por Peers (II, 74-75), las *Poesías* (1836) de José Joaquín de Mora y, desde 1837, el comienzo de la impresión de los tomos poéticos de Zorrilla; sólo el memorable año 1840 vio la edición de más de una docena de libros líricos, algunos de tanta trascendencia como los volúmenes titulados —repárese en la reiteración denominativa— *Poesías* y que eran obra del Padre Arolas, de Díaz Corbeille o de Espronceda (E. A. Peers, II, 256-

[13] Para la obra lírica de José Martínez Monroy, M. Díez de Revenga (1985).

268; para un esquema cronológico, Leonardo Romero, 1974, 48-50). Mientras se publicaba *El Artista* (1835-1836), por ejemplo, no salieron de las imprentas madrileñas libros poéticos reseñables, mientras que las publicaciones de otros géneros literario o los estrenos teatrales se sucedían infatigablemente. Todo ello no quiere decir que se hubiera paralizado el estro de los poetas españoles, puesto que las vías de transmisión antes apuntadas funcionaban a pleno rendimiento. Ocurría, sencillamente, algo que es muy repetido en el proceso de difusión lírica, que la actividad creativa de vanguardia se divulgaba a través de vehículos volanderos —lecturas públicas, hojas sueltas, periódicos y revistas— y que muchos poetas o desconfiaban del libro o les resultaba instrumento difusor de difícil acceso.

Estas circunstancias deben tenerse muy presentes a la hora de valorar los juicios críticos que los poetas y los periodistas formulaban a propósito de la situación de la lírica del momento. Tomando, a vía de ejemplo, las páginas que dedicó Larra a comentar obras poéticas recibimos la impresión, de que la situación era de una esclerosis total: "Nuestro siglo de oro ha pasado ya y nuestro siglo XIX no ha llegado todavía. En poesía estamos aún a la altura de los arroyuelos murmuradores, de la tórtola triste, de la palomita de Filis, de Batilo y Menalcas, de las delicias de la vida pastoril, del caramillo y del recental, de la leche y de la miel, y otras fantasmagorías por el estilo" (Larra en su reseña de las *Poesías* de Juan Bautista Alonso, *Obras, I*, 456b); la interpretación sesgada que ha sido frecuente dar a la página esproncediana "El pastor clasiquino" —acompañada por un grabado de Madrazo en *El Artista*— corrobora esta impresión. Ahora bien, exégesis tan elemental es una tosca descontextualización de las páginas críticas y de las imprescindibles relaciones semánticas entre grabado y texto a que invitan las publicaciones de la época. El conocido grabado de Madrazo es un retoque de un dibujo del francés Grenier y el sentido del texto de Espronceda no persigue la aniquilación del históricamente indiscutible poeta Meléndez Valdés (Robert Marrast, 1974, 418-423); Larra por su lado —que en gustos líricos es un escritor muy respetuoso con la tradición—[14] no duda en señalar, y en momentos diversos

----

[14] Véase el *corpus* poético establecido por Rumeau (1948) y los juicios de valor sobre lírica que enuncia en sus trabajos sobre las *Poesías* de Martínez de la

de 1833 y 1835, que los poetas europeos indicadores del horizonte para la creación innovadora eran Byron y Lamartine (*Obras*, I, 274b y 457a); su descubrimiento de Heine sería un poco posterior.

No es la prosa larriana el registro más sensible para documentar las inquietudes poéticas de los jóvenes poetas románticos, pero sí ofrece la vivaz percepción de un observador sagaz del mundo que le rodea. En un artículo atribuible que dedicó al comentario de un poema narrativo —*Blanca* de Juan Francisco Díaz— describe con acierto las tendencias innovadoras en las formas poéticas contemporáneas: "todos hacemos destellos, rasgos y *fragmentos*", "desde que Byron dio en la flor de los *cuentos*, no hay poeta nuevo que no se lance al cuento con audacia"[15] y elabora una nómina de urgencia de los poetas jóvenes en la que incluye a Eugenio de Ochoa, Gregorio Romero Larrañaga, Pedro de Madrazo, J. F. Díaz y Espronceda, del que destaca su relevante personalidad poética. Un año más tarde leemos otro censo, más nutrido y más retórico, de poetas de la vanguardia romántica: "loor eterno a vosotros los Rosas, Bretones, Giles, Roca de Togores, Pastor Díaz, Vegas, Peñalveres, Zorrillas y Calderones, y a vosotros también los Akcembures, Bravos, Ochoas, Esproncedas, García Gutiérrez, Escosuras, Quirogas y Madrazos"; censo que, en 1852, es exclusivamente de poetas difuntos de las dos orillas del Atlántico: Enrique Gil, *Fígaro*, Espronceda, Lista, Heredia, Plácido, Arolas.[16] Ahora bien, con

---

Rosa (3-XI-1833), del abogado Juan Bautista Alonso (19-II-1835) y la antología traducida por Maury con el título de *Espagne Poétique* (4-IV-1834); en este último artículo apunta Larra que el traductor español mostraba una preferencia, por los poetas modernos, "predilección que no llamaremos precisamente injusta, hacia las poesías del señor Arriaza; pero con la cual no convenimos del todo" (*Obras*, I, 381b).

[15] F. C. Tarr (1939, 24) fue el primer investigador que recordó cómo este trabajo, publicado en *El Español* de 3-VII-1836, está firmado por "L" y que se lo atribuye a Larra el amanuense que identifica muchos textos anónimos del ejemplar conservado en la Hemeroteca Municipal de Madrid; Robert Marrast (1974, 504) y Susan Kirkpatrick (1983, 48) han corroborado la atribución que, por mi parte, comprobé al editar algunos textos esproncedianos de este periódico. El texto ha sido editado por Pérez Vidal (1989, 955-959).

[16] Los testimonios son, respectivamente, de Basilio Sebastián Castellanos, "De la revolución en poesía de esta edad", *El Observatorio Pintoresco*, 23-VII-1837 y José de Iza, "Recuerdo a los difuntos", *Semanario Pintoresco Español*, 1852, 356-359; relaciones de poetas como las indicadas equivalen a las antolo-

alcance más amplio que las meras relaciones de nombres, es preciso afirmar que poetas y escritores románticos abundaron en declaraciones programáticas y en observaciones sugerentes sobre la naturaleza y función de la lírica que ellos mismos estaban elaborando; y si las primeras, no pasan de la ritualización de los debates tópicos —libertad frente a las reglas aunque se trate de una libertad controlada,[17] recuperación de los asuntos medievales, búsqueda de una nueva "dicción" y nuevas formas métricas—, las segundas permiten atisbar intuiciones cercanas a las de los líricos románticos europeos.

Entre los postulados de los románticos, la idea de la correlación entre Poesía y Verdad —*Dichtung und Wahrheit,* recuérdese, es el certero título de la autobiografía de Goethe— confiere a la Poética romántica una naturaleza de índole metafísica que, como ha recordado Jean-Marie Schaeffer (1980), la constituye en el fundamento de una teoría de la poesía absoluta. El *Blütenstaub* (1798) de Novalis, el prefacio de Wordsworth a las *Lyrical Ballads* (1800), la *Biographia Literaria* (1817) de Coleridge, o *A Defence of Poetry* (1821) de Shelley son textos programáticos a este respecto, pero el famoso *fragmento 116* de Friedrich Schlegel es un testimonio clave de esta concepción de la poesía total:

---

gías representativas de movimiento o grupo poético que se produjeron en otros momentos históricos de la lírica española, aunque no hubo un cancionero representativo de la literatura romántica. Ribot i Fontseré, en su *Emancipación literaria didáctica* (Barcelona, 1837) dio una selección de textos poéticos estrictamente contemporáneos de Ochoa, Salas y Quiroga, Bermúdez de Castro, Espronceda, Pedro de Madrazo, Juan Nicasio Gallego y Bretón de los Herreros que son, como he recordado en otro lugar (Leonardo Romero, 1985, 124) la reproducción de poesías publicadas en *El Artista.*

[17] El argumento de la imprescriptibilidad del *rigor* poético, desarrollado, a vía de ejemplo, por Sebold ("Sobre la actualidad de las *reglas*", 1970, 9-26), constituye una de las variantes más reiteradas en las discusiones españolas sobre "clásicos y románticos" que compendiaba Pablo Alonso de la Avecilla en su *Poética trágica* (1834) cuando proponía una suspensión provisional de las reglas poéticas clasicistas hasta el momento en el que se investigasen las específicas del romanticismo (Leonardo Romero, 1968, 298-301). Con anterioridad, el propio Espronceda: "¿Quién será el sandio preceptista que se atreva a fijar límites al genio venidero? ¿Quién el que se aventure a asegurar que no nacerá un poema que logre interesar y conmover por otros medios no conocidos, y de cuyas obras desentrañen, a su vez, nuevas reglas futuros preceptistas?" ("Poesía", *El Siglo*, 24-I-1834).

La poesía romántica es una poesía universal progresiva. Su naturaleza no consiste sólo en unificar todos los géneros separados de la poesía y poner en contacto la poesía con la filosofía y la retórica. Pretende y debe mezclar y fundir poesía y prosa, genialidad y crítica, poesía artística y poesía natural (...). El género de la poesía romántica está continuamente formándose, condición esta que precisamente constituye su esencia propia, de tal manera que ella es un eterno hacerse y nunca puede existir totalmente (...). La poesía romántica como género es algo más que un género poético, y se podría decir que es el arte poético mismo, pues en cierto sentido toda poesía es o debe ser romántica.[18]

De acuerdo con este supuesto, la poesía es una actividad humana elevada y compleja que mantiene una correspondencia con la verdad como no poseen otras actividades de los hombres. En el anhelo insatisfecho que es la actitud romántica, "toda certidumbre que se llega a fijar y se asimila se transforma en evidencia fraudulenta desechable", ha descrito García Berrio, para añadir seguidamente que "la tendencia romántica a emplazar el absoluto poético en un espacio radicalmente inestable, ajeno a las consistencias de la palabra y de las significaciones, se corresponde exactamente con el tipo del alojamiento prediferencial —de la *différance* en los propios términos de Derrida. A esa intuición respondía el mito de lo inasequible primigenio, que se descubre en las ideas sobre la lírica pura como lenguaje en pureza de Vico o de Herder, o el concepto del arte ingenuo que recorre con matices toda Poética romántica desde Schiller y Goethe a Schlegel y Coleridge".[19]

Aunque no sean rotundos ni abundantes los manifiestos poéticos de los románticos españoles, algunos de sus asertos se aproximan a la idea romántica de la poesía absoluta. Intuiciones de este género sostenía, por ejemplo, el joven Pastor Díaz en su prólogo a las *Poesías* (1837) de Zorrilla:

Siglos hay, sí, que inspiran un mismo tono a todo el que los canta; principios, ideas y sentimientos generales, dominantes, humanitarios, que presidiendo a una época y a una generación se reproducen en todas sus

---

[18] Cito por la traducción de las *Obras selectas* de F Schegel, I, 1983, 130-131.

[19] Antonio García Berrio, *Teoría de la Literatura (La construcción del significado poético)*, Madrid, Cátedra, 1989, 26 (prescindo, en la cita, de las referencias bibliográficas aducidas por el autor).

obras y bajo todas sus formas. Pero entonces la analogía no es el plagio, la semejanza no es la imitación, ni la consonancia el eco; entonces, por el contrario, la conformidad es el sello de la inspiración y de la originalidad; entonces dos obras se parecen y distan entre sí un mundo entero; entonces, dos autores se imitan sin conocerse; entonces se notan armonías y correspondencias entre la Biblia y Homero; entonces se copian Shakespeare y Calderón. Es un sol refulgente que reverbera a todos los cuerpos que ilumina; es una luna melancólica que reproduce todos los objetos que baña con sus pálidos rayos (B.A.E., vol. CCXXVII, p. 108).

Con todo, declaraciones de este tenor no abundan en los poetas románticos españoles, quienes, según mi lectura, insistieron de forma más redundante en las correspondencias habidas entre el cosmos y el pequeño mundo de la intimidad subjetiva, tal como —según resumía la conferencia Gil y Carrasco— afirmó Espronceda en sus lecciones literarias dictadas en 1839 en las cátedras del Liceo madrileño:

Pasó a explicar en seguida, cómo, siendo la poesía un medio de complemento y desarrollo de las ideas generales, distaba infinito de ser un juguete destinado a cantar los goces de los sentidos, insuficientes y menguados por su naturaleza para contentar el alma infinita del hombre, que continuamente tiene que salir de sí mismo para llenar con ideas más nobles el vacío de su corazón (B.A.E., vol. 74, p. 570b),

y que Pastor Díaz había descrito, en el prólogo de 1837, con palabras más cargadas de patetismo, al definir la poesía como

poesía de vértigo, de vacilación y de duda; poesía de delirio o de duelo; poesía sin unidad, sin sistema, sin fin moral ni objeto humanitario, y poesía, sin embargo, que se hace escuchar y que encuentra simpatías, porque los acentos de un alma desgraciada hallan donde quiera su cuerda unísona y van a herir profunda y dolorosamente a todas las almas sensibles en el seno de la soledad y el desconsuelo (ob. cit., p. 110b).

Desde estas declaraciones es fácil explicar la promiscuidad de lirismo y exhibición confesional que, junto con el reiterado empleo de determinados rasgos suprasegmentales, confiere a la poesía de los románticos españoles esa aura de retoricismo enfático que debería revisarse con rigor en los textos programáticos y en el lenguaje de los poemas. Lenguaje que, por cierto, sólo ha sido objeto de análisis lexicológicos y estilísticos (pp. 169-173), con olvido en muchos casos de la voluntad romántica de construir, dentro de la lengua estándar, una específica lengua autónoma, que pudiese traducir la poesía absoluta identificable con la verdad. Con torpe tanteo descriptivo parece afirmar Ros de Olano este proyecto de un lenguaje analógico cuando explica el estilo del poema inconcluso de Espronceda:

> Antes la armonía imitativa estaba reducida a asimilar en uno o dos versos el galopar monótono de un caballo de guerra, por ejemplo, y hoy nuestro poeta expresa con los tonos en todo un poema no sólo lo que sus palabras retratan, sino hasta la fisonomía moral que caracteriza las imágenes, las situaciones y los objetos de que se ocupa. Esta es la armonía del sentimiento (Prólogo a *El Diablo Mundo*).

Las consideraciones sobre las relaciones habidas entre la prosa y el verso y la frecuente práctica de los *caligramas* confirman la importancia que dieron los románticos españoles a las relaciones entre el significante y el significado.

Aunque la distinción artística entre la prosa y el verso contara tras sí con una tradición milenaria, es aserto frecuente entre los líricos románticos el de la analogía entre ambas formas de construcción del discurso lingüístico —"Die höchste, eigentlichste Prosa ist das lyrische Gedicht" (Novalis); "it may be safely affirmed, that there neither is, nor can be, any *essential* difference between the language of prose and metrical composition" (Wordsworth)—,[20] idea que para los escritores españoles cristalizó en un rechazo expreso de la prosa aliñada —"las galas del decir y el son de la rima", en la caracterización de Larra— y en un esfuerzo de convergencia entre los artificios de la prosa y los del verso[21] que explican los tanteos artísticos que, para Aullón

---

[20] El texto de Novalis en los *Fragmentos* de 1798; el de Wordsworth en el prefacio a las *Lyrical Ballads* (1800), (Lilian Furst, 1980, 138-142, con la discusión subsiguiente que planteó Coleridge).

[21] La tradición poética española no precisaba del forcejeo con la rigidez métrica que sufría la tradición francesa y que documenta Émile Deschamps, en 1828, en su elogio de la poesía de Chénier: "Il a reproduit avec génie la manière franche, l'expression mâle du grand poète Regnier; et remontant aux premiers âges de notre poésie, il a rendu à nos vers l'indépendance de la césure et de l'enjambement, et cette allure jeune et vive, dont ils n'avaient presque plus de traces". El uso del verso blanco por parte de los poetas del XVIII y la indiscutida admisión del asonante como "rima exclusiva de la lengua española"

de Haro (1979, 114-127), constituyen los más primitivos "poemas en prosa" de la literatura española.

El citado estudioso, tomando pie en una consideración de Cernuda sobre la modernidad del estilo prosístico de José Somoza, avanza una propuesta sobre la primera época "creadora del poema en prosa en lengua española" que individualiza en el citado "hereje de Piedrahíta", en Pablo Piferrer, Gil y Carrasco, algunas traducciones de Ferrán y Eulogio Florentino Sanz en el *Semanario Popular* y *El Museo Pintoresco* y, por supuesto, en Bécquer. Sin haber agotado la imprescindible distinción entre "prosa de arte o poética" y "poema en prosa" (dilucidada para los textos de Somoza por María del Pilar Sáenz Arenzana), el estudio de este significativo campo de la moderna literatura española requiere ampliar el catálogo de textos y autores del primer tercio del siglo,[22] atender a las traducciones románticas de otras prosas poéticas —por ejemplo, Estébanez Calderón trasladando "El fariz" de Mickiewick en

---

(Aribau, "Sobre la necesidad de refundir la obra de Rengifo", *El Europeo*, I, 1823, 218; del año siguiente, el debate Gallardo y Cavaleri-Pazos sobre el mismo asunto, traslado a la poesía de Juan del Encina) abrieron caminos y aligeraron experimentaciones métricas posteriores.

Domínguez Caparrós (1975) ha resumido textos de preceptistas del XIX referidos a la relación verso/prosa, el acento, la sílaba, la pausa, la rima y la estrofa como elementos caracterizadores del texto metrificado; Joaquín Arce (1982, 296-308) ha recordado la vieja tesis de Alfred Coester sobre la presencia de la octavilla aguda de Metastasio entre los poetas románticos, López Landeira (1978) ha formulado varias consideraciones sobre el empleo que los románticos hicieron del soneto. Para otras observaciones sobre aspectos métricos, véanse los estudios generales sobre Métrica y las monografías dedicadas al lenguaje literario que se citan en p. 169n.

[22] Luis F. Díaz Larios (1988, 52) ha propuesto otro caso de "poema en prosa", y en fecha tan temprana como 1834 —que es también la probable en la composición del fragmento de Somoza "El Risco de la Pesqueruela"—, en el texto de Ribot i Fontseré *Los descendientes de Laomedonte y las ruinas de Tarquino*, impreso en Barcelona en la imprenta de Estivill. En una caracterización paródica del romanticismo que publicó el poco conocido *Diario Literario y Mercantil* se establecía la siguiente serie de temas y formas propios del nuevo hacer literario: "*la materia romanticable* son los sepulcros, las brujas, los castillos feudales, la claridad de la luna, los desiertos, los monasterios antiguos, el ruido del mar, las orillas de los lagos; con éstos y unos cuantos piratas, gitanos, árabes del desierto, turcos, indios filosóficos, etc., se hacen comedias trágicas, tragedias cómicas, *poemas en prosa*, odas descriptivas, novelas históricas, historias poéticas y otra infinidad de primores que hasta ahora no se conocían" ("Reflexiones sobre el arte de escribir", 1825). Véase, en fin, el artículo "De los poemas en prosa" (*Crónica científica y literaria*, 30-V-1817).

Cartas Españolas (IV, pp. 38 y siguientes), las traducciones tan abundantes de Chateaubriand desde los primeros años del siglo o la adaptación de los aforismos proféticos de un Lamennais en el curso de los años treinta— y prestar gran atención a la nueva formalización del poema mixto en prosa y en verso, para el que sirve un modelo el "Cuento" de Espronceda que alterna fragmentos descriptivos en prosa con un texto lírico en octavas reales.

La aproximación de fronteras entre prosa y verso, a los efectos de la consecución de un lenguaje poético y de una mayor proximidad entre el discurso de los textos literarios y los matizados registros de las hablas cotidianas (cf. lo dicho para el estilo coloquial en los textos dramáticos, pp. 166-167), es, en último término, un modo de aceptar la difícil demarcación de los que son elementos pertinentes en el nivel lingüístico y los que sólo lo son en el artístico. Y aunque, como ha recordado Schaeffer, los poetas románticos recuperasen la idea platónica de la relación motivada entre el signo y el referente, esta idea se manifestó exclusivamente en el plano teórico de la concepción trascendental de la poesía; en el plano inmediato de la escritura poética, tan resonantes presupuestos sólo se plasmaron en los intentos innovadores de procedimientos gráfico-rítmicos y en el viejo juego —de nuevo descubierto— de los *caligramas* de Simmias.

Por una parte, la polimetría —con su haber acreditado en la versificación teatral del Siglo de Oro— fue rasgo característico de la métrica romántica. Poetas del cruce del XVIII y XIX —Arriaza, Arjona, Lista, Sánchez Barbero, Rivas en el inicio de su destierro— habían ensayado la combinación, en un mismo poema, de estrofas de distintas características silábicas o con diversa configuración de rimas; Espronceda y sus amigos convirtieron el procedimiento en práctica tan habitual que consiguió la condena del razonable satírico aragonés Miguel Agustín Príncipe.[23] Pero la polimetría no es, a los efectos de la relación motiva-

---

[23] "... (Espronceda) atropelló por todo, sin perdonar ni aun a la *versificación* que ningún daño le había hecho, en sus mejores composiciones; y haciendo de *El verdugo*, por ejemplo, una verdadera *ensalada* (así se llama al promiscuar en verso según Rengifo que lo recomienda; y por cierto que es gran autoridad en cuanto concierne al Mal gusto), se olvidó en esa composición, tan inconveniente en la idea como inaceptable en su forma, del lauro que *El Himno al Sol* había ceñido a su frente tanto en la forma como en la idea" (*Arte Métrica*, apud *Fábulas*, Madrid, 1861-1862, p. 520).

da entre signo y referente, más que un primer paso de lo que
habrían de ser las *escalas métricas,* auténticas innovaciones del
romanticismo cuya paternidad se suele adjudicar a la descripción
de la cabalgada de los *Djins* en *Les Orientales* (1829) de Victor
Hugo. En estos textos, la descripción del movimiento de seres
fantásticos —conclusión de *El estudiante de Salamanca, La Leyenda de Al-Hamar* de Zorrilla— o la de un anómalo estado de
ánimo —"Noche de insomnio y el alba" de Gertrudis Gómez de
Avellaneda— ponen en relación analógica el ritmo y extensión
silábica de las estrofas con la intensificación o ralentización del
proceso descriptivo que exhibe el poeta. Y, a pesar de que Zorrilla con su habitual ironización auto-agresiva, estimara haber
perdido el tiempo en la aplicación del procedimiento, las *escalas
métricas* revelan, más allá de la competencia técnica del artesano,
una visión unitaria de las sensaciones y escritura lírica que acentúan por su lado la búsqueda de la poesía absoluta.[24]

Relación gráfica con las *escalas métricas* manifiestan algunos
de los *caligramas* que volvieron a emplearse con relativa abundancia en la poesía del XIX. Sin llegar a la experimentación grá-
fico-lingüística de los trabajos de las vanguardias poéticas del
siglo XX, las que técnicamente se han denominado "metábolas
de soporte" no sólo reiteraron fórmulas ritualizadas en la tradición del *caligrama* —jarrones, copas, cruces, cucuruchos— o introdujeron apuntes de humor dasautomatizador —práctica en la
que fue singularmente hábil Miguel Agustín Príncipe con sus
versos-escalera que repiten experimentos análogos de Charles
Nodier—, sino que llegaron a construir originales confluencias
de códigos sémicos, como puede advertirse en este texto de intencionalidad política, recogido de un cancionero manuscrito
del XIX en la Biblioteca Nacional de Madrid (Ms. 8483):

CONTRASTE SINGULAR

Ilustración, virtud, munificencia,
Seguridad, honor, filantropía,
Amor, felicidad, perdón, clemencia,
Bondad, integridad, paz, amnistía.

[24] Sólo disponemos de sucintas descripciones métricas de las más conocidas
escalas métricas de la lírica romántica (Tomás Navarro Tomás, *Métrica Española,*
Nueva York, 1966, 380-381; Rudolf Baehr, *Manual de versificación española,*
Madrid, Gredos, 1973, 86 nota, y 92).

Equidad, prolución (sic), Cortes, derechos
Libertad y blasón de heroicos.

Cadenas,
A
R
L
O
S.

En el vértice opuesto de este juego formal, se sitúa la grave
meditación acerca de la *misión* del poeta, que penetra todas las
literaturas románticas y que fue uno de los *topoi* más aludidos en
la prosa crítica y en el decir poético. Frente a la moderna doctrina del "arte por el arte" —Gautier, Flaubert...—, la tesis sobre
la utilidad de la literatura es tan antigua como los más venerables textos preceptivos. La cristalización de la severa idea utilita-
rista se ha ido modulando de formas diversas en el proceso histórico-literario hasta llegar a la peculiar troquelación romántica
(Bénichou, 1985) que presenta al poeta como un guía o modelo
total de comportamiento, ya sea como la "planta maldita" que
evocan los escritores marginales desde Chatterton a Baudelaire,
ya sea como el conductor de los hombres y los pueblos a las
tierras prometidas, que exaltan las voces proféticas desde Mickiewick a Victor Hugo. El tema cuenta con extensa bibliografía
para las literaturas europeas e, incluso, para la española (Peers,
II, 346-352; Ciplijauskaité, 1966, 17-27; Marrast, 1974, 502-
504, 528-529; Llorens, 1979, 513-528; Sebold, 1978a, reed.,
1983, 165-184; Schurlknight, 1987), porque fue uno de los
debates más comprometidos del romanticismo, con productividad sustancial en el terreno de la sátira y la parodia (por ejemplo, "tu misión sobre la tierra, / es comer como un mostrenco /
dormir como un ganapán / y, al fin, morirte de viejo", Bretón,
El hombre pacífico, 1838).

"Tenemos una misión: se nos ha llamado a moldear el mundo", "los poetas y los sacerdotes fueron los mismos al principio,
sólo el tiempo, más tarde, los ha separado, pero el verdadero
poeta siempre ha sido un sacerdote del mismo modo que el verdadero sacerdote siempre ha sido un poeta" escribía Novalis en
su *Polen* de 1798; sobre estas afirmaciones radicales se construi-
ría la imaginería del sacerdote-profeta que inunda la literatura

romántica de Francia (Lamartine, Hugo, Béranger, Vigny...)
hasta llegar a la exaltación de la literatura "comprometida" que
los realistas de mediados del siglo inscriben en sus programas de
trabajo. Vigny, precisamente, que fue uno de los románticos
menos divulgados en España, con su novela simbólica *Stello*
(1832) determinaría el arquetipo del poeta-misionero que, según Sebold (1983, 165-182) proclamaba Zorrilla ante la tumba
de Larra ("que el poeta en su misión / sobre la tierra que habita /
es una planta maldita / con frutos de bendición"). La tonalidad
patética y el pasajero alcance del famoso poema —recuérdese la
palinodia posterior del propio Zorrilla— arguyen contra la soli-
dez de la imagen del "poeta-enviado" en el ámbito poético hispano, aunque Sebold, en el trabajo citado, ha roto lanzas en
favor de las huellas de Vigny y la sinceridad moral que se advierten en el texto zorrillesco, genuino manifiesto de la lírica
romántica española para el hispanista.

Ha de anotarse que la idea estaba en el ambiente y que, en
textos del "Fígaro" de la primera hora hasta en las revistas y
manifiestos de principios de 1837, es de presencia inevitable.[25]
La conocida repulsa que Lista planteó a la idea de la *misión* del
poeta (Schurlknight, 1987) se fundamentaba, yendo más lejos
de su rechazo instintivo al teatro francés contemporáneo, en su
concepción de la poesía, ilustrada y utilitaria, y ajena, por tanto, a una visión de la poesía como una realidad absoluta: "el
objeto primario de las bellas artes es *agradar,* es halagar la imaginación del hombre con la descripción de la belleza; para conseguir este objeto, en la pintura de las acciones, costumbres y
sentimientos humanos, no puede prescindirse de la *virtud;* así es

---

[25] "Probaremos que si alguno debe obrar heroicamente, es el poeta. Los
poetas son hombres, pero si los hombres no han de ser héroes, y sobre todo,
ciertos hombres que se alimentan más que otros de gloria, ¿quiénes lo serán?"
(Larra, *Obras*, I, 124a); "el poeta tiene la alta *misión* de reformar la sociedad"
(Larra, *Obras*, II, 249b); "convencido de que él también tiene que desempeñar
en la tierra una *misión* generosa y santa, oye el poeta en el silencio de su
gabinete, rugir desencadenadas las tempestades políticas..." (*El Artista*, I,
1835, 97); "la igualdad significa que cada hombre tiene una *misión* que llenar
según su organización intelectual y moral, y que no debe encontrar trabas que
le detengan en su marcha, ni privilegio que delante de él vengan hombres que
nada valieren sin ellos" (Espronceda, "Libertad, igualdad, fraternidad", *El Español*, 15-I-1835); "¡miserable! él cumple una *misión* sagrada, pero peligrosa;
una *misión* que lleva consigo no más que emigraciones y calabozos" (Ribot i
Fontseré, *Emancipación literaria didáctica*, 1837, 134).

una consecuencia necesaria, pero no un principio en las composiciones poéticas, el respeto a la moral, la expresión enérgica de los afectos virtuosos, el embellecimiento de las máximas nobles y generosas, en una palabra, el triunfo de la bondad y la detestación del vicio".[26]

3. "Canto y cuento es la poesía". La poesía narrativa

En otro trabajo recopilado en la misma colección de artículos, Lista sostenía la actualidad de la poesía épica, para la que encontraba, en clave nacionalista, una rica veta de temas hispánicos: Pelayo, la conquista de Toledo, las Navas de Tolosa, las conquistas de Sevilla, Granada y Nápoles, el descubrimiento del Nuevo Mundo.[27] Sus consejos dieron fruto en los jovencísimos aficionados de la Academia del Mirto, singularmente en Espronceda, para quien el propio Lista —como recordó Marrast, ed. de *Poesías líricas*, pp. 291-312— redactó de su puño y letra el plan de un poema épico y varias octavas reales que pudieran servirle de modelo; el plan ocupó al joven poeta durante más de diez años y cristalizó en el inconcluso *Pelayo*. El maestro sevillano, dotado de potencia intelectual para entender complejos fenómenos culturales de su tiempo, no fue capaz de ver —tal como hicieron Hegel o Vischer— que la épica renacentista y la epopeya clásica eran formas literarias inadaptadas a los tiempos modernos, porque ni los mitos en los que se generaban ni las actitudes de los *receptores* que las recibían podían equipararse a la sociedad del XIX.

Sin conocer a los teóricos alemanes que acabo de recordar, Ribot i Fontseré delineó, en el prólogo de su leyenda versificada

---

[26] "De la supuesta misión de los poetas". (*Ensayos literarios y críticos*, Sevilla, I, 1844, 167-169).

[27] "En una palabra, si no se aplauden los poemas épicos es porque son malos los que tenemos y porque no hay nadie que se dedique a escribir uno bueno. Ésta es obra sumamente difícil en su ejecución; nadie la comprende, no porque no gustaría, sino porque todos se aterran de consagrar su vida entera a un trabajo de éxito dudoso y cuya gloria no podría quizá gozar el autor. Hay en el día demasiada prisa en darse a conocer y en gozar el incienso de la alabanza, para arrostrar una empresa que necesariamente ha de durar muchos años" (*Ensayos literarios y críticos*, Sevilla, II, 1844, 50-51).

Solimán y Zaida o el precio de una venganza (1849) un breve tratado de los géneros literarios en el que opone *epopeya*, *leyenda* y *novela* y que está muy cercano al pensamiento teórico de los idealistas germanos. La *epopeya*, para el catalán, corresponde a un género en el que intervienen personajes superiores de tiempos lejanos y que se expresa en estilo sublime, la *leyenda* "es accesible a todas las inteligencias, no reclama de sus lectores conocimientos preliminares, no exige de ellos más que un corazón que sepa sentir", mientras que la *novela* —tipificada en las de Walter Scott— "si como están escritas en prosa estuviesen escritas en verso, serían ingeniosas leyendas que se parecerían mucho más a las baladas y a los cantos de Byron que a los poemas épicos de los griegos y los latinos" (véase Díaz Larios, 1988a, 45-52). El acuerdo entre lo que se manifiesta en las reflexiones críticas y la realidad literaria se comprueba en cómo los intentos por continuar la escritura épica no fueron sino anacronismos y desenfoques, tal como ha calificado Díaz Larios (1985) el proyecto épico sobre Hernán Cortés que ocupó a García Gutiérrez durante su estancia americana de 1845 a 1846 (también M. Nerlich, 1964).

Variante épica propia de la poesía romántica y escasamente atendida por la crítica (véanse Peers, II, 285-317, Alborg, 1980, 379-380, Moreno Alonso, 1979, 102-106 y Díaz Larios, 1988a) es la poesía narrativa —las *leyendas* que describía Ribot en el prólogo antes citado—, inaugurada brillantemente por el duque de Rivas con *El Moro Expósito* (París, 1834). La inclinación a esta clase de poesía —que integraba la naturaleza diegética de la épica, la detención ecfrástica de los poemas descriptivos del XVIII,[28] la mímesis del diálogo teatral y la expresión desnuda de

---

[28] No se han considerado, ni en términos teóricos ni en un planteamiento descriptivo, la función que cumplían y los procedimientos expresivos que empleaban los poetas románticos españoles en las amplias secuencias de carácter descriptivo que tanto abundan en sus poemas. Aribau, en *El Europeo* (1823) y Lista, en sus *Ensayos* (1844), coinciden en recomendar la atenuación de las "*imágenes icásticas*" (Aribau, "Reflexiones sobre la poesía descriptiva") y en subrayar las "armonías misteriosas entre el ser intelectual y sensible y los demás seres que pueblan el mundo, en una palabra, es menester que el poema descriptivo sea al mismo tiempo *didáctico*" (Lista, "Del poema descriptivo"). En el fondo de estas recomendaciones bulle la tensión artística entre las dos clases de *imitación* que distinguía la poética clásica y que Timothy Raser (1984) ha puesto en relación con el rechazo de la alegoría; propósito que, en la literatura española, formularon los costumbristas y Larra, de modo excelente.

la voz lírica— se desarrolló ampliamente en todas las literaturas europeas desde principios del XIX; Paul Van Tieghem enunció los poemas que se suscitaron en las literaturas europeas, desde la recuperación que Oehlenschlaeger realizara del *Eda* y las *sagas* hiperbóreas hasta los poemas lusos de Almeida Garret y Alejandro Herculano; Peers (II, 285-317) enumeró los más conocidos poemas narrativos del romanticismo español. Estamos ante un ostentoso caso de literatura comparada, en el que hay que considerar como más cercanos modelos, aunque los poemas narrativos que Vigny comenzó a publicar en 1820 no tuvieran eco español inmediato, los *cuentos* de Byron y los poemas *Namouna* de Musset y *Asheverus* de Edgar Quinet. En una perspectiva muy distante a la literatura española del momento, la novela en verso de Pushkin *Eugenio Oneguin* (1833) puede ser destacada como una pieza clave de la confluencia de narratividad y lirismo que caracteriza la volatilización de los géneros literarios de la tradición clásica durante el romanticismo.

Rivas, Espronceda y Zorrilla son los más conocidos autores de poemas narrativos; con todo, textos poéticos de cierta extensión como *Esvero y Almedora* de Maury —que desarrolla el asunto del Paso Honroso de Suero de Quiñones—, *Blanca* de Díaz, *María* de Miguel de los Santos Álvarez, *Luchana* de Navarro Villoslada y textos breves como "El bulto vestido de negro capuz" de Escosura, la leyenda de Frías "Don Juan de Lanuza, Justicia de Aragón", "El guerrero y su querida" de Marcelino Azlor, *El Sayón* (1836) de Romero Larrañaga y los recogidos en las *Leyendas Españolas* (1840) de José Joaquín de Mora o en las *Historias caballerescas españolas* (1843) de Antonio Hurtado son textos suficientemente representativos para merecer una atención que la crítica aún no les ha prestado.

Pero la forma poética que mejor sintetizó en España los propósitos del poema narrativo romántico fue el *romance* (sobre cuyo redescubrimiento como veta de la tradición anónima popular pueden verse las pp. 152-153), estrofa que todos los teóricos del romanticismo y los poetas de la época coincidieron unánimemente en considerar como la cristalización del *espíritu nacional;* valga el juicio de un anónimo reseñista de la *Colección* de Agustín Durán cuando afirmaba —y el juicio es tan tópico como representativo— que "ningún género de poesía se adapta como el romancero a la índole de nuestra lengua y al carácter de los habitantes de ese hermoso suelo" (*Boletín del Comercio*, 15-II-1833).[29]

El cultivo del romance no había sufrido eclipse en la práctica poética de la Ilustración, pero sí había distraído el juicio de los lectores la abundancia de los "romances de cordel", para los que autoridad tan fuera de toda sospecha como Meléndez había reclamado "la necesidad de prohibir la impresión y venta". Los morbosos contenidos de esta clase de textos y la perversa ejemplaridad que ofrecían los romances de crímenes y guapos eran las causas aducidas por los partidarios de la censura radical de esta aplaudida veta de la cultura popular; el descuido en su forma artística y el descrédito que comportaban para la forma tradicional de la poesía española movía también al descrédito del romancero. Gómez Hermosilla, en su *Arte de hablar en prosa y en verso* (cito por ed. de Madrid, II, 1839, 180), había sido contundente en su juicio condenatorio,[30] y, precisamente, contra su rechazo argumentaba el duque de Rivas en el Prólogo de sus *Romances históricos* (París, 1841):

> En una obra elemental, que anda de real orden en manos de la juventud, se deprime hasta con encono y se ridiculiza hasta con pueril actitud el romance octosilábico castellano, como indigno de la poesía alta, noble y sublime. Se asegura en ella que *aunque venga a escribirle el mismo Apolo no le puede quitar ni la medida, ni el corte, ni el ritmo, ni el aire, ni el sonsonete de jácara* (...). Decidir tan absolutamente contra un metro en que tan excelentes cosas se han escrito; que es, sin disputa, la forma en que apareció nuestra verdadera poesía nacional; que se ha amoldado siempre con ventaja a todos los géneros, a todos los tonos, a todos los matices, a todos los

[29] La afirmación sobre el españolismo de los romances, desde Meléndez Valdés ("un género de poesía nuestro", 1815), en Manuel María del Mármol ("un género de poesía nacional propio nuestro", 1817), Agustín Durán ("una historia de las tradiciones y fábulas populares", 1828), Salvá ("género de poesía de nuestra nación", 1834) y Rivas ("nuestra verdadera poesía, castiza, original y robusta", 1841). Responde, claro está, a la teoría herderiana que identifica a la colectividad del pueblo con el espíritu de la nación y el núcleo original de la poesía; con otra referencia, viene a decir lo mismo Larra cuando explica la peculiar metáfora —"confesonario"— con que las gentes del campo extremeño denominaban los lugares en los que eran expoliados los viajeros ("Niéguese a nuestro pueblo la imaginación. Otros países producen poetas. En España el pueblo es poeta", *Obras*, II, 115a).

[30] Posición adversa a los romances manifiesta también Félix José Reinoso en el trabajo titulado "¿El romance es la poesía lírica de los españoles?" que se publicó en la *Gaceta de Bayona* (4-XII-1829) (Ríos Santos, 291-292).

asuntos imaginables en manos de nuestros mejores poetas (...) es un incomprensible atrevimiento, fundado en un aislado capricho que se opone a
la opinión general (ed. de García Castañeda, 1987, 87-88).

Gil y Carrasco refutaba en su reseña de los *Romances* de Rivas[31] la desacertada opinión del preceptista, que habría de encontrar su mentís más radical en el incremento de la escritura
de romances literarios a lo largo del siglo XIX. No sólo los
poetas del grupo salmantino —Quintana, Cienfuegos, Tapia,
Gallego, Somoza...— sino los del grupo sevillano —Lista
desde 1803 (Gil González, 1987, 53-64), Mármol (Juan Rey,
1990, 174-181) desde fechas similares— y otros más jóvenes
como Eduardo de Gorostiza se aplicaron con fruición al cultivo de la forma poética que, desde los primeros años del XIX,
se lucró con el prestigio de la tradición poética del Siglo de
Oro y con el de las teorías de los herderianos. Como prueba
del renacimiento romancístico español, recuérdese que hacia
1806 el joven Ángel de Saavedra se iniciaba en la poesía con
un romance morisco, que en 1813 doña Francisca Larrea había
enviado a August Wilhelm Schlegel romances escritos por su
joven amigo José Joaquín de Mora,[32] que en 1823 Aribau publicaba sus propios romances narrativos en *El Europeo,* que en
1828 Gallardo componía su fino romance "Blancaflor", que en
las *Poesías* (1831) de Estébanez Calderón una sección del libro
estaba dedicada a "romances moriscos" y, en fin, que en
1834, Manuel María del Mármol daba a la estampa, en Sevilla, un librito que contenía sus propios romances literarios
—el primer libro moderno compuesto exclusivamente de ro-

[31] En "El Pensamiento" de 1841 (ed. de *Obras*, 514a). Meléndez Valdés
justificaba en el prólogo para sus *Poesías*, fechado en Nimes el 16-X-1815,
con interrogaciones retóricas "¿por qué no darle a esta composición los mismos tonos y riqueza que al verso endecasílabo? ¿Por qué no aplicarla a todos
los asuntos, aun a los de más aliento y osadía?".

[32] El texto —tres breves romances titulados "Las granadinas a la Reyna
Isabel", "Bustos" y "Zaide"— fueron publicados por Camille Pitollet (*La
querelle calderónienne...*, 1909, 77-79), quien también reprodujo la halagado-
ra respuesta del escritor alemán a la esposa de Böhl, en la que leemos, entre
otros asertos, que "après la liberté reconquise les arts de la paix fleuriront de
nouveau dans votre patrie; l'agriculture, le commerce, les sciences et les beaux
arts, surtout la poésie, car les poétes viennent d'ordinaire à la suite des héros.
Le danger qui vous menaçait depuis quelque temps de voir établi chez vous
la domination du goût français a disparu pour toujours" (ob. cit., p. 76).

mances literarios— acompañados de un prólogo que adelanta
en siete años el manifiesto del duque de Rivas en favor de los
romances.

El texto de Mármol, dado su olvido, bien merece una mínima atención. Va dirigido a la Real Academia sevillana y recoge
ideas y opiniones que el autor había ido exponiendo en escritos
desde principios del siglo; comienza recordando a los grandes
poetas del Siglo de Oro que habían escrito romances, para incidir, con el testimonio de Chateaubriand, en la impresión de
serenidad estática que tanto conmovía a los viajeros foráneos
("inalterables llama Chateaubriand a las costumbres españolas y
cree se conservarán en su gravedad, honradez y bondad, aun
cuando se alteren las de otras naciones. Eso mismo ha sucedido y
deberá suceder a los Romances, que fueron y serán la poesía del
pueblo español y como tal la manifestación de su genio y costumbres"); atenúa, seguidamente, el número y calidad de los
romances escritos por la generación poética anterior (la de Meléndez Valdés), caracteriza sumariamente los rasgos compositivos del romance y concluye discutiendo su validez como vehículo para la expresión lírica —"admite lo lírico, pero ha de ser con
tal que nazca del asunto más bien que buscado por la imaginación"— y planteando sus posibilidades como instrumento para
los asuntos sublimes, hasta entonces sólo adjudicadas a otras
formas de la tradición poética.[33] Juan Rey (1990, 174-181) ha
aportado datos preciosos a este propósito y ha recordado también
cómo entre 1803 y 1806, en *El Correo Económico y Literario* de
Sevilla, desaparecen prácticamente las formas poéticas clásicas
—églogas, elegías, sonetos, epístolas— que venían publicándose abundantemente desde el siglo pasado, para incrementarse la
publicación de romances, letrillas y epigramas.

El más extenso y conocido prólogo de Rivas es otro manifiesto en favor del acreditado molde métrico y de su capacidad expresiva para las modernas composiciones legendarias y narrativas. Sin entrar en distinciones tan pertinentes como las de
"romancero viejo" y "romancero nuevo" —nada clara aún para

---

[33] *Romancero o pequeña colección de Romances, tomados de las poesías impresas e
inéditas del Dr. D. Manuel María del Mármol. Dedicados y presentados por el mismo
a la Real Academia Sevillana de Buenas Letras en 17 de Mayo de 1833*, Sevilla, por
Hidalgo y Cía., 1834, XXXII + 170 pp.

los eruditos del momento—,[34] sí recuerda la tesis del arabista Conde sobre el posible origen árabe del metro —una concesión más al "orientalismo cultural" del momento— y reitera la convicción de ser el romance un "género de poesía todo nuestro".

Quintana —podemos leer en el prólogo de *El Moro Expósito*— había considerado los romances, en el tomo XVI de la colección de Ramón Fernández, como "una poesía nacional y natural de consiguiente". Los filólogos alemanes de principios del siglo —Grimm, Diez, Depping— habían iniciado la edición de recopilaciones romancísticas a las que seguirían las traducciones de los hispanistas ingleses y franceses —Rodd, Bowring, Lockhart, Abel Hugo—. La edición hamburguesa que Böhl de Faber tituló *Floresta de Rimas Antiguas Castellanas* (1821-1825) apenas si fue conocida en la Península, de manera que la primera *Colección* de romances clásicos extraídos por Agustín Durán de las series romanceriles del Siglo de Oro y publicada en cuatro tomos entre 1828 y 1832 salió en el momento oportuno. Tuvo, en consecuencia, una feliz acogida del público español, hasta el punto que puede suponerse que esta primera reedición española moderna del romancero clásico fue el repertorio básico que emplearon los jóvenes románticos para su inmersión en ese inmenso "río de la literatura española", del mismo modo que la *Colección* dramática del editor Ortega debió de cumplir similares funciones para el teatro barroco (Leonardo Romero, 1988a, 609). Durán, en los breves prólogos de los cuatro tomos de su *Colección,* reitera la idea del *Volksgeist* cristalizado en estos textos (David Gies, 1980) como reiteraría Rivas en el preámbulo de su colección de 1841. Este último prólogo es, contra lo que se ha supuesto (Dérozier, 1974), la última pieza de una cadena programática en pro de la restauración del romance como forma poética moderna.

Todas estas propuestas hicieron fortuna y la aplicación del romance a textos de hechura narrativa —costumbristas, históricos, legendarios—, a textos líricos y a una singular gama de la poesía de propaganda política y nacionalista llenó un gran espacio de la actividad versificatoria posterior al memorable año de

---

[34] Recuérdese que Bouterwek y Sismondi presentaron como testimonio de la más auténtica *Naturpoesie* romances cidianos tomados de la colección de Escobar, impresa posiblemente en 1592 y vaciada en las series del *Romancero General* y otras exentas, pertenecientes todas, como es sabido, al ciclo del más artificioso "romancero nuevo".

1840. Sirvan como modelos de la última modalidad el *Romancero del Conde-Duque* que Ribot i Fontseré imprimió en 1841 y en el que se construye un escenario de maniqueísmo político en el que se sitúan "de un lado, Espartero, defensor de la Constitución de 1837, guardián de los derechos populares y caudillo victorioso en la guerra contra los carlistas (y), de otro, María Cristina y los *viles palaciegos* que rodean a la Reina y le aconsejan reforzar la autoridad real a expensas del pueblo" (Díaz Larios, 1976), o el posterior *Romancero de la guerra de África* (1860) que Cecilio Alonso (1971, 59-101) ha diagnosticado como el signo de "la nostalgia imperialista o los románticos domesticados".

El estudio de esta floreciente zona de la poesía narrativa sólo ha sido esbozado, a pesar de que el proceso evolutivo de la lírica romántica tiene en este territorio un enclave crítico fundamental, ya que como ha afirmado un buen conocedor de los textos poéticos del XIX, si el énfasis de la poesía de los años treinta y cuarenta se situó en la vertiente narrativa, "no debe, por tanto, resultar extraño que en el viaje de vuelta hacia un auténtico lirismo el interés se concentrase primeramente en formas lírico-narrativas"; formas lírico-narrativas como las fábulas de un Campoamor y un Hartzenbusch, el apólogo de una Carolina Coronado y el primer Selgas, la balada de un Ruiz Aguilera, un Barrantes o el mallorquín Aguiló y los cantares que, en el filo del puro lenguaje lírico, inician Trueba, Ferrán y los amigos de Bécquer (Juan María Díez Taboada, 1961).

Desde el *cuento* poético al *canto* lírico hay un largo y complejo recorrido en el que se entremezclan otras formas poéticas, fundadas en la tradición clásica y refundidas en los nuevos estilos y en la actitud de los poetas románticos; éste es el caso de la *elegía*, considerada en un planteamiento descriptivo por María Paz Díez Taboada (1977). Concebida por El Pinciano como "poema narrativo", fue adelgazando sus contenidos narrativos y descriptivos en el uso de los poetas del XVIII y, singularmente, de los románticos, hasta el punto de llegar a manifestarse como variante de la *canción* —Díez Taboada ha considerado *canciones* elegíacas "A la muerte de E***" de García Gutiérrez, "Su sepultura" y "La tumba de mi madre" de Romero Larrañaga—, porque el sentido en los poemas elegíacos del romanticismo respondía a las nuevas creencias que habían sustituido a las antiguas; ahora el poeta llora por la muerte "pero, sobre todo, llora, por la vida del muerto y por sí mismo" (María Paz Díez Taboada, 1977, 76). No fue obstáculo para el cumplimiento de este proceso el que muchos poemas elegíacos siguiesen dando forma a los *topoi* del género, especialmente en los de tema patriótico (Llorens, 1967, 75-88).

La lírica, propuesta como el tercer género literario en la preceptiva italiana del XVII, fue objeto de singulares operaciones teóricas y sutiles elaboraciones artísticas en el paso de la Ilustración al romanticismo, operaciones que permitieron llegar al supuesto de que la desnuda enunciación autorreferencial del yo ("sujeto lírico") es el constituyente imprescindible de su naturaleza. *Canción,* pues, según determinadas formulaciones críticas, es la cristalización más perfecta del autotelismo propio de la función poética y la más radical aniquilación de la referencialidad espacio-temporal, propia de los otros géneros construidos sobre la diégesis —narrativa y épica— y la mímesis —la dramática. El camino que lleva desde el *monólogo dramático* de un Espronceda a la *canción vivencial* de un Bécquer marca las fronteras del ciclo poético de unos treinta años de duración en que se puede cifrar la evolución de la poesía romántica española, desde las *Poesías* (1840) de Espronceda hasta las *Rimas* (1871) de Bécquer. Un trabajo de Juan María Díez Taboada (1964) configura los presupuestos básicos de este proceso cuya explicación intrínseca está aún pendiente de estudio, aunque dispongamos ahora de materiales informativos (imprescindible, Cossío, 1960) que dibujan el marco de las relaciones extrínsecas entre la poesía escrita por los románticos y los grupos de lectores que la asimilaban (Marta Palenque, 1990).

Nuestro actual estado de conocimientos sobre los libros y revistas poéticos del romanticismo hispano nos permite sospechar que la poesía innovadora, tal como se había escrito en los años treinta y cuarenta, trasladó la dinámica de la enunciación narrativa y la inamovilidad de la descripción hacia un discurso autorreferencial en el que la atenuación de recursos retóricos era la fórmula obligada. Sitúase ese cambio de orientación en torno a la publicación de libros como los *Ecos Nacionales* (1849) de Ruiz Aguilera, *La Primavera* (1850) de Selgas, los *Himnos y Quejas* (1851) de Antonio Arnao, el *Libro de los Cantares* (1852) de Antonio de Trueba, las *Baladas Españolas* (1853) de Vicente Barrantes (Juan María Díez Taboada, 1961 y abreviadamente,

Leonardo Romero, 1974, 38-40). El poema narrativo, la poesía
didáctica y fabulística, el romancero de varias orientaciones temáticas siguieron cultivándose durante la segunda mitad del siglo, pero las propuestas innovadoras en el universo de la lírica
vino de otro hacer poético y otra generación literaria que enriqueció en precisas orientaciones simbolistas el anterior programa
de los poetas románticos.

4. *Los grupos poéticos románticos*

La trayectoria de la poesía española durante la primera mitad
del XIX es aún un trazado informe de hitos aislados que es necesario enriquecer con la recuperación de muchos "poetas menores" y con el despliegue de las líneas de comunicación que tra-
man el tejido de las actividades poéticas tal y como éstas se
fueron produciendo. Para el cumplimiento de este proyecto no
es método satisfactorio ni la mera alineación de escritores en
grupos generacionales —pese a la conciencia de "generación"
que manifestaron los jóvenes románticos (pp. 102-103)— ni la
seriación cronológica de libros de poesía, porque el primer procedimiento no da razón ni de las fluctuaciones particulares ni de
los casos "unigeneracionales", y el segundo ignora los medios
más frecuentes de transmisión poética en la época, como eran la
copia manuscrita y las páginas impresas de las publicaciones periódicas. Mientras no dispongamos de las necesarias monografías, puede servir como provisional recurso ordenador de las
trayectorias poéticas románticas la agrupación de poetas por grupos de afinidades personales, entre las cuales no son rasgos de
menor entidad caracterizadora las inquietudes ideológicas y literarias y las proximidades geográficas.

Igualmente, y como observación previa, debe advertirse el
arraigo que tuvo la lírica *clasicista* en el curso del siglo XIX, ya
fuera en sus formas más complejas —epístola horaciana, estrofa
sáfico-adónica— ya en sus manifestaciones más conocidas, como
la oda anacreóntica. Meléndez Valdés fue, para los poetas de la
primera mitad del XIX, un modelo respetable —pese a las alusiones distanciadas que nunca cristalizaron en una oposición
frontal (Peers, I, 384-385; 390-392)—, tal como se evidencia
en las antologías poéticas de Lista (1821), Maury (1826), Wolf

(1837), Gómez Hermosilla (1840);[35] recuérdese que un "catedrático salmantino" objetaba a las *Poesías* (1831) de Estébanez
Calderón su proximidad a las del dulce Batilo (*Correo Literario y
Mercantil,* 6-VII-1831) y que las anacreónticas llegaron hasta el
taller poético del joven Bécquer. Larra no dudaba, por supuesto,
en conceder la primacía de los modelos en la lírica moderna a
Cienfuegos y Quintana, continuadores salmantinos del magisterio de Meléndez.[36]

Las dimensiones de la lírica de Meléndez que mantuvieron
valor modélico para los más jóvenes se solaparon a los estímulos
del idilio de Gessner (José Luis Cano, 1974, 191-227), a la
mitología ossiánica, de tan intensa resonancia en la literatura
europea del último tercio del XVIII y estudiada cuidadosamente
para España por Isidoro Montiel (1974), al sensualismo filosófico practicado por los escolares de la universidad salmantina y los
inquietos sevillanos de la Academia de Letras Humanas (Abellán, 1984, 181-203; Sánchez Blanco, 1982) y al liberalismo
político convertido en programa poético y vital (es el caso de
Manuel José Quintana, estudiado por Albert Dérozier, 1968);
Antonio Alcalá Galiano dio, en sus apuntes ingleses de 1834
(ed. 1969, 86-110), una perspectiva contemporánea sobre las
actividades literarias de los escritores de los grupos que apuntan
en estas tendencias.

Un género poético que, desde su raíz ilustrada, desplegó su

---

[35] (Alberto Lista), *Colección de trozos escogidos de los mejores hablistas castellanos
en verso y prosa, hecha para el uso de la casa de educación, sita en la calle de San
Mateo, de esta Corte,* Madrid, 1821, 2 vols.; Juan María Maury, *La España
Poética. Colección de poesías castellanas desde Carlos V hasta nuestros días. L'Espagne
Poétique. Choix de poésies castillanes depuis Charles-Quint jusqu'à nos jours,* París,
P. Monpié, 1826, 2 vols.; F.J. Wolf, *Floresta de Rimas modernas castellanas,*
París, 1837, 2 vols.; José Gómez Hermosilla, *Juicio crítico de los principales
poetas españoles de la última era,* París, librería de don Vicente Salvá, 1840, 2
vols.

[36] "¿Qué mucho, si Cienfuegos era el primer poeta que teníamos filosófico,
el primero que había tenido que luchar con su instrumento y que le había roto
mil veces en un momento de cólera o de impotencia? ("Literatura...", *O. C.,*
II, 132a); "en su cesto [de la trapera] vienen a ser iguales, como en el sepulcro,
Cervantes y Avellaneda (...); allí se reúnen por única vez las poesías, releídas,
de Quintana y las ilegibles de A***" ("Modos de vivir que no dan de vivir",
O. C., II, 104b). Todavía García Gutiérrez, en el prólogo de sus *Poesías* de
1840, se ve obligado a explicar cómo muchos poemas del libro "no están muy
en armonía con el gusto de la época, y son fruto de mi afición por los poetas
líricos de los siglos XVII y XVIII, con especialidad por Meléndez".

cultivo en el siglo XIX fue la *fábula* (Salvador García Castañeda, 1986), de aplicación tanto a la polémica de *serviles* y *liberales* (*Fábulas políticas* de Cristóbal de Beña, reeditadas en 1988 por Rebollo Torío; ver para este autor, Ana María Freire, 1989) como a la obligada lección moralizante, bien que modernizada por el modelo de Lessing (*Fábulas* de Hartzenbusch, reeditadas en 1973 por Navas Ruiz) y con honda productividad en el curso del XIX (Juan M.ª Díez Taboada, 1961, 26-33).

Los poetas formados a fin del siglo XVIII en la Universidad de Salamanca representaron en Madrid, desde los años finales del reinado de Carlos IV, un papel de primer orden en los aspectos políticos y literarios (José Luis Cano, 1974, 53-101 para Álvarez Cienfuegos; Dérozier, 1968, para Quintana; José Luis Abellán, 1973, para Pérez del Camino). La bibliografía reciente dedicada a estos escritores es mucho más significativa por su interés en la biografía intelectual y política de los personajes públicos que por el estudio de sus textos poéticos. Alguna cuestión secundaria ha sido atendida para la poesía de Quintana (J. Asensio, 1974; Dendle, 1974) o para la obra poética de José Somoza (María Pilar Sáenz). Orientación fundamentalmente histórica tienen las monografías que Juan Francisco Fuentes (1989) ha dedicado al "heterodoxo" y anti-romántico José Marchena, con la aportación de sus hasta ahora desconocidas traducciones de Ossian, y el libro de Berazaluce (1983) sobre el polígrafo Sebastián de Miñano, puente de relaciones entre el grupo de salmantinos y el de los escritores sevillanos.

La coincidencia de un grupo de estudiantes en el sevillano Colegio universitario de Santa María de Jesús y en la Academia de Letras Humanas —Sotelo, Arjona, Mármol, Reinoso, Lista, Blanco, Vacquer, entre otros (Aguilar Piñal, 1975; Sánchez Blanco, 1982)— generó un núcleo de actividad poética muy floreciente en los años anteriores a 1808 que, pasadas las fechas aciagas de la contienda, se prolongó en la comunidad de intereses intelectuales —Reinoso, Lista— y en la amistad a distancia que sostuvieron este último y el transterrado Blanco White. Estudios monográficos dedicados a Reinoso (Ríos Santos, 1989) y Mármol (Rey, 1990) han iluminado los canales de relación personal que fluyeron entre los escritores del grupo sevillano, aunque aún carezcamos de un estudio de conjunto sobre el universo poético que caracteriza al grupo; como aportaciones sólidas para esta estimulante investigación literaria, disponen los estudiosos de un buen esquema interpretativo de la poesía sagrada de Lista (Varela, 1984) y de una descripción de las formas métricas populares en este poeta (Gil González, 1987) y, para la obra de José María Blanco White, además de las recientes monografías (Martin Murphy, 1989; Ertler, 1985), pueden verse los estudios de Antonio Garnica (1975-1976) sobre su obra poética en inglés, la nota de Brian Dendle (1974) sobre su *Epístola a don Manuel José Quintana* y la ediciones realizadas por Moreno Alonso.

La impronta de Lista en los medios literarios sevillanos de los años románticos fue muy fuerte (pp. 343-344) y se ejerció tanto en el terreno de las ideas literarias como en el de los estímulos para la escritura lírica; el libro de poesías de José Bono y José Amador de los Ríos es un testimonio muy significativo de ello, pero —en la medida que ha sido estudiado este magisterio— la figura del poeta Francisco Rodríguez Zapata resulta ser el eslabón capital que relaciona la poesía de Lista y la de un Campillo o un Bécquer (Ruiz Lagos, 1969). El "Manifiesto" que Rodríguez Zapata había publicado en 1838 en el periódico sevillano *El Cisne* (Marta Palenque, 1987) es un texto definidor de los alcances que tenía la propuesta literaria de este catedrático sevillano: "llámese o no romanticismo, su denominación poco importa. Sentimental y filosófica por necesidad, se insinúa en el corazón, más bien que en los oídos". Publicaciones locales como *El Cisne* (Marta Palenque, 1987), la *Floresta Andaluza* (1843-1844) (Begoña López Bueno, 1972) y la *Revista de Ciencias, Literatura y Artes* (1855-1860) (Aurora Domínguez, 1969) son piezas importantes en el camino que, en Sevilla, conduce desde la Ilustración hasta Gustavo Adolfo Bécquer (Rogelio Reyes Cano, antología de 1883).

En Valencia, en torno a 1830, se reúne una activa tertulia en la casa del editor Mariano Cabrerizo en la que participan prosistas y poetas jóvenes. La figura que más se destaca en la creación lírica del momento —numerosas colaboraciones en las publicaciones locales *Diario Mercantil de Valencia, La Psiquis, El Fénix*— es la del sacerdote calasancio Juan Arolas (ed. y estudio de su obra poética, Luis F. Díaz Larios, 1982-1983). Si los datos de una biografía atípica para su época eran conocidos gracias a los trabajos de la erudición positivista, el estudio de Díaz Larios ha permitido ampliar el *corpus* de su producción poética, las etapas en que ésta se organiza y los estímulos que recibe —clásicos latinos y españoles y autores franceses como Colardeau, Victor Hugo, Lamartine, Barthélemy y Méry—, al tiempo que inicia la explicación de peculiaridades de estilo en un poeta de desatada imaginación y fulgurante erotismo; las tensiones que se manifiestan en su vida y en su obra —por ejemplo, el poema anticlerical *La Sílfida del Acueducto* (1837) frente a su traducción de la obra del italiano Capizzi *El Trabajo de la Divina Gracia*— ha dado lugar a un sugerente apunte de literatura comparada entre el poeta hispano y este escritor italiano (Allegra, 1988).

Menos trabada socialmente se presenta la actividad poética en otras ciudades españolas. Buenaventura Carlos Aribau que publica en 1817 sus *Ensayos Poéticos,* es un nombre fundacional en el movimiento de la Renaixença (David Romano ha editado algunos textos poéticos manuscritos; para su oda *La pátria,* Ferrer); poco más tarde Pablo Piferrer (Carnicer, 1963) y Mariano Aguiló incorporan la curiosidad folclórica (pp. 152-153) a la escritura de su poesía, María Josefa Massanés (Navas Ruiz, 1990a) introduce la tonalidad poética feminista en los medios barceloneses del tradicionalismo conservador y Víctor Balaguer suscita una prolífica actividad literaria en las dos lenguas del Principado.

Zaragoza, que había contado con un enardecido clasicista en la obra del P. Boggiero (sus *Poesías* fueron editadas póstumamente en 1817; Pastor Beltrán, 1959) ve prolongada esta tendencia en la poesía descriptiva del polígrafo Mor de Fuentes y en la poco conocida del absolutista Rafael José Crespo (Mainer, 1989); sobre esta tradición inició su trabajo literario, en Zaragoza, Miguel Agustín Príncipe (Buesa, 1983, 1983a), que, una vez instalado en Madrid, publicó sus *Poesías ligeras, festivas y satíricas* y sus *Poesías serias* (1840) marcadas por el juego conceptuoso y el didactismo (Aldea Jimeno y Serrano Dolader). A mitad del siglo, un grupo de escritoras aragonesas, grupo que aún no ha sido estudiado, introduce un cambio de dirección poética que resulta coincidente con el que se estaba operando en otros círculos literarios de España; se trata de Dolores Cabrera, autora de *Las Violetas* (1850), María Verdejo y Durán ("Corina"), que publicó *Ecos del corazón* (1853) y María del Pilar Sinués, poeta en los *Cantos de mi lira* (1857).

Valladolid no tuvo hasta el final del siglo un grupo poético estable, a pesar de que su Universidad recibió en sus aulas, entre los años veinte y treinta, a jóvenes de procedencia castellana o leonesa aficionados a la lírica —Enrique Gil y Carrasco, José Zorrilla, Miguel de los Santos Álvarez— o de otras latitudes —Larra, Manuel de Assas, Pedro de Madrazo, Patricio de la Escosura. Alonso Cortés observó esta coincidencia escolar, episódica para la ciudad castellana, ya que todos los citados vincularon su carrera literaria a la sociedad madrileña.

Dos poetas de obra significativa, aunque su trabajo literario sea independiente de los grupos anteriores, son Juan Bautista de Arriaza (1770-1837) y Manuel de Cabanyes (1808-1833). Representan a dos promociones sucesivas de poetas unigeneracionales que hacen vivir la emoción y el sentimiento bajo las formas de la tradición clásica. La biografía del primero —poeta áulico de Fernando VII y celador de Gallardo en Londres— ha sido estudiada por Fernando Marcos Álvarez (1977) y la del segundo por Rius Vila (1980); también pueden consultarse reediciones de una antología de Arriaza que dispuso Joaquín Marco (1970) y del único libro de Cabanyes *Preludios de mi lira* (1982). Russell P. Sebold (1984) ha reconsiderado la obra lírica del poeta catalán con la finalidad de mostrar su atormentada cosmovisión romántica, troquelada en formas poéticas de la tradición horaciana y luisiana.

Las *Poesías* (1833) de Martínez de la Rosa —con su entreverado de tradición neoclásica y nuevas adivinaciones— no ha suscitado especial atención de la crítica mientras que sí ha sido vuelta a visitar la obra poética del duque de Rivas,[37] inserta también, entre el signo del clasicismo y las claves de la joven poesía. La investigación reciente ha aportado colecciones de cartas, valiosas para la actividad política y diplomática del autor (Sergio Fernández Larraín 1966), consideraciones relativas a su "vacilante y poco seguro" pensamiento poético (David Billick, 1975) y singular interés por el poema narrativo *El Moro Expósito* (Ángel Crespo, 1973 y 1985) y los *Romances Históricos*.

Rivas probablemente inició la escritura de *El Moro Expósito* en su destierro de Malta y lo terminó en 1833 en Tours; Ángel Crespo (1973, 27-29) ha atenuado el papel que pudo representar

---

[37] Revisión bibliográfica de David J. Billick (1979); ediciones de piezas teatrales (1974; 1984) y de *El Moro Expósito* (Ángel Crespo, 1982), de una antología poética preparada por Ángel Crespo (1985) y de los *Romances Históricos* (1987, Salvador García Castañeda).

el hispanista inglés John Frere en la apertura de los horizontes románticos del poeta andaluz. El poema se imprimió en París (1834) acompañado de cinco romances y precedido de un justamente famoso prólogo de Antonio Alcalá Galiano, que supone una documentada apropiación de las tendencias románticas contemporáneas (García Barrón, 1970, 108-126). La recepción de la crítica fue elogiosa y destacó la naturaleza de "novela en verso" del texto (*Diario del Comercio*, 23-V-1834; Pastor Díaz; Gil y Carrasco en *El Pensamiento* de 1841 relaciona el poema con el modelo próximo de las *novelas poéticas* de Walter Scott), lo que ha sido refrendado por los estudiosos actuales: Crespo (1973, 92-108), Sebold (1988), Margaret Rees (1988a).

En la lectura hecha por de Ángel Crespo la acción principal del poema —la venganza del bastardo Mudarra, según el asunto de la tradición épica; el curso de su imposible amor con la musulmana Kerima, según la invención de Rivas— se organiza en torno a un eje que es la Providencia cristiana con su "acción vindicativa y restablecedora de la justicia", interpretación que reitera la de los críticos del XIX Cañete y Valera. Pero Angel Crespo ve, además, cómo las acciones secundarias sirven para la irrupción del mundo maravilloso y del mundo cotidiano, dos universos opuestos por el vértice que marcan las notas del texto romántico tanto por el simbolismo y la duda que sugieren los episodios de la primera vertiente como por la proximidad de las escenas costumbristas representadas por personajes eclesiásticos y populares (Crespo, 1973, 188-214). La calidad de las descripciones de paisajes y personajes es un lugar común de la crítica que es preciso poner en relación con la actividad pictórica del poeta (Ortiz Juárez, 1981) y con los relatos, también en verso, que constituyen sus *Romances Históricos*.

Los *Romances* de Rivas son imprescindibles en el edificio de la recuperación romántica de la tradición romanceril; el libro se publicó simultáneamente en Madrid y en París en 1841. Su último editor (García Castañeda, 1987) ha puesto de relieve la naturaleza de relato legendario de los dieciocho textos que constituyen la colección, sagazmente dosificada por el autor con estrategias narrativas de superposición temporal (Solanas, 1978), recursos de descripción y teatralización y explícito contenido ideológico que apoya valores tradicionales, según ha propuesto Albert Dérozier (1974, 1977). La reducida prosa de ficción de

Rivas sugiere posibilidades para el aprovechamiento de prosistas posteriores (Alberich, 1977) y el estilo del escritor romántico ha producido aproximaciones referidas a los romances (García Castañeda, ed. 1987, 46-48), al estilo de sus tragedias neoclásicas (Caldera, 1983) y, singularmente, al empleo de los símiles que Donald Shaw (1984a) analiza como la trasposición imaginística de un escritor que concibe "un modelo de la realidad todavía firme y estable".

5. El círculo de poetas esproncedianos

Hacia 1837, aunque aún no se habían publicado libros poéticos definitivos, los lectores interesados en la lírica ya tenían una perspectiva mínima sobre la trayectoria del género; es sintomática a este propósito una nota anónima publicada en la revista *No Me Olvides* (1838, nº 33, p. 7):

> Con diferencia de pocos días acaban de ver la luz pública en Madrid dos interesantes publicaciones: las poesías de D. Alberto Lista y las de D. José Zorrilla. Consideramos las primeras como el último suspiro en España de la vieja escuela, y la segunda como el primer vagido de la nueva.

La personalidad y la potencia innovadora de José de Espronceda permiten adjudicarle una preeminencia sobre un nutrido grupo de poetas jóvenes que, desde la muerte de Larra, ven en el lírico extremeño la figura representativa de la nueva literatura. Confesiones memorativas de Patricio de la Escosura (Cano Malagón) y Zorrilla, páginas biográficas dedicadas al poeta por Antonio Ferrer del Río o Antonio María Segovia, páginas de crítica dedicadas a su obra por García de Villalta, Gil y Carrasco y Ros de Olano son algunos datos extrínsecos que nos permiten hablar de una "hermandad esproncediana", que relaciona la escritura de los citados y de Miguel de los Santos Álvarez, Julián Romea, Nicomedes Pastor Díaz, Gabriel García Tassara. Una importante revista romántica —*El Pensamiento* de 1841— es elocuente registro impreso de la comunidad de intereses literarios surgida en torno a Espronceda (García Castañeda, 1968; Vicente Llorens, 1979, 291-294). De la poesía escrita por este grupo, han interesado a los estudiosos las "anomalías" narrativas y poéticas que fueron García de Villalta (Torre Pintueles, 1965), Miguel de los Santos Álvarez (García Castañeda, 1979, 69-104; V. Llorens, 1979, 528-530) y Antonio Ros de Olano (ed. de relatos breves, 1980; revisión de la obra poética, Alejandro Amusco, 1983), aunque ajustan más convincentemente en el cauce de la lírica romántica europea García Tassara (ed. antológica de M. Palenque, 1986). Nicomedes Pastor Díaz Corbeille (ed. de textos, 1969) y Enrique Gil y Carrasco (ed. de textos, 1954, 289-309).

Menéndez Pelayo[38] delineó una escuela poética "septentrional" para los poetas del XIX en la que los últimos tenían voz individualizada; caracterizaba a la escuela, con acierto impresionista, señalando la "vaguedad de sus concepciones, la melancolía intensa que las anima, la preferencia que concede a la parte sombría, nebulosa y triste de la Naturaleza; en fin, su subjetivismo incurable". La obra poética de Gil y de Díaz es reducida en número de textos pero intensa en su actitud lírica y en su lenguaje evocador; las construcciones visionarias de Díaz Corbeille se aproximan a la visión poética de un Novalis (Lloréns, 1979, 522-527) y el universo de Gil y Carrasco (Picoche, 1978b; Lloréns, 1979, 528-530) traduce a la poesía española la expresión del *anhelo insatisfecho* y la zozobra cósmica del discurso romántico esencial. La ausencia en sus poemas de la imperante poesía narrativa apunta vías de continuidad con la lírica subjetiva de la segunda mitad del siglo cuando, además, no debe considerarse la prosa de ficción de ambos escritores como ajena a su mundo poético, cuajado de símbolos y melancólica subjetividad (R. Gullón, 1989).

Estrechamente vinculado con los Madrazo y Espronceda durante sus primeros pasos en la sociedad literaria madrileña, José Zorrilla[39] desplegó en el curso de su prolongada biografía literaria el modelo del poeta profesional que se sobrevive merced a sus excelentes y contradictorias condiciones. Posiblemente el reducido interés que ha prestado la crítica moderna a su obra

---

[38] Prólogo a las *Poesías* de Evaristo Silió (Valladolid, 1897, pp. IX-XIV).

[39] Sólamente se han publicado en los últimos años reediciones de algunas de sus obras teatrales; la investigación textual, con todo, ha ido ofreciendo textos inéditos o desconocidos: poemas, exhumados por Domingo Ynduráin, 1969 y 1970, cartas, editadas por Pardo Canalís (1976), Montero Cepeda y Rodríguez Cepeda (1973), una leyenda dada a luz por Pablo Carrascosa y Elisa Domínguez (1988) y los textos publicados por Ricardo de la Fuente.

—después de las sólidas contribuciones de Narciso Alonso Cortés— proceda de un descrédito recibido, en el que se solapan el rechazo de la actitud tradicionalista del poeta y una hostil desconfianza hacia su facilidad poetizadora (como síntesis de esta corriente crítica, Vicente Llorens, 1979, 425-457 y 1983). De todas formas, comienza a pergeñarse una tendencia crítica que no sólo vuelve a considerar las valencias teatrales de su producción dramática (pp. 323-326) sino también la calidad confesional de su prosa y el sugestivo lenguaje de su obra lírica.[40]

Ana Caballé (1988) revisa la figura del poeta a la luz de sus sugerentes *Recuerdos del tiempo viejo* y otras declaraciones autobiográficas —como el discurso versificado para su ingreso en la Real Academia en 1885— con la finalidad de penetrar en una personalidad psicológica en la que la figura imponente del padre y la memoria de las primeras experiencias vitales tejen una urdimbre de notable complejidad; John Dowling (1980a) en penetrantes consideraciones referidas a la intimidad del escritor destaca también la imagen del padre —el rígido funcionario de Fernando VII— y la llamativa actitud egocéntrica del poeta tanto cuando se trata de explicar su actitud elegíaca ante la muerte de seres próximos (1989) como en sus relaciones con el emperador Maximiliano de Méjico (1981). En acercamientos más directos a la escritura de su poesía, Dowling y Sebold (1982) han puesto de manifiesto cómo la colaboración de Zorrilla y Heriberto García de Quevedo en la redacción del poema religioso *María* (1849) obedece al procedimiento de la escritura en colaboración propia de las decimonónicas publicaciones "por entregas" y al acreditado recurso editorial que, en tecnicismo bibliográfico, se denomina *emisiones* de una misma edición. Aproximaciones a la capacidad fónico-rítmica de carácter evocativo que poseen algunos poemas de Zorrilla han realizado Gerardo Diego (1975, 25-61) y Richard Hitchcock (1987), aportaciones para la investigación sobre su obra poética que deberán sumarse a los estudios dedica-

---

[40] "La obra de Zorrilla (...) todavía está esperando el estudio moderno y detallado que merece" (J. M. Aguirre, 1979, 74-75). "No es de recibo ya proseguir con la imagen tópica de Zorrilla, como poeta poco íntimo y falto de sentimiento cuando una actitud vital profundamente insatisfecha (...) y el anhelo de buscar algo verdaderamente perenne en un mundo invisible (no muy lejos del indefinible *Sehnsucht*) están en la base de la mayor parte de su obra" (Ana Caballé, 1988).

dos al tratamiento personal que realizó del mito de don Juan. No resultan fácilmente asimilables al grupo poético próximo a Espronceda las obras de otros creadores como Gregorio Romero Larrañaga, Ramón de Campoamor, Antonio García Gutiérrez o Salvador Bermúdez de Castro. Estudios clásicos dedicados respectivamente a cada uno de estos poetas por José Luis Varela, Vicente Gaos y Entrambasaguas, sólo han tenido continuidad en recientes monografías descriptivas centradas en García Gutiérrez (Torres Nebreda, 1985; Hernández Guerrero) y Salvador Bermúdez de Castro (Calvo Sanz; Dimitiov). No son similares las trayectorias de estos escritores y las de los pertenecientes al grupo esproncediano, pero sí tienden todos estos poetas a la publicación de libros concebidos inorgánicamente y significativamente titulados *Poesías*, en los que se ofrecen, por lo tanto, muestras de muy diversos modos poéticos. La obra poética de Campoamor (Llorens, 1979, 563-568) es sintomática de esta tendencia sincrética que vivió la poesía española durante la segunda mitad del XIX, habiendo dado lugar ella misma a algunas modalizaciones de éxito entre los epígonos del "fin de siglo".

Una vez doblada la centuria se produjo un llamativo fenómeno de integración de los que habían sido jóvenes románticos en el tejido del poder social, lo que provocó el sosegado nacimiento de la primera *bohemia* literaria hispana (Leonardo Romero, 1993a).[41] Las varias corrientes de la lírica intimista que coinciden con este fenómeno social contribuyeron de manera decisiva a la transformación del curso de la lírica. Como etapa final de esta evolución, la poesía de Rosalía de Castro y Bécquer constituyen capítulos decisivos que por su propia fuerza intrínseca son ya un momento vivo de la lírica contemporánea. Con Bécquer y Rosalía no asistimos a sendos casos de "postromanticismo" o de "románticos rezagados", sino que nos encontramos ante un estadio nuevo de la modernidad cuyas marcas indi-

---

[41] El sesgo "sociológico" que adopta la poesía española a partir de la muerte de Espronceda fue denunciado por Juan Valera en diversas ocasiones, en las que cabe sospechar un punto de oscuro ajuste de cuentas; en el *Florilegio*, 1902, 114) comenta, por ejemplo, que "hasta algunos años después [de la publicación de *El Diablo Mundo*], supongamos que hasta 1850, hay en España un período de fiebre poética que se apodera epidérmicamente de no pequeña parte de la clase media".

vidualizadoras desbordan los márgenes del romanticismo decimonónico.

6. La lírica de las románticas

Constituye fenómeno singular de los años románticos el que
un nutrido grupo de mujeres se incorpore a la actividad literaria
con una clara conciencia de las diferencias profesionales implicadas por el sexo. Los casos individuales de actividad creadora realizada por mujeres —modelos remotos de Safo y Teresa Cepeda—[42] y las reclamaciones en favor de la emancipación femenina
venían de lejos, pero las condiciones sociales implicadas en el
cambio económico-político traído por la burguesía y el canon
ideológico sustentador de la estética de la subjetividad fueron las
circunstancias que hicieron posible esta entrada de las mujeres
en la sociedad literaria. Desde principios del XIX, bastantes españolas no sólo activaban la comunicación cultural en el ámbito
privado —correspondencias y tertulias— sino que, además, empezaban a irrumpir en el ámbito de la publicidad, interviniendo
en cuestiones políticas o escribiendo con frecuencia en las publicaciones periódicas. La adaptación a las nuevas circunstancias no
fue un fácil camino para las escritoras, dada la conflictividad
social y psicológica que la nueva situación podía generar. El
escrito que Cecilia Böhl de Faber dirigió a los editores de El
Artista, a raíz de la publicación de su cuento "La Madre o el
combate de Trafalgar", es un diagnóstico muy exacto del papel
que una mujer de la clase dominante, en 1835, se veía obligada
a representar:

> La severidad e intolerancia del *sexo fuerte* es la que ha creado la opinión
> general de ser incompatibles las calidades domésticas y las inclinaciones
> literarias. Sentado este principio, no hay mujer sensata que quiera sacrifi-
> car lo sólido a lo brillante, una virtud a un adorno.

A pesar de las dificultades de todo tipo, más de un millar de
mujeres españolas del XIX escribieron con alguna asiduidad en

---

[42] Carolina Coronado publicó un artículo programático titulado "Los ge-
nios gemelos. Primer paralelo. Safo y Santa Teresa de Jesús", *Semanario Pintoresco Español* (1850, 89-94 y 178-180) que resume la curiosidad universal por
las dos escritoras.

libros, en periódicos y en revistas, hasta el punto que podamos considerarlas como profesionales de la literatura o el periodismo (la cifra citada es la que ofrece María del Carmen Simón en su imprescindible catálogo de 1991). Con todo, los años cuarenta parecen ser los más significativos en la incorporación de las mujeres a la actividad literaria, si bien las constricciones sociales tendían a encapsularlas en el ámbito del discurso subjetivo —el cultivo de la poesía— frente a los géneros más objetivos que eran la novela y el teatro (Susan Kirkpatrick, 1989, trad. 1991, 84-91).

En 1841 publican María Josefa Massanés y Gertrudis Gómez de Avellaneda su primer libro poético y en 1843 Carolina Coronado, nombres a los que se suman inmediatamente Robustiana Armiño, Dolores Cabrera, María Verdejo, Manuela Cambronero, Vicenta García Miranda, Rogelia León, Victoria Peña, Ángela Grassi, Amalia Fenollosa. Susan Kirkpatrick (1989, 1990) ha subrayado cómo entre estas mujeres se crea una relación de "hermandad lírica" que podría sintetizar el poema de Carolina Coronado "A la señorita doña Encarnación Calero de los Ríos" en que se celebra el coro constituido por ellas dos y "la tierna Massanés, mi Robustiana / la triste Amalia y Ángela divina". El universo poético de estas escritoras intensifica algunos de los motivos románticos —florales, ornitológicos, paisajísticos, singularizados en la lágrima o la gota de rocío— con una peculiar apropiación del lenguaje de los poetas varones (Marina Mayoral, 1990); este fenómeno de travestismo de las *voces* poéticas traduce para Susan Kirkpatrick (1990) el conflicto entre identificación del yo lírico y la diversificación en máscaras que responden a los modelos servidos por *los poetas* varones.

Del interés de la crítica de los últimos años por la significación histórico-cultural que tienen estas escritoras románticas testimonian las publicaciones que recogen reuniones de especialistas (AA. VV., 1990), el estudio de conjunto de Susan Kirkpatrick (1991) que prolonga otros de Beth Miller de marco más amplio, y diversos estudios monográficos sobre las tres poetas españolas más significativas del siglo XIX: Gertrudis Gómez de Avellaneda, Carolina Coronado y Rosalía de Castro.

De Gertrudis Gómez de Avellaneda se han editado recientemente el *Manual del cristiano*, un texto ascético escrito en momento de profunda crisis religiosa, y cartas cruzadas con el político Romero Ortiz, material que ha incorporado Elena Catena en su edición de textos de la escritora (1989). Alan Deyermond y Beth Miller han planteado algunas cuestiones relacionadas con la edición de los textos líricos de la escritora, Suárez-Galbán ha estudiado el significado de sus fragmentos autobiográficos y Russell P. Sebold (1987) los temas de la sensibilidad y la esclavitud en la novela *Sab*; un índice de los tópicos de la escritora hispano-cubana que hoy importan a los estudiosos sirven los participantes en el libro colectivo editado por Rosa M. Cabrera y Gladys B. Zaldívar (1981) y en el de Kirkpatrick (1989, trad. 1991, 131-193).

Con menor acopio de estudios críticos, la obra literaria de Carolina Coronado suscita una curiosidad por la reedición de sus textos (ediciones de Luzmaría Jiménez y Antonio Porpetta, 1983; Torres Nebreda, 1986 y Noël Valis, 1991) y también por su producción novelística (Monroe Hafter, 1983); un libro de conjunto que le ha dedicado Alberto Castilla (1988) es una útil revisión documental que sienta las bases para la explanación de su adivinadora obra poética y la tesis de Fernando Manso (1992) es un pertinente estudio estilístico. En la poesía de la Coronado como ha visto sagazmente Susan Kirkpatrick (1991, 195-225), se muestra un interesante grado evolutivo en el tratamiento de los mostrencos motivos florales, ya que "a diferencia de los poetas masculinos, que asocian la flor con el cuerpo femenino como objeto erótico (ya sea abstrayendo las cualidades del atractivo sensorial fugaz o utilizando la proximidad de la flor al cuerpo femenino como adorno suyo), Coronado presenta el vínculo imaginario entre la mujer y la flor como falacia patética, como proyección de la subjetividad". Para la bilingüe Josefa Massanés, Ricardo Navas Ruiz ha aportado datos y sagaces observaciones críticas (1990; edición de una antología poética, 1991); M.ª Cruz García de Enterría (1993) ha exhumado poemas inéditos de Concepción Arenal.

Algunos temas obsesivos de la lírica romántica europea han sido objeto de estudio descriptivo —la muerte considerada por Ayuso Rivera, la soledad por Polo García— o de sistematizaciones esquemáticas (David W. Foster, 1969) de problemática entidad. En esta dirección serían contribuciones iluminadoras los estudios monográficos y comparativos de determinados temas románticos —la ciudad, el barco, la sombra...— y la profundización en el estudio de las imágenes troqueladas en la lengua usual y en el lenguaje singular que es siempre el decir de los poetas.

José de Espronceda[43]

Espronceda es el poeta epónimo del romanticismo español, y aunque haya sido considerado como representante de la breve existencia de la "escuela" romántica española, René Wellek (1983, 174), por ejemplo, afirmaba que "particularmente Espronceda parece cuadrar muy íntimamente con nuestro modelo" romántico de amplitud geográfica y cronológica; (sigue siendo básico el libro de Casalduero, 1961). En esta función representativa se vio a sí mismo Espronceda y también lo vieron sus contemporáneos y, por supuesto, esa clave ha sido la línea conducente de la recepción culta y popular de su obra poética. Como explicación de este fenómeno cabe sostener que el aglutinador de la leyenda esproncediana fue el temperamento del poeta, espléndidamente dotado para asumir y reproducir con acento personal los elementos ideológicos, literarios y vitales que estaban disueltos en el ambiente que le rodeaba. La leyenda, con todo, fue el resultado de una tradición oral decimonónica que, en determinadas coyunturas, se fijó en textos escritos. Los documentos iniciales de la leyenda son anteriores a la muerte del poeta. Una biografía, aparecida en el periódico *El Labriego* (23-V-1840) y atribuida a su amigo García de Villalta, se iniciaba de modo novelesco, y equivocado en las referencias cronológicas, con estas palabras:

> Pasaba en un apacible día de la primavera de 1810 [el año exacto es 1808] por cierto camino de Extremadura, un coche de colleras, que acompañaban 20 ó 30 caballos del Regimiento de Borbón (...).

El propio poeta contribuyó al edificio legendario con algunos de sus escritos públicos de carácter memorativo ("De Gibraltar a Lisboa. Viaje histórico"); continuaron la invención otros escritores contemporáneos, como Ferrer del Río, hablando de sus "desenfrenados placeres y crapulosos festines" y Eugenio de Ochoa, para quien "Espronceda es siempre el gallardo mancebo de los tiempos en que fue mi amigo, El Byron español, gran

---

[43] "¿Y no habré yo de repetirme a veces, / decir también lo que otros ya dijeron, / a mí a quien quedan ya sólo las heces / del rico manantial en que bebieron?" (*El Diablo Mundo,* vv. 1340-1344).

poeta y gran calavera como él, y como él también voluble Eneas de muchas Didos". En 1876 Patricio de la Escosura añadió al tejido de hipérboles un verosímil testimonio directo, y en 1883, con varios aportes documentales, Rodríguez Solís subrayó la participación del poeta en los orígenes del republicanismo español, insistiendo en la leyenda del dandy revolucionario. Cascales y Muñoz, en 1914, pretendió desmontar estas leyendas con otra interpretación opuesta por el vértice y tendente a "demostrar que el pobre bohemio disfrutó de una posición más que desahogada; que el irreligioso era buen católico, sin otros extremos que los propios de la juventud; que el calavera no se aproximaba ni con mucho a don Félix de Montemar (...) y, en fin, que sus alardes revolucionarios, su aparente despreocupación y todas sus aventuras fueron puros deportes del elegante que deseaba andar y vivir a la moda de su tiempo". Aunque la crítica formalista nos haya acostumbrado a prescindir de la "falacia autobiográfica" en el análisis de las obras literarias, casos como el de Espronceda dificultan en grado sumo la aplicación de este precepto.

Ediciones recientes de los textos del poeta[44] y el documentado estudio histórico-biográfico de Robert Marrast (1974) han desterrado errores y atribuciones infundadas que se venían repitiendo, al tiempo que han proyectado la peripecia biográfica del artista en un escenario histórico mucho más ajustado a la verdad.

---

[44] *Ediciones: Articles et Discours oubliés,* ed. R. Marrast, 1966; *Poésies lyriques et fragments épiques, édition chronologique et critique* de Robert Marrast, París, 1969, sólo se reprodujo en versión xerocopiada de circulación reducida; el material crítico contenido en este volumen se incorporó a *Poesías líricas y fragmentos épicos,* ed. R. Marrast, 1970 y *El Diablo Mundo. El Estudiante de Salamanca,* ed. R. Marrast, 1978. Abundan las antologías y ediciones anotadas del corpus poético esproncediano: Jaime Gil de Biedma (1966, Alianza editorial); Alcina Franch (1968, Bruguera); Guillermo Carnero (1974, Júcar); Richard A. Cardwell (1981, Tamesis); Domingo Ynduráin (1981, Bruguera); Juan María Díez Taboada (1983, Plaza Janés); Leonardo Romero (1986, Planeta), Rubén Benítez (1991, Taurus); Domingo Ynduráin (1992, Cátedra). Margaret A. Rees ha ofrecido una edición de *El Estudiante de Salamanca* (London, Grant and Cutler, 1979), la novela *Sancho Saldaña* ha sido editada por A. Andrés (1974, Seix Barral; 1983; Taurus) y el *Teatro Completo* por A. Labandeira (1982, Editora Nacional).

El repertorio bibliográfico de David J. Billick, 1981, ha sido ampliado en reseñas de R. Cardwell, *BHS,* LX, 1983, 155-156 y L. Romero, *RLit,* 96, 1986, 485-487.

Quedan aún zonas oscuras de la vida privada y pública de Espronceda, de las que no es la menos significativa la etapa que transcurre entre 1838 y la fecha de su muerte (1842), que corresponde a la escritura de sus poemas más desgarrados y a la redacción de *El Diablo Mundo*.

La formación poética de Espronceda fue plenamente clásica. Su maestro, Alberto Lista, prolongaba en las sesiones de una asociación literaria denominada "Academia del Mirto" y en las tertulias particulares de su domicilio su gran vocación de educador de los jóvenes, a los que fascinaba con el canon ejemplar de los líricos que él admiraba: Garcilaso, fray Luis de León, Herrera, Rioja, Pedro de Espinosa y, probablemente, algunos de los poetas de fines del XVIII. El obligado comercio, en las aulas, con los clásicos latinos, con la poesía renacentista italiana —Tasso y Ariosto— y la francesa del XVIII —Voltaire— o la castellana antigua son los estímulos de los que emerge el mundo poético de Espronceda. El magisterio literario de Lista ha dejado pruebas documentales en el plan y las octavas que el sevillano redactó para el poema épico *El Pelayo* y en el que Espronceda estuvo trabajando durante más de diez años (Marrast, 1974, 89-110, 199-201, y ed. del mismo, 1970, 28-30). A la luz de estos modelos hay que iluminar el universo lírico de referencia permanente en los aciertos del joven poeta romántico; Richard Cardwell (ed. de 1981) ha apuntado, con excesiva generosidad que, antes de su salida de España, "the major psychological and spiritual features of Romantic ideology are to be found in Espronceda's work".

Las aventuras políticas infantiles —sociedad secreta de "Los Numantinos"— y el autoexilio, en Londres y en París, son acontecimientos biográficos que, aunque no conocidos satisfactoriamente en sus detalles, nos aclaran el marco de inquietudes públicas que impulsaron siempre al poeta (Marrast, 1974, 133-190). En una "profesión de fe" política que recogieron los periódicos *El Mundo* y *El Español* de junio de 1836, Espronceda aludía a su participación en algunas actuaciones memorables de los liberales en España y Francia:

> Ansío merecer la honra de representar el país por sólo la gloria de representarle, y ya que Uds. me invitan a que haga una manifestación pública y terminante de mis principios políticos, la haré en resumen de aquellos que he sostenido con la pluma en cuanto he publicado hasta el día

y con la espada en París en la gloriosa semana de julio, y en Navarra y en Aragón cuando un puñado de libres nos arrojamos en 1830 a conquistar la libertad y la patria que nos arrebatara la tiranía. Convencido de la verdad de mis opiniones sostendré siempre a todo trance el santo dogma de la igualdad, no reconociendo otra aristocracia que la legítima de la inteligencia y del mérito, defenderé asimismo en todas las consecuencias el principio de la soberanía nacional, y celoso de los derechos e intereses del pueblo, yo independientemente votaré según mi conciencia sin desamparar nunca mi puesto en la vanguardia de la libertad (ed. por Marrast, 1974, 588 y reproducido de *El Español*, 19-VI-1836).

Esta declaración acredita los principios ideológicos del escritor, que pueden leerse más por menudo en sus artículos y discursos de contenido político (editados por Rodríguez Solís en 1883 y por R. Marrast en 1966), y afirma su presencia en la revolución de Julio y en las intentonas liberales de invasión a través de los Pirineos, a las que alude en poemas como la *Canción Patriótica* y *A la Muerte de don Joaquín de Pablo*. En momento crítico como 1840, volvemos a encontrar a Espronceda en la oposición al gobierno de turno —en este caso, el del general Espartero— y, si hemos de fiar fuente en los testimonios de Rodríguez Solís y otros escritores políticos de la época, moviéndose en los pródomos del partido republicano español (Marrast, 1974; Billick, 1981a, 1981b; Vasari, 1980; Thomas Lewis, 1983). Sus relaciones con el periódico radical *El Huracán* —aspecto que tampoco está aún satisfactoriamente documentado— son el testimonio más contundente al respecto. La crítica esproncediana posterior a la monografía de Marrast (1974) ha reiterado los análisis de poemas realizados desde la perspectiva ideológico-política (véase, a vía de ejemplo, el trabajo de Thomas Lewis, 1983). El nombramiento que, a finales de 1841, recibió el poeta como secretario de la legación española en La Haya ha sido visto como un intento de Espartero para alejarlo de Madrid (R. Marrast, ed. 1970, 23). Elegido diputado por Almería, regresa a España y jura su cargo el 1 de marzo de 1842. En los tres escasos meses en los que fue miembro de la representación nacional intervino activamente en los trabajos parlamentarios con discursos y proposiciones. El 23 de mayo de este año fallecía víctima de una afección a la garganta.

Con simultaneidad a su vida política, la actividad literaria de Espronceda tenía cauce en las nuevas instituciones culturales que el cambio de régimen trajo a la sociedad madrileña: tertulias (como la del Parnasillo), empresas editoriales que lanzaban al mercado nuevos productos (la del editor Delgado y su colección de *Novelas Históricas*), fundación o actos públicos de las dos entidades culturales más importantes de la nueva situación (Ateneo y Liceo Artístico y Literario), colaboración en periódicos y revistas con textos de estricto perfil literario. Y a propósito de estas actividades, es imprescindible tener en cuenta que las lecturas públicas de textos poéticos y la edición en publicaciones periódicas fueron los dos canales de consagración pública de que dispuso Espronceda; la comunicación directa y la oralidad fueron marcas sobresalientes de la cultura romántica y de la transmisión poética en la época (pp. 177-178).

Antes de su regreso a España sólo había publicado un poema: la *Serenata* en las *Cartas Españolas* de Carnerero. Iniciado el cambio político, con la llegada al poder de Martínez de la Rosa, los periódicos políticos y las revistas literarias recibieron numerosas muestras de su producción lírica: a partir de 1834 fue editando poemas en *El Siglo*, la *Gaceta de los Tribunales*, *El Artista*, la *Revista Española*, *La Abeja*, *El Español*, *El Eco del Comercio*, *No Me Olvides*, *El Panorama*, *El Labriego*, *El Iris*, la *Revista de Teatros*, *El Corresponsal*, *El Pensamiento* (de Madrid) y en *El Guardia Nacional*, *El Vapor*, *El Popular* (de Barcelona), *La Alhambra* (de Granada) y *El Iniciador* (de Montevideo). Como ocurrió con Larra, su propio tiempo histórico lo consagró como el hombre del romanticismo, tanto en la estimación de las clases privilegiadas como entre los grupos populares. En un drama de José María Díaz (*Baltasar Cozza*, 1839) un personaje femenino recita un fragmento de la *Canción del pirata*; en 1850 una viajera francesa oía cantar a los ciegos de Murcia una famosa quintilla de *El Estudiante de Salamanca*.[45] Citas de versos del poeta en novelas de

---

[45] En el drama *Baltasar Gozza* confiesa María a su confidente Clotilde: "Un hombre así, que me ama, / que a mis rodillas se ve, / y tiene por patria el mar, / por lazos de su batel / las banderas de otros pueblos, / y de todo mercader / las riquezas, por su hacienda, / un hombre, un pirata a quien / se le oye cantar tranquilo / esa cántiga ¡pardiez! / tan bella de un gran poeta / que aprendí y no olvidaré: / 'Y del trueno al son violento, / y del viento al rebramar / ya me duermo / sosegado, / arrullado / por el mar' / ¡Ah! Clotilde… un hombre así, / y mi corazón es de él" (*Baltasar Gozza*, acto I, escena 2). Antonio Marichalar recordaba en 1936 que cuando él era muchacho a "Espronceda no se le leía, pero se le seguía oyendo. Estaba en el aire como corresponde a un romántico".

la segunda mitad del siglo —*Fortunata y Jacinta*, por ejemplo— y en troquelaciones de la lengua conversacional son testimonios indicativos del grado de popularidad que alcanzó la poesía esproncediana.

Pasados los años del fervor romántico, Espronceda continuó siendo leyenda y lección. La imaginación colectiva le atribuyó escritos pornográficos que nunca salieron de su pluma e hizo derivar hacia versificaciones para la literatura de consumo popular los temas de *La canción del pirata* y de *El verdugo*, en pliegos de ciego que colocan a los héroes de estas canciones románticas junto con la tradición del romancero de chulos y guapos (Joaquín Marco, 1977, 260-263). Para los líricos posteriores —Bécquer, Campoamor, Núñez de Arce, Manuel Reina, Rubén Darío, Unamuno, Vicente Aleixandre— fue estímulo en las posibilidades de la palabra poética, y para los prosistas —Escosura, Galdós, Baroja, Rosa Chacel, Francisco Ayala— motivo sugeridor de aventuras novelescas o del difícil ejercicio de la comunicación humana; Leonardo Romero (1988) ha repasado huellas de la recepción literaria de Espronceda subrayando especialmente la recreación, en textos del XIX y el XX, de *El Diablo Mundo*.

1. *La obra literaria del poeta y los poemas breves*

El primer libro de Espronceda fue una novela histórica —*Sancho Saldaña* (1834) (reed. de A. Andrés, 1974 y 1983)— que es la tercera de la serie planeada por el editor Delgado (pp. 358). El marco histórico en esta novela es el de la Castilla de las guerras civiles posteriores a la muerte de Alfonso X; el conflicto particular, una historia de amor imposible; los rasgos más individualizables del texto, la distancia irónica del narrador (Domingo Ynduráin, 1986, 111-127) y algunos toques de inverosimilitud fantástica reducida a explicación racional (Guillermo Carnero, 1973). También el poeta probó fortuna en la escena con dos obras escritas en colaboración —la comedia *Ni el tío ni el*

Y, más que en sus libros ya, nos ha llegado en una tradición oral y popular que, en la calle y en casa, nos lo canturreaba siempre" (*Revista de Occidente*, CLV, 1936, 145). Emilio Carilla (1967, II, 103-109) evoca la memoria del poeta que perduraba en la América hispana gracias a "la música de sus versos".

sobrino (1834) (Vasari, 1976) y el drama histórico *Amor venga sus agravios* (1838)— y otro drama que no estrenó —*Blanca de Borbón*— en el que puso el empeño de tres redacciones sucesivas (estudia su trayectoria dramática Ana Maria Gallina, 1965). Salvando los abundantes rasgos mostrencos, propios de los géneros novela histórica, comedia moratiniana y drama histórico, a que se adscriben estas obras, es posible ver en ellas trazos característicos de las posiciones políticas y notas temáticas o de estilo del creador, que tienen equivalencias en el conjunto de su obra poética.

Espronceda recogió en 1840 parte de la poesía que había escrito hasta entonces y la editó en el libro *Poesías* (1840). Algunas circunstancias de la impresión de este libro hacen dudar sobre la intervención directa del poeta en ella, lo que ha suscitado en Alessandro Martinengo (1971) una prudente reserva sobre los textos impresos en esta edición y, a dudar, en consecuencia, de la autoridad textual que Marrast le concede. *Poesías* tuvo una atenta recepción por parte de la crítica; los textos más significativos son los de Gil y Carrasco y Alberto Lista. Contraponer la crítica del viejo maestro con la del joven amigo nos depara dos lecturas de la poesía esproncediana opuestas por el vértice. Para el primero, el ensayo épico *El Pelayo* constituía el acierto, mientras que las *canciones* eran rechazables por su contenido; para el segundo, la epopeya patriótica era un texto inane y las canciones resultaban, sin embargo, modélicas por su novedad como confluencia de poesía culta y musa popular.

El Diablo Mundo se publicó por entregas del editor Boix a partir de junio de 1840. Hoy podemos consultar una primera edición incompleta de Boix —fechada en Madrid y que sólo contiene el "Prólogo", la "Introducción" y los cantos I y II— y una primera edición completa, también impresa por Boix, en dos volúmenes, que van fechados en Madrid, en 1841. Coincidiendo con la publicación "por entregas" se imprimieron fragmentos del poema, el titulado "El Ángel y el poeta" (en *El Iris*, 7-II-1841), y las secuencias comprendidas en los versos 1852-1920 y 2114-2156 (en *El Pensamiento* de 31-V-1841).

Marrast (1966, 43-62) ha exhumado el inventario de la biblioteca del escritor a la hora de su muerte. La relación de libros de este inventario y las citas que hace en *Sancho Saldaña* nos permiten delinear aproximadamente su universo de lecturas, en el que abundan los romances, el teatro español del Siglo de Oro, la poesía épica renacentista, los poetas de finales del XVIII (Jovellanos, Cienfuegos, Quintana) y los escritores rigurosamente contemporáneos (García de Villalta, Bretón, Ros, Larra, Ventura de la Vega, Eugenio de Ochoa, el duque de Rivas, Martínez de la Rosa, Usoz y Río). A este repertorio hay que añadir la presencia en la biblioteca de la *Ilíada* y también la impronta de Tasso, perceptible en la obra poética y en una página crítica que el poeta romántico dedicó al clásico italiano. De la lectura y apropiación de la lírica europea contemporánea, aunque se haya discutido con diversos argumentos, es indudablemente segura la de Byron (ahora vuelta a considerar por E. Pujals, 1982, 152-177, por Dale y por Ridenour, 1991) a quien, sin duda, leyó en los años del exilio.

No son ni muy extensas ni excesivamente sistemáticas las reflexiones escritas que Espronceda realizó sobre el arte literario. Dos artículos publicados en *El Siglo* (1834) —"Poesía" e "Influencia del Gobierno sobre la poesía"— y el resumen de una conferencia que dictó en El Liceo en 1839 son las manifestaciones explícitas sobre las que se puede reconstruir sus ideas acerca de la literatura y la poesía. En estos escritos repite tópicos comunes en la crítica del momento, como son la vinculación del romanticismo con "el triunfo y establecimiento del cristianismo", la idea de una Poética abierta a las reglas no escritas, la aceptación de la *misión* del escritor como una tarea histórica en la que la libertad de expresión es la prueba convincente de la bondad de los gobiernos liberales y, en último término, como resume Gil y Carrasco, que "la poesía se enlaza con todos los conocimientos humanos y que significa en su verdadero sentido la expresión del estado moral de la sociedad".

Lo que hoy sabemos con certeza de la vida pública de Espronceda nos permite considerar al escritor como hombre implicado en las circunstancias políticas de su momento histórico, y, como era de esperar, con eco social a su vuelta del destierro. El hecho es rasgo común en los jóvenes escritores de su generación —Donoso Cortés, Patricio de la Escosura, Pacheco, Ros de Olano, Ventura de la Vega, Bretón de los Herreros...—, pero existe una diferencia notable entre estos escritores y el extremeño, y es que Espronceda no buscó los beneficios inmediatos reportados por la cercanía al poder político; cuando establece compromisos específicos —como habían hecho Larra o el conde de Campo

Alange— la significación exacta de su gesto es una definición íntima sobre una sociedad abierta en la que no entran los oportunistas acuerdos con los grupos que rodean al poder. En síntesis, puede asegurarse que los datos biográficos y los escritos esproncedianos de específico contenido político dan el balance de una posición afín al grupo de liberales exaltados, es decir, que nos presentan a un escritor partidario de la acción inmediata, del entendimiento plenamente democrático de las nociones de *soberanía* y *representación nacional* y afín a la ideología humanitarista que animaba a algunas corrientes del socialismo utópico francés (saint-simonianismo de modo especial).

Pero la experiencia íntima, ya fuera peripecia amorosa ya ahogo de la vida colectiva, fue simple materia del trabajo poético, en el que —como era inevitable entre sus contemporáneos:

> ni palabra, ni grito, ni lamento
> hallé a expresar bastante
> esta secreta voz del pensamiento,
> este vertiginoso e incesante
> movimiento del ánimo trastorno
>
> ("El Ángel y el poeta", versos 76-80).

Como sabemos, la poética de los románticos conjeturaba la existencia de un alma que daba vida al universo y que el poeta-profeta se limitaba a interpretar en el peculiar acto de comunicación que es la obra poética; misterio interior y comunicabilidad de ese arcano era la difícil paradoja que tenían que resolver los poetas románticos europeos, entre los cuales Espronceda no es astro menor. La "armonía del sentimiento" a que aludía Ros de Olano en su prólogo a *El Diablo Mundo* es, precisamente, marca de novedad que el nuevo movimiento literario introducía en la tradición poética occidental. Pueden rastrearse antecedentes neoplatónicos o herméticos sobre las formulaciones de esta intuición del concierto interior del cosmos:

> Hay una voz secreta, un dulce canto,
> que el alma solo recogida entiende,
> un sentimiento misterioso y santo
> que del barro al espíritu desprende,

pero el desasosiego insatisfecho que ello comporta y la lucha por su expresión fue la gran novedad de la lírica romántica y, por supuesto, de la obra poética de Espronceda.[46]

Espronceda trajo a la poesía española mutaciones de carácter parcial: modulaciones métricas, pungentes ritmos acentuales y estructuras sintácticas iterativas (R. Senabre, 1978); imágenes originales en la tradición poética española (Schurlknight, 1986), deliberada fusión de registros expresivos contrapuestos (Domingo Ynduráin, ed. 1981 y ed. 1992, 58-86), peculiar tratamiento de nuevas modalidades genéricas como la canción y el poema narrativo (ed. L. Romero, 1986, pp. XXXV-LXV), misoginia idealista (Badessi). Pero, además, dio lugar a un cambio de rumbo en la forma de comunicación lírica con la invención, en España, del "monólogo dramático", según propuesta de Gil de Biedma (ed. 1966 en su antología de textos esproncedianos) que no parece haber sido suficientemente aprovechada.

La cronología más plausible de la redacción de los poemas de su etapa de formación ha sido establecida por Robert Marrast (1974, 89-236). En estos años de formación diversos componentes de la poesía clásica (imitaciones horacianas, formas métricas consagradas, rimas petrarquistas en -ento, temas o imágenes del renacentismo garcilasiano) se fueron ajustando con modalidades de la poesía de finales del XVIII (idilios a lo Gessner, temas "prerrománticos" como la noche y la tormenta, estilemas propios del grupo de Meléndez Valdés y de Álvarez Cienfuegos) hasta llegar a la asimilación de las recientes modas poéticas europeas, como el ossianismo y la llamada poesía de estilo "trovador".

La coincidencia que se da en El Pelayo de varios de estos estímulos poéticos convierten al poema fragmentario en un ensayo o laboratorio de la obra lírica posterior. La "triste España" lamentada en el fragmento primero prefigura la tonalidad de las poesías patrióticas, mientras que la visión del "ángel de tinieblas" del fragmento segundo o los enmarcamientos nocturnos de ese mismo fragmento ("era la hora en que el mundano ruido / calma, en silencio el orbe sepultado"; o del fragmento sexto: "era la noche; el trueno pavoroso / ronco estallando en torno retum-

---

[46] Los versos citados resultaban de singular fuerza evocativa para Valle Inclán, tal como lo rememora Juan Ramón Jiménez ("Ramón del Valle-Inclán (castillo de Quema)", Españoles de tres mundos) y son un motivo seminal para la Rima XXVII de Bécquer: "dormida, en el murmullo de tu aliento / acompasado y tenue / escucho yo un poema, que mi alma / enamorada entiende".

baba") adivinan escenografías paralelas de los dos poemas mayores. Del mismo modo, la enunciación realizada por diversas voces narrativas avanza un rasgo de construcción que tendrá mayor rendimiento en *El Diablo Mundo*. Y, en otro orden de fenómenos, secuencias más reducidas del texto descubren imágenes que encontramos en poemas posteriores —"como suelen de lumbre colorarse / las nubes de tormenta en el estío"— o elementos de ambientación asentados en la clave de lo terrorífico

> Las calles en silencio sepultadas
> solo ocupan algunos moribundos,
> las manos reciamente enclavijadas,
> despidiendo tal vez ayes profundos...
>
> (versos (843-845),

que anuncian secuencias de *El Estudiante de Salamanca* o del drama *Amor venga sus agravios*.

Espronceda incorpora material ossiánico a varios poemas escritos en la etapa del destierro; de entonces procede el uso de personajes de la nueva mitología caledónica en *Óscar y Malvina* o la visión animizada de la naturaleza —el astro del himno *Al Sol*, la noche del romance del mismo título, el lucero de *A una estrella*— (Michael E. Moriarti). En esta fase poetiza sobre moldes métricos prestigiados, como la silva, el serventesio o el terceto, que pueden generar combinaciones polimétricas en el epicedio *A la muerte de don Joaquín de Pablo* o en *A una estrella*. Obsérvese que el tema de la separación de los amantes que centra dos poemas de este pequeño ciclo ossiánico (*Óscar y Malvina y La despedida del patriota griego de la hija del apóstata*) será un motivo recurrente en la poesía de los románticos posteriores (Montiel, 1974). También esta etapa supone el descubrimiento de lo que se ha llamado el "estilo trovador", que no es sino la visión sentimental y scottiana de la Edad Media, que en la literatura francesa —dejando el estímulo lejano que supuso el conde de Tressan— personifican el Chateaubriand del *Genio del Cristianismo* y el Hugo de las *Baladas* y que suele presentar un fuerte componente de ideología conservadora. Uno de los aciertos de la crítica esproncediana reciente estriba en las precisiones que ha realizado sobre el estilo "trovador", tan característico en el proceso de formación del artista y tan miméticamente proseguido por los epígonos, que contribuyeron así a la divulgación de una visión anecdótica y meramente descriptiva del romanticismo. Desde luego, el uso del "estilo trovador" en la obra literaria de Espronceda no es, en sí, una señal de determinante reaccionarismo ideológico sino un tributo más al horizonte de modelos literarios que se le ofrecían al escritor de los años treinta.

La plenitud poética de Espronceda llega con las *canciones*. *Les Chants* de Béranger y las posteriores composiciones de este popular compositor francés modularon una variante de la canción patriótica (pp. 179-180) que integró contenidos políticos y propuestas de denuncia social. A la órbita de esta modalidad pueden aproximarse las seis *canciones* que expresamente incluyó nuestro poeta en su libro de 1840 bajo este marbete: *La cautiva, Canción del pirata, El verdugo, El mendigo, El reo de muerte, El canto del cosaco* (Luis Caparrós, 1989). Los seres humanos que protagonizan los seis poemas entran de pleno derecho en la galería de los tipos marginales de la sociedad contemporánea y constituyen un fondo de reserva tópico de la literatura romántica. A partir de estas coincidencias, *La cautiva* no comparte los otros rasgos formales y de contenido que mantienen en común los otros cinco poemas. La acentuación oxítona en zona demarcativa del texto —bien en el estribillo, como ocurre en *La Canción del pirata, El reo de muerte, El mendigo* y *El canto del cosaco*, bien en el verso conclusivo de cada estrofa, como en *El verdugo*— es un rasgo personal del estilo de Espronceda, singularmente destacado en las canciones. Al tiempo que el estribillo concentra el sentido de cada texto, la alternancia que establece la voz del héroe protagonista —el pirata, el verdugo— con la enunciación de un narrador en tercera persona avanza lo que será intensidad confesional y arrebato egocéntrico en la estricta enunciación del verdugo o de las hordas de cosacos. La sutil conjunción polifónica de voces locutivas es el recurso verbal que transmite al lector el *monólogo dramático* de unos seres "malditos" cuya significación se proyecta sobre un fondo de inquietudes sociales y humanitaria (para el análisis de recursos de estilo en la obra de Espronceda: Domingo Ynduráin, 1971; Picoche, 1984; Lapesa, 1985; Sebold, 1989).

En cuanto a la interacción entre contenido ideológico y actitud lírica de las canciones, ya sostenía Brereton en 1933 que los cinco poemas forman un grupo homogéneo en su pensamiento y en su forma, aunque Alessandro Martinengo (1964)

ha limitado las correspondencias a *El reo de muerte, El verdugo* y
El mendigo. Efectivamente, tanto *La Canción del pirata* como *El
canto del cosaco* se desligan de los otros tres poemas por sus circunstancias cronológicas de escritura y por la significación de
los tipos que sustentan su anécdota. *La Canción del pirata* es
—y así ha sido interpretada por los críticos— una pieza romántica exaltadora del héroe romántico absoluto. Su canto a la
libertad y al puro acto gratuito de desdén a la vida y al mundo
se compadece mejor con los héroes individuales que con las
preocupaciones colectivas propias de lo que Roger Picard ha
llamado el "romanticismo social". Por otra parte, ecos verbales
de la poesía española anterior —los versos del romancero, "mis
arreos son las armas, / mi descanso es pelear"—, o de poetas
conocidos —"mi tesoro es mi barquilla / mis redes sólo el
amor"— y viejos motivos literarios, como el horaciano "oh na-
vis", sitúan al poema en el curso de una tradición literaria de
muy largo alcance; estudiando la función de la risa en el poema, Sebold (1985) lo ha leído en las cercanías de la poesía desesperanzada de 1840-1842.

En el otro extremo, *El canto del cosaco* puede insertarse en la
órbita de la poesía de Barbier, mucho más combativa en su compromiso político coyuntural. Desde el punto de vista de la construcción artística, tanto *El reo de muerte* como *El verdugo* ofrecen
significativas correspondencias, de las que resaltan por su fuerza,
las alusiones sanguinarias al acto de la ejecución capital y la
evocación de una infancia inocente —un paraíso perdido en *El
reo de muerte*, una sofocante determinación social en *El verdugo*—,
que es un espacio de pureza original irremisiblemente perdido. Entre estos poemas y *El mendigo* hay notables diferencias
simbólicas y temáticas que permiten trazar un puente entre el
mundo de las canciones y otros poemas de la etapa final del
escritor.

En una cronología posterior, Espronceda desarrolla la expresión de su experiencia íntima en otro conjunto de textos líricos
que confiesan la vivencia quebrada por la desilusión y el desencanto. La variante subjetiva del tema del paraíso perdido
—central en *El Diablo Mundo*— unifica textos como el soneto
dedicatorio de la edición de *Poesías,* los poemas *A una estrella, A
Jarifa en una orgía* y la elegía por la consunción de dos esperanzas
biográficas que es el *Canto* a Teresa:

Los años, ¡ay!, de la ilusión pasaron;
las dulces esperanzas que trajeron
con sus blancos ensueños se llevaron,
y el porvenir de oscuridad vistieron;
las rosas del amor se marchitaron,
las flores en abrojos convirtieron
y de afán tanto y tan soñada gloria,
sólo quedó una tumba, una memoria

(*El Diablo Mundo*, versos 1732-1739).

2. *"El Estudiante de Salamanca"*

Este texto esproncediano constituye una muestra singular de
convergencia entre formas literarias mostrencas e innovación visionaria del poeta.[47] La hipótesis expuesta por Alessandro Martinengo (1966) sobre una posible lectura hecha por Espronceda de
la traducción francesa del *Fausto* realizada por P. A. Stapfer y
publicada entre 1823 y 1825 explicaría la apropiación de este
género mixto que es el poema narrativo *El Estudiante de Salamanca,* poema del que Espronceda había publicado fragmentos sueltos (descritos por R. Marrast en ed. de 1970) antes de su publicación definitiva en el tomo de *Poesías.*

Las cuatro partes del *Cuento* alternan la mímesis —parte tercera dialogada— y la diégesis —partes primera y cuarta—, con
un elemento de juntura lírica en la parte segunda en que se
presentan la locura y la carta de doña Elvira. La mezcla de formas genéricas —lo dramático, lo narrativo, lo lírico— se redu-
plica en la alternancia de formas métricas de complejo registro,
que van desde los versos bisílabos hasta los versos de doce sílabas
y desde las estrofas tradicionales —octava, serventesio, quintilla, romance— hasta las innovaciones radicales como la escala
métrica con que concluye la parte cuarta y que, como ya se ha
advertido por la crítica, es una amplificación de la secuencia
rítmica de Victor Hugo en *Les Djins.* Jenaro Taléns (1975, 29-
55) avanzó sugerencias sobre la distancia que separa el narrador
de la narración y la consecuente doble narración que se da en el

---

[47] José Paulino, A. Martín-Maestro, Ana Vian, Isabel Visedo y Alicia
Redondo Goicoechea (AA. VV., 1981) han presentado un estudio conjunto de
diversos aspectos estilísticos y temáticos del poema.

poema; Abraham Martín-Maestro (AA. VV., 1981, 159-166) y
María Pilar Pérez-Stansfield (1988, 178-181) han aportado
otras observaciones sobre la narratividad y modos de enunciación
de este poema.

Para Robert Marrast (1974, 645-682; ed., 1978, 9-40) *El
Estudiante de Salamanca* es el texto clave en la mutación esproncediana de un romanticismo conservador y mimético —el estilo
"trovador" de artificioso medievalismo— hacia un romanticismo
rebelde y radical que, en la lírica española, sólo Espronceda habría asumido con rotundidad. Los fragmentos publicados entre
1836 y 1839 —según la hipótesis de Marrast— darían la muestra del primer romanticismo de signo conservador, que el poeta
fue abandonado en el texto definitivo, al escribir las partes tercera y cuarta. Desde esta posición de plenitud en un hacer poético
comprometido políticamente se puede llegar a la interpretación
del poema como un texto *à clef* que esconde muy hipotéticas
alusiones a las circunstancias políticas del momento (Vasari,
1980). La rebeldía genéricamente romántica que significa la
aventura de Montemar fue glosada en un memorable estudio de
Pedro Salinas que ha evocado recientemente Llorens (1979, 488-
497), para quien el estudiante de Salamanca, en el curso de la
danza macabra, "ya no es el audaz don Juan que vimos al principio del poema, sino el símbolo del hombre que no acepta sus
limitaciones, y persiguiendo la razón de su destino, se revela con
firme voluntad, aunque inútilmente, contra la realidad"; también J. Paulino (AA VV., 1981, 149-157) ha esbozado una
interpretación coincidente a partir de los principales símbolos
que estructuran el sentido del poema.

En cuanto a la tarea de imitación de diversos temas literarios
de la tradición hispánica que Espronceda hiló en el texto, los
críticos han señalado fuentes variadas que, en síntesis, se reducen a estos tres componentes básicos: 1) el tema del burlador, 2)
el del personaje que presencia su propio entierro como lección de
ascetismo depurador, 3) la danza de la muerte que consuma el
matrimonio de los cadáveres. A estos tres componentes temáticos, que en una última reducción equivalen a arquetipos de motivos folclóricos universales, responden abundantísimos rasgos
de la textura verbal del poema que han sido ampliamente explicitados por los comentaristas.

Desde la crítica decimonónica se discute el byronismo de *El

Estudiante de Salamanca. Para Cánovas del Castillo, Montemar es un tipo que sólo se explica en la tradición del don Juan español y en ningún caso podría ser eco del don Juan inglés. La crítica del siglo XX ha matizado esta interpretación excluyente y admite algunas huellas de Byron —principalmente la carta de doña Elvira, en lejanísimo correlato con la carta de Julia en el poema inglés (el último resumen de Pujals, 1982, 176, atenúa extremadamente este aspecto)—, pero la concepción básica y la construcción del poema español sólo se interpretan coherentemente situándolas en la tradición del romancero, del teatro y de las leyendas nacionales; y a esta gravitación tradicionalista se añade la novedad apuntada en la construcción del personaje Montemar y la peculiar danza macabra con que se concluye el *cuento*.

Para Alberto Lista el personaje de Elvira en *El Estudiante* era sobrecogedor: "no hemos visto después de la Eva de Milton una descripción más bien hecha del primer amor en un corazón inocente"; precisamente el soneto *A Eva* —editado después de la muerte de Espronceda— insistía amargamente en los efectos destructores producidos por el comportamiento del personaje bíblico de este nombre. Entre los dos polos extremos del arquetipo femenino oscila la visión de la mujer en la poesía de nuestro autor (Badessi), aunque se termina imponiendo en los poemas de la última etapa una visión profundamente pesimista (véase también López-Landeira, 1975). En el personaje masculino, las resonancias del mito del paraíso perdido conducen su significación a las connotaciones demoníacas que, para muchos lectores del poema, presenta la figura de Montemar: titán en rebeldía con los poderes superiores —para la crítica más tradicional—, o sutil remodelación del anticristo en la inversión de los valores cristianos como son su orgullo y egotismo más allá de la muerte (Sebold, 1978, para el personaje Montemar; también José Paulino, 1982).

Sin rechazar estas interpretaciones de los dos personajes centrales del poema, es preciso situar su lectura en el momento central de la danza de espectros y consagración de la necrofilia con que concluye la aventura del Montemar impávido y temerario, cuyas peripecias se enmarcan en un espacio mítico y en un nocturno de vagas lindes temporales que conducen al lector hacia una confusión y alucinamiento obsesivos (Paul Illie, 1972). Porque en último término, la experiencia de los amantes es una engañosa peripecia, como engañosos son los datos que ofrecen los sentidos: "esto es / ilusión de los sentidos / el mundo que anda al revés" (versos 1136-1138).

Confirman el marco de indeterminación varios procedimientos compositivos que el poeta emplea con la seguridad de un sagaz artesano. En primer lugar la narración del asunto que comienza *in medias res* (L. N. Hutman, 1970), como las epopeyas clásicas y muchas novelas modernas, procedimiento que en este poema adquiere singulares perfiles de confusión cuando en la *Parte cuarta* las alusiones a la figura misteriosa no determinan su identidad hasta la conclusión. En la primera redacción había escrito Espronceda, en versos que más tarde eliminó, "al pie de la imagen... mujer misteriosa"; esta identificación pasa a ser el "vago fantasma que acaso aparece" en la redacción definitiva (verso 88) y que en la *Parte cuarta* se enriquece con denominaciones del tipo "un suspiro", "fatídica figura", "forma falaz". Sólo hay un momento de precisión sobre la errática figura, y es cuando don Félix percibe

> un rostro que vagos recuerdos quizá
> y alegres memorias traía
> de tiempos mejores que pasaron ya
>
> (versos 774-778),

y que confirma la identidad del "blanco fantasma" con la difunta Elvira. Esta identificación se solapa, además, con el antes y el después del duelo entre Montemar y Pastrana.

Los márgenes de la confusión se subrayan, en fin, por medio de una imagen poética que es un elemento recurrente en la obra de Espronceda, la imagen de la *óptica ilusoria* (ed. Leonardo Romero, 1986, p. LI), según la cual los llamativos efectos que generaban las máquinas y objetos productores de espectáculos visuales —tan de moda entre los entretenimientos públicos del primer tercio del siglo— son transferidos a los engaños que produce la experiencia de la propia vida y el comportamiento de la humanidad:

> Distante un bosque sombrío,
> el sol cayendo en el mar,
> en la playa un aduar,
> y a lo lejos un navío
> viento en popa navegar,

óptico vidrio presenta
en fantástica ilusión
y el ojo encantado ostenta
gratas visiones que aumenta
rica la imaginación

(versos 278-287).

3. *"El Diablo Mundo"*

La crítica del XIX manifestó respecto a este poema incomprensiones o reticencias que han lastrado el juicio de muchos lectores de nuestro siglo. Don Juan Valera, en su artículo de 1854 (atendido en este aspecto por G. Carnero, 1975) y Menéndez Pelayo contribuyeron a la traza de una interpretación de *El Diablo Mundo* en la que, aun reconociendo los hallazgos de inolvidables secuencias parciales, predomina la idea de su "caótica" composición y su vacuo contenido filosófico. Sin embargo, un discípulo de Menéndez Pelayo adelantaría el juicio crítico más comprensivo del poema esproncediano que podemos encontrar en la crítica académica positivista; Adolfo Bonilla San Martín —que es el estudioso aludido— sostenía que en el poema de Espronceda se manifiestan "la duda como primer principio de pensamiento; el dolor como realidad positiva en la vida; el placer como ilusión del mundo; la muerte, la negación de la voluntad de vivir, como solución de todos los problemas: he ahí las cuatro afirmaciones que encontramos en todos los verdaderos románticos".

Pero, ante todo, conviene saber cuál pudo ser el propósito del poeta. El prólogo de Ros de Olano a la primera edición es pieza capital para saber algo de ello, del mismo modo que añaden luces indirectas las notas que Gil y Carrasco tomó de las conferencias dictadas por Espronceda en el Liceo en momentos en que este debía de estar dedicado a la redacción del poema. El texto de Ros ha sido ampliamente analizado por Robert Marrast (ed. 1978, 47-51) para concluir que el posible plan del poeta no alcanzaba al conjunto de la obra y que ésta fue progresando sobre su propia escritura hasta llegar a conseguir —en sus cantos finales— un punto de mayor coherencia que se conforma más estrechamente con el propósito inicial, que habría sido más intuido que meditado.

Durante el siglo pasado se ha insistido en la incoherencia de un poema que desde una "Introducción" de pretensiones trascendentes derivada hacia una historia de aventuras folletinescas avecindadas en el Madrid de 1840; según ese entendimiento, el "Canto a Teresa" —texto fundamental en la tradición elegíaca española (analizado expresamente por Wardropper, 1963 y Polt, 1985a)— es una conmovedora elegía engastada arbitrariamente en un tejido de digresiones y escenas de malas costumbres. Un poema, en conclusión, apresurado y divagatorio del que el propio escritor se exculpaba: "terco escribo en mi loco desvarío / sin ton ni son y para gusto mío". Todo ello se justificaría porque el fragmentarismo y la digresión son trazos rituales en la composición del poema romántico, mera expresión desarticulada de la angustia en que viven los artistas. Este diagnóstico negativo, característico de la crítica positivista, ha sido repetido, pero en sentido totalmente opuesto por el vértice, por comentaristas recientes que explican el poema a la luz del postulado romántico que sitúa el quehacer poético en la íntima conciencia del poeta (Llorens, 1979, 498-500).

Con todo, ha de tenerse en cuenta que Espronceda escribe el poema en un momento en el que su grupo íntimo de amigos estaba aplicando idénticos procedimientos de fragmentación e ironización digresiva a sus composiciones, algunas realizadas desde supuestos que simulan bromas de afectados byronianos dedicados a la práctica de una literatura en clave y sólo reconocible por los miembros de la cofradía (*private jokes*). El fragmento burlesco y pornográfico de Dido y Eneas, el poema *María* de Miguel de los Santos Álvarez, *El doctor Lañuela* de Ros de Olano son curiosos ejemplos de esta escritura fragmentaria y herméticamente alusiva en la que Espronceda estaba implicado en los años en los que escribía *El Diablo Mundo*.

Pero desde otro punto de vista, la lectura de un *Diablo Mundo* articulado en su intención profunda explica una coherencia estructural del poema. A este propósito Alessandro Martinengo (1962) sugería la posible función de juntura temática y compositiva que desempeña el fragmento suelto "El Ángel y el Poeta" respecto a la "Introducción": "quizá es lícito añadir que Espronceda pensaba probablemente en la oportunidad de terminar el poema con una especie de desenlace catártico en el que el mal y la culpa del mundo apareciesen redimidos gracias al arte y la belleza" (Martinengo, 1962, 37). Claro es que esta sugestiva exégesis resulta de la consideración, bajo nueva luz, del envejecido tópico en la crítica esproncediana relativo a las fuentes del texto.

Si el debate de las fuentes literarias no españolas —Byron, Goethe, Voltaire, F. Schlegel (según Bretz, 1982), para recordar sólo las plausibles— ha ocupado a muchos estudiosos, no parece que éstos se hayan interesado por los juegos de intertextualidad que el poema establece con diversos poetas clásicos o modernos españoles y con la obra poética del propio Espronceda, ampliable al círculo de sus amigos. En un poema de la extensión de *El Diablo Mundo*, que su autor entendía como obra enraizada en la literatura —"y aquí renegar quiero / de la literatura / y de aquellos que buscan proporciones / en la humana figura" (vv. 5779-5782)—, no podían faltar las citas y homenajes a poetas admirados (Rodrigo Caro, Dante, Góngora, Pedro de Espinosa, Horacio, Garcilaso, Lope de Vega, Quintana) o a textos que, en el momento de la composición de la obra habían alcanzado una significación especial, y todo ello como guiño de complicidad entre los poetas románticos. En este último aspecto es harto sintomática la irónica cita de un endecasílabo de Juan de Castellanos —"como me lo contaron te lo cuento", verso 3117—, que ya había servido de cierre a *El Estudiante* y que otros contemporáneos habían empleado como recurso de oralidad fundada en la épica hispana del Siglo de Oro (pp. 149). La insistencia en el recurso de la transmisión narrativa de una historia no sólo enlaza los dos poemas mayores de Espronceda, sino que, además, sugiere una fórmula de difusión oral de un poema narrativo que estaba en la frontera del texto lírico y la novela romántica. Éste es el sentido del término *cuento* que clasifica genéricamente la aventura de don Félix de Montemar y que se repite como palabra clave en el curso de *El Diablo Mundo* para definir la aventura de Adán.

Una consideración singular merecen las citas y ecos de Calderón procedentes de *La Vida es sueño*: "¿Es verdad lo que ver creo? / ¿Fue un ensueño lo que vi / en mi loco devaneo?" (vv. 647-649); "y me divierto en arrancar del pecho / mi mismo corazón pedazos hecho" (vv. 1842-1843); "Oh. Sí, soñaba / pero un sueño tan dulce, un desvarío / tan alegre, que el alma me robaba" (vv. 4515-4517); "Vamos pronto, vean mis ojos / cuan-

do vio mi fantasía; / toquen mis manos en fin / los sueños de mi
codicia" (vv. 4844-4847); Helmut Hatzfeld (1929, nota 119) ya
indicó otras correspondencias textuales y compositivas que resaltan los paralelos entre el drama calderoniano y el texto romántico. Integrando estas correspondencias en la estructura básica del
poema, debe tenerse en cuenta que el protagonista modifica su
condición moral a raíz de dos sueños que obran en él un efecto
palingenésico; en el canto I, el viejo don Pablo despierta transformado en joven inocente después de una experiencia onírica;
en el canto V, Adán, soñando sobre el regazo de Salada, experimenta otra metamórfosis en el orden de sus deseos y sus ape-
tencias. El sueño como puerta que separa dos estados diversos
de conciencia no es aquí alegoría moral que contraponga la vida
y la muerte o la razón moral y la explosión de los instintos.
Ahora es la imagen arquetípica de la poesía romántica que en-
frenta realidad material percibida por los sentidos y refugio de la
imaginación en donde se fabrican los deseos y se cobija la nostalgia.

El sueño es un tema recurrente en la poesía de Espronceda,
desde las alucinaciones de *El Pelayo* hasta estas singulares situaciones de *El Diablo Mundo*, y es experiencia primigenia en la
poesía de los románticos; R. López-Landeira (1975) ha subrayado el sentido moral que tienen las transformaciones esproncedia-
nas del material de la vigilia en esa otra situación de "aparente e
inalterable alegría" en la que el tapiz onírico no es otro universo,
sino este mundo, el "diablo mundo". En la experiencia de Adán
la vida social madrileña —el "diablo mundo"— es cárcel y co-
rrupción; para el narrador del poema la ciencia positiva y los
conocimientos que él no posee —"yo con erudición cuanto sa-
bría"— son fronteras frente al misterio del amor y de la muerte.
Sólamente el sueño —contra los pactos diabólicos o los elixires
maravillosos de la tradición fáustica— es la fuerza capaz de
transformar y encender el ánimo; lo demás, como inicia otro
poema del autor, es "miseria y avidez, dinero y prosa".

No puede desconocerse, en fin, la circunstancia biográfica
de Espronceda en el tiempo durante el cual escribió el texto:
muerte de Teresa Mancha, desencanto político, desilusiones
personales. *El Diablo Mundo* debe leerse en paralelo con poemas
autobiográficos de su última etapa como *A una estrella, A Jarifa
en una orgía,* y con textos de radical sentido civil como *A la*

traslación de las cenizas de Napoleón, que no sólo presentan al héroe misógino enamorado del amor, sino que allegan la reflexión ceñida a la vivencia de la pérdida del paraíso. Diversas circunstancias externas al texto y los elementos literarios que lo componen condensan toda la experiencia esproncediana hacia la desilusión y la doliente pregunta por el sentido de la vida humana. La trayectoria literaria de Espronceda, desde las *canciones*, conducía casi inevitablemente a este momento inquietante. La broma literaria con los amigos ha transformado la *pose* byroniana en una actitud sinceramente sentida, la excepcionalidad de los héroes como Montemar se ha reemplazado por el ambiente colectivo de los marginados sociales (Cantos IV, V y VI)[48] y la insatisfacción personal, en fin, lleva al poeta a la escritura de un texto inacabado, pero tejido sobre mimbres que le dotan de coherencia.

Los coros de la "Introducción" adelantan contenidos simbólicos del poema que, sin embargo, no cierran la interpretación de su sentido definitivo. Entre esos "coros" y "voces" el lector encuentra las de los demonios, aunque la demonología de *El Diablo Mundo* no hay que buscarla en seres extraordinarios como los que protagonizan otros textos del romanticismo europeo, reside en la estructura de la sociedad contemporánea, con toda su crueldad y su incapacidad para la compasión. De manera que la exorcización de los demonios interiores no precisa de un héroe satánico porque el poeta va más lejos y ha situado en el *aquí* y el *ahora* el misterio de iniquidad. Y frente a esta demonología secularizada se apunta una angelología —en el fragmento "El Ángel y El Poeta"— que las circunstancias biográficas del escritor no permitieron desarrollar en mayor extensión.

Para la crítica de los últimos años ha suscitado interés la estructuración narrativa del poema (Jenaro Taléns, 1975, 57-77; Isabel Román, 1988a). Lo que podría denominarse una combinación de perspectivas narrativas en la enunciación no es sino

---

[48] Los cuadros I y II (escena 2.ª) del canto V presentan un diálogo colectivo —similar a la parte III en *El Estudiante de Salamanca*— cuya escenografía tabernaria introduce una pendiente de marginalidad social que Domingo Ynduráin (ed. 1981, pp. XL-LV, ed. 1992, 72-88) ha relacionado muy oportunamente con la literatura de cordel; esta dimensión acanallada y pre-esperpéntica del poema refleja, por otra parte, lo que fue un clima real vivido en la España romántica y en el que los escritores extranjeros supieron encontrar una mina de posibilidades.

un sutil recurso que adelanta, en el plano de la enunciación, un polifónico registro de varias voces: bien a una tercera persona, bien al Poeta y su corte de demonios, bien al propio Espronceda o a los personajes ficticios de su invención. De manera que el nudo de la discusión sobre este "grandilocuo poema" reside en su condición de textos a varias voces que tejen entre sí un símbolo ferozmente pesimista sobre la existencia humana.

V

EL TEATRO ROMÁNTICO

CUESTIONES DE MÉTODO

La visión del teatro español de la primera mitad del siglo XIX está sometida a varios riesgos de distorsión interpretativa que consisten 1.º) en considerar que sólo es historiable la vida teatral madrileña, 2.º) en interpretar la gravitación del teatro del Siglo de Oro como el modelo dominante en la concepción y escritura escénicas, 3.º) en dar por exclusiva la documentación teatral que nos proporcionan los textos impresos y las noticias sobre representaciones registradas en las *carteleras* y gacetillas periodísticas. El arraigo que disfrutan estos apriorismos *metodológicos* obedece, sin duda, al papel que representó Madrid en la vida teatral clásica y al rotundo prestigio que el teatro barroco proyectó sobre la realidad escénica del siglo XVIII y del primer cuarto del XIX. Los cambios en la vida teatral española sólo cobraron consistencia con las disposiciones legales que, desde 1834 y, por supuesto, más allá de la *reforma* ilustrada, propugnaron el establecimiento de la libre empresa y la multiplicación de otros coliseos, más concordes con la nueva organización de la sociedad de clases y con las exigencias profesionales de los artistas.

1. *El teatro fuera de Madrid*

Iniciales calas de A. Castroviejo (1927) y de E. Allison Peers (I, 375-382) sobre las representaciones teatrales en provincias no fueron continuadas hasta las recientes investigaciones de M. Álvarez Solar (1963) para Soria, Aguilar Piñal (1968) para Sevilla, Mercadal Bagur (1968) para Mahón, Guastavino Robba-Guastavino Gallent (1974) y Lucio Izquierdo (1982, 1986, 1989, 1990) para Valencia, Díez Garretas (1982) para Valladolid, Enrique del Pino (1985) para Málaga, Mas i Vives (1986) para Palma de Mallorca, Martín Montenegro (1991) para Canarias. Estos estudiosos, trabajando en ámbitos cronológicos independientes, han recopilado y ordenado información inédita y abundante, relativa a la actividad teatral desarrollada en la localidad objeto de su atención. Los resultados de sus investigaciones no son superponibles, ya que, además de no responder a idénticas secuencias temporales, algunas se han construido sobre documentación de archivo que reconstruye la vida de coliseos locales y las compañías que los ocuparon temporalmente, mientras que otras se han centrado en la relación periodística de las obras representadas y las fechas durante las que las piezas permanecieron en cartel. [1]

Con todo, y teniendo en cuenta estas limitaciones de partida, los datos que hoy poseemos nos permiten dibujar, para la primera mitad del siglo, ciertas líneas de regularidad en la vida teatral de las provincias, como son el alto porcentaje de piezas traducidas (algunos estudiosos hablan del 50 %, así Menarini, 1983, 751; Mas i Vives, 141), la relativa frecuencia de comedias (Izquierdo, 1989, ha calculado para los años 1800-1832 que un 12,37 % de las representaciones valencianas fueron de comedias *de figurón* y que entre 1800 y 1850, hubo 303 representaciones de piezas de Bretón de los Herreros y 167 de textos de Scribe, 6,73 % y 6,18 % respectivamente del total de representaciones habidas durante el período) y la no excesiva presencia en los escenarios de los dramas más caracterizadamente *románticos*. Precisamente, sobre la puesta en escena de los dramas románticos en Palma de Mallorca, escribe Mas i Vives que son elocuentes "les 24 representacions d'*El Trovador,* de García Gutiérrez, realitzades entre el 1842 i el 1874, ja que aquesta és potser l'obra

---

[1] Sobre la actividad en los teatros de fuera de Madrid, antes de la muerte de Fernando VII, constituyen valiosas aportaciones las monografías de Emmanuel Larraz (1974) para Palma de Mallorca y (1977) para el Cádiz de las Cortes; Núñez Ruiz (1984) para Almería; Reyes Peña y Reyes Cano (1984) para la Sevilla fernandina y María Teresa Suero Roca (1987) para los treinta primeros años del siglo en Barcelona.

que més representa els valors romantics, i potser per això la més atacada per la crítica, com ja hem mostrat. En canvi, dificilment arriben a 10 representacions el *Macías,* de Larra, molt popular el 1835 —l'any de la seva estrena a Madrid—, però no representada a partir de 1850" (1986, p. 141).

La confluencia de estímulos literarios y extraliterarios que cristaliza en la significativa explosión de los *dramas históricos románticos* marca también su huella en el ambiente teatral extramadrileño en los años inmediatos a la Regencia de María Cristina. Circunstancias aún no suficientemente conocidas hicieron que Bretón y Grimaldi se desplazasen a Sevilla durante el año 1830 como promotores teatrales (Gies, 1988, 87-90). Algunos estrenos de piezas que inician de modo titubeante el modelo del *drama romántico* tuvieron lugar fuera de Madrid con anterioridad a 1834: el *Aben Humeya* de Martínez de la Rosa en 1830, en París, (John C. Dowling, 1966) y en 1831, en Cádiz (según noticia de el *Correo Literario y Mercantil* de 3-I-1831), *Amor y honor o los estragos de las pasiones* de Antonio Gironella, en Barcelona el 25-XI-1833,[2] *La conjuración de Venecia* en Cádiz en diciembre de 1832.[3]

Los viajeros aficionados al teatro buscaban en esta diversión pública un tiempo de ocio y una experiencia distanciada sobre modos de diversión desconocidos o vividos de otras maneras; una ilustración de esta actitud ofrece el madrileño Leandro Fernández de Moratín cuando describe el clima festivo de los carnavales barceloneses en 1821.[4] De manera que sobre la peculiaridad del

[2] No he encontrado periódicos locales que documenten el estreno en Zaragoza (3-VI-1832) de *El último Abencerraje* de Juan Pezuela, futuro conde de Cheste; en *El Correo Literario* de Madrid de , 24-VIII-1832 y 3-IX-1832 se alude a esta obra en la respuesta de Pezuela al actor Puchol.

[3] "Tenemos a la vista un gran cartelón de la función teatral ejecutada últimamente en Cádiz a beneficio de la señora Juana Díez, primera actriz, en el cual se anuncia el drama histórico en cinco actos titulado *El Carnaval de Venecia del año de 1310,* compuesto por Francisco Martínez de la Rosa. No existe tal pieza compuesta por dicho autor. Lo que el señor Martínez de la Rosa ha escrito es un drama con el título de *La Conjuración de Venecia año de 1310*; de consiguiente al cartelista se ha abrogado una facultad indebida alterando el título de la composición y forjándole a su antojo (...)" (*Revista Española,* 8-XII-1832).

[4] "Mucha gente a pie, currutacos, petimetras, (los frailes quietos en su casa), disfraces ridículos, caras espantosas, teñidas con ladrillo, azafrán, yeso, cisco y hollín de caldera, instrumentos rústicos y desapacibles; gritos y gestos

teatro clásico español y su influencia en la realidad escénica de la primera mitad del siglo sirven impresiones sustanciosas las notas de los viajeros extranjeros, cuya búsqueda del hecho diferencial los llevaba a la repetida sorpresa de encontrarse con edificios, públicos, textos y representaciones similares a los que conocían en su propio país. De todas formas, además del registro de usos teatrales comunes a las prácticas europeas del momento, las observaciones sobre los espectáculos y la vida teatral que efectuaron los impertinentes viajeros románticos depara un repertorio de muy estimables noticias acerca de genuinas prácticas nacionales:[5] noticias sobre las peculiares reacciones del público, el estilo profesional de los actores, o las características de los locales y de algunos géneros, singularmente los bailes castizos o el *teatro andaluz*, tal como nos transmite el barón Davillier cuando recoge con absoluta fidelidad los cantables y la música de la *zarzuela* andalucista *El tío Caniyitas*.

2. *Traducciones y difusión de los textos impresos*

Hecho de importancia capital es la abundante presencia de textos teatrales extranjeros —franceses de modo dominante— en los escenarios españoles. Desde el programa reformista del conde de Aranda, en 1768, las traducciones y adaptaciones de

---

y *trágalas por todas partes. Ni un empujón, ni un araño, ni una disputa, ni un borracho;* todo ha sido paz y alegría. Los teatros (que hay dos) llenos, y los bayles públicos tan concurridos que no se podía baylar. Hoy está la ciudad quasi desierta, porque todo el mundo se sale al campo a enterrar el carnaval; invención sutil con la qual se añade un día de comilona y tragos. Mañana se abren de nuevo los teatros y veremos *S. Isibro labrador,* al *Rico avariento, El Juicio del Salomón, Sta. Eulalia* y *El Diluvio universal"* (carta de 7-III-1821, *Epistolario*, ed. de René Andioc, Madrid, 1973, 430-431).

[5] Gautier y sus acompañantes no pudieron adquirir localidades para presenciar, en el teatro de Burgos, *El zapatero y el rey;* "tuvimos que renunciar a tal placer y contentarnos con ver al día siguiente las *Tres sultanas,* mezcla de cante y bailes de una bufonería trascendental. Los actores no tenían ni idea de sus papeles y el apuntador gritaba todo lo que podía, apagando las voces de aquellos. A propósito del apuntador, está protegido por una especie de caparazón de cinc, de forma redondeada, para defenderse contra las patatas, manzanas y cáscaras de naranja con que el público español, impaciente si los hay, bombardea a los actores que le desagradan" (*Viaje por España*, cito por la traducción de J. Pomar, Barcelona, Taifa, 1985). Para el teatro en Sevilla, ver Richard Ford, *Manual para viajeros por Andalucía* (trad. española), Madrid, 1980, 89-103.

piezas teatrales escritas en otros idiomas fue una constante en el mundo teatral peninsular. Si durante el Antiguo Régimen la iniciativa oficial había representado un papel determinante en la apropiación del teatro foráneo, las propuestas de libre empresa, que inauguró Grimaldi durante el reinado de Fernando VII, sirvieron para que cuajase una tendencia paralela, suscitada por los intereses particulares y la iniciativa privada.

El teatro francés de la Revolución y la Restauración sirve en buena medida el caudal de textos extranjeros trasladados a la escena hispana del primer tercio del XIX (N. B. Adams, 1957; Francisco Lafarga, 1983 y 1988; Robert Dengler Gassin, 1989). Francisco Lafarga ha descrito, para el período 1700-1835 y con énfasis singular para los años del XIX, un total de 650 piezas teatrales francesas editadas en español y unas 500 obras, también traducidas, que se conservan manuscritas; el repertorio de textos allegados le permite sostener la existencia de "una febril actividad" traductora durante el período (1986, p. 222); Díez Garretas (1982, p. 103), para el más reducido observatorio vallisoletano que considera, también sostiene el "predominio de las traducciones de obras francesas, fundamentalmente dramas románticos".

Las causas que, desde el siglo XIX, se han aducido para explicar la importancia de las traducciones de teatro son tanto económicas como ideológicas o estrictamente literarias. Las circunstancias económicas e ideológicas han sido notoriamente repetidas siempre que se ha lamentado la condición de "nación traducida" que ofrecía la cultura española de la época. Sobre la tercera causa, ha sintetizado Real Ramos (1983, p. 432), desde una línea de investigación interesada en la relación de la cultura peninsular y la europea del momento, que "el papel de las traducciones en el desarrollo del teatro español decimonónico es fundamental en cuanto abastecedoras de un repertorio necesario para la pervivencia con éxito del espectáculo, en cuanto introductoras de temas y formas europeas y, sobre todo, en cuanto ejercicio de formación de nuestros autores".

Ermanno Caldera (1978, pp. 173-186) y Piero Menarini (1983) han elaborado sendos esquemas comprensivos de las diversas modalidades que ofrecen las traducciones teatrales efectuadas entre 1808 y 1838 (Caldera) y 1830-1850 (Menarini). Según sus hipótesis las tendencias que se observan en las dos épocas son análogas: 1) el traductor puede ser un autor de obras originales o un experto en los traspasos de textos, 2) la técnica de la versión recorre una escala de posibilidades que van desde la estricta traslación literal del texto originario (*Don Juan de Marana ou la chute d'un ange* de Dumas, en la versión de García Gutiérrez, fiel hasta en el título, *Don Juan de Marana o la caída de un ángel*) hasta la libre reelaboración que Larra lleva a cabo con *Les adieux au comptoir* en su *No más mostrador*. Escritor intensamente dedicado a la traducción de toda clase de textos franceses fue Eugenio de Ochoa (Donald A. Randolph), a cuya actividad se deben las versiones españolas de dramas románticos como *Kean* y *Antony* de Dumas, *El campanero de San Pablo* de Bouchardy o el fundamental *Hernani* de Victor Hugo (Piero Menarini, 1982b). En las traducciones de otro género teatral menos caracterizado con las marcas del romanticismo —el *vaudeville*— se ejercitó extensamente Mariano José de Larra (*Textos teatrales inéditos*, ed. L. Romero 1991, 18-23).

Larra, precisamente, habría de dedicar varios de sus escritos periodísticos a la reflexión sobre la inevitabilidad de las traducciones en todos los géneros y, singularmente, en el teatro; véanse la "Carta a Andrés escrita desde las Batuecas por el Pobrecito Hablador", "Una primera representación", "De las traducciones" y "Noches de invierno". La censura larriana sobre la fácil tarea de las traducciones está muy atemperada cuando el periodista se encuentra en la necesidad de explicar la razón de su actividad como traductor teatral:

> traducir bien una comedia es adoptar una idea y un plan ajenos que estén en relación con las costumbres del país a que se traduce, y expresarlos y dialogarlos como si se escribiera originalmente; de donde se infiere que por lo regular no puede traducir bien comedias quien no es capaz de escribirlas originales. Lo demás es ser un truchimán, sentarse en el agujero del apuntador y decirle al público español: *Dice monsieur Scribe, etc., etc.*[6]

Pareja observación hacía Martínez de la Rosa en la *Advertencia* de *Aben Humeya* al par que exhibía su éxito internacional en la traducción francesa de *La niña en casa y la madre en la máscara*:

> había sentido vivos deseos de presentar en la escena francesa alguna de mis obras dramáticas; y cabalmente el buen éxito que había ya logrado en París

[6] "De las traducciones", *El Español*, 11-III-1836.

la imitación de una de ellas me animaba no poco a la empresa. En breve desistí de tal propósito, habiéndome convencido plenamente de que una obra de esta clase, compuesta para una nación, difícilmente puede trasladarse a otra, sobre todo cuando el gusto dramático es muy distinto en ambas.[7]

Como quiera que ello fuese, el incremento de traducciones durante el segundo cuarto del siglo es muy llamativo respecto al principio de la centuria. Menarini (1983) sugiere motivaciones culturales y literarias que influyen en el fenómeno con más fuerza que las circunstancias externas significadas por la atenuación de la censura y el desarrollo de la industria editorial española. Supone también Menarini que, siendo difícil establecer una correlación de mutua dependencia entre traducciones y representaciones de las mismas obras para el período 1830-1850, "existían dos mercados paralelos o quizás también independientes: uno teatral y otro editorial, que aprovechaba muy bien los circuitos de difusión en librerías, las suscripciones y también las entregas dominicales de los periódicos especializados como, por ejemplo, *El Entreacto*". La hipótesis constata, efectivamente, un desajuste entre la producción impresa de textos teatrales y su puesta en escena, aunque no tiene en cuenta la arraigada costumbre de las representaciones en teatros particulares, uso que si durante el Antiguo Régimen había prestigiado la vida social en las casas de la aristocracia —recuérdese *La comedia casera,* en dos partes y fechada en 1766, de Ramón de la Cruz—, a partir de los años treinta se convirtió en una práctica habitual de las familias nobles y las burguesas.

Costumbristas y autores de Memorias recogen noticias sobre esta modalidad de la vida teatral. Bretón de los Herreros explicaba, en 1831, la boga de las "comedias caseras" en términos de una simpática complicidad que le llevaba a afirmar que "una comedia casera es por sí diversión tan inocente como decorosa; que en Madrid las ha habido estos últimos años muy brillantes en todos sentidos; y por fin que, a pesar de nuestras reflexiones, sin duda tienen poderosos atractivos cuando son tantos los que se desvelan por ejecutarlas ("*Correo literario y Mercantil,* 2-XI-1831);

---

[7] *Obras de D. Francisco Martínez de la Rosa*, Madrid, 1962, BAE, vol. CXLVIII, 167.

Mesonero prolongaría observaciones parecidas en un artículo de las *Escenas Matritenses* y en noticias evocadas en las *Memorias de un setentón* y Zorrilla, a su vez, evoca la misma práctica en sus *Recuerdos* (II, 1779-1780). Los periódicos solían dar reseñas sobre estos acontecimientos si el teatro casero resultaba ser de personaje influyente, y en los escritos memorativos podemos anotar algún apunte de lo que ocurría en la práctica de esta clase de representaciones; por ejemplo, Julio Nombela, en el libro segundo de sus *Impresiones y recuerdos* evoca su intervención en la *Marcela* bretoniana cuando se representó en el teatro particular del escultor Ponzano, instalado en la calle del Sordo; Pérez Galdós imagina en *La estafeta romántica* el proyecto de representación doméstica de *El Trovador* en el pueblo de Villarcayo, y cómo tuvo que ser sustituida por la de *El sí de las niñas*.[8]

Las ediciones de las obras teatrales daban escasas garantías de pulcritud en la reproducción de los textos; la *comedia suelta*[9] era fórmula de abolengo que no garantizaba mucho sobre la fidelidad al texto y los derechos económicos del autor. La aparición de los editores de *Galerías teatrales* no sólo supuso una relativa protección de los derechos de los autores teatrales, sino también el establecimiento de una red distribuidora de textos que, gracias a

---

[8] Escribe Fernando Calpena a su lejano Mentor: "Pues sabrás que las niñas de Maltrana, a quienes sus padres no niegan ningún esparcimiento de buen gusto, han dado ahora en la flor de representar en casa una comedia o drama, distribuyéndonos los papeles entre todos, según las aptitudes escénicas de cada uno. Se me ha encargado de dirigir la construcción del teatro en la más grande pieza de la casa, y asistido de un carpintero y pintor de brocha gorda, daré hoy comienzo a mi tarea de armar bastidores y el tablado y la batería de luces y todo lo demás que constituye una perfecta escena. La obra elegida por las niñas es *El Trovador*, ¡ay de mí! (...). Yo les he dicho que debemos elegir *El sí de las niñas,* y Maltrana y Valvanera me apoyan en este juicioso consejo" (*La estafeta romántica*, cap. V). Precisamente, la comedia de Moratín había sido contemplada en Zaragoza, muchos años antes, por la madre del joven Telémaco del romanticismo que es Fernando Calpena (cf. *La Estafeta romántica* caps. IX y XVI) y, en Zaragoza, aunque en el plano de la realidad, había tenido lugar una representación de la comedia, en un teatro particular, simultánea al éxito del estreno madrileño (cf. Moratín, *Obras Póstumas*, Madrid, II, 1867, 195-199).

[9] "La llamada *comedia suelta*, que con unas características bibliográficas determinadas se edita desde el siglo XVII al primer tercio del siglo XIX, además del interés textual que en muchos casos presenta, tiene en su totalidad una importancia, no estudiada hasta el presente, considerada desde el punto de vista de la sociología de la literatura" (Jaime Moll, "Las nueve partes de Calderón editadas en comedias sueltas (Barcelona, 1763-1767)", *BRAE*, LI, 1971, 259).

estas empresas, hacía llegar a cualquier rincón de la península las obras recién estrenadas. La primera *Galería,* en orden cronológico, fue iniciada por el editor Manuel Delgado en sus dos colecciones paralelas *Teatro moderno español* y *Teatro moderno extranjero,* que llegaron a publicar doscientas cincuenta piezas dramáticas la primera y ciento veinte la segunda; a estas colecciones siguieron otras, a lo largo del siglo, hasta el establecimiento de la Sociedad de Autores Españoles (Emilio Cotarelo, 1928), colecciones que procuraban respaldar la salvaguardia de los derechos de autor sobre cada representación, según lo determinaban disposiciones legales y contratos privados establecidos entre autores y editores. Estos últimos subrayan en la publicidad y en los preliminares de los textos los derechos que ellos custodiaban y administraban, pero cabe preguntarse si en la práctica cotidiana esos derechos eran respetados en todas las ocasiones. De todas formas, la lectura privada era siempre una posibilidad de consumo de los textos teatrales que (a pesar de la opinión de Álvarez Barrientos, 1988, pp. 25-26) siempre estaba al alcance de cualquiera.

Más arriba he aludido al hecho de que la mayoría de las traducciones teatrales eran de obras francesas. Aunque no se ha realizado un cómputo definitivo sobre el número de las traducciones de las diversas literaturas contemporáneas, puede sostenerse con Menarini (1983) que "en cuanto a las del italiano, alemán e inglés, además de ser muy escasas, se efectuaban casi siempre sobre versiones en francés", algo que se comprueba en la derrotada representación del *Macbeth* (1838) traducido por García de Villalta (reseña de Gil y Carrasco, *Obras,* 1954, 419-427) y que diluye el que pudiera haber sido fecundo estímulo del poeta inglés sobre el teatro romántico español, bien que la fascinación que experimentaron Moratín y otros contemporáneos suyos se hizo sentir desde los primeros años del siglo, en buena medida a través del francés (es el caso del *Romeo y Julieta,* traducido por Solís de la versión de Ducis; E. Caldera, 1980).

Teatro ¿para ser leído o para ser representado?, y en el segundo caso, ¿representado en teatros comerciales o en escenarios caseros? Las posibilidades eran múltiples, pues a la condición proteica del texto teatral, capaz de ser alterado en cada representación, se añade la práctica social que consistía en las representaciones habidas en casas particulares y la atmósfera de teatralización y espectacularidad permanente que fue la vida pública española de la época. Martínez de la Rosa, a vueltas con los rasgos específicos que caracterizan el *drama histórico* y que él mismo centraba en la exigencia de la *verdad documental*, testimonia sobre el destino escénico de los textos de teatro:

> un autor puede muy bien, en un *drama histórico* presentar los hechos con más circunstancias y pormenores de los que tal vez convendrían en una tragedia; pero no debe olvidar, so pena de amargo desengaño, que su obra no va a leerse descansadamente, al amor de la lumbre, para pasar las largas noches de invierno; sino que va a representarse en el teatro, en que todo aparece desmayado y frío, si no hay acción, movimiento, vida.[10]

De manera que las complejas circunstancias que rodeaban la recepción de los textos teatrales dificultan la reconstrucción de la vida teatral de la época,[11] bien que la información contenida en las publicaciones periódicas, y hasta ahora tenida como fuente primaria para la reconstrucción de la historia del teatro del XIX, sin ser fiable en grado absoluto, no es en modo alguno desdeñable. Sobre fuentes hemerográficas se han elaborado las dos *Carteleras teatrales madrileñas* (1961 y 1963), repertorios que, pese a sus inexactitudes (puestas en evidencia, entre otros, por N. B. Adams, 1966 y René Andioc, 1982) siguen siendo los únicos instrumentos impresos de que dispone el estudioso del teatro romántico español; ahora bien, Peers (I, p. 14), ya prevenía sobre la insuficiencia informativa que proporcionan los anuncios de teatro aparecidos en la prensa periódica.

Habida cuenta la naturaleza de fuente informativa insuficiente que reviste la prensa periódica a los efectos de noticias teatrales, es preciso emplear otros recursos complementarios para la reconstrucción de la vida teatral del XIX. René Andioc (1982, 64, nota 6) ha advertido sobre la conveniencia de elabo-

---

[10] "Apuntes sobre el drama histórico", *Obras*, Madrid, ed. BAE, 1962, 290b.

[11] Un trabajo pionero en la reconstrucción de las *carteleras teatrales*, es decir, los anuncios de representación publicados en la prensa periódica, fue la monografía de Ada M. Coe, *Catálogo bibliográfico y crítico de las Comedias anunciadas en los periódicos de Madrid desde 1661 hasta 1819*, (Baltimore, 1935), que posiblemente siguieron Nicholson Adams y Archibald K. Shields en su no publicado "Calendar of Plays produced in Madrid Theaters, 1834-1850".

rar los repertorios de representaciones y los cómputos de las ventas de entradas "a partir de los datos suministrados por los libros de cuentas conservados bien sea en el Ayuntamiento o en el Corregimiento (Almacén de la Villa) de Madrid, sirviendo los *Diarios* de fuente complementaria" siempre, claro está, que se conserve la documentación; también ha señalado el mismo estudioso que se debía seguir manteniendo "como ya hizo Cotarelo y Mori, la clasificación por temporadas teatrales (es decir, desde Pascua de Resurrección de un año determinado hasta la Cuaresma del siguiente), sin omitir sainetes y demás *adornos* de una función". Las *prosopografías* de actores del XIX y las informaciones gremiales consignadas en la documentación de las cofradías de actores (para Madrid, imprescindible investigación la de José Subirá sobre la de Nuestra Señora de la Novena, 1960) constituyen otro capítulo de la indagación documental que prácticamente no se ha esbozado todavía.

Una última cuestión de método: ¿cómo eran los textos que salían de la pluma de los escritores y de qué manera se transformaban en su paso por los escenarios? Por un lado, como había ocurrido en la tradición teatral española de los anteriores siglos, el texto primitivo podía ser sometido a una reelaboración del autor, de los empresarios y de los actores; por otra parte, también intervenían en las alteraciones los aficionados que disponían textos para la escena privada y, por supuesto, es preciso contar con las intervenciones de las autoridades administrativas que, en aplicación de la profusa legislación de censura, transformaban también los originales. El resultado de esta trama de escritura múltiple es que, desde un punto de vista histórico, no puede hablarse de un *estado definitivo* de las obras teatrales sino de unas *formas de redacción* acordes con las circunstancias precisas de una edición o una representación. Esta práctica de modificación textual apenas si ha sido abordada por los estudiosos y sólo tenemos noticias generales sobre la doble redacción de algunas obras; recuérdense, a vía de ejemplo, las versiones en francés y en español del *Aben Humeya* y del *Don Álvaro,* o las dos versiones, bien conocidas en este caso, de la tragedia *Virginia* de Tamayo, o las prácticas correctoras sobre los propios manuscritos que caracterizan el modo de hacer del poeta teatral Zorrilla (ed. de *El zapatero y el rey*, 1980p, pp. 58-59) y que también aplicaron Hartzenbusch (véase la ed. de *Los amantes de Teruel,*

Picoche, 1970) y García Gutiérrez (ver *El Trovador*, ed. Picoche, 1979).

Son muy escasos los estudios de crítica textual que se han realizado acerca de las diversas versiones de los textos teatrales de los autores románticos. Brian Dendle (1973) ha propuesto que las escenas añadidas en la segunda edición de *La viuda de Padilla* (Valencia, 1820) proceden de una versión manuscrita para la representación de 1812 y que esta edición es, por tanto, preferible a la impresa con anterioridad, en Madrid 1814. Picoche (en ediciones de 1979 y 1980) ha realizado un pormenorizado análisis comparativo de los distintos estados textuales de *El Trovador* y de *Los amantes de Teruel* en los que llega a valiosas conclusiones sobre la historia textual de ambos dramas y sobre la práctica de reelaboración que aplicaba Hartzenbusch a sus escritos. Igualmente el estudio de una versión manuscrita del *Don Álvaro* que ha realizado Caldera (1986, 27-33) propone cautelas acerca de lo que debe ser la edición de un texto teatral de la época romántica; para todo ello ver también ediciones de *El trovador* (1972) y *Don Álvaro* (1974) por A. Blecua.

A vía de ejemplo, recuérdese que la primera edición de *El Trovador* (Madrid, Repullés, 1836) respondía a la modalidad innovadora que supuso la mezcla de prosa y verso; a partir de 1851, el propio García Gutiérrez refundió el texto en una versión, toda ella versificada, que traía consigo la reducción de los doce decorados presenciados por los espectadores de 1835 hasta una versión que sólo precisaba de siete decorados. Nuevos gustos literarios —posiblemente el modelo del teatro versificado que a mitad del siglo proponía Zorrilla— y plausibles instrucciones de la empresa teatral explicarían estas alteraciones, para las que dos años antes había servido el modelo Juan Eugenio Hartzenbusch, con su nueva versión de *Los amantes de Teruel*. El texto de este drama que se había estrenado en 1836 constaba de cinco actos, y con esta disposición había sido impreso a partir de esa fecha; pero en 1849 se imprimía en Madrid una versión en cuatro actos que, además, no coincide textualmente con otra versión reducida también a cuatro actos que salió impresa en París en 1850. En vida del autor, y sin que mediasen declaraciones suyas de preferencia, se reimprimieron ediciones de los tres estados distintos de la redacción de este drama.

Las versiones manuscritas de textos teatrales que se conservan (los fondos más ricos, depositados en la Biblioteca Municipal madrileña, en el Instituto del Teatro de Barcelona y en la Biblioteca Nacional) deben de ser, en muchos casos, copias para director de escena y apuntadores o "cuadernos de representantes", ya que contienen indicaciones muy precisas sobre movimientos, decorados, objetos que deben introducir los actores, nombres de actores, y todo ello añadido en márgenes o interlineado. Por ejemplo, en el manuscrito n.º 40-12 de la Biblioteca Municipal de Madrid, la copia manuscrita de un *vaudeville* de Scribe que Larra, autor de la traducción, titula *Julia,* contiene una hoja suelta en la que va copiado el texto de una carta que uno de los actores habrá de leer en la escena (ed. de Leonardo Romero, 1991).

La censura oficial, en fin, en los dos sistemas que adoptó a lo largo del siglo —el preventivo *a priori* de la época fernandina[12] y el represivo *a posteriori* de los otros reinados— impuso prohibiciones y retrasos en la carrera pública de determinadas piezas y, además, modificaciones parciales en títulos y en extensas secciones de numerosas piezas —memorable es la modificación del título calderoniano *Peor está que estaba* que, en la refundición de Bretón de 1826, pasó a llamarse *La carcelera de sí misma* a fin de neutralizar toda asociación con la vida política contemporánea—. Una primera aproximación a la práctica censora del reinado de Isabel II ha realizado Jesús Rubio (1984) en estudio de conjunto que enumera recopilaciones legales y que exhuma algunos expedientes sobre piezas relativas a la guerra de África y a la *noche de San Daniel* (ver también Picoche, 1970, pp. 33-44), pero no disponemos de algo similar para los años treinta y cuarenta.

TRADICIÓN Y CAMBIO EN LAS ESTRUCTURAS DE LA VIDA TEATRAL

Los espectáculos públicos constituían durante el Antiguo Régimen un privilegiado procedimiento de comunicación y propaganda. Buena parte de los motivos que subyacen en las abundantes polémicas sobre la licitud del arte escénico reposan sobre

---

[12] Cf. la "Nota de las piezas dramáticas que se hallan censuradas y corrientes para su ejecución en los teatros de esta Corte, Madrid, 1827", editada por David T. Gies (1988, 200-204).

este hecho de fácil percepción y de honda trascendencia. Los gustos del público —en la medida que se pueden construir hipótesis sobre ellos—, las entidades propietarias de los locales teatrales y los mismos actores velaban por la conservación de las estructuras organizativas y de las prácticas establecidas. Como fuerza opuesta a este frente de intereses conservadores, individualidades del mundo teatral y algunos escritores propiciaron un clima para las reformas legales que hiciesen posible, si no la desaparición total de las viejas estructuras, sí su modificación, al menos. La tensión entre inmovilidad y cambio continúa en el XIX y desata recios conflictos en los que se contraponen dos entendimientos económicos del hecho teatral, el propiciado por los grupos inmovilistas que propugnaban la protección pública de los espectáculos escénicos y el defendido por los partidarios de una liberalización del mercado que dejase a las empresas particulares la iniciativa y responsabilidad económica de la vida teatral.

En los teatros madrileños y de las otras ciudades españolas cuyos propietarios eran entidades públicas —Ayuntamientos, cofradías y centros de beneficencia— las soluciones que se fueron dando a estos conflictos nunca llegaron a ser radicales ni a favor de la política de protección ni de la fórmula de libre empresa. Son circunstancias transparentes que explican el descuido material en que vivían los coliseos madrileños y que denuncian en sus escritos algunos viajeros y autores de *Memorias* como Fernández de Córdoba, en un pasaje que ha sido comentado en numerosas ocasiones. Posiblemente indujeron a las reformas de los coliseos municipales más que los impulsos reformistas, la competencia promovida por los nuevos locales en los que empresas particulares volcaban sus intereses y sus proyectos de innovación.

La creación de nuevos teatros —cuestión que está pendiente de estudios descriptivos, salvo el excelente acopio de documentación que María del Carmen Simón (1974 y 1989) ha ofrecido para la capital de la nación— sirvió para la diversificación de los públicos y de los espectáculos, y estimuló experimentos de carácter escenográfico, como fueron la introducción de la iluminación de gas, a mitad del siglo, y la de la luz eléctrica, al final, y la instalación de decorados que recordasen a los espectadores los sugestivos *espectáculos ópticos* a que se habían acostumbrado desde principios del siglo XIX. La transformación del *vulgo* de los teatros antiguos en el *público* de los nuevos teatros isabelinos constituye un fenómeno de sociología cultural que tendrán que elucidar los estudiosos en atención a los precios de las entradas, la clasificación social de las zonas del local, la calidad del espectáculo exhibido e, incluso, el horario de las representaciones.

De manera que circunstancias políticas y avatares coyunturales traídos por los cambios de la sociedad no podrían sino reflejarse de manera transparente en la organización de la vida teatral y en la ideación de muchos espectáculos y textos escénicos. Así, los grandes acontecimientos nacionales del primer tercio del siglo encontraron su caja de resonancia en el teatro contemporáneo, lo que explica la existencia de unas piezas de temática nacionalista y antifrancesa en el curso de los acontecimientos bélicos de 1808-1814 (E. Larraz, 1974, 1977, 1987, 1988; Jorge Campos, 1969, 143-185), o de un teatro político de propaganda y polémica en las contiendas de liberales y serviles (E. Larraz, 1979; Jorge Urrutia, 1983; E. Caldera, 1978, 49-77; 1988, pp. 438-447), aunque para las innovaciones lingüísticas que supone la etapa constitucional la advertencia de Caldera (*AA.V.V.* 1984a, pp. 9-13) resulta hipótesis limitada, habida cuenta los estudios de lenguajes especializados realizados por María Cruz Seoane y Pedro Álvarez de Miranda.

Las reclamaciones que durante el reinado de Carlos IV habían propiciado la serie de medidas tendentes a la *reforma de los teatros* prosiguieron durante el reinado de Fernando VII, con episodios tan notables como el pleito sobre el tratamiento de los actores o la instalación de Grimaldi en el punto central de la actividad teatral madrileña (Gies, 1988). Estos hechos, si no llegaron a sentar las bases de una modernización de las estructuras teatrales españolas, sí sirvieron, y muy eficazmente, para la legitimación pública del clamor por el cambio que se daba en el momento de la muerte de Fernando VII (Rumeau, ¿1938?, 340; Andioc, 1982, 70-71; Picoche, 1970, I, 13-56), todo lo cual se traduce en el *Decreto* de María Cristina de 20-XI-1833, de muy reducido cuerpo en la parte dispositiva, que se limitaba a establecer

una comisión compuesta de D. Manuel José Quintana, D. Francisco Martínez de la Rosa y D. Alberto Lista, todos individuos de la Academia Española, [para que] me propongan lo que estime conveniente sobre los derechos de los escritores dramáticos, sobre establecimientos de escuelas de declamación, sobre las leyes que infaman la profesión de actor y sobre la policía de los espectáculos en general, y [que] reúna en un proyecto completo de ley, que me presentará por vuestro conducto, todos los estímulos que puedan darse a un arte que desea favorecer y las mejoras de que este ramo del servicio administrativo sea susceptible (*La Aurora de España,* 22-XI-1833),

y que se completa con otra disposición "sobre reforma de teatros" en que se propone la abolición de la censura (también en *La Aurora de España,* 26-XI-1833).

El estímulo que los anhelos de cambio recibieron con estas disposiciones políticas puede relacionarse tanto con las medidas administrativas y empresariales que, desde fines de 1833, se suceden infatigablemente como —aunque es preciso mayor cautela en este campo— con las nuevas piezas escénicas que suben a los escenarios en torno a estas fechas. Pese a todo, la transformación total de las estructuras teatrales del Antiguo Régimen resultaban inalcanzables, en la medida que la vida escénica del tiempo estaba determinada por una red de intereses de instituciones y grupos que simultáneamente reclamaban medidas renovadoras y fórmulas de conservación; indicios de estas contradicciones dan el municipio madrileño en la redacción de los contratos de cesión de los teatros de la Cruz y Español a las compañías, y los mismos actores empeñados en limpiar las tachas infamantes y, a la vez, en mantener rancios privilegios.

El municipio madrileño debía garantizar los ingresos económicos que financiaban las obras de beneficencia vinculadas a los teatros; los actores debían salvaguardar los recursos para la previsión económica de los enfermos y jubilados de la profesión. De la conjunción de los intereses económicos de ambas partes se derivaba el compromiso de las autoridades municipales para impedir los menoscabos económicos que supondría la competencia de otra clase de espectáculos,[13] y el ejercicio de los prejuicios

---

[13] En 1825 Marcos Latronche solicita autorización para su teatro pintoresco —el espectáculo óptico conocido por la denominación de *titilimundi*—, solicitud que le deniega la Secretaría del Despacho de Gracia y Justicia con el apoyo de otra disposición del mismo año en la que se determinaba "que no se concediesen licencias para representar en esta Corte ninguna comedia, fantasmagoría, ni otra función semejante, permitiéndose sólo las del Tivoli, los conciertos de música vocal e instrumental y otras equivalentes, pero con la mayor economía en la consecución de tales licencias y la precisa calidad de que las que obtuvieran abonasen a los cómicos la parte de entrada y producto en

particulares de los actores, que reclamaban, cuando les convenía, protecciones legales de dudosa profesionalidad, como ilustra sobradamente un episodio de la actividad periodística de Mariano José de Larra.

Los reparos técnicos que este último hizo al actor Nicanor Puchol en su representación del *Pelayo* de Quintana (Gregorio C. Martín, 1974, 131-140, 228-233) suscitaron una reclamación del cómico que exigía una estricta aplicación de lo legislado sobre las competencias gremiales de los actores; a pesar del criterio del juez protector de los teatros, la resolución oficial obligaba a que la *Revista Española* se sujetase a la prohibición de emitir juicios sobre el trabajo de éstos. La respuesta de Larra —léase además su artículo "No lo creo"— fue silenciar los nombres de los actores en sus reseñas teatrales de la temporada 1833-1834. Incidentes posteriores, como el detalladamente documentado por José Escobar (1976a), entre el actor Azcona —defensor de los intereses de la vieja empresa— y el Larra que presta su confianza a la nueva, son reveladores de los profundos arraigos que los intereses y los hábitos establecidos tenían aún en la sociedad teatral española.

1. *Las empresas*

En el momento de la muerte de Fernando VII los usos del Antiguo Régimen, en lo que a infraestructura organizativa y concepción de los espectáculos públicos se refiere, no habían experimentado modificaciones sustanciales, incluso teniendo en cuenta las disposiciones reformistas anteriores a 1808. La organización de las temporadas, los cierres de teatros en Cuaresma y por defunciones de miembros de la Real Familia, la técnica publicitaria de los carteles, el privilegio madrileño de organizar las compañías en torno a los intereses de la capital, la compleja y doble administración de los dos coliseos municipales —El Príncipe y el teatro de la Cruz—, la vetusta policía de espectáculos,

---

que se conviniesen entre sí, como se hizo anteriormente en compensación de la libertad de tener sus funciones los días que lo creyesen convenientes y de las enormes cargas con que estaban grabados los teatros a favor de los establecimientos piadosos" (John E. Varey, 1972, documento núm. 170).

los añejos hábitos en las técnicas de los representantes, la misma disposición del programa de un espectáculo teatral, permanecieron prácticamente sin modificación alguna al llegar el rebato del romanticismo. Para un espectador de 1834 la "varia y escogida función" que rutinariamente ponderaban los medios publicitarios consistía en una miscelánea de diversos espectáculos "en los que resultaba imposible distinguir la obra principal de las secundarias" (Andioc, 1982, 73-74). Larra —y su testimonio es capital— compendiaba irónicamente el programa de un espectáculo escénico en estos términos: "1.º Sinfonía; 2.º Pieza del célebre Scribe; 3.º Sinfonía; 4.º Pieza nueva del fecundo Scribe; 5.º Sinfonía; 6.º Baile nacional; 7.º La comedia nueva en dos actos, traducida también, del ingenioso Scribe; 8.º Sinfonía; 9.º..." ("La vida de Madrid", *El Observador,* 12, XII, 1834).

El teatro, en su infraestructura económica, implicaba una lejana y peculiar interrelación entre instituciones caritativas, municipio madrileño y organización empresarial, relación que gravitó sobre la vida de los espectáculos, de manera casi absoluta hasta los cambios operados a la muerte de Fernando VII y, de manera relativa, durante todo el siglo. Picoche (1970, 36-39) ha publicado en extracto un contrato firmado en 1836 entre el municipio y una compañía de actores —encabezada por José García Luna, Carlos Latorre y Antonio Guzmán— que es ilustrativo en grado sumo. En este contrato, las condiciones de la cesión de los dos teatros de la municipalidad a los actores siguen reflejando las seculares *cargas* que afligían los arrendamientos de los locales durante el Antiguo Régimen; la compañía de actores asumía tres tipos de obligaciones al firmar un contrato válido por tres temporadas: cargas de beneficencia y censos (mantenimiento de varios establecimientos de asistencia pública), cargas de previsión social (pago de jubilaciones a los actores retirados) y cargas de mantenimiento y representación social (reserva de determinadas plazas del local a la Real Familia y a autoridades, como el palco real, fuente de conflictos políticos estudiados por Marie-Thérèse Carrière, 1981,[14] gastos de material escénico y pe-

---

[14] Larra alude en diversas ocasiones a estas circunstancias; el cólera que se había adueñado de Madrid en 1834 amenazaba con el cierre de los teatros, la empresa teatral intervino en defensa de sus intereses pidiendo compensaciones económicas y "poder disponer en lo sucesivo de algunas localidades que una costumbre inveterada tiene inutilizadas o mal empleadas en los coliseos" (*Re-*

queñas reparaciones del edificio). Los gastos que suponían estas obligaciones distaban de ser puramente simbólicos; para 1839 Marie-Thérèse Carrière (1980) ha documentado que las cargas de beneficencia supusieron 140.000 reales y las de jubilación, viudedades y orfandades, 77.400, gastos que la investigadora pone en relación con los ingresos y que valora en estos términos: "el importe de un lleno completo en la Cruz es de diez mil veinte reales veintiocho maravedís en enero de 1841, pero ya no pasa de nueve mil doscientos veintiocho reales treinta maravedís después de las reformas hechas en este coliseo durante la Cuaresma de este mismo año".

Estas circunstancias económicas explican que cuando la contrata de los teatros se vinculaba a compañías de actores —fórmula rigurosa del Antiguo Régimen—, como cuando empezó a establecerse con empresarios, la entidad arrendataria reclamara frecuentemente ante la autoridad municipal sobre las pérdidas económicas, que se sucediesen efímeras empresas en la administración de los teatros y que, incluso, los empresarios se abstuviesen de intervenir en las licitaciones públicas (Lucio Izquierdo, 1982, documenta exhaustivamente estos fenómenos para la Valencia de la primera mitad del siglo). No parece que en Madrid la situación, de crisis empresarial llegara a los extremos de Valencia, pero algo del fenómeno de fondo se acusa tanto en las cortas épocas en que administra un empresario particular —caso de Gaviria estudiado por Gregorio C. Martín (1988)— como en las reclamaciones que formulan los actores respecto a las antiguas prácticas[15] o contra las empresas particulares que incum-

---

vista Española, 1-VIII-1834); "llegada, sin embargo, la época de los bailes de máscaras, parece que el señor corregidor de esta muy heroica villa pasó al empresario un bando, o sea instrucción, relativa a varias medidas de policía interior de estas funciones, en la cual no dejó de tocarse la grave cuestión de si los señores capitulares, cuyo número parece montar a setenta y cinco, deberían o no tener entrada a las funciones. Pareció indudable que tenían derecho a su palco, pero no tan indudable que lo tuviesen igualmente a entrar en el salón y disfrutar en él y en las demás localidades dispuestas *ad hoc* por el empresario, a fuerza de dinero suyo" ("Bailes de máscaras", *El Observador*, 17-XII-1834).

[15] En la efímera revista *Semanario Teatral*, de 1834, montada para defender intereses del gremio, se puede leer que, a raíz del cierre de teatros producido por la muerte de Fernando VII, "acudieron a S. M. la Reina las compañías cómicas de Madrid solicitando ser socorridas durante la suspensión de los espectáculos [ya que...] las paradas forzosas, sufridas en todos los teatros del reino en poco tiempo por diferentes causas habían aniquilado muchas familias

plían las obligaciones de previsión social (documento elocuente sobre las reclamaciones es el *Informe al Excmo. Ayuntamiento Constitucional de Madrid, de su Comisión de Espectáculos Públicos en el asunto de jubilados, viudas y huérfanos de los cómicos*, de 1839, estudiado por Carrière, 1980, pieza clave de un pleito que concluye en un convenio entre el Ayuntamiento y los actores).

En el proceso de sustitución de las tradicionales compañías de cómicos por un empresario que arrienda directamente con el municipio fue figura clave la del francés Juan Grimaldi que, llegado a España con las tropas de Angulema, supo percibir inmediatamente la necesidad de espectáculos teatrales que tenían sus compatriotas y el empujón de cambio que reclamaba la escena madrileña. Durante el verano de 1823 negoció con el Ayuntamiento el arriendo del Príncipe, lo que consiguió realizar desde el 14 de septiembre de 1823 hasta el carnaval de 1824. Muy corta la única temporada durante la que fue *empresario* teatral, pero lo suficientemente eficaz como para abrir la puerta a posteriores modalidades de contratos de arrendamiento con empresarios particulares (con Gaviria y Fernández Cuesta, según Gregorio C. Martín, 1988; con Rebollo, en 1834-1835, en la etapa larriana estudiada por José Escobar, 1976a) y para consagrar su autoridad personal en el ambiente teatral madrileño; "bajo la dirección del señor Grimaldi se completó la obra de Máiquez, se extirparon abusos y desaparecieron rutinas que eran todavía rémoras del arte y éste llegó a su completo apogeo."[16]

Como ágil observador de la realidad de su entorno, Grimaldi entendió que, además de las cuestiones estrictamente mercantiles implicadas en la infraestructura de la vida teatral, el teatro español requería de varias atenciones inmediatas; la primera, era la provisión de piezas, originales o traducidas, que renovasen los textos entonces habituales en los escenarios, y para ello se sirvió de la colaboración de un grupo de escritores como José María Carnerero, Bretón de los Herreros, Ventura de la Vega, Mariano José de Larra y Antonio García Gutiérrez, casi todos jóvenes

---

y que por tanto se hacía necesario establecer en beneficio de una clase numerosa algunas modificaciones a las costumbres antiguas" (21-IV-1834). Sobre la situación económica de los actores en una temporada ordinaria de suspensión de sus actividades, véase el artículo de Mesonero "Los cómicos en cuaresma".

[16] Manuel Bretón de los Herreros, *Progresos y estado actual del arte de la declamación en los teatros de España*, Madrid, Mellado, 1852, 58.

ansiosos de abrirse un camino en el ámbito de la creación literaria. También era necesidad inexcusable la formación de los actores, viejo proyecto de Moratín y Máiquez que debía reverdecer
con atención a los nuevos gustos; Concepción Rodríguez —con
la que Grimaldi contrajo matrimonio en 1825—, José García
Luna, Antonio Guzmán, Carlos Latorre, Matilde Díez, Teodora
y Bárbara Lamadrid, Julián Romea fueron actores dirigidos por
él. Fue decisiva su intervención en los diseños escenográficos de
algunos resonantes estrenos como *La conjuración de Venecia, Ma-*
cías, Don Álvaro y *El Trovador* y tuvo, en fin, el acierto de proponer la puesta en escena de textos franceses que prepararían los
caminos para los grandes éxitos del romanticismo español. Entre las obras francesas que produjo el sagaz empresario hubo dramas históricos y la popular pieza de Ribié y Martainville *Le*
pied de mouton, adaptada con el título de *La pata de cabra* (David
T. Gies ha documentado ampliamente todas las actividades de
Grimaldi en diversos estudios; véanse, 1984a, 1985a, 1986,
y 1988).

2. *Edificios*

Los locales para el teatro seguían siendo los viejos edificios
del Príncipe y de la Cruz; carecemos de estudios descriptivos
sobre las modificaciones que experimentaron durante el siglo
XIX. El conde de San Luis intervino de modo decisivo en la
conservación y modernización del primero, que pasó a llamarse
Teatro Español desde 1849, hecho que dio lugar a ciertos cambios en la política teatral que aún están pendientes de estudio,[17]
cambios que los autores del medio siglo tradujeron en un mani-

---

[17] Zorrilla, que asistió a una representación de *El sí de las niñas* en el
remozado local, captó los nuevos aires que se respiraban en el ambiente del
teatro Español: "por la gente que vi en la sala, por los actores que vi en el
escenario y por lo que vi y oí en el saloncillo y en los cuartos de los actores,
comprendí que aquel suntuoso edificio flaqueaba por sus cimientos, porque lo
en él establecido llevaba en su seno el germen de la disolución. Tratábase sin
rebozo de una reacción clásica, como hoy de una reacción carlista, y de dar
sobre el teatro toda la preponderancia posible a la Academia y a los aspirantes a
ella; al elemento estéril de la erudición académica, que nada produce, pero que
aspirando a saberlo todo, todo quiere que le esté sometido" (*Recuerdos del tiempo*
viejo, en *Obras Completas*, II, 1855-1856).

fiesto albumístico en honor del influyente político de las *po-lacadas*; el segundo fue derribado por orden del Ayuntamiento en 1859. Pero durante los años románticos ambos coliseos cumplieron su cometido prestando el escenario a los estrenos decisivos de las décadas cuarta y quinta del siglo. Pocos locales y no muy bien dotados de medios, según la escasa información que poseemos, servían espectáculos durante los años treinta: el teatro de la calle de la Sartén, del que los periódicos dan noticias a partir de 1830,[18] el teatro del Circo, el de las Tres Musas de la plaza de la Cebada y el de Buenavista.

A partir de los años cuarenta abundan las iniciativas particulares en la construcción o arreglo de nuevos edificios que se comienzan a especializar en géneros y en tipos de espectáculos y que se sitúan en diversos puntos del plano de la ciudad, todo lo cual produce una significativa diversificación de públicos, muy concorde con la organización económica y cultural de la sociedad burguesa que se establece definitivamente en la mitad del siglo (María del Carmen Simón, 1974). Un teatro de especiales características fue el del Palacio Real, eco lejano de los teatros barrocos de corte, y que tuvo una efímera existencia. Se inauguró con la comedia de Ramón de Navarrete *Caprichos de la Fortuna*, escrita por encargo para el acto (*La Esperanza*, 28-IV-1849) y concluyó sus actividades a fines del año siguiente (*La Nación*, 12-XI-1850) (sobre este teatro véase el estudio de José Subirá, 1950).

3. *Los actores*

Componente imprescindible en todo cuadro de actividad teatral es el grupo profesional a cuyo cargo corre la representación de los espectáculos. Respecto a los actores y su mundo, debe tenerse en cuenta como primer dato de situación que, entre las creencias socialmente arraigadas, estaba la valoración infa-

---

[18] Sobre este teatro ponderaban los periodistas la novedad de que las "señoras podían entrar en las *lunetas* y en la *galería*" (*El Español*, 13-XII-1835), noticia que implicaba la vigencia de la compartimentación de los espacios del público por razón del sexo, como hacen evidentes los documentos y los textos literarios; valgan estos testimonios: Bretón de los Herreros: "mi mujer y sus amigas / la cazuela invadirán", (*El poeta y la beneficiada*, acto I, esc. X); "todo el público, y más particularmente la cazuela, manifiestó su aprobación al lusitano *malabar* [José dos Reis Malabar] gallardo mozo por más señas" (*Correo Literario y Mercantil*, 18-VII-1831).

mante de este grupo de personas. Cuando el joven Julio Nombela, en torno a 1854, inicia en las tablas una carrera de meritorio, recuerda en sus *Impresiones y Recuerdos* que se guardó de confiar a sus padres el propósito, "porque siempre que en la intimidad de la familia o en la conversación con los amigos se tocaba este tema, todos hablaban mal de los cómicos, calificándolos de holgazanes y viciosos y repetían que la Iglesia los rechazaba y que la buena sociedad no los admitía en su seno". Y ello, pese a los esfuerzos de los políticos ilustrados, desde el conde de Aranda, y de los actores de estricta conciencia profesional como Máiquez. Larraz (1980) ha exhumado un informe del presidente del Consejo que, en 1817, todavía debía evacuar consulta "sobre si hay que declarar que la profesión de cómico no es infame ni ellos viles".

La vida política del primer cuarto de siglo otorgó a los actores, en determinadas circunstancias, una función de apoyo a iniciativas políticas; esto redundó en la mejora de la estima social del grupo hasta el punto que, no sólo en algunos de sus pleitos con los músicos, sino que en los artículos periodísticos, se les reconoce la condición de *artistas*, merecedores, por tanto, de la atención de los expertos (Larraz, 1980), aunque ya sabemos con qué resultados en casos como el que enfrentó a Larra con el actor Puchol. La condición de grupo clausurado en su propia continuidad no era la mejor garantía para una formación cultural y profesional satisfactorias. Precisamente contra estas carencias iban dirigidas las ironías de los críticos —recuérdese el imprescindible "Yo quiero ser cómico" de Mariano José de Larra— y las propuestas de reforma de los innovadores. La creación de un centro para formación de actores era una propuesta reformista de Grimaldi (Gies, 1986, 378) que encontró una primera respuesta en el establecimiento del Conservatorio de Música y Declamación, cuya historia ha diseñado en sus líneas centrales Federico Sopeña (1967).

Para los artistas que innovaron con los textos teatrales románticos, el texto constituía una múltiple invitación en la que junto al discurso lingüístico actuaba un conjunto de signos ópticos y acústicos que sobredimensionaban las virtualidades significativas del libreto. Los debates teóricos dieciochescos sobre la doble naturaleza del actor cobraron nuevos matices en la teoría teatral del XIX y, singularmente, en su práctica, con las actuaciones de algunos actores y otras personas vinculadas a la vida de los escenarios, ya fueran los decoradores, los directores de escena o los propios autores.

Estos últimos sintieron muy vivamente las posibilidades plásticas y acústicas que ofrecían sus obras y el servicio o rendimiento que los actores podían sacar de ellas. Zorrilla, según testimonia él mismo en sus *Recuerdos del tiempo viejo*, tuvo intervenciones capitales en la dirección de los primeros actores que estrenaron algunos de sus dramas (algunas, han sido recientemente glosadas por Jesús Rubio, 1989). Las acotaciones escénicas que constituyen parte sustanciosa del texto en las versiones impresas deparan, en determinados casos, una intensa voluntad de sugerencia, que actúa como una medida cautelar del escritor, conocedor a su pesar de las carencias del mundo teatral español: "si por la mala disposición de nuestros escenarios no se pudiese cambiar a la vista la decoración de la segunda jornada, se echará momentáneamente un telón supletorio que represente una áspera montaña de noche", previene el duque de Rivas en las *Notas* finales del *Don Álvaro*.

4. Escenografía

También las acotaciones testimonian el interés de los autores por los decorados, el *atrezzo*, los efectos sonoros y, de modo singular, los recursos luminosos, recursos estos últimos que es preciso poner en relación con la seguridad interior del edificio (E. Larraz ha documentado todavía para 1812 la preocupación de las autoridades mallorquinas para que no se reprodujese el incendio del teatro zaragozano de 1778; Larraz, 1974, 319) y con las posibilidades expresivas de la luz sobre el espacio escénico[19] o con las prácticas de conmemoraciones públicas en el inte-

---

[19] En 1816 recordaba un lector en el *Diario de Madrid* añejos usos de las máquinas y decoraciones que ya habían sido corregidos, y añadía, seguidamente: "pero no alcanzo por qué se ha formado el uso de hacer descender las candilejas de la embocadura del teatro cuando se figura noche u otra clase de obscuridad, según se ejecutaba antes y se ejecuta en todos los teatros que tienen foco como los nuestros, y adoptado para el mismo efecto unas mamparitas que alza y baja el apuntador a manera de comedia casera o de Valmojado, con lo cual, quedando la escena poco más obscura que antes de lanzarlas, dan luces en el rostro de los actores, aunque no se aproximen mucho, se falta a la verdadera imitación, se hace desaparecer la ilusión y se da de mano a la verosimilitud" (Muñoz Morillejo, 1923, 100).

rior de los locales.[20] Los juegos de luz y sombra se revelaban imprescindibles en la composición de muchas escenas de las que puede servir de ejemplo esta acotación del *Aben Humeya*: "El teatro representa una vasta caverna, cuya bóveda está sostenida por informes peñascos, de los cuales penden grupos de estalactitas. Todo el ámbito del teatro, casi hasta el proscenio, está lleno de rocas apiñadas. En el segundo término, a mano izquierda, se ve una concavidad en la roca, la cual sirve de aposento al alfaquí. Una lámpara de hierro alumbra escasamente esa especie de gruta, mientras lo restante del teatro aparece sombrío" (acto I, escena VII).

El empleo de la luz de gas en los teatros fue una contribución decisiva para todo lo relacionado con los contrastes de luz —oscurecimiento de la sala y concentraciones de puntos luminosos en el escenario—. En los teatros de Londres y de París se aplicaron las instalaciones de luz de gas durante el segundo y el tercer decenio del siglo. En España, los datos exhumados hasta ahora retrasan en bastantes años la utilización de este procedimiento. Según Margaret A. Rees (1984, 28) la luz de gas fue utilizada por primera vez en la escena española durante el estreno del *Don Álvaro*; aunque los primeros datos relacionados con la existencia de una compañía de gas madrileña están documentados en 1834 (Carmen Simón, 1989, 38-42), no se han publicado documentos justificativos de este significativo acontecimiento. Ricard Salvat (1980) recuerda que en Barcelona la primera instalación de gas en un teatro lo fue en el Liceo en 1847; la investigación de Lucio Izquierdo (1982) adelanta en dos años la instalación del gas para el teatro Principal de Valencia y Díez Garretas (1982, 45) para Valladolid, data la instalación en 1854. En Madrid la inauguración del teatro Real en 1850 dio lugar a abundantes crónicas periodísticas, en las que se aludía,

---

[20] "La antigua costumbre de iluminar interiormente los teatros los días de gala ocasiona perjuicios e inconvenientes de mucha consideración; aumenta, por una parte, el calor de una manera extraordinaria, y en la situación presente llega éste a sofocar a los espectadores; expone, por otra parte, a que la cera derretida deteriore los trajes de las personas que se hallan en la platea; produce, además, un tufo incómodo; expone a incendios, y, por último, destruye el efecto de las decoraciones, porque aumenta la claridad desproporcionadamente; no se perciben las bellezas de la perspectiva, que está graduada a una luz mucho menor" señalaba la empresa del teatro del Príncipe a la Comisión de espectáculos del Ayuntamiento en 1837 (Muñoz Morillejo, 1923, 105).

entre otras circunstancias, a la existencia de la iluminación por gas en otros teatros como el Príncipe y el Circo (Carmen Simón, 1989, 233-235).

La conciencia de la visualidad del espectáculo teatral que tan vivamente sintieron los escritores y actores románticos encontraba su centro de interés en todo lo relacionado con la idea y disposición de los decorados, cuestión sobre la que ya había intervenido decisivamente la reforma de 1767 al disponer que se retirasen los paños o cortinas de la escena y que fuesen sustituidos por decoraciones pintadas, sobre la que se establecían cláusulas singulares en los contratos de las compañías con los ayuntamientos, aunque las empresas posiblemente incumplían las obligaciones contraídas a este propósito.

Muchos montajes teatrales de los autores románticos prestaron singular cuidado a los efectos conseguidos por los decorados y escenografías. Así, el reestreno de la tragedia de Martínez de la Rosa *Edipo*, elogiada en el *Diario de Avisos* (2, 3-II-1832) por su música y coros, por el "numeroso y vario acompañamiento" y por "la decoración de forma desconocida hasta ahora en nuestros teatros", o la *première* madrileña de *La conjuración de Venecia*, cuya puesta en escena había sido proyectada "con una pompa desusada en estos teatros y seguramente superior a los escasos recursos que estos ofrecen" (*El Tiempo*, 20-IV-1834 y Larra en la *Revista Española*).

En este aspecto, la intervención directa de algunos autores fue determinante. Zorrilla evoca en sus *Recuerdos* algunas escenografías en cuya invención él tuvo parte decisiva. Tenía una concepción intensamente plástica del escenario —Ramón Gómez de la Serna subrayaba cómo las quintillas de don Juan a doña Inés en el *Tenorio dicen* gráficamente un decorado— y no se paraba en barras a la hora de plantear propuestas al escenógrafo en sus acotaciones escénicas, como se ve palmariamente en los espectaculares actos de la segunda parte del *Tenorio*, en que los prodigios de las *viejas comedias de teatro* vuelven a intervenir con la inexcusable ayuda del autor del decorado: "en vez de las guirnaldas que cogían en pabellones los manteles, de sus flores y lujoso servicio, culebras, huesos y fuego, etc. (*a gusto del pintor*)" (2.ª parte, III acto, escena 1.ª).

Pero el trabajo del artista plástico coincidía con la actualización de las ideas y propósitos de escritores y empresas. Isidre

Bravo (1986) ha dado, en su monografía sobre la decoración teatral en el ámbito de Cataluña, espléndidos testimonios gráficos de los pintores de decorados del siglo XIX y de la técnica pictórica con la que estos últimos traducían las concepciones escénicas vigentes en cada momento. No se ha publicado un elenco tan elocuente para los bocetos de decorados que se emplearon en los teatros madrileños de la época, salvo el interesante material documental y gráfico que exhumó Muñoz Morillejo en su todavía imprescindible monografía, y ahora Ana María Arias. Con todo, no deberá olvidarse, en el futuro estudio que tan importante tema reclama, la intervención como escenógrafos y decoradores de algunos pintores franceses que habían venido a España con la intención primordial de trabajar en los proyectos de José de Madrazo (Jesusa Vega, 1990). Es el caso de Pharamond Blanchard, autor, entre otros trabajos teatrales, de los que fueron llamativos decorados de *La pata de cabra* (Gies, 1988, 96).

Posiblemente la compleja concepción de la escenografía que Rivas propuso en *El desengaño en un sueño* —ésta fue, al menos, la justificación que dio Lombía para rehusar el estreno de la obra— podría explicar el retraso cronológico con el que esta singular pieza del teatro simbólico fue llevada a la escena, estrenada sin mayor éxito en 1875 (Leonardo Romero, 1981, 117). Capítulo escasamente conocido en la historia del moderno teatro español es el de la escenografía de las *comedias de magia* del XIX y de los *bailes* pantomímicos, ya fuesen de tema oriental, pastoril o mitológico (ver AA.VV., 1983a).

De lejos venía el empleo de los escenarios múltiples para los montajes de obras en las que se presentaban ante los espectadores escenas sincrónicas; el uso de esta concepción del espacio escénico había seguido siendo actual en el teatro de los primeros años del XIX, como atestigua la disposición de un decorado de tres lugares simultáneos, una calle y un interior de dos pisos que propone Francisco de Paula Martí en su comedia *El mayor chasco de los afrancesados o el gran notición de la Rusia* (1814) (Jorge Campos, 1969, 180-182). Con todo, en los años románticos se abren otras posibilidades inéditas para el montaje de los espectáculos teatrales. Nuevas ideas sobre la disposición perspectivística en pintura y los requerimientos visualizadores de la estética romántica trajeron consigo formas nuevas de concepción de los decorados; para todo ello, las acotaciones son imprescindibles, como ha visto Miguel Angel Lama.

En primer lugar, la característica abundancia de actos y escenas, dentro de una sola obra, en consonancia con la idea de la espacialidad múltiple y variada. La consecución escenográfica de este planteamiento tuvo que habérselas con una infraestructura teatral anticuada y escasa en recursos. La realidad miserable de los teatros españoles explica las advertencias de algunos autores —las de Rivas ya aludidas en el *Don Álvaro*— y las explicaciones de las empresas en los anuncios de algunos estrenos. Harto explícita es ésta, referida al estreno de *El Trovador*: "*Aviso*. En este drama, lo mismo que en casi todos los de la escuela moderna, se necesita en Madrid la indulgencia de los espectadores por la inevitable pesadez de los entreactos. Las medidas más eficaces se han tomado para activar los cambios de decoraciones, pero el celo de los operarios no puede vencer las dificultades inherentes a la mezquindez de nuestros escenarios. Esta consideración no puede menos de hacer fuerza a un público tan juicioso como el de esta capital" (apud. ed. de *El Trovador* por Carlos Ruiz Silva, 1985, 51); con todo Picoche (1979, 43) ha supuesto que, en este drama, el orden de los cuadros de cada jornada implica un juego de bastidores y bambalinas que venían a ensanchar o achicar el escenario sin tener que provocar las demoradas esperas que la nota de la empresa hace sospechar.

En segundo lugar, la multiplicación de varios puntos de fuga en el tratamiento de la perspectiva producía la dislocación de un centro de referencia único y estable en el espacio escénico y, en consecuencia, generaba la aparición de varios puntos de vista en la distribución de la escena (Isidre Bravo, 1986, 88), lo que provocaba que la mirada del espectador no se centrase exclusivamente en el punto fijado por la perspectiva geométrica sino que se podía perder entre una serie sucesiva de puntos a que le invitaban la aplicación del *ciclorama* —como recuerda Zorrilla que se realizó en el estreno de la segunda parte de *El zapatero y el rey*—[21] o el empleo de la técnica del *rompimiento*. Consistía el *rompimiento* en

---

[21] El testimonio del poeta es de imprescindible recuerdo: "era la primera vez que se veía la escena sin bastidores. Aranda, malogrado e incomparable escenógrafo, presentó la terraza de la torre de Montiel dos pies más alta que el

la visión de un segundo o tercer lienzo, a través de las aperturas funcionales que el decorado más cercano a los espectadores presentaba. Se ha señalado como estímulo de esta formalización de los diversos planos del decorado la galería de retratos familiares que se exhiben en el acto III del *Hernani* de Victor Hugo (Margaret A. Rees, 1984), y hay réplicas españolas de este recurso en el *Alfredo* de Pacheco, el *Carlos II el Hechizado* de Gil de Zárate o el *Juan Bravo el comunero* de Eusebio Asquerino, en cuyo acto II leemos una acotación que explica muy claramente el *rompimiento*: "suntuoso atrio de columnas en el convento de San Francisco. Galería con altos ojivales en el centro del foro, por cuya rasgada galería se descubre un gran patio y la columnata del lado de enfrente. Ésta, a su tiempo, caerá arruinada, y al fondo del escenario se descubrirá el incendio de la ciudad sobre los arcos rotos".

Ermanno Caldera (1974, 158-159; 1988, 589-604) ha recapitulado los que pueden considerarse rasgos arquetípicos del decorado de un drama romántico distinguiendo entre *exteriores*, marcados por las notas de oscuridad y amplitud espacial, e *interiores*, construidos en este caso por cuatro telones ajustados entre sí y dispuestos según la perspectiva de la escena *a la italiana*, y que el autor, y presumiblemente el director, llenaban de objetos que concedían el requerido "color local" a la escena. Con todo, son mínimos los escenarios siniestros y son muy abundantes los interiores domésticos y palaciegos (Picoche, 1985). Las complicaciones en la escenografía romántica llegaron a convertirse en tema de las propias obras teatrales, como se puede comprobar en un *sainetillo para un entreacto* (diálogo entre un empresario teatral y un maquinista) que se conserva en el manuscrito 8483 de la Biblioteca Nacional de Madrid.

---

nivel del escenario; de modo que parecía que los cuatro torreones que la flanqueaban surgían verdaderamente del foso y que los personajes se asomaban a las almenas, desde las cuales se veían en magistralmente calculada perspectiva las blancas y diminutas tiendas del campamento del Bastardo, destacándose sobre todo un telón circular de cielo y veladuras cenicientas, representación admirable de la atmósfera nebulosa de una noche de luna de invierno. El pendón morado de Castilla, clavado en medio de la terraza en un pedestal de piedra, se mecía por dos hilos imperceptibles, como si el aire lo agitara, y el aire entraba verdaderamente en la sala por el escenario desmontado y abierto hasta la plaza del Ángel" (José Zorrilla, *Recuerdos del tiempo viejo, Obras Completas*, II, 1962, 1759-1764).

Los recursos sonoros, en fin, constituían otro elemento de apoyo en la consecución de la *verosimilitud sensorial* que en los dramas románticos servía para suscitar la impresión de inmediatez. Notable aportación escenográfica había sido la del tramoyista José Máiquez, hermano del conocido actor, quien —según un anuncio del *Diario de Avisos* de 6-XI-1807— había introducido en el teatro de los Caños, para el estreno de *La Celma*, "el granizo y la lluvia natural y para la tragedia de *La muerte de Abel* una caja de truenos que todo mereció la aceptación general de esta invención". En la trama de las piezas teatrales románticas un motivo constructivo muy frecuentado era el del *plazo inexorable*,[22] motivo para cuya percepción sensorial se acudía al subrayado de los cañonazos (*María Tudor* de Victor Hugo), al sonido de la trompa fatal (el *Hernani* que, a su vez, pasó el recurso al *Alfonso el Casto* de Hartzenbusch), al sonido de las campanas (como en el *Aben Humeya* o en la superposición de escenas fatídicas del acto IV en *Los amantes de Teruel*), a los gritos y cantos funerarios con que concluyen catastróficamente muchas obras ("¡Misericordia!" del *Don Álvaro*, "Misericordia de mí" de *Amor venga sus agravios*, "Maldición" de *Alfredo*, "Ya estás vengada" de *El Trovador*, "¡Oh!" de *Incertidumbre y amor*, "¡Elvira! ¡Maldición! ¡Huye! ¡Hasta el cielo!" de *Fray Luis de León*, "Aún vive Pelayo!!!!!" del *Conde don Julián*) y, singularmente, a los contrastes de texto recitado y texto cantado que con tanto acierto supo graduar García Gutiérrez en *El Trovador* (E. Caldera, 1974, 165-167 y 177-179; Antonio Vilarnovo, 1986).

He prestado especial atención a las acotaciones escénicas en la medida que subrayan una voluntad de autor sobre los aspectos

---

[22] La debatida "unidad de tiempo", introducida en el *corpus* de la Póetica post-renacentista, fue uno de los caballos de batalla de los escritores románticos. En su rechazo de la discutida norma contaban a su favor con la práctica de los teatros español e isabelino, y, además, con el valor añadido que tuvo el tratamiento del tiempo a partir de la *comedia lacrimosa*. El tiempo dejó de ser una medida analógica entre la duración de la trama ilusoria y la extensión del conflicto para convertirse en una fuerza inquietante que actúa en favor o en contra de la *vividura* de los personajes. Esta es la función que desempeña el *plazo* concedido al protagonista para la superación de una prueba iniciática en dramas como el *Macías, Los amantes de Teruel, Rosamunda, La morisca de Alajuar, Un año y un día, La jura en Santa Gadea, Don Fernando el Emplazado* (J. Casalduero, 1967, 225-226; E. Caldera, 1974, 150-157) y que confluirá en el tratamiento mítico del tiempo de las *leyendas* en verso y en prosa.

parateatrales que se han de incorporar en la representación, pero otros textos de la época deparan también valiosas noticias sobre los aspectos más diversos de los códigos no lingüísticos latentes en los dramas románticos. Las publicaciones especializadas en teatro (Gómez Rea, 1974) suelen ser las más copiosas en observaciones de este tenor (véase la página que *El Coliseo* de 1854 dedica a las indicaciones de espacio escénico que han de regir en *Redención*). Algunos tratados de arquitectura y perspectiva —como la *Exposición completa y elemental del arte de la perspectiva* de José Planella que ha considerado Pedro Navascués (1985) en sus justos términos de versión práctica de las teorías clásicas sobre la perspectiva—, los textos satíricos —como la bretoniana *Sátira contra los abusos y despropósitos introducidos en el arte de la declamación*, 1834—, las Historias del teatro publicadas en el curso de la centuria y las cartillas o manuales para actores, ofrecen abundantes materiales para una historia de las técnicas de representación en la España del siglo XIX.[23]

Carentes de una teoría específica sobre el arte de representar, los actores desarrollaron su trabajo a partir de intuiciones y de observaciones empíricas, en un ejercicio profesional en el que los gustos individuales y la práctica cotidiana eran la regla de oro. Los tratados de técnica de representación, cuando entraban en cuestiones de mínimo calado, oscilaban entre planteamientos opuestos por el vértice; "el vaivén entre naturalidad y artificio, entre espontaneidad y oficio es acaso irresoluble. Cuando dominó la naturalidad no controlada se produjo una *declamación romántica* apasionada. Cuando por contra lo hizo el artificio se produjo una declamación de escuela, de oficio" ha señalado Jesús Rubio (1988c, p. 271) en la única monografía que se ha dedicado a esta importante cuestión. Ilustra de modo muy gráfico este aserto, una página de los *Recuerdos del tiempo viejo*, en que Zorrilla contrapone los dos estilos de actuación que practicaban las primeras figuras que estrenaron su *Traidor, inconfeso y mártir*, el estilo *natural* que prodigaba Julián Romea y el estilo *poético* de Matilde Díez: "(yo) necesitaba que la exuberancia del arte diese

---

[23] Es un modelo significativo de la naturaleza de centón de citas, extractadas de las autoridades teatrales francesas, que adoptaban los manuales de declamación para actores españoles, la obra manuscrita de Andrés Prieto, fechada en 1835, *Teoría del arte dramática, del arte cómica y elementos de oratoria y declamación* (Biblioteca Nacional de Madrid, Ms. 2804).

relieve a las medias tintas de la verdad de la Naturaleza, que la luz de la poesía esclareciera y revelara la sombra que la maciza figura de la verdad iba a proyectar en el paisaje fantástico de la ficción; y pensé en Matilde, la actriz más poética, sentimental y apasionada que hemos conocido en nuestro moderno teatro español".[24]

GÉNEROS Y ESPECTÁCULOS PREEXISTENTES

La crítica ha insistido en la ruptura que supusieron los estrenos de los dramas escritos por los autores más relevantes del romanticismo español: *La Conjuración de Venecia* (23-IV-1834), el *Macías* (24-IX-1834), *Don Álvaro o la fuerza del sino* (22-III-1835), *El Trovador* (1-III-1836), *Los amantes de Teruel* (19-I-1837) (E. A. Peers, I, 321-375; Navas Ruiz, 1982, 120-127). Las reacciones espontáneas del público registradas en la crítica periodística inmediata confirman esta valoración de la crítica universitaria.

En los años próximos a estos estrenos, a pesar de que las ideas sobre el teatro expresadas en las publicaciones periódicas fueran erráticas, se advierte una voluntad de cambio en los gustos y formas teatrales a la que se suele identificar con el *romanticismo*. Sirva de muestra la reacción crítica de "El Duende satírico del día" cuando fustiga (31-III-1828) el estreno de *Treinta años o la vida de un jugador* y clasifica esta obra entre "la poesía *romántica*, objeto de una gran disputa que hay en el día sobre si han de entrar en él o han de quedarse a la puerta estas señoras piezas desarregladas dichas del *romanticismo*".

El juicio del jovencísimo Larra es parejo al que, por las mismas fechas, encontramos en publicaciones de autores más expertos en la historia del teatro. El anónimo prologuista —con toda seguridad, Agustín Durán— de *El mayor monstruo, los celos*, en la *Colección de Comedias* de Ortega, escribía: "Calderón, que casi en todos los géneros de poesía dramática descolló sobre sus contemporáneos en el romántico, a que pertenece esta composición, tiene otras dignas del mayor aprecio, entre las cuales le merece

[24] José Zorrilla, *Recuerdos del tiempo viejo, Obras Completas*, Valladolid, II, 1819-1820.

muy particularmente la del Tetrarca. Para juzgar de su mérito, es inútil decir que por ahora nos olvidaremos, como su autor cuando la escribía, de que existían reglas clásicas; y que dejaremos para otro lugar el examen de los principios en que se funda el género *romántico* y de la consideración a que es acreedor"; el texto, según anuncio periodístico, debió de aparecer a principios de 1829 (Leonardo Romero, 1988a, 606). Y en palabras muy parecidas, la nota distribuida por la empresa de los teatros de Madrid a principios de la temporada 1834-1835: "otro objeto se ha propuesto la empresa y es demostrar que nuestro teatro abundaba desde hace más de dos siglos en creaciones *románticas* no inferiores a las que recientemente se han apoderado de la escena francesa "(apud A. Rumeau, ¿1938?, 342) o en las cuestiones formuladas en la cartilla escolar *Principios de Literatura acomodados a la declamación* (1832) de Félix Enciso Castrillón: "*Pregunta.* —Las comedias del nuevo género llamado *romántico* ¿quebrantan todas las reglas? *Respuesta.* —Sí, señor. Y las quebrantaron casi todos los autores españoles, por lo cual se escribieron contra nuestro teatro tantas y tan amargas críticas; pero como la opinión de los hombres es tan variable, ahora muchos alaban como una belleza lo que antes censuraron otros como defecto imperdonable".

Para muchos críticos, la línea temporal que señala la ruptura traída por el teatro romántico corresponde a los años 1834-37, en los que tienen lugar los estrenos anteriormente recordados. Ha llegado a admitirse una leve ampliación en la frontera inicial que llegaría hasta el año 1828, fecha de la muerte de Moratín y de la publicación del *Discurso* de Durán (Nicholson B. Adams, 1945, 612-613); límite que se matiza por planificaciones de investigación (Menarini, 1982, inicia su catálogo de textos teatrales en 1830, año del estreno parisino del *Aben Humeya*) o por razones meramente anecdóticas, como es la propuesta del año 1831, en el que se representó en un teatro privado *El Duque de Alba* del marqués de Molíns, según el acuerdo del tribunal literario que habían constituido Gil y Zárate, Bretón, Larra, Escosura y Ventura de la Vega (Molíns, *Obras,* II, p. 282).

El debate sobre los límites temporales del teatro romántico es cuestión adjetiva y ha ido siendo relegada por los estudiosos en la medida en que éstos prefieren ver la compleja realidad que fue este fenómeno literario a la luz de las diversas tendencias y formas teatrales vigentes en la España del primer tercio del siglo. Sin negar el efecto innovador que trajeron los estrenos canónicos, hoy es admitido que las líneas de continuidad con el teatro inmediato se mantuvieron no sólo en la práctica cotidiana de los espectáculos —las carteleras hasta ahora realizadas evidencian un lento proceso de cambios de gustos que en los años treinta estaba aún lejos de consumarse—, sino también en la asimilación que hizo el nuevo teatro de recursos compositivos y repertorios temáticos que se venían aplicando desde el siglo anterior.

1. *Teatro y espectáculos musicales*

Los conciertos y la ópera, consistían, en las vísperas del romanticismo, en los entretenimientos más frecuentados por las clases dominantes. El hábito de consumo de estas manifestaciones artísticas había sido contraído en el curso de la centuria ilustrada y los acontecimientos políticos del primer cuarto de siglo no modificaron sustancialmente la que ya era una tradición social.

De los usos establecidos en la vida española del Antiguo Régimen venía la suspensión de las representaciones teatrales durante los días de la Cuaresma y su sustitución por conciertos; y de la influencia de la música italiana y la presencia constante de músicos de este origen en Madrid, desde mediados del XVIII, se traspasó al XIX el gusto por la ópera italiana. Aunque el principio de la centuria había tenido un mal augurio para ésta —una disposición de Carlos IV obligaba a cantar las óperas en español—, el resonante triunfo de Rossini —estreno madrileño de *L'Italiana in Algeri* (29-IX-1816)— y la aplaudida llegada, en 1826, de una compañía dirigida por Mercadante, explican el fracaso práctico de la disposición de Carlos IV y la boga del teatro musical italiano durante el reinado de Fernando VII; todo ello se produce, además, en perfecto paralelismo con las tendencias y los gustos musicales que se manifestaban en los otros teatros europeos (López-Calo, 1984).

Una revisión del documentado trabajo de Emilio Cotarelo sobre la historia de la ópera y la zarzuela en España ilustrará con precisión cómo, en la tercera década del siglo, la ópera llegó a convertirse en una *moda* dominante y caracterizadora del comportamiento cultural de la burguesía y la aristocracia. Los escritores costumbristas son los primeros en reflejar el fenómeno. Repárese, a vía de muestra, en el estereotipo de prestigio social que manifiesta el matrimonio de tenderos del larriano *No más mostrador:* doña Bibiana prefiere la ópera, su menos presuntuoso marido elige en teatro en verso. Las declamaciones de los satíricos contra el "furor filarmónico" no respondían a un mero impulso misoneísta, sino que, además, eran llamadas de atención en favor de la supervivencia de los profesionales españoles del teatro:

> Mas mi cólera, Anfriso, no consiente
> que ensalzando de Italia a los cantores
> al español teatro así se afrente.

> Tribútese en buen hora mil loores
> a una voz peregrina; y no olvidemos
> que en Madrid hay comedias, hay actores.

> No sea todo *bravos,* todo extremos
> cuando acata a su reina el pueblo asirio
> y al escuchar a *Inarco* bostecemos.[25]

Una curiosa noticia de 1834 convierte la "filarmonía" en una cuestión de *distribución equitativa* del patrimonio cultural: según los periodistas de *El Siglo* (31-II-1834), al solicitante de un palco para los conciertos del Príncipe se le contestó por la autoridad pertinente "que tenga paciencia, que él es soltero y hay muchos casados que lo solicitan y deben ser preferidos".

Los costes de una representación operística repercutían en los precios de las entradas —los "primeros días de ópera se cobra la tercera parte más en los palcos, lunetas, delanteras y sillones", (*Diario de Avisos,* 24-IV-1832)— y el éxito de estas representaciones musicales incidía en la merma de las puestas en escena del teatro hecho por los actores nacionales. Larra, como en casi todos los aspectos de su crítica a los aspectos estructurales de la vida teatral, es clarividente en el artículo "De la separación de la ópera italiana y del teatro nacional. De la empresa de ópera ita-

---

[25] *Contra el furor filarmónico, o más bien contra los que desprecian el Teatro Español, sátira. Su autor Don Manuel Bretón de los Herreros,* Madrid, 1828, p. 10.

liana" (*El Español*, 8-III-1836) y no deja de ofrecer en otros artículos interesantes observaciones respecto a la oposición ópera/teatro, como en este comentario de tan neto sabor periodístico: "en la noche de esta representación [la refundición de una obra de Moreto] hemos observado una singularidad que por primera vez ha ocurrido en estos teatros. La ópera nueva ha tenido mil y tantos reales de entrada, al paso que la refundición ha alcanzado más de tres mil. Ésta es la sincera expresión del efecto que ha producido en Madrid la representación de la ópera recientemente ejecutada" (*Revista Española*, 26-VII-1833).

Estas circunstancias sitúan en su contexto la creación del primer centro público de educación musical, el Conservatorio madrileño establecido por un Real Decreto de 15-VII-1830 y cuya actividad se inició en enero de 1831 (Federico Sopeña, 1967). La joven reina María Cristina dio nombre al nuevo centro en el que se impartían enseñanzas musicales y de declamación escénica.

Posiblemente relacionado con un proyecto de extensión de las actividades musicales estuvo el de la escritura de óperas sobre libreto español —caso, al parecer, distinto de las versiones hispanizadas a que obligaba la Orden de 1799—, de las que la primera fue *Los enredos de un curioso,* obra de Piermarini, Carnicer y Saldoni, estrenada en los salones del recién inaugurado Conservatorio el 6-III-1832. El segundo intento de esta índole resultó un fracaso, en el que se vio envuelto un joven libretista —Larra— que se estaba abriendo camino en todo género de escritura literaria; la ópera se titulaba *El Rapto,* su música era de Genovés y se estrenó en el teatro de la Cruz el 16-VI-1833 (ed. de Leonardo Romero, 1991).

La vida musical desde mediados del siglo tuvo un camino independiente de la actividad teatral, pero en la historia del teatro romántico no debe desatenderse la etapa de pugnas por la adquisición de unos públicos y unos escenarios ni tampoco los componentes escenográficos y melódicos que pasaron de una a otra forma de actividad teatral. Algunos estudiosos del teatro romántico han subrayado los préstamos de *lirismo* que de la ópera se transfieren al teatro no musical —arias de ópera convertidas en monólogos, introducción de textos cantados en un texto no operístico (en *El trovador,*) —, adopción métrica de formas corales procedentes de las óperas de Metastasio, y, sobre todo, apropiación de argumentos y textos del teatro recitado en la elaboración de dramas musicales. *Don Álvaro, El Trovador, Simón Bocanegra* sirvieron la base argumental para sendas creaciones de Verdi (José Luis Varela, 1975, para *Simón Bocanegra;* Loreto Busquets, 1988 para *Don Álvaro*); el tema de *La viuda de Padilla* sirvió el argumento para la *María Padilla* de Donizetti; Tomás Bretón musicó una versión operística de *Los Amantes de Teruel* (1889), drama también musicado por Avelino Aguirre[26] y el popularísimo *Don Juan Tenorio* llegó a tener una réplica musical en versión azarzuelada.

2. *Tragedias*

El género canonizado en la tradición poética aristotélica se lucró de los prestigios que le concedían una teoría literaria y una estimación estética sustentadas por grupos socialmente privilegiados. De manera que la práctica del teatro clasicista prosiguió su ejercicio en el curso del XIX, bien que, en determinados casos de actualización de la tragedia, los modelos tenidos en cuenta fueran directamente los textos griegos y latinos y, en alguno, los modernos italianos como Alfieri, cuya *Mirra* tradujo Manuel de Cabanyes (ed. de Cristina Barbolani).

Aunque carecemos de un catálogo de los textos trágicos escritos durante el XIX (dan estimables datos el P. Blanco García, I, 1891, 59-76; Félix San Vicente, 1982a, 96-97 y 100; E. Caldera, 1988, 428-434), se ha iniciado un proceso de recuperación de textos trágicos inéditos del que dan cuenta el hallazgo del *Ataúlfo* del duque de Rivas (exhumado por J. M. Cacho, 1984), el *Roger de Flor* de Lista cuya edición anuncia Martínez Torrón (1989), el *Guzmán el Bueno* de Manuel Hernando Pizarro (Sánchez-Blanco, 1988) o los *Viriato* y *Edipo,* aún inéditos, de Rafael José Crespo.[27] Estos textos se escribieron entre 1814 y 1833, durante el reinado de Fernando VII, cuando la reviviscencia de la cultura clasicista llegó a un punto de saturación tanto

---

[26] *Gli Amanti di Teruel*, letra de Rosario Zapata y música de Avelino Aguirre, fue ópera estrenada en el teatro Principal de Valencia ((16-XII-1865).

[27] El número de tragedias de estos años que sólo se conservan manuscritas porque no se imprimieron es indicio de que su escritura era fundamentalmente tributo individual que pagaban los escritores a un paradigma literario.

en las letras como en la arquitectura y la escultura (Pedro Navascués, 1989). Equivale este fervor clasicista al que se vivió en la Francia de los años revolucionarios; Pérez Galdós nos ha trasladado una parodia muy expresiva de este clima, cuando reconstruye en el cap. XI de *La Fontana de Oro* la lectura de una tragedia.

Traducciones de tragedias francesas o italianas,[28] versiones de textos de la venerable antigüedad grecolatina, recuperaciones solemnes de temas de la historia hispana sirvieron argumentos para las *tragedias y dramas trágicos* —denominación esta última que Gertrudis Gómez de Avellaneda aplica a sus obras *Saúl, Alfonso Munio, Baltasar*— que se escribieron durante todo el siglo, porque no fue sólo la época fernandina la única temporada fecunda en esta clase de creaciones. En las décadas centrales del siglo (para las tragedias escritas en la década moderada, Lloréns, 1979, 538-539) y todavía bien entrada la década de los sesenta, se escribieron tragedias en número suficientemente significativo, bien que —como había sido el destino de este género en las centurias anteriores—, cuando conseguían subir a un escenario, duraban en él tiempo muy reducido.

Eugenio de Ochoa comentaba en *El Artista* el estreno de la *Mérope* de Voltaire con palabras que iban más allá de la filiación literaria del traductor —"el Sr. Bretón de los Herreros está en el caso de colocarse al frente de la escuela antirromántica en España"— y que sintetizaban el momento de crisis artística de un género literario: "decididamente no está el público de Madrid por el género clásico: ¿diremos por eso que está por el romántico? Creo que sería lo más acertado decir que no está por ninguno. Seguro es que nos hallamos en una época de transición en política, en literatura y en todo; sentimos que nos falta algo, pero no sabemos qué; sólo estamos seguros de que esto que nos hace falta no es lo que hemos tenido hasta ahora" (*El Artista*, I, 1835, 216).

Desde mitad del siglo XVIII hasta las tragedias escritas durante el romanticismo, los autores de teatro ensayaron diversos

---

[28] Cristina Barbolani (1989), que ha considerado con detenimiento la versión que hizo Manuel de Cabanyes de la *Mirra* de Alfieri, ha encontrado en el texto español un singular empleo de los *silencios* que, para la citada estudiosa, no serían sino expresiones simbólicas de un romántico anhelo indefinido, es decir, de la *Sehnsucht* de los románticos germanos.

tratamientos de temas clásicos o nacionales en los que se pueden apreciar cambios en las técnicas de construcción y en el estilo. Las tragedias *César* de José María Díaz (1841) y de Ventura de la Vega (1863), la concepción diferente del carácter de la legendaria hermana de Pelayo desde la *Hormesinda* (1770) de Nicolás Fernández de Moratín y el *Munuza* de Jovellanos hasta el *Pelayo* (1805) de Quintana o la visión contrapuesta de la historia castellana que presentan del personaje *Blanca de Borbón* Dionisio Solís (en obra escrita antes de 1829), Gil y Zárate (1829, pero representada en 1835) y Espronceda (1834-36, no representada) son otros tantos testimonios de una modificación de la idea de tragedia según la había entendido la poética clasicista y, al tiempo, un avance de componentes teatrales que serán característicos de los dramas románticos (E. Caldera, 1974, 61-74).

En las primeras producciones teatrales de dos escritores que se lucraron simultáneamente del prestigio social y el literario —el duque de Rivas y Martínez de la Rosa— se puede analizar al detalle el proceso que conduce desde una estética neoclásica de la tragedia hasta la forma del drama romántico. *La viuda de Padilla* (1812) y *Morayma* (1818, no estrenada) de Martínez de la Rosa avanzan rasgos que el escritor granadino manifestaría en sus dramas posteriores (María Teresa González de Garay, 1983); las siete tragedias de Rivas —*Ataúlfo* (1814), *Aliatar* (1816), *El duque de Aquitania* (1817), *Malek-Adhel* (1818), *Lanuza* (1822), *Arias Gonzalo* (1827) y la perdida *Doña Blanca*— desarrollan un proceso evolutivo, en la retórica y la concepción de personajes y motivos, que conduce de lo trágico a lo dramático y que hace posible que la producción teatral clasicista del duque "pueda leerse en la clave de una constante aproximación, sobre todo formal, a la plena realización romántica del *Don Álvaro*" (Caldera, 1983, 5). Otras aproximaciones entre tragedias de la centuria dieciochesca y las tragedias de las vísperas románticas han sido planteadas para los *Ataúlfos* de Montiano y Rivas (R. Fernández Cabezón, 1984).

Se ha reconstruido el horizonte de ideas literarias de los autores de *Poéticas* publicadas durante los dos tercios primeros del XIX (Shearer, 1941; Leonardo Romero, 1974, 4-10; Cebrián, 1990; Rodríguez Sánchez de León, 1990). En estos tratados es mínima la acogida que se da a los géneros teatrales "menores" —*vaudevilles*, sainetes, parodias…—, ya que conceden el núcleo de las discusiones a la admisibilidad del *drama* como un género independiente de las canónicas *tragedia y comedia*. La *tragedia* ocupa la parte central; a ella se refieren las consideraciones sobre la finalidad moral de la obra escénica y sobre los principios que rigen la imitación de las acciones y el decoro de los personajes, de manera que cuando autores como Matínez de la Rosa o Larra pretenden otorgar un estatuto de dignidad poética al moderno *drama histórico* se ven precisados a acudir al modelo teórico que significaba la tragedia clásica. En las observaciones sobre los procedimientos de la elaboración de la obra dramática —*tragedia, comedia*, o moderno *drama*— la cuestión más debatida en las *Poéticas* era la referida a las unidades. La de acción era universalmente admitida; las discusiones se centraban en las otras dos unidades, de lugar y tiempo.

Durante el primer tercio del siglo, las opiniones sobre el tratamiento del espacio y el tiempo responden a una rígida escolástica postrenacentista; a partir de los años treinta los tratadistas manifiestan actitudes templadas en la interpretación de estas cuestiones e, incluso, formulan argumentaciones de hechura coyuntural —"aún no se ha caracterizado debidamente [el romanticismo]" para Alonso de la Avecilla, traductor de textos de Mme. de Staël (Leonardo Romero, 1968)— que concluyen por admitir la radical historicidad de la poesía y de los textos literarios:

> En diferentes latitudes, en diferentes tiempos, distinto será el carácter de la poesía y distinta la idoneidad del hombre para los varios géneros poéticos (...) y una poética dada en remotos siglos y en lejanos, no será enteramente adaptable a otro cualesquiera pueblo y en cualesquiera siglo.[29]

3. El teatro antiguo español

En opinión de Ermanno Caldera (1988, 393), que ha considerado un volumen estimable de refundiciones teatrales del primer tercio del siglo XIX, "hasta 1830 aproximadamente, el tea-

---

[29] Alonso de la Avecilla, *Poética Trágica*, 1834; ideas similares en el artículo anónimo "De la tragedia en España", publicado en el *Semanario Pintoresco Español*, 1848, pp. 53-55.

tro del Siglo de Oro vive o sobrevive, en gran parte gracias a la
labor casi subterránea, a menudo despreciada —aunque, a lo
que parece, bastante rentable— de los refundidores", labor que,
a su vez, prolonga una actividad muy frecuentada en la literatura
dieciochesca.

El procedimiento de adaptación de los textos teatrales barrocos a matrices distintas y que, al parecer, inició Tomás Sebastián
y Latre con la *Progne y Filomena* de Rojas, tuvo fecunda continuidad en el curso del siglo XIX, en cuyos primeros años nos encontramos con la interesante figura de Dionisio Solís, refundidor
azacaneado y probado amigo de Moratín (Caldera, 1980; Gies,
1990, 1991). La anterior aserción de Ermanno Caldera posiblemente deberá matizarse tanto en lo referente a la calidad de
los trabajos teatrales a que se refiere,[30] como en la fecha límite
que señala. Obsérvese, por ejemplo, que Bretón refunde desde
1826 hasta 1847 (Gerald Flynn, 1977), que Calderón de la Barca fue autor frecuentado, *et per causam*, por los refundidores de la
época romántica (Henry Sullivan 1982), pese a las alteraciones
que sus textos teatrales habían experimentado en las refundiciones de principios del siglo (tal como ha estudiado E. Caldera,
1983a), y que Juan Eugenio Hartzenbusch fue el refundidor por
antonomasia del romanticismo (A. Sparks, 1966, por ejemplo,
ha mostrado la interpretación que hace el erudito romántico

---

[30] Sánchez Barbero niega la condición de poetas a los refundidores "nueva
secta de autores que tienen por oficio remendar o estropear escritos poéticos;
alterar, suprimir, añadir a su placer, atentando abiertamente a una propiedad
ajena, sin más ley que su capricho" (*Principios de Retórica y Poética*, Madrid,
1805, 163-164); un anónimo colaborador de la *Revista Española* (10-IX-1833)
rechaza también las refundiciones al salir en la defensa de los derechos de los
antiguos, ya que "sus obras son de ellos y de nadie más. Atreverse, so pretexto
de reformarlas, a truncarlas, añadirlas, cercenarlas y darles diversa forma, este
es un verdadero atentado". Antonio Alcalá Galiano explicaba para los lectores
ingleses de *The Athenaeum*, en 1834, en qué consistía el trabajo de los refundidores: "reducir los dramas antiguos al patrón del código de Aristóteles o de
Boileau, torturándolos para acomodarlos a las unidades de tiempo y lugar,
eliminando todos los personajes que se consideran inútiles y expurgando todos
aquellos pasajes en donde el gusto de una época pasada entra en flagrante
oposición con la del tiempo presente. Conseguir todo esto exigía el empleo
generoso de las tijeras; tras muchos cortes y tajos implacables, solían unir las
diferentes piezas con algunos parches de la propia cosecha"; e, ilustraba seguidamente, con el caso del diligente Pablo Mendíbil, exiliado como él en Inglaterra (*Literatura española siglo XIX*, ed. Llorens, 1969, 113); véase también,
Larra, *Obras Completas*, II; 202b.

del honor calderoniano en su refundición de *El médico de su honra*).

Las líneas generales de las refundiciones en el XVIII y en el XIX son coincidentes en presupuestos y en resultados; en ambos siglos los refundidores persiguen unos fines estéticos determinados —y que en su estimativa consisten en dotar de regularidad a las *desarregladas* obras del Siglo de Oro— y unos objetivos político-morales que alivien el texto original de palabras o comportamientos inaceptables para los usos morales vigentes en el tiempo de la refundición. El arreglo podía llegar a extremos caricaturescos, como describe Zorrilla, evocando sus años de estudiante en el Seminario de Nobles:

> híceme célebre en los exámenes y actos públicos del Seminario y llegué a ser galán en el teatro en que se celebraban estos y se ejecutaban unas comedias del teatro antiguo, refundidas por los jesuitas, en las cuales, atendiendo a la moral, los amantes se transformaban en hermanos y con cuyo sistema resultaba un galimatías de moralidad que hacía sonreír al malicioso Fernando VII y fruncir el entrecejo a su hermano el infante don Carlos.[31]

Con todo, se dan discrepancias considerables entre las refundiciones neoclásicas y las que hicieron los autores románticos. Caldera (1974, 9-58; 1988, 393-399) ha considerado detenidamente el diferente trabajo operado sobre *La estrella de Sevilla* en una versión de Trigueros de 1800 y otra de Hartzenbusch de 1851 para poner en evidencia cómo cada tiempo tiene sus exigencias estéticas y políticas. Análisis pormenorizados de otras refundiciones permitirán establecer las diferencias de criterio empleadas en una época y otra y podrán verificar la hipótesis de Vicente Llorens (1979, 386-387) sobre el atentado que los autores románticos realizaban contra sus principios teóricos más sustanciales, puesto que, al refundir el teatro antiguo de la manera que al parecer lo hacían, dinamitaban el principio de la *unidad orgánica*.

En un orden de planteamientos cuantitativos, los datos parciales que deparan las carteleras madrileñas (Rumeau, ¿1938?, 337-338) y algunos juicios aislados de críticos románticos sugieren una disminución llamativa en las representaciones de textos

---

[31] *Recuerdos del tiempo viejo*, en *Obras Completas*, Valladolid, II, 1740.

barrocos en el curso de los años treinta; por ejemplo, el conde.de Campo Alange escribía que "las producciones de nuestro teatro antiguo han ido perdiendo prestigio, hasta el extremo de ejecutarse ya en estos últimos años casi siempre para tan reducido número de espectadores que podrían contarse con una ojeada" (*El Artista*, I, 177). Estudios publicados recientemente acentúan la interpretación de estos datos incompletos para subrayar el entendimiento del romanticismo español como un espacio opuesto por el vértice a la cultura del barroco (Sebold, 1983, 43-73) y en el que la operación reaccionaria de Böhl de Faber (Guillermo Carnero, 1978) caía en un vacío generado por el desprestigio progresivo de las refundiciones (Real Ramos, 1983, 429 y José Escobar, 1990).

La tesis sobre la continuidad decimonónica de la estética seiscentista es rechazada por los investigadores y los críticos actuales de igual manera que el trabajo de revisión textual que llevaron a cabo los refundidores está siendo objeto de una interesante evaluación aún no concluida. Pero estas dos líneas de la actual investigación sobre el teatro del XIX no pueden llevar a negar la gravitación del teatro clásico español sobre la escritura escénica de los autores románticos. La ya vieja tesis (N. B. Adams, 1936) se confirma con los datos, aunque insuficientes, proporcionados por las *Carteleras madrileñas* (Juana de José Prades, 1960) y valenciana (Lucio Izquierdo, 1989, documenta abundantes representaciones hasta 1832) y, además, se enriquece con la consideración de otros indicadores de la presencia del teatro clásico en los escenarios románticos. A este respecto es sumamente elocuente la *Colección* de textos teatrales barrocos que inició en 1826, en publicación por entregas, el editor Ortega y que se publicó hasta 1834 mediante el sistema de las suscripciones,[32] o las subsiguientes series de textos teatrales de los Siglos de Oro que forman el *Teatro Español anterior a Lope de Vega* edita-

---

[32] Sobre la directa participación de Agustín Durán en el plan de la *Colección* de Ortega han realizado aportaciones, Shaw, 1973, p. VIII, David T. Gies, 1975, 82-83, Leonardo Romero, 1988a, 601-602, que, en este trabajo, no incorporó la reseña de la *Colección* hecha por Alberto Lista en la *Gaceta de Bayona* (7-XI-1828) y en la que el escritor sevillano asimilaba el teatro de Calderón con la manifestación privilegiada del "genio nacional". Añádase, además, que la extensa nota del *Discurso* en que se verifica un examen comparativo de la celopatía del Herodes calderoniano y del Orosman de *Jaira* no hace sino ampliar el texto del análisis anónimo que, en la *Colección* de Ortega sigue a *El mayor monstruo los celos*.

do en Hamburgo por Böhl de Faber (1832), la *Talía Española* (1834) de Agustín Durán,[33] la serie inconclusa y por entregas del *Teatro Antiguo Español* (Madrid, Grimaud de Velaunde, 1837), los tomos teatrales de la *Colección de los Mejores Autores Españoles* que Eugenio de Ochoa publicaba en París (1838-1872), la *Galería Dramática* (1839-1840) de Hartzenbusch y la *Biblioteca de Autores Españoles*, iniciada en 1846 y en la que se dispuso la edición romántica del gran *corpus* de textos teatrales del Siglo de Oro. Juan Eugenio Hartzenbusch, Luis Fernández-Guerra, Mesonero Romanos y González Pedroso fueron los editores responsables de la edición de los textos teatrales en esta última colección, especialmente el primero.

La reelaboración ideológica de que fueron objeto los textos de teatro barroco ha sido cuestión reiteradamente aludida en los estudios sobre el romanticismo hispano. Una revisión actualizada de cómo Calderón gravitó en la teoría de los románticos alemanes han presentado recientemente Ernst Behler (1981) y Hans Gerd Rötzer (1990) al tiempo que Leonardo Romero (1981) y Henry Sullivan (1982) han considerado la presencia del autor de *La vida es sueño* en el teatro español de la primera mitad del siglo; la crítica española contemporánea parece haberse limitado a repetir los ecos de los Schlegel hasta que Pedro José Pidal publicó un orientador trabajo filológico titulado "El teatro antiguo español y la crítica" (*Revista de Madrid,* 1839).[34] Algunas páginas de los tratados de *Poética* (Leonardo Romero, 1974; Rodríguez Sánchez de León, 1990) rehabilitaron, en fin, la estimación por el teatro español, que de ser denominado *antiguo* terminó siendo el *teatro clásico* de la *nación* española.

Otras series de textos teatrales publicadas en Alemania tienen menor significado para el aspecto aquí tratado, pero en las antes mencionadas, importa valorar críticamente los autores y textos que se reprodujeron y, singularmente, la técnica de la edición empleada que, como es sabido, aportó novedades luego muy arraigadas en la impresión de textos teatrales, como es la división de los *actos* en *escenas*.

---

[33] Sobre este proyecto, que terminó siendo la edición de tres piezas de Tirso de Molina, ofrece documentos inéditos Leonardo Romero (1975, 424-428); para Tirso, A. Nougué (1969).
[34] Reeditado en el libro del autor *Estudios Literarios*, Madrid, Tello, I, 1890, 353-366.

En las refundiciones efectuadas en sus años de juventud por Hartzenbusch, Mesonero, Bretón, García Gutiérrez y el mismo Zorrilla, estos autores realizaron un aprendizaje en el que el modelo aportado por las fórmulas barrocas no pudo serles indiferente. Posiblemente un estímulo inicial, recibido por ellos en el trabajo de las refundiciones, se ha convertido posteriormente en un estereotipo crítico, inexacto históricamente, y según el cual sólo el teatro barroco podría explicar el modelo teórico del teatro romántico español.

4. *Teatro sentimental y de espectáculo*

No disponemos de datos que permitan suponer que el paréntesis que en la actividad teatral supuso la etapa bélica de 1808 a 1814 alterase sustancialmente las que habían venido siendo tendencias dominantes en los espectáculos públicos durante el Antiguo Régimen. Perduran, durante el reinado de Fernando VII, las refundiciones del teatro del Siglo de Oro y las piezas del teatro-espectáculo que tan amplia acogida habían tenido durante la anterior centuria, del mismo modo la fórmula de la *comedia lacrimosa* o de la simple *comedia de enredo* siguen encontrando audiencia entre los espectadores. Gracias a la pervivencia de unas y otras formas teatrales los estudiosos del teatro romántico suponen que componentes de todas ellas pasaron a los dramas y comedias del segundo tercio del XIX.

En 1831 el público seguía prefiriendo la *comedia de teatro* de exhibición espectacular (Rumeau, ¿1938?, 336); todavía en 1883 se editaba, en una valenciana colección de *Obras dramáticas escogidas*, el inmarcesible *Diablo predicador* (Izquierdo, 1986, 387-388). En las vísperas del romanticismo fueron obras de gran éxito algunas piezas de puro espectáculo escénico como *Jocó el orangután* y *La pata de cabra*. Una vez iniciado el cambio, perduró el teatro de espectáculo bajo la fórmula de la *comedia de magia*, modalidad en la que destacó sobre todas las demás representaciones de la etapa fernandina, *La pata de cabra*.

Fue el estreno de la adaptación de *Le pied du mouton* de Martainville y Ribié el mayor acontecimiento teatral del reinado de Fernando VII. Tuvo lugar el 18-II-1829 en el teatro del Príncipe y, desde esta fecha, su permanencia en cartel atrajo a las masas de espectadores en Madrid y en las otras ciudades. Ideó la puesta en escena el incansable Grimaldi, cuyo mérito, sobre este asunto, ponderaba el editor Repullés en una nota añadida a la edición de 1842 del popularísimo *melo-mimo-drama-mitológico-burlesco de magia y de grande espectáculo*: "el autor de *La Pata de Cabra* no aspiró a lauros literarios, sólo quiso proporcionar a la empresa de los teatros medios de llamar gente, y nadie por cierto negará que ha logrado su objeto". El éxito se explica como un acierto en la integración de los públicos más diversos gracias al espectáculo que se ofrecía en la escena.[35] Por una parte, la visualidad estaba garantizada con los doce cambios de decorados y las aplicaciones de maquinaria que se realizaban en el curso de la obra; por otro lado, varios modelos genéricos de la tradición teatral española se habían fundido muy hábilmente en el texto españolizado, en el que podían advertirse secuencias de enredo, el tipo del *figurón* y la comicidad verbal o de situación de la comedia popular e, incluso, como sostiene E. Caldera (1984), rasgos inequívocamente románticos. David T. Gies ha estudiado con detenimiento los aspectos sociológicos y los rasgos teatralmente específicos de este texto (1986, 1988) del que también ha realizado una cuidada edición (1986).

Esta pieza era también una modalidad de *comedia de magia*, subgénero que había tenido gran acogida en toda Europa durante el siglo XVIII, y que se prolongó hasta bien entrado el XIX, si bien transformando el sentido de los textos hacia un mensaje de sátira total de la que no se libraba ni la misma institución de la taumaturgia. El espectáculo visual, posibilitado por la perfección de la maquinaria escénica, representa un papel primordial en las piezas de estas características que escribieron Húmara y Salamanca[36] (*El genio azor*, 1826), Bretón de los Herreros (*La pluma prodigiosa*, 1841), Hartzenbusch (*La redoma encantada*, 1839, *Los polvos de la madre Celestina*, 1841) o Rafael María Liern (*La estrella de oro y la almoneda del diablo*, 1862) (P. Santoro,

---

[35] Subraya un comentario anónimo publicado en *El Artista* (II, 1835, 34-35) que el "acertar con los medios de satisfacer las exigencias del público (...) nace principalmente de la inestabilidad de gustos y opiniones que llevan consigo la época de transición en que nos hallamos".

[36] Repárese en que se trata del autor de la considerada por algunos críticos como primera novela histórica del romanticismo español, *Ramiro, conde de Lucena*.

1983a, 206-235 para la recepción periodística de las comedias de magia; E. Caldera, en AA.VV. 1983a, 185-205 para el estudio de las más significativas obras de esta observancia y también Álvarez Barrientos, 1988).

La aceptación de las comedias de magia era generalizada; los espectadores de fuera de Madrid, como los valencianos que ha estudiado Lucio Izquierdo (1986), manifiestan idénticas actitudes que las que conocemos en los públicos madrileños, puesto que la polisemia del subgénero mágico garantizaba su popularidad. La continuidad del éxito de la *comedia de magia* en el curso del siglo sólo hace válida, en estricto sentido, para el reinado de Fernando VII la aseveración de Robert Marrast (1978, 36) referida a la finalidad de anestesia psicológico-social que cumplirían estos peculiares textos. Lo indiscutible es que se trataba de un espectáculo aceptado por las más diversas clases sociales, y, de modo especial, por los públicos menos cultivados, tal como evidencia una gacetilla de *El Correo Literario* (19-X-1829) a propósito de la diversidad de gentes que asistían a las representaciones de *La pata de cabra*: "así es que la cazuela se ve poblada de espectadores de un nuevo género, y la luneta por su parte, renunciando a ser el puesto más escogido del teatro, da cabida a las chaquetas y las monteras".

En la vertiente del *drama sentimental* o, burgués es preciso situar otros textos, originales como *La enterrada en vida* de Eugenio de Tapia y traducidos, como las obras de Ducange *El abate l'Épée* o *Treinta años o la vida de un jugador*. Son obras en las que se suman el descuido de las reglas clasicistas y diversos componentes de espectacularidad directa y sensorial. Rasgos de este teatro son la caracterización de antagonistas radicalmente malvados frente a candorosos protagonistas, la abundancia de expansiones sentimentales y lacrimosas, los ocultamientos de personalidades que concluyen en agniciones y un esmerado detallismo en la construcción de los escenarios. Todas estas características convienen al género teatral que, con singular aceptación en la Francia revolucionaria, se había denominado *melodrama*, especialidad en la que sobresalió Pixérécourt y que también tuvo éxito en el teatro español del primer tercio del siglo. Para un sagaz observador de la vida teatral francesa de los años románticos, como Charles Nodier, el drama romántico no era otra cosa que el *melodrama* ataviado con la pompa artificial del lirismo. La exégesis del juicio del brillante escritor galo ha servido a los profesores Percival y Escobar (1984a, 141-146) un punto de partida que explica el teatro del duque de Rivas como una evolución desde un "melodrama reprimido" que sería *El duque de Aquitania* hasta la plenitud del melodrama, representada en el *Don Álvaro*, que "rompe ya todos los diques, pero manifestándose en lo que, para los críticos bienpensantes, sería la perversión moral del melodrama: un melodrama blasfemo".

Dos componentes del *teatro lacrimoso* que contenían especiales potencias para la provocación de la emocionalidad del público eran los motivos del *incesto* y del *suicidio*, rasgos del "romanticismo dieciochesco" (Sebold, 1973) que Trigueros adelantó ya en *El precipitado* (editado recientemente por Piedad Bolaños, 1988) y que los preceptistas de fin de siglo catalogaban como concesión a los banales gustos del público.[37] Joan Lynne Pataky-Kosove (1977) ha delineado una trayectoria del género *comedia lacrimosa*, desde *El delincuente honrado* de Jovellanos hasta *Cecilia la cieguecita* (1843) de Gil y Zárate, con una secuencia de obras en las que se aprecia un deslizamiento desde el sentimentalismo hasta la sensualidad y el cultivo del horror. María Jesús García Garrosa (1990) ha reducido la cronología de esta fórmula teatral distinguiendo con acierto entre el componente sentimental de la *comédie larmoyante* y el componente ideológico del *drame bourgeois*.

En orden a la fundamentación del romanticismo dieciochesco, el profesor Sebold (1985b) ha sintetizado los rasgos de *El delincuente honrado* en los que se anuncian elementos del *Don Álvaro*. Se trata de un planteamiento paralelo a la valoración que la comedia moratiniana suscitó en un observador teatral tan exigente y perspicaz como Larra, que no dudó en declarar al autor madrileño como un verdadero "escritor romántico", pues —así lo señala en su crítica a la reposición de *El sí de las niñas* (9-II-1834)— "Morarín ha sido el primer poeta cómico que ha dado un carácter lacrimoso y sentimental a un género en que sus antecesores sólo habían querido presentar la ridiculez". Algunos refundidores como Solís y algunos autores de piezas originales —como Francisco de Paula Martí (Martín Larrauri, 1979)—

---

[37] "Los poetas que han abrazado las tragedias urbanas han cometido defectos por el aire romancesco con que las escriben y por el suicidio que en algunas se pinta como una acción heroica" (Santos Díez González, *Instituciones Poéticas*, Madrid, Cano, 1793, 112).

deben ser tenidos en cuenta a la hora de la construcción de estos puentes entre el teatro *sentimental* del XVIII y el teatro romántico. Entre la *comedia de teatro* y la *sentimental* se sitúa, pues, otra modalidad teatral —el *melodrama*— que llega a España ya bien entrado el siglo XIX. Real Ramos (1983, 426-428), que ha delineado los rasgos de esta fórmula dramática, la caracteriza como una acumulación de rasgos diversos: combinación de partes musicales, espectacularidad en la disposición escenográfica, superficialidad de caracteres, intervención de personajes del estamento popular, rechazo de las censuras sociales, fascinación ejercida por el poder del mal, recompensa, en fin, de la virtud; García Garrosa acentúa el contenido de crítica social. Entre las canónicas *tragedia* y *comedia* de la *Poética* postrenacentista se situaban muchas obras adscribibles a alguna de las modalidades señaladas, aunque el predominio de los componentes patéticos hace pensar en una primacía de los textos dramáticos en detrimento de los textos estrictamente cómicos; "contrariamente a cuanto sucedió por ejemplo en Francia, en España el teatro romántico consistió durante largo tiempo, casi exclusivamente en drama histórico, mientras que en la comedia, la nueva producción permaneció estrechamente ligada a los criterios de la comicidad fijados por Moratín" (Menarini 1980, 202).

5. *La comedia*

Ermanno Caldera (1978, 13-16) ha propuesto un esquema interpretativo de la comedia romántica española que, si resulta adecuado en la explicación de la comicidad y de la risa como valores propios de la cultura romántica, puede discutírsele, sin embargo, su tipificación del carácter atemporal que asigna al drama, frente al anclaje en la realidad inmediata que adjudica a la comedia; según este estudioso la inmediata proyección histórica de la comedia "en los momentos de mayor libertad de pensamiento conduce a verdaderas tomas de posición morales y políticas, mientras que, cuando impera la opresión, desemboca en una moralidad más genérica". Con todo, entre el drama y la comedia románticas, según Caldera, las diferencias son de carácter poético; en su estructura básica comparten valores comunes como son la admisión de la difícil comunicación humana, el anhelo del amor puro y desinteresado, el sentimiento de la fuga del tiempo, el ansia de búsqueda de un infinito. El drama plantea estas tensiones en el nivel de *sublimidad*, y la comedia en los planos de la vida cotidiana. Todo ello explicaría las zonas de indeterminación que se dan en muchas obras, como, por ejemplo, en *La morisca de Alajuar* que su propio autor, calificó de *comedia*.

Sin olvidar las aportaciones de comediógrafos de corta producción como José María Carnerero, Manuel Eduardo Gorostiza, Martínez de la Rosa, Flores Arenas, García de Villalta, Santos López Peregrín (estudiados por E. Caldera, 1978, 81-100 y 163-172), en cuyas obras se reproduce el modelo de comedia moratiniana, el autor del modelo de comedia romántica española es Manuel Bretón de los Herreros (G. Flynn le ha dedicado varios trabajos monográficos que se integran en un libro de conjunto de 1978; Patrizia Garelli, 1983, ha intentado una explicación de la fórmula teatral del riojano;[38] ver también E. Caldera, 1978, 101-162, y Juan María Díez Taboada, 1985, 393-396). La atención a los pequeños conflictos sociales contemporáneos, la habilidad versificatoria y parodística que se traduce en un castizo ejercicio de comicidad verbal, la ostentosa apología de una posición rotundamente conservadora son otras tantas marcas del extenso y, por muchos motivos, emblemático teatro de Bretón, quien se había probado también como crítico de teatros en las páginas del *Correo Literario y Mercantil* (ed. de Juan María Díez Taboada y Juan M. Rozas, 1965).

Larra, al reseñar el estreno de *Un novio para la niña* (1-IV-1834) compendiaba las virtudes y defectos de este fecundo escritor: "el autor se deja llevar de su facilidad, en ésta no le conocemos rival, así como tampoco en el chiste y la agudeza; sus descripciones, así de bailes como de las casas de huéspedes, son un espejo fiel de las costumbres; su diálogo está lleno de gracias y de viveza. Su versificación es un modelo; pero donde se prueba cuánto puede el ingenio es una circunstancia notable. Tres comedias consecutivas nos ha dado este poeta, en las cuales ha sabido hacer tres obras diferentes, repitiéndose a sí mismo. Una

---

[38] Patrizia Garelli insiste acertadamente en estos aspectos caracterizadores de la comicidad bretoniana: finalidad didáctica no enfadosa, productividad de la fórmula "burladores/burlados", iteración de situaciones equívocas y abundancia de recursos de comicidad verbal, obtenidos del registro coloquial y de las parodias de otros registros especializados. Para la sátira del neologismo, ver Muro, 1985.

joven virtuosa y tres pretendientes de diversos caracteres forman el argumento de todas ellas. Otro se hubiera visto apurado para hacer de él una sola comedia". Hartzenbusch buscó otra forma de comicidad con textos en los que planean situaciones próximas al absurdo —*Juan de las Viñas, La coja y el encogido, La visonaria*—, fórmula que no llegó a prosperar.

Había, sí, una receta importada para la escritura de una comedia exenta de comicidad verbal, en la adopción de los *vaudevilles* franceses, una vez que habían sido vaciados de su condición de textos mixtos de canto y recitado. Un autor de éxito en los escenarios de París —Eugène Scribe— ofrecía la posibilidad que fue ostentosamente acogida en los teatros españoles (Marilyn Lamond, 1961). Para Mariano José de Larra, el tributo que suponía esta adopción de otro modelo teatral foráneo podría llegar a ser un fecundo camino para una comedia burguesa a la española (véase su artículo "De las traducciones, *El Español*, 11-III-1836, y la ed. de textos teatrales inéditos, 1991). Desde 1845 se estableció, en fin, una forma de comedia burguesa con la propuesta de Ventura de la Vega en *El hombre de mundo*, pero el teatro de la llamada "alta comedia" implica una derivación del romanticismo hacia supuestos ideológicos y teatrales que deben ser estudiados en otra secuencia histórico-literaria.

6. *El teatro menor y la parodia*

La estructura del espectáculo teatral llegó a mantener, hasta bien entrado el siglo, el entreverado de la obra representada con otras piezas menores que se iban intercalando entre los actos, si bien el material entremezclado eran bailes o ligeras intervenciones musicales. Las obritas en un acto se reservaban para el inicio o el final de la función. Poco sabemos de estas obritas durante el romanticismo; muchas veces escritas expresamente para una sola representación, pero que, también muchas veces, ellas mismas constituían el núcleo del espectáculo, ya porque éste constase de un conjunto de obras de escritor consagrado —adaptaciones de Scribe hechas por Larra o Ventura de la Vega, textos de Bretón, de Bernat Baldoví en Valencia, de José Robreño en Barcelona—, ya porque alguna de las piezas constituyese el auténtico aliciente del espectáculo. La falta de estudios sobre la función desempeñada por las piezas breves en el teatro de la época no debe llevarnos a la idea de que éstas no existieron a causa de la decadencia en que había entrado el *sainete*. En Valencia y Barcelona, por ejemplo, la representación de estas piececitas fue una de las vías para la recuperación de la tradición lingüística y teatral autóctonas (Rosa Julia Cañada Solaz, 1987). Y desde mediados de la centuria, en el teatro representado en español, el género tendría su propia denominación bajo el rubro de *juguete cómico* (Izquierdo, 1990).

Idénticas carencias informativas tenemos respecto a los *bailes* que, como muchas veces ocurría con los sainetes y juguetes, centraban el interés del espectáculo escénico; bailes como centro de la representación o como un elemento más del conjunto del espectáculo teatral, y en el que individualidades femeninas, extranjeras como la Guy Stephan, o nacionales como Pepita, atraían el interés de los espectadores. El baile implicaba la existencia de pequeñas compañías especializadas que, con su director al frente, repetían herencias del siglo XVIII —boleros, fandangos, minués— u ofrecían nuevas creaciones coreográficas como las caleseras, las mazurcas o los bailes gallegos, manchegos y aragoneses (Izquierdo, s. a.). En la conjunción del atractivo ejercido por el Sur misterioso y por las específicas manifestaciones folclóricas de Andalucía, junto con el prestigio artístico que cobraron los grupos sociales marginados —gitanos, maleantes, bandidos— surge, en el promedio del siglo, una fórmula especial de comedia breve —el *teatro andaluz*— que tuvo abundante cultivo en la mitad del siglo y aún está pendiente de un estudio pormenorizado.

La encrucijada entre el espectáculo de taberna y el más reglado espectáculo escénico abre las puertas al flamenquismo, que tanta trascendencia ha tenido en la vida cultural española. Rodríguez Rubí fue el maestro del "género andaluz" con la *ópera El Contrabandista* (1841), el sainete *La feria de Mairena* (1843) y la comedia *Casada, virgen y mártir* (1843). Desde los ángulos complementarios de la literatura costumbrista —Estébanez Calderón— y de la visión pintoresquista de los extranjeros —Mérimée por modo singular— se fomentó el auge del "género", que ya se documenta como un éxito en el libro costumbrista *Madrid al daguerrotipo* (1849). La alternativa a estas indagaciones en los bajos fondos de la sociedad española vino a través de la que se llamó *alta comedia*. El erudito andaluz Méndez Bejarano (1921, 70), iniciada la crítica de este siglo, rompió alguna lanza por el trabajo que en el "género andaluz" desarrollaron José Sanz Pérez, José Sánchez Albarrán, José Gutiérrez de Alba y José Velázquez y Sánchez.

Un texto en jerga andaluza —*El hijo del tío Tronera* (representado en 1846)— es la autoparodia que el propio poeta hace de su drama romántico de éxito, *El Trovador* (P. Menarini, 1977). Esta forma teatral —la *parodia*— desde los años cuarenta fue en constante incremento, ya que las posibilidades de transgredir irónicamente los textos consagrados eran cada vez más abundantes. Desde algunas parodias de los primeros años treinta (Valentina Valverde, 1984) y las rotundas "transcontextualizaciones irónicas" de las óperas románticas que en 1847 realizó el omnipresente Agustín Azcona reelaborando *Lucrecia, Lucia* o *La Straniera* en, respectivamente, *La venganza de Alifonso, El sacristán de San Lorenzo, El suicidio de Rosa*, hasta el infatigable Salvador María Granés, ironizador del teatro de Echegaray y su escuela, hay una corriente de parodias teatrales (Crespo Matellán, 1979) que inundan los escenarios españoles y que sirvieron tejido artístico para la textura de los *esperpentos* de Valle-Inclán,[39] como es sabido. No se libraron de la parodia los grandes estrenos del romanticismo español, *El Trovador, Los amantes de Teruel,* transformado en *Los amantes de Chinchón* (1848) o *Don Juan Tenorio*, especialmente fructífero en este género de imitaciones.

---

[39] Pérez Galdós, en acertada captación de la pervivencia de las formas literarias románticas caracteriza los *defectos* que, para el gusto de los años sesenta, tenía el drama que había escrito Alejandro Miquis: "La división en cinco actos era inadmisible. Habían de ser tres sólamente, porque nuestro público no aguanta más. Pues, y aquella lista de 30 personajes, ¿cómo podía ajustarse al exiguo personal de nuestras compañías? El Schiller hispano había explanado sus ideas, como el tudesco, en un escenario inmenso, lleno de diversas figuras, con pueblo y todo. ¡Qué inocencia! Forzoso era cortar por lo sano, no dejando más que el cogollo de la obra. ¡Fuera aquel cardenal Borja, el *gonfalonier*, los cuatro capitanes o arraeces de galeras, los dos *lazzaroni*, el príncipe Colonna! ¡Fuera también el jefe de los *uscoques*, los dos frailes camaldulenses y otras figuras que más eran decorativas que esenciales! Resumen: hacer de cinco actos, tres, sin que ninguno subiera de 1.000 ó 1.100 versos; quitar quince personajes lo menos; simplificar mucho y hacer decoraciones fáciles, pues la que decía *Ribera de Chiaja, con varias galeras atracadas a la derecha, el palacio vice-real a la izquierda y al fondo el Vesubio*, era para hacer morir de espanto al pintor y maquinista" (*El Doctor Centeno*, 1883, parte primera, cap. V).

Una función más inmediata de sátira directa hay que ver en las parodias de los dramas románticos que efectuaron Bretón de los Herreros —*Todo es farsa en este mundo* (1835), *El plan de un drama* (1835), *Muérete y verás* (1837), *El poeta y la beneficiada* (1838)—, Eugenio de Tapia —en la novela *Los cortesanos y la revolución* (1838, pp. 104-119)—, sin entrar en las parodias versificadas o escritas a modo de artículo de costumbres, y que conforman el material indispensable para reconstruir la *risa* durante el romanticismo (p. 168).

7. *Las fiestas públicas y otras diversiones*

Los actos de manifestación de las instituciones públicas —Iglesia, Realeza, Estado constitucional— iban dirigidos a grandes grupos de espectadores que, además de distraerse, veían en esos actos todas las huellas de los grupos dominantes. Los usos del Antiguo Régimen facilitaban la práctica de estas ceremonias exhibicionistas tanto para los actos de culto religioso —procesiones, rogativas— como para las conmemoraciones de los fastos de la monarquía. Acontecimientos de la vida cotidiana de la Familia Real —nacimientos, cumpleaños, defunciones, bodas— seguían deparando la oportunidad de pervivencia a fiestas cortesanas y exhibiciones callejeras cuyo desarrollo está recogido en folletos y otras publicaciones efímeras. El reinado de Fernando VII fue harto generoso en ceremonias de estas características que se desarrollaban en las ciudades de la metrópoli y en las subsistentes plazas coloniales, tal como ponen de manifiesto las espléndidas láminas que representan la recepción en Manila, en 1825, del retrato enviado a sus súbditos por el monarca (Justa Moreno Garbayo, 1977).

El nuevo régimen político que se instaura recién desaparecido Fernando VII no suprime las prácticas de iluminaciones, arquitecturas efímeras y comitivas de carros alegóricos, pero sí atenúa su ostentación y, singularmente, lo sustituye por un ritual en el que el núcleo de la celebración pasa de la figura individual de la persona regia al grupo que representa los nuevos valores políticos: la Constitución, la Milicia Nacional, el Ejército o, con un simbolismo universal, la Historia de España; Leonardo Romero (1991) ha esbozado los inicios de este fenómeno de cambio en las ceremonias públicas de carácter conmemorativo a propósito de la promulgación en Madrid del Estatuto Real. Tema pendiente de estudio es el de las fiestas públicas del XIX que perpetúan motivaciones y formas del Antiguo Régimen, pero añaden, además, nuevos elementos que proceden de los fervores patrióticos y constitucionalistas o del descubrimiento de la cultura civil como objeto de sacralización laica, por ejemplo, las ceremonias habidas en Madrid en homenaje a Calderón el año 1841 y, más tarde, el año del centenario de su muerte.

Los espectadores populares, además de este escaparate de los símbolos autoritarios de la vida colectiva, también recibían entretenimiento en diversiones públicas ajenas a los escenarios de los teatros habituales. Se trata de los espectáculos taurinos, las pantomimas, los animales amaestrados, las exhibiciones de fuerza y de destreza o los espectáculos parateatrales como las marionetas, los títeres, las escenas de prestidigitación, las figuras de cera y la novedad de los *espectáculos ópticos*. John E. Varey (1972, 1978) ha recopilado la más abundante documentación sobre todas estas manifestaciones que, en muchos aspectos de orden organizativo y de estructura interior, tienen directa relación con el teatro de textos y actores profesionales (véase, por ejemplo, en el *Nuevo Manual de Madrid* de Mesonero, la sección "Parte recreativa y exterior" y la monografía de Ada Coe, 1947).

Los espectáculos basados en los efectos ópticos fueron los que introdujeron mayor novedad técnica y los que, por su parte, sugerían posibilidades visuales de índole terrorífica y alucinatoria que conectaban directamente con los presupuestos estéticos de la literatura *gótica* de finales del XVIII y la visualidad escenográfica del teatro romántico. El perfeccionamiento técnico de la linterna mágica dio lugar a un sistema de proyecciones de paisajes y figuras evanescentes que fue conocido con el nombre de *fantasmagoría*, cuyo éxito estuvo garantizado a lo largo del siglo. Robertson Robertson introdujo la novedad en París, en 1798, y en el Madrid de principios del XIX se ofrecieron algunas pruebas del nuevo espectáculo; John E. Varey (1957) ha mostrado documentalmente que la divulgación del invento no se dio hasta 1821. Los espectáculos de *fantasmagoría* excitaban la imaginación de los espectadores y podían propiciar una atmósfera de acercamientos físicos entre ellos que los guardianes de la moral procuraban evitar.[40] Como quiera que fuese, determinados argumentos literarios se prestaban con mucho éxito a la exhibición óptica, tal como da a entender esta nota del editor de 1844 de las cadalsianas *Noches lúgubres*: "todos los que dan espectáculos de fantasmagoría, concluyen las *noches lúgubres* con una horrorosa tempestad, entre cuyos espantosos truenos, aterradores rayos y centellas y el bramido del huracán, Tediato saca del sepulcro los restos mortales de su amada".

Cuando los periodistas de las publicaciones románticas, resumían las diversas tendencias del teatro previas a los estrenos considerados como hitos del romanticismo, no hacían otra cosa que sintetizar las diversas modalidades teatrales y de espectáculos que han sido resumidas hasta aquí; "el melodrama, el vaudeville y la comedia de las unidades hicieron lado a Victor Hugo y a Dumas y una nueva bandera se levantó" (*El Entreacto*, 5-V-1839).[41]

---

[40] "Los ensayos de catóptrica o llámese fantasmagoría no pueden hacerse sin una gradual atenuación de luz que termina en completa obscuridad, y como esta circunstancia se ha de verificar precisamente en una sala mezquina, llena por lo común de gentes sin separación alguna de sexos, no es necesario ser adivino para conocer los poderosos estímulos que esta ocasión y la impunidad misma ofrecen a todo género de excesos y libertades, cuando no hay tampoco a la vista un magistrado que pueda imponer respeto ni corregir a los desmandados" escribe un funcionario de 1828 a propósito de una petición de licencia presentada por el empresario de espectáculos Mantilla (John E. Varey, 1972, VII, 248).

[41] La "profesión de fe" de la empresa teatral, a raíz del estreno de *Lucrecia Borgia*, recapitulaba las diversas modalidades del teatro: "Es indudable que el gusto general en punto a literatura dramática ha variado notablemente de algunos años a esta parte. Las producciones de nuestro teatro antiguo han ido perdiendo prestigio (...). La comedia *clásica*, introducida a fines del siglo pasado, es poco más feliz. Raro es el día en que se logra reunir más de 100 personas en la representación de una obra maestra de Moratín; (...). El drama llamado *sentimental* por unos y llorón por otros, como *Misantropía y arrepentimiento*, que tan afortunado fue a principios de este siglo, hace ahora bostezar o reír. La llamada comedia de espectáculo, por el estilo del *perro de Montargis*, ya no se tolera sino en las tardes de los días festivos. El género de dramas que ha reemplazado a este último en los teatros subalternos de París, y que impropiamente se ha denominado *romántico*, porque se aparta, muchas veces gratuitamente, de todas las reglas, también ha caducado ya entre nosotros; aunque pareció anunciarle mayor aceptación y más larga vida la gran boga que tuvo *La vida de un Jugador*" (*El Artista* II, 1835, 34).

Los dramas románticos

Las notas de los periódicos aparecidos en los años treinta nos llevan a suponer que el estreno de determinados dramas de la "nueva escuela" produjo un gran efecto de fascinación en los espectadores y que su subsistencia fue fenómeno de muy corta duración; es sobradamente elocuente, pese a ser poco conocido, el juicio que, en 1841, formulaba el escritor de teatro Juan del Peral cuando aseguraba que "el exagerado drama romántico ha sido una llamarada que sólo ha brillado por un momento" (*Revista de Teatros*, I, 1841, artículo "Reforma teatral").

El deslumbrante modelo innovador presentaba componentes del teatro barroco español y del más reciente teatro francés. La elucidación del alcance de unos y otros ha sido una de las ocupaciones de la crítica, desde el mismo momento de los estrenos románticos. Según el marqués de Molíns, ya en la tertulia de los jóvenes escritores de 1831 que aprobó su drama *El duque de Alba*, se discutía "si los principios literarios que se designan con el nombre de romanticismo pueden revestirse en el teatro moderno con el atavío puramente nacional". Las respuestas que se dieron a esta cuestión, independientemente de las ostentosas faltas de perspectiva histórica que implicaban, respondían a muy concretas razones de nacionalismo político y cultural, tal como se evidencia en un extenso repertorio de notas autocríticas (en *La Corte del Buen Retiro*, según Escosura, "el público, indulgente en extremo con el drama, repugnó sin embargo abiertamente todo lo que en él halló de transpirenaico"),[42] escritos memorativos (nuestro teatro era "esencialmente romántico, aunque muy diverso en su composición y tendencias de la moderna escuela francesa, que tenía por patriarca a Víctor Hugo", decía Mesonero en sus *Memorias*), o simplemente en los textos de la crítica (el *Don Álvaro* para Campo Alange era un "nuevo ensayo de un género oriundo, por más que algunos digan, de nuestro país"; la moderna escuela era hija natural del teatro barroco, según el editor

---

[42] Zorrilla, con el grado de vehemencia que le caracteriza en esta clase de declaraciones, escribía en el prólogo de su drama *Cada cual con su razón*: "Indignado de ver nuestra escena nacional invadida por los monstruosos abortos de la elegante corte de Francia, ha buscado [el autor] en Calderón, en Lope y en Tirso de Molina, recursos y personajes que en nada recuerdan a Hernani y a Lucrecia Borja".

de los contemporáneos de Lope en la Biblioteca de Autores Españoles).[43]

Críticos recientes interesados en la revisión de estas hipótesis siguen manteniendo las ideas de los autores del XIX respecto a la oposición de los teatros francés y español del romanticismo. Tal es la postura de Jean-Louis Picoche (1978), para quien, además de otros componentes formales que separan el teatro romántico francés del español —la tendencia en éste a las obras de cuatro actos y a la mezcla de la prosa y el verso frente a la rotunda delimitación de los cinco actos y la escritura en prosa o en verso de aquél—, la galofobia hispana se manifiesta en la construcción de unos personajes optimistas, capaces de oponerse a los desdichados caracteres de los dramas franceses— en la segunda parte de *El zapatero y el rey* o en *Españoles sobre todo* de Eusebio Asquerino— o al propio destino adverso, que es afrontado por los personajes del teatro español con una alta dosis de patriotismo —como ocurre en *Doña María de Molina* de Molíns, *Guzmán el Bueno* de Gil y Zárate, *Isabel la Católica* de Rodríguez Rubí, *La Ricahembra* de Fernández-Guerra y Tamayo y Baus. Los casos aducidos por el estudioso francés responden efectivamente a la hipótesis del héroe optimista, pero, además de ser un reducido repertorio que no agota la galería de caracteres del teatro romántico, son todos ellos personajes de piezas posteriores a 1837.

Pero el texto que cumplió funciones de manifiesto literario en favor de un teatro liberado de las constricciones ajenas al *espíritu nacional* y que situó el teatro barroco español como marco de fundamentación teórica acorde con la más reciente teoría literaria fue el *Discurso* que Agustín Durán publicó en 1828.[44] La base teórica que alega el ensayista madrileño es la de "los alemanes", fuentes que, según sus posibles lecturas, no pueden ser

---

[43] BAE, vol. XLIII, p. X.

[44] El título completo de este *ensayo* —pues este es el sentido que tiene la palabra inicial del título— es *Discurso sobre el influjo que ha tenido la crítica moderna en la decadencia del teatro antiguo español y sobre el modo con que debe ser considerado para juzgar convenientemente de su mérito peculiar*. El título del *Discurso* señala con claridad que su objetivo reside no en la consideración de los textos teatrales sino en el repaso de los críticos. Por ello, Durán cifra su interés en Luzán y Montiano —para los que tiene palabras de deferencia intelectual—, los "centones, preceptuarios" y los "críticos galicistas" que les siguieron, a los que convierte en el centro de su diatriba.

otras que los escritos de Augusto Guillermo Schlegel divulgados
por Böhl de Faber en el curso de la "polémica calderoniana".
Ahora bien, el mérito de Durán no estribaba en su mediatizado
conocimiento del tratadista germano o de Mme. de Staël sino en
la precisión con que supo situar en el *Discurso* ideas que —como
ha resumido Donald L. Shaw, ed. del *Discurso*, 1973, p. XIX;
también, Gies, 1975, 82-83— resultaban inusitadas en el panorama crítico español. Estas ideas eran, básicamente, que la obra
literaria tiene su origen en la imaginación creativa del escritor,
que la obra literaria refleja el espíritu de la comunidad en la que
se produce y que su función es transmitir valores culturales válidos para esa comunidad (ver pp. 349-350).

Este programa teórico venía a subrayar la *historicidad de la
obra literaria*, frente a los postulados de abstracción universal que
habían sustentado las teorías clasicistas y Durán era muy consciente de su planteamiento al subtitular la obra *Influjo que ha
tenido la crítica moderna en la decadencia del teatro antiguo español*.
Aportes de este calado son mucho más significativos para el desarrollo del pensamiento literario que las hipotecas políticas con
las que el *Discurso* estaba lastrado, tanto al reconstruir un universo idealizado de la cultura cristiana caballeresca —proyecto en el
que Durán no deja de coincidir casualmente con sus contemporáneos *royalistes de La Muse française* y el primer *Cenáculo* parisino
(Paul Bénichou, 1985, 277-300)—, como al formular declaraciones explícitas sobre la sociedad democrática, del tenor de la
siguiente: "a pesar de las últimas vicisitudes [en España], apenas
se hallará un individuo entre el pueblo a quien no se le presente
la idea de república como la de un monstruo, cuya existencia no
puede concebir».

La crítica actual ve en las declaraciones en favor del teatro
clásico español un estímulo fundamental para la escritura de las
obras que marcaron los hitos del romanticismo teatral en España. Fue el primer éxito de novedad el "drama histórico en cinco
actos, en prosa" *La Conjuración de Venecia*, estrenado oportunamente cuando su autor pergeñaba un proyecto de reforma política. "¡Un Estatuto Real, la primera piedra que ha de servir al
edificio de la regeneración de España, y un drama lleno de mérito! ¡Y esto lo hemos visto todo en una semana! No sabemos si
aun fuera de España se ha repetido esta circunstancia particular",
escribía a raíz del estreno (23-IV-1834) un Larra alborozado,

que cambiaría pronto el énfasis de sus alabanzas (Seco Serrano, 1962). Martínez de la Rosa cuidó la documentación básica de su drama como hacía siempre que ambientaba sus ficciones literarias en marcos históricos conocidos, práctica en la que era fiel a sus principios poéticos.[45]

Para *La Conjuración de Venecia* (edición de José Paulino, 1988 y de Alonso Seoane, 1993) utilizó fuentes históricas conocidas y el modelo de otra conjura veneciana —*Marino Faliero*— que Byron (1821) había tratado como *tragedia* clasicista y Casimire Delavigne como moderno *melodrama*. En la encrucijada de ambas modalidades teatrales se sitúa el texto del autor granadino del que los críticos han subrayado unánimemente su trascendencia en la disposición escenográfica de múltiples decorados grandiosos y espectaculares. El conflicto sentimental y el conflicto político —con la permanente tesis del autor sobre la función destructiva de la Revolución, que se mantiene aún en su último drama *Amor de padre* (Giuseppe di Steffano, 1970)— son los anclajes con que este drama se incardina en la tradición del teatro español. Una acumulación de elementos melodramáticos propios de la literatura *gótica* ponen en contacto *La Conjuración de Venecia* con la versión que el imprescindible Matthew G. Lewis había dado, en inglés en 1806, de la novela del alemán Zschokke *Aböllino, der Grosse Bandit* (1794) (Javier Herrero, 1989), lo que corrobora la continuidad del teatro melodramático en el romanticismo español. Las facetas de escritor cosmopolita de Martínez de la Rosa corresponden a sus relaciones literarias italianas y francesas y al aplaudido estreno del *Aben Humeya* en el París de la Revolución de Julio de 1830 (John Dowling, 1966).

El drama de Martínez de la Rosa se había estrenado el 23-IV-1834, y el 24-IX del mismo año se ponía en escena otra pieza clave del teatro romántico español, el *Macías* de Mariano José de Larra, que ya había sido presentado a censura el

---

[45] "Cabalmente cuando se trata de argumentos históricos, la primera cualidad es la verdad de la imitación, pues aunque no se exija, y antes bien sea grave falta, reducirse a una copia servil, nunca debe perderse de vista la índole de semejantes composiciones. Ni por eso haya miedo de que a la imaginación del poeta le falte en ellas campo para ostentar sus fuerzas, que en las obras del arte, aun cuando se propongan retratar a la naturaleza, siempre hay que corregir y hermosear; sólo es preciso cuidar grandemente de no soltar la rienda a la fantasía ni dejarla correr a ciegas" escribía Martínez de la Rosa en los *Apuntes sobre el drama histórico*, impresos como apéndice de *La conjuración*.

10-VII-1833, dato que hace anteceder la redacción de la pieza teatral sobre la novela *El Doncel de don Enrique el Doliente*. El drama del ya famoso periodista tuvo un relativo éxito de público —diez representaciones durante la temporada—, aunque, según Hartzenbusch no "fue recibido con extrañeza alguna".[46] El autor tuvo especial interés en explicar en las "Dos palabras" que preceden a la edición del texto que "quien busque en él el sello de una escuela, quien le invente un nombre para clasificarlo, se equivocará", porque Macías "es un hombre que ama, y nada más. Su nombre, su lamentable vida pertenecen al historiador; sus pasiones al poeta". Escueta declaración de principios en la que el sagaz crítico se colocaba por encima de los debates coyunturales y subrayaba el sentido profundo de su contribución teatral (J. Casalduero, 1967, 219-31; E. Caldera, 1974, 99-110; Ermitas Penas, 1992). La estructura formal del texto es, coherentemente con los supuestos teóricos del autor, escasamente innovadora; su sentido humano, sin embargo, resulta conmovedor. El 23 de mayo del mismo año se había estrenado otro drama —*Alfredo* de Joaquín Francisco Pacheco— que incorporaba el universo de las tensiones pasionales y otros elementos temáticos melodramáticos —el incesto— o inequívocamente románticos, como las Cruzadas y el personaje trovador; pero Pacheco derivaría desde la actividad teatral a la práctica forense y a la teorización del derecho político en el ámbito de la política del partido moderado (Garrorena, 1974).

El estreno por antonomasia del romanticismo español fue el *Don Álvaro o la fuerza del sino* del duque de Rivas, que tuvo lugar el 22-III-1835. La recepción que la crítica inmediata hizo de la obra es un indicador privilegiado del modo como la obra fue interpretada por el público: un drama "románticamente romántico". El número de representaciones que tuvo durante la temporada teatral a la que corresponde el estreno —nueve, según ha precisado definitivamente Andioc (1982, 63-65)— es otra pista que ilustra sobre la reacción del público ante el estreno. Desde sus primeras representaciones, el drama ha sido considerado bajo puntos de vista contrapuestos, aunque se ha admitido universalmente que es "el primero y más excelente de los dramas románticos, el más amplio en la concepción y el más

---

[46] En prólogo a las *Obras* de García Gutiérrez, Madrid, 1886, p. XVI.

castizo y nacional en la forma".[47] En los últimos años ha sido repetidamente editado: J. Casalduero y A. Blecua, 1974; Navas Ruiz, 1975; D. Shaw, 1986, E. Caldera, 1986; A. Blecua, 1988. Vienen considerándose como explicaciones plausibles del éxito inmediato del *Don Álvaro* su estímulo desautomatizador en lo referente al vehículo expresivo, su concepción rotundamente escenográfica, su peculiar estructura compositiva y su sentido simbólico-moral, que para la crítica, es el punto más controvertido.

Rivas mezcla en las escenas del *Don Álvaro* el verso con la prosa. El empleo de la prosa en el teatro había sido justificado en las teorías y en la práctica por los autores de la segunda mitad del XVIII (Pataky-Kosove, 1977, 129); la mezcla de los dos moldes había sido ensayada ya en el *Aben Humeya* y lo seguiría siendo en dramas posteriores como *El Trovador* o *El paje*.[48] La gran novedad que introduce Rivas es la de no distribuir el verso o la prosa en dependencia de ningún criterio ordenador sancionado por la tradición literaria; hay escenas costumbristas en las que se emplea el verso y hay escenas de gran intensidad dramática o acusado lirismo en que se usa la prosa.

La teatralidad de la obra se manifiesta desde el censo inusitado de personajes que intervienen en la representación —56 ha contabilizado Casalduero (1967, 232)— hasta los abundantes y muy productivos recursos de escenografía, luminotecnia, efectos sonoros y movimiento de actores que el autor mismo subrayó en las abundantes acotaciones, que han comentado perceptivamente R.G. Sánchez (1974) y M. A. Lama (1992). Radicar sólo en esta dimensión deslumbradora el alcance de la obra es la tesis interpretativa que recientemente ha propuesto R. Andioc (1982, 86), contra la tendencia

---

[47] M. Menéndez Pelayo, *Obras Completas*, ed. Nacional, XII, 1942, 269.
[48] Larra explica el funcionamiento del recurso en su crítica de *El Trovador*: "el autor, al decidirse a escribir en prosa y en verso su drama, adoptaba voluntariamente una nueva dificultad; es más difícil a un poeta escribir bien en prosa que en verso, porque la armonía del verso está encontrada en el ritmo y la rima, y en la prosa ha de crearla el escritor, pues la prosa tiene también su armonía peculiar; las escenas en prosa tenían el inconveniente de luchar con el sonsonete de las versificadas, de que no deja de prendarse algún tanto el público; y luego necesitaba el poeta desplegar algún tino en la determinación de las que había de escribir en prosa y las que había de versificar, pues que se entiende que no había de hacerlo a diestro y siniestro" (*El Español*, 4-III-1836); véase también el artículo de Larra "¿Quién es el público y dónde se le encuentra?" (*El Pobrecito Hablador*, 11-IX-1832).

dominante de la crítica reciente; se trataría, pues, de ver el *Don Álvaro* como una acertada obra "de espectáculo", ajena a la coyuntura histórico social inmediata, interpretación que en términos triviales ya había sugerido Mor de Fuentes en su *Bosquejillo.*[49]

La lógica interna del drama y la distribución de la materia en el curso de las cinco jornadas y las quince decoraciones que éstas despliegan ha llevado a pensar en una disposición asimétrica de su estructura (Picoche, 1978, 53-54) que Caldera (ed. de 1986) y Shaw (ed. de 1986) rechazan; este último, en estudio de 1982b, sostenía que "las dificultades que nos ofrece el drama resultan de la insistencia con que el dramaturgo va creando, de acto en acto, una concatenación de circunstancias aparentemente casuales tal que al fin la única conclusión que se nos impone es que hemos presenciado diversas manifestaciones de una maligna anti-Providencia, un sino cruel e incomprensible". De modo complementario, Alberto Blecua, en su edición (1988) ha evidenciado la correspondencia existente entre la forma interior de las jornadas o las escenas con otras modalidades literarias preexistentes: 1) géneros teatrales (los sainetes dieciochescos, el melodrama, la adaptación hecha por Manuel Bellosartes, en 1791, de *Los amantes desgraciados*, las comedias de enredo y de santos del Siglo de Oro, la comedia de teatro de tanto éxito entre el vulgo teatral del siglo anterior y, por supuesto, *La Vida es sueño*); 2) géneros no teatrales (tradiciones legendarias locales, prosa costumbrista y cuadros del realismo cervantino). Algunas de estas fuentes literarias y genéricas habían sido adelantadas por Boussagol en su clásica monografía sobre el duque de Rivas, pero Alberto Blecua sugiere, además, que *Don Alvaro* es género mixto e integrador, dada la abundante confluencia de modelos literarios que en él se manifiestan.

La crítica decimonónica situó una primera interpretación del sentido total de la obra en una visión oscilante que consideraba su vertiente de adaptación romántica de la tragedia clásica —el "sino" de Rivas sería el *fatum* de los clásicos—, o su pretendida lección ejemplar para los individuos que se situaran fuera de las

---

[49] "Volviéndome romántico o nigromántico, como el precioso duque de Rivas, que nos ha traído un comedión de Pedro Bayalarde sacado de las íntimas entrañas de la nueva antiescuela parisiense" (Mor, *Bosquejillo,* ed. Manuel Alvar, 114).

leyes establecidas por la tradición y la sociedad. La crítica reciente insiste en una visión simbólica del texto dramático, bien que gradúa la interpretación de su alcance. Para W. Pattison (1967) se trata de una denuncia sobre la marginación social de un criollo en la metrópoli, aspecto que replantea Alonso Seoane (1989) con nuevas evidencias textuales; para Ernest Gray (1968) el drama revive un caso ostentoso de *satanismo*; para Richard Cardwell —en artículo de 1973 que abre nuevas direcciones a la crítica del romanticismo español— las aparentes incoherencias entre la *fuerza del destino* y la libertad personal son indicativas de un conflicto de conciencia del propio autor, equivalente a la gran angustia existencial de los románticos europeos; para Caldera, en su edición, la obra no manifiesta ningún mensaje ideológico de carácter religioso o nihilista y el *sino* del subtítulo hay que proyectarlo sobre las creencias astrológicas (sino = signo de constelaciones); para Shaw, también en su edición, el suicidio de don Álvaro en la tantas veces comentada escena final, no sería sino una "renuncia del protagonista a la lucha desigual contra el destino adverso" (1986, 41). Para Russell Sebold (1986), en fin, Don Álvaro no es sino un trasunto de Cristo, pero visto en clave no confesional, pues, según apunta el hispanista americano, "por fin se ha comenzado a ver que el cristianismo en sentido propio no es un elemento fundamental de las obras maestras del romanticismo exaltado. En éstas, lo cristiano suele ser puramente metafórico".

No deja de tener interés una línea secundaria de la crítica del drama de Rivas que insiste en la conexión de la obra con la anterior producción trágica del autor (Caldera, 1983) o con la idea de la tragedia aristotélica (Navas Ruiz, ed. 1975, pp. L-LI). Relacionados con estas discusiones están los también controvertidos esfuerzos del poeta por dotar a su obra de un trasfondo espacial, en la geografía cordobesa e italiana (Mansour, 1977-78), y cronológico, en las actividades militares de los españoles en la Italia del XVIII (John Dowling, 1977-78), que imponen un sentido de verosimilitud a los espectadores y que complementan el toque de realismo que, desde la experiencia cordobesa, traía Rivas con las referencias a los puentes de barcas del Guadalquivir y a las ermitas de Hornachuelos; en la revista *El Correo de las Damas* y durante los meses de abril a junio de 1835 se publicó por entregas una novela corta —"El Ermitaño"— que remite a la estructura de tragedia y al contexto eremitorio que dan cuerpo al *Don Álvaro*.

Los espectadores del drama del duque de Rivas percibieron lo que en la obra había de insólito y los estímulos literarios que subyacían en aquel texto desautomatizador. En la *Revista Española* se escribía sobre el *Don Álvaro* que manifestaba "sus resabios de española antigua y sus señales de extranjera moderna" (25-III-1835); Cueto afirmaba en *El Artista* que era "una cosa en parte imitación de nuestras vejeces, y en parte, remedo de extrañezas del día y de tierra extraña" (II, 1935, 34-35). De manera que el resonante estreno ponía en pie la discusión relativa a los dos modelos teatrales que gravitaron sobre el drama histórico hispano: el teatro barroco español y el reciente teatro romántico procedente de París.

Sobre las pautas establecidas por Martínez de la Rosa, Pacheco, Larra y Rivas se levantaron los siguientes estrenos, y entre ellos, los dos que concluyeron por fijar el estereotipo del género: *El Trovador* (1-III-1836) de Antonio García Gutiérrez (ediciones de A. Blecua y J. Casalduero, 1972; J. L. Picoche, 1972; Rey Hazas, 1984; Ruiz Silva, 1985) y *Los amantes de Teruel* (19-I-1837) de Juan Eugenio Hartzenbusch (ediciones de J. L. Picoche, 1970 y 1980; ed. de C. Iranzo, 1980).

Piero Menarini (AA.VV. 1982a, 107) ha sintetizado los componentes estructurales y temáticos de los primeros dramas románticos que confluyen en la configuración de *El Trovador.* Entre las obras ya consideradas y la de García Gutiérrez se da una línea de continuidad en el tratamiento de los personajes protagonistas y opositores —de contraria opinión es Ruiz Silva (ed. de 1985, 62-65)—, en la visión de la Historia, en el tratamiento de los recursos de agnición —premoniciones, sueños présagos, anagnórisis— y en la técnica de los desenlaces. Larra que estimaba la pasión como fuerza reguladora de los conflictos humanos —recuérdese la explicación de su *Macías* o el aforismo que construye en su reseña de *Catalina Howard*, "la pasión es el hombre mismo"—, supo ver lo que había en *El Trovador* de pasión amorosa y de pasión vindicativa con la consiguiente traducción de un modelo teatral de doble acción.[50] La espectacula-

[50] "Sin embargo, no es la pasión dominante del drama el amor; otra pasión, si menos tierna, no menos terrible y poderosa, oscurece aquella: la venganza. No hace mucho tiempo tuvimos ocasión de repetir que es perjudicial al efecto teatral la acumulación de tantos medios de mover; en *El Trovador* constituyen verdaderamente dos acciones principales, que en todas las partes del drama se revelan a nuestra vista rivalizando una con otra" (*El Español*, 4-III-1836).

ridad de *El Trovador* está conseguida sobre la sucesión de diversos escenarios, el último de los cuales consiste en la prisión situada en el zaragozano palacio de la Aljafería, muestra fiel de *color local* y también tributo a un tópico sobre los lugares siniestros españoles que había difundido, entre otros, el *Voyage en Espagne* (1784) del falso Fígaro (Leonardo Romero, 1989, 441-442). Dentro del tejido textual de *El Trovador* marca un eficaz contraste de carácter teatral el lirismo de algunos parlamentos —con el añadido del acompañamiento musical, tal la memorable escena del sueño de Manrique en el acto IV— y la consabida alternancia del verso y la prosa.

El componente de protesta social que significaba la oposición de un hombre socialmente *oscuro* a los miembros de la clase aristocrática es revelador de la actitud del autor (ed. de Carmen Iranzo, 1980), que se repetirá en sus obras posteriores, como *El paje* (1837), *El rey monje* (1837), *Simón Bocanegra* (1843) (estudiada en su versión operística por José Luis Varela, 1975), *Venganza catalana* (1864), *Juan Lorenzo* (1865) o *Doña Urraca de Castilla* (1872), en que se reproduce la pugna entre el individuo que busca su libertad y la sociedad que tiende a ahogarla; Juan María Díez Taboada (1985, 409) ha apuntado, además, los lineamientos de tragedia clásica que subyacen en el drama *Venganza catalana*.

Los títulos citados reproducen casi todos tramas procedentes de la tradición histórico-legendaria hispánica. Idéntica fuente de inspiración tendría el autor del último estreno memorable del teatro romántico español, Juan Eugenio Hartzenbusch en *Los Amantes de Teruel* (estrenado en 19-I-1837). El tema de los dos enamorados que, ante la imposibilidad de su unión, mueren por efectos de su propia pasión era un modelo literario conocido en la literatura europea desde Boccaccio y que en su variante hispana se documenta desde el siglo XV (Sotoca y García, 1979, Labandeira, 1980a). Hartzenbusch, erudito y filólogo aficionado, reelaboró la tradición legendaria dando una fuerza singular a los componentes del nuevo teatro —el motivo del plazo, el tema del amor absoluto por encima de toda ley, la denuncia social— y dando también la vuelta al viejo código del honor del teatro español aureosecular, y todo ello sin dejar de cuidar una hábil disposición de los recursos estrictamente dramáticos (Kay Engler, 1980; Anne Fournier, 1978). Otros componentes del teatro romántico o melodramático del teatro de Hartzenbusch —como el incesto que planea sobre *Doña Mencía* (1838)— fueron atenuados posteriormente por el autor, muy cuidadoso de la reelaboración de sus textos e inseguro en las más batallonas cuestiones que implicaban tomas de postura política o moral.

Ni trivial repetición de los modelos morales propuestos en las obras francesas, ni automática reproducción de los valores y las formas del teatro del Siglo de Oro[51] es el balance que deparan las obras más resonantes estrenadas entre 1834 y 1837, para seguir admitiendo la diacronía del drama romántico que estableció Peers. Las propuestas contenidas en estas obras no generaron una fórmula teatral unívoca, sino que cristalizaron en un repertorio de recursos dramáticos y en una peculiar combinatoria constructiva para las que el universo poético de José Zorrilla aportó su fascinante discurso escenográfico y sus reducidos recursos intelectuales. Entre los sintomáticos estrenos de los años

---

[51] Aunque las declaraciones, siempre *pro domo sua*, de Zorrilla, centran su creación teatral exclusivamente en el terreno de la tradición aureosecular: "Y por si de estas sus creencias literarias se les antojara a sus amigos o a sus detractores señalarle como partidario de escuela alguna, les aconseja que no se cansen en volver a sacar a plaza la ya mohosa cuestión de *clasicismo y romanticismo*. Los clásicos verán si en esta comedia están tenidas en cuenta las clásicas exigencias. La acción dura veinte y cuatro horas; cada personaje no tiene más que un objeto, al que camina sin episodios ni detenciones, y la escena pasa en la casa del marqués de los Vélez. Los señores románticos perdonarán que no haya en ella verdugos, esqueletos, anatemas ni asesinatos. Pero aún puede remediarse. Tómese cualquiera la molestia de corregir la escena final y con que el marqués dé a su hija un verdadero veneno, con que él apure después el soberano licor que en el vaso quede, con que el rey dé una buena estocada a don Pedro y la dueña se tire por el balcón, no restará más que hacer sino avisar a la parroquia de San Sebastián y pagar a los curas los responsos y a los sepultureros su viaje al cementerio de la puerta de Fuencarral" (*O. C.*, II, 2207).

Por contra, un escritor tan consciente de su arte y preocupado por el estado de la literatura española a la altura de 1840 como Enrique Gil y Carrasco, sostenía convincentemente la independencia del teatro romántico respecto de los modelos teatrales del barroco (cf. *Obras*, BAE, vol. LXXIV, pp. 443, 447, 458, 549). Otra propuesta coincidente, entre las abundantes que se pueden poner en relación con la de Gil y Carrasco, es la de Salvador Bermúdez de Castro: "libertar el drama antiguo de todo cuanto es incompatible con nuestras nuevas costumbres, es la gran obra que puede regenerar el teatro" (*El Iris*, I, 1841, 112-113).

Jesús Rubio Jiménez (1990) ha exhumado materiales periodísticos de los años centrales del siglo XIX en que se plantea el debate sobre la vigencia del teatro barroco en la órbita del llamado "teatro realista".

iniciales del romanticismo y el modelo de *drama histórico* que terminó por imponerse, los dramaturgos ensayaron posibilidades que no deben pasarse por alto; Antonio Gil y Zárate planteó una fórmula de síntesis en su trabajo "Teatro antiguo y teatro moderno" (*Revista de Madrid*, I, 1841, 112-114), fórmula a la que puede encontrársele correspondencia en sus nueve dramas históricos estrenados entre 1839 y 1843 (Flitter, 1986, 151-153) y en la que se inserta José Zorrilla a los efectos de determinar una nueva etapa en la trayectoria del género.

MARCAS DEL DRAMA HISTÓRICO

En primer lugar, hemos de recordar cómo obras de los primeros años treinta desvían llamativamente su estructura de la del teatro barroco español, bien sustituyendo las peripecias del teatro clásico por un juego escénico en el que sólo se contraponen comportamientos lingüísticos y códigos morales —ésta es la fórmula con la que Bretón da cuerpo a su teatro de plenitud a partir de *Marcela*, 1831 (E. Caldera, 1988, 417-421)—, bien desarticulando los ejes de simetría compositiva, como hemos visto en el *Don Álvaro*, o formulando valores opuestos por el vértice a los estandarizados en el teatro aureosecular, y éste sí es rasgo caracterizador de otro tiempo histórico. *Los Amantes de Teruel* es un ejemplo concluyente de esta última posibilidad; "el concepto de la autoridad paterna cuya legitimidad se pone ahora en tela de juicio; del honor, que no depende de la opinión de los demás, sino de la propia conciencia; de la precedencia de los sentimientos naturales sobre el riguroso código social; todo refleja en el autor moderno un sentido de la vida y de la sociedad muy opuestos al de su predecesor [Tirso de Molina]", resume Vicente Llorens (1979, 406) el significado de la obra de Hartzenbusch.

Pero, además, ha de recordarse que en la reducida teoría del teatro que se construye en español por aquellos años (Leonardo Romero, 1974; Rodríguez Sánchez de León, 1990), el drama es la fórmula sustitutiva de la tragedia clásica. De las tres épocas en las que muy *hegelianamente* Gil y Carrasco dividía la evolución de la sociedad, la tercera —que era la del momento presente— era la época del drama. Y para Larra, en páginas que dedicó a los estrenos de Martínez de la Rosa, el drama histórico era "la única

tragedia moderna posible [ya] que lo que han llamado los preceptistas tragedia clásica, no es sino el drama histórico de los
antiguos". *Tragedia posible* porque, de los hechos conocidos del
acontecer colectivo, el poeta debía realizar —muy a lo Walter
Scott— "la elección de un hecho, aunque histórico, algo oscuro", y *tragedia verosímil* porque "a este género, fiel representación
de la vida, en que se hallan mezclados como en el mundo reyes y
vasallos, grandes y pequeños, intereses públicos y privados, pertenece *La conjuración de Venecia*".

La dicotomía verdad histórica/verdad poética se resolvía para
los románticos con un margen de libertad que debía concederse
a la imaginación —Martínez de la Rosa, *Apuntes sobre el drama
histórico*, bien que con un entendimiento limitado de la noción
de *imaginación*— y con una capacidad sugestiva que tradujese al
presente de los espectadores los significados del conflicto planteado en el drama histórico. Para estas prácticas de libertad creadora y de incidencia en lo real e inmediato, el teatro español del
Siglo de Oro había experimentado ampliamente desde *La muerte
del Rey don Sancho* (1579) de Juan de la Cueva (Jean Sarrailh,
1936), y en esa práctica no quedaron rezagados los dramáticos
del romanticismo. Ya basaran el conflicto del texto en relatos
históricos o legendarios fijados ampliamente en una tradición
escrita hispana —el *Macías, Los amantes de Teruel, Las bodas de
doña Sancha, Alfonso el Casto, Doña María de Molina, Fray Luis de
León, Carlos II el Hechizado...*— o en una ambientación extranjera —*La conjuración de Venecia, Rosamunda, Guillermo Tell, Juan
Dandolo,...*—, los autores exploraban conflictos que reflejaban
las tensiones de la vida contemporánea, representando los deseos
individuales y colectivos de la sociedad del segundo tercio del
siglo.

Ni la investigación documental propugnada por Martínez
de la Rosa acuciaba a los más aplaudidos dramaturgos, ni la
cultura histórica de los espectadores exigían mayores precisiones. Salvo en casos de escritores doblados de eruditos aficionados, como Hartzenbusch, o de historiadores más rigurosos de la
segunda generación romántica, como Aureliano Fernández Guerra, muy pocos autores de dramas históricos se preocuparon se-
riamente de la documentación histórica. Y en un orden de
proyecciones imaginativas, se prefirió a la historia documentada, la tradición legendaria, "una historia más íntima y menos

oficial, y más manipulable" (E. Caldera, 1974, 108-109).[52] Este horizonte de expectativas, cuya reconstrucción detallada está pendiente de estudio, explica la aceptación del drama histórico legendario que propuso Zorrilla y que encontró amplia acogida entre los autores de la segunda promoción romántica como los hermanos Asquerino, Víctor Balaguer, Manuel Fernández y González, Carlos García Doncel, Ramón de Navarrete, Luis Olona, Francisco Luis de Retes, Tomás Rodríguez Rubí, Manuel Tamayo y Baus o Luis Valladares.

La intensidad con que se impuso el modelo del *drama histórico* en las dos etapas en que se produce su arraigo en la escena española —primera, en la década de los treinta y segunda, a partir de los años cuarenta— no debe ocultar la realidad de los otros *dramas* románticos *no históricos* cuya cronología estaba situada en la más estricta *actualidad*. Se trata de una producción menor en número de textos y, en alguna medida, equiparable con el género que Ermanno Caldera ha denominado *comedia romántica*.

En orden cronológico, la primera obra de esta modalidad podría ser la *Elena* (1834) de Bretón de los Herreros, pieza en la que se escenifica un caso de "locura de amor" en un marco contemporáneo que bordea el pintoresquismo gracias a la intervención de un grupo de bandidos.[53] A esta obra hay que sumar *Incertidumbre y amor* (1835) y *Un día del año 1823* de Eugenio de Ochoa, *Teresita o una mujer del siglo XIX (1835)* de J. A. Covert-Spring,[54] *Vivir loco y morir más* (1837) de José Zorrilla, *Magdalena* (1837) de García Gutiérrez, que tuvo dificultades con la

---

[52] Sirve de síntoma de este clima de excitación por la historia "imaginada" el método de trabajo de un *Zorrilla* quien explicaba su elección del asunto de *El puñal del godo* a partir de una consulta, al azar, en las páginas de una edición de la *Historia* del Padre Mariana o cuando justificaba la invención del protagonista de *Traidor, inconfeso y mártir* aduciendo que "había prescindido a sabiendas de la verdad de la historia por la verdad de la tradición".

[53] Bretón procuró diferenciar esta obra de su habitual práctica de la comicidad en una advertencia que añadía a la edición: "Con este drama hizo el autor su primer ensayo en un género harto distinto del que habitualmente ha cultivado. Sus amigos le instaban a dar alguna muestra de su poca o mucha capacidad para crear situaciones de gran interés y pintar afectos y caracteres de aquellos que no caben en la comedia propiamente así llamada. El moderno *romanticismo* estaba en su mayor auge y era difícil que temprano o tarde dejase de llevar también alguna ofrenda a las aras del ídolo nuevo" (*Obras*, Madrid, I, 1850, 369).

[54] El seudónimo de "J. A. Covert-Spring" ha dado lugar a diversas identificaciones. Las más antiguas veían en este falso nombre el de un colaborador de

censura, y la curiosa obra de José María Díaz *Un poeta y una mujer* (1838), en el que se dramatiza el conflicto público e íntimo del escritor contemporáneo al que sirve de figura modélica la persona de Larra, cuya obra es comentada por los personajes. No en balde se discutía en el *Antony* sobre la potencialidad de la vida contemporánea para la activación de las grandes pasiones.[55]

El drama de Covert-Spring es un resumen emblemático de las cuestiones más apasionadamente debatidas en los años del cambio: las reformas constitucionales, la guerra civil y la desamortización recién iniciadas, la estimativa social del duelo y del código del honor, el amor de los "melancólicos", el cristianismo filantrópico, la igualdad de los sexos y la emancipación del proletariado.[56] Aunque la trama es sencilla, el discurso de los personajes no ahorra idea y preocupación contemporáneas, incluidas las referencias culturales o literarias, como la discusión sobre el significado del recién estrenado *Don Álvaro* del duque de Rivas (Piero Menarini ha publicado en 1985 el primer estudio que la crítica ha dedicado a *Teresita*).

El Vapor, Josep Andreu Fontcuberta. Posteriormente ha sido propuesta la figura del polígrafo Pedro Felipe Monlau (J. Maluquer de Motes, *El socialismo en España, 1833-1868*, Barcelona, 1977, 98-99; véase también Xavier Fabregas, AA.VV. 1982, 213-214), pero la que parece documentalmente probada es su identificación con José Andreu (Marie Grau, 1985 y 1992).

[55] La escena, en la obra de Dumas, es una auténtica muestra de meta-teatro que ha pasado inadvertida para los estudiosos; en ella una dama se interesa por las posibilidades dramáticas de un asunto observado en la "sociedad moderna", porque "mucho más que las pasiones de los antiguos nos interesan las de los personajes de nuestra época, vestidos como nosotros y hablando el mismo lenguaje". El poeta interpelado por la dama responde con un discurso en el que subraya la similitud moral de los individuos que componen la sociedad de la Restauración y las dificultades que ofrecen a los espectadores su proximidad con los personajes de la época contemporánea, aunque el reservorio de las pasiones que es el corazón humano ofrece en todos los tiempos casos de ejemplaridad, ya que "un corto número de hombres, no sé si diga más felices o más desgraciados, pero seguramente mejor organizados que los demás, saben que las pasiones del hombre son las mismas en el siglo XIX que lo fueron en el siglo XIV, y que el corazón late con la misma energía debajo de un frac de paño que debajo de una armadura de hierro" (escena VI, acto IV, cito por la traducción española de Eugenio de Ochoa, Madrid, Imprenta de Repullés, 1836).

[56] Zelmiro, personaje del drama, manifiesta: "¡Los señores de la edad media llamaban libres a esos siervos desdichados que nada poseían que no fuese de aquellos! ¡Libre e igual a los demás llaman hoy al proletariado, cuya suerte material es muchas veces peor que la de los siervos de la edad media!".

Los rasgos de comportamiento de los personajes del moderno teatro francés de Hugo y Dumas, singularmente, prolongaban temas del melodrama dieciochesco y, además, postulaban un trágico desconcierto entre el individuo y la sociedad que nunca se resolvía en un final feliz. En este inquietante desajuste se centró la crítica española adversa al nuevo teatro —cuyo protagonismo moral se viene adjudicando al avisado Alberto Lista—, que los mismos dramaturgos fueron intuyendo, a partir de 1837. De estas pugnas entre fuerzas contradictorias deriva el "eclecticismo" que para el drama romántico español sigue admitiendo Ermanno Caldera (1974, 117-118; 1988, 381-392) y que se puede reconstruir a través de muchas páginas de la crítica periodística de los años cuarenta, tal como para algunos puntos ha realizado Salvador García Castañeda (1971, 44-61); una crítica en la que se habla, sobre todo, de moralidad y de la ausencia de obras valiosas.

Las dificultades que existen para determinar la inserción del *drama histórico* en la órbita del teatro barroco español o del drama francés de la "nueva escuela" se evidencian a la hora de tipificar los rasgos formales de aquél que aboceten una poética del género. La aplicación particular que los escritores fueron haciendo del principio de la libertad en el arte difumina las marcas repetitivas que podrían cristalizar un modelo general del *drama histórico*, si bien han podido ser aisladas características que diferencian el teatro de los años treinta del realizado en las décadas anteriores.

Puede observarse en los *dramas históricos* —y también en la comedia romántica— una preferencia por el título doble que estaría en deuda con la añeja tradición del teatro español y con la modalidad tituladora que acuñó, entre los románticos, Victor Hugo con la fórmula sintáctica NOMBRE PROPIO + NÚCLEO SIGNIFICATIVO, del tipo *Hernani ou l'honneur castillane*, que podríamos ver repetida en *Don Álvaro o la fuerza del sino*, *Guillermo de Nassau o el siglo XVI en Flandes*, *Aben Humaya o la rebelión de los moriscos bajo Felipe II*, *Don Alfonso III de Aragón el liberal o las leyes del deber y del honor*, *La Judía de Toledo o una revolución a tiempo*, *Fray Luis de León o el siglo y el claustro*. Félix San Vicente (1984) en un análisis de la estructura lingüística de un amplio repertorio de títulos teatrales producidos entre 1830 y 1850 ha puesto de manifiesto el relieve que los nombres de personas o de lugares, connotados por su significación en la Historia, tienen en las obras del teatro romántico.

La mezcla de prosa y verso en un mismo texto teatral también ha sido subrayada como otro rasgo característico de los *dramas históricos*. Por una parte, es sobradamente conocido que en el teatro burgués del XVIII —comedia lacrimosa o melodrama— el uso de la prosa se justifica por los autores y los críticos como una contribución a la imitación de la vida cotidiana que tales piezas pretendían;[57] por otro lado, es sabido también que las empresas teatrales pagaban mejor las traducciones en verso que las traducciones en prosa (el 3 % del producto durante diez años en el primer supuesto y una cantidad que sólo se cobraba una vez, en el segundo, según documento publicado por Cotarelo y Mori, 1904, 701-702).

En prosa se escribieron algunos de los primeros estrenos románticos como *La conjuración de Venecia* o el *Alfredo* de Joaquín Francisco Pacheco (sobre el escaso éxito del estreno de este último, verificado poco después del de *Don Álvaro*, ver E. Caldera, 1974, 124-126 y V. Lloréns, 1979, 391-392). Pero la mixtura de la prosa y el verso sólo tenía el antecedente prestigiado del teatro shakespeareano, insuficientemente conocido por los escritores españoles del primer tercio del XIX, excepto Moratín y Blanco (Pilar Regalado Kerson, 1989, para Moratín; Miguel Ángel Cuevas, 1982, para Blanco y Shakespeare). La reelaboración de la primera versión francesa, en prosa, del *Don Álvaro* inauguró esta modalidad, que prosiguieron *Incertidumbre y amor* (1835) de Eugenio de Ochoa, *El Trovador*, *Los amantes de Teruel* o *Doña Urraca* (1838) de Eusebio Asquerino. Las sintomáticas reelaboraciones en verso de las célebres obras de García Gutiérrez —en 1851— y Hartzenbusch —refundición de *Los Amantes de Teruel* de 1849 en que se amplía la versificación— son otras tantas pruebas de una posible imposición del modelo del teatro versificado que había propuesto Zorrilla en el arranque de los años cuarenta (Picoche, 1978, 49).

De todas formas, parece plausible el sospechar que los jóvenes escritores románticos sintieron como acicate la necesidad de

[57] Véanse los comentarios favorables a la alternancia prosa/verso en la obra de M[arqués] y E[spejo], *Viaje de un Filósofo a Selenópolis*, Madrid, 1804, 51-55.

la *variación* del vehículo expresivo en el que se vertían las creaciones escénicas: Bretón de los Herreros satiriza, al modo cervantino, la polimetría de que hacen uso los poetas de las comedias arregladas —véase la lectura de una comedia de este tipo entre los actos primero y segundo de *El ingenuo* (1828)— o el marqués de Molíns, cuando recuerda las discusiones de su tertulia de 1831 sobre "si la varia versificación es conveniente al drama". Pero el mismo Bretón concluyó por admitir la variación métrica en la *Marcela*, obra en la que sustituye la estrofa de piñón fijo por la "versificación más artificiosa, más libre y más galana", y terminó convirtiéndose en teorizador de la pertinencia de la rima como elemento de diversificación expresiva.

A otro impulso responden los marbetes con que se conocen las partes de una obra teatral —recuperación del más castizo término *jornada* frente al de *acto* que se había empleado en el XVIII— y, muy significativamente, la disposición de la trama en unidades escénicas independientes —cuyo número puede variar desde un acto, como *El puñal del godo,* hasta siete actos, como en *El conde don Julián* de Príncipe—, entre las que se descompone el viejo esquema tripartito de la *exposición, nudo* y *desenlace*. La agrupación de diversos cuadros en un *acto o jornada*, con la correspondiente modificación de los decorados, cumple su función estructurante y su papel de guión abierto para el escenógrafo.

La fluidez en la sucesión de las diversas escenas rompe la conformación del espacio escénico del teatro neoclásico y traslada a los ojos y los oídos del espectador una materialización sensible de las proyecciones que acaecen en los procesos imaginativos. Virtualidades creativas de la mente y percepción sensorial exacerbada son las dos posibilidades extremas de la capacidad de captación de los espectadores en que la teoría romántica de la imaginación sitúa el estatuto artístico del teatro. José María Blanco captó esta oposición de las potencias cognoscitivas en su contraposición entre novela y teatro; al comentar las *Obras Literarias* de Martínez de la Rosa exponía las siguientes consideraciones:

> [En la teoría clásica del teatro] el error consiste en juzgar por finalidad principal del arte la representación material de los sucesos interesantes que debe inventar el autor. El ojo, y no la mente, se convierte así en el objeto o causa final, y por consiguiente, en la regla suprema de la poesía dramática (…). La poesía dramática no difiere esencialmente de la narrativa. El que el

autor conciba los actores ideales envueltos en la trama del relato expresándose en primera persona —como corresponde al diálogo— es una circunstancia accidental; tal concepción poética no debía ser limitada por el tiempo y espacio reales más que en otro tipo de narración (...).

A menudo nos hemos planteado la pregunta, ¿por qué el genio maravilloso de Sir Walter Scott ha descuidado las tablas y ha consagrado sus dones a una forma de composición absolutamente moderna y de efectos tan similares al drama que ha suplantado al teatro entre las clases más educadas de la sociedad inglesa? Nuestra opinión es que ha advertido y desdeñado las trabas que incluso en el teatro inglés —el cual, respecto a la teoría dramática, carece por completo de leyes— sujetan las facultades creadoras del autor.[58]

Fronteras de difícil delimitación las que separan el teatro de la novela; así había ocurrido en la literatura postrenacentista, y así vuelve a ocurrir cuando otra idea de lo que sea la actividad literaria viene a sustituir al entendimiento de la *imitación* especular. El teatro cobra, pues, tanto en los aspectos de escenografía y representación como en los estrictamente poéticos, un perfil de realidad misteriosa y compleja que no se puede juzgar como un error del artista sino, muy al contrario, como un designio específico del autor dramático romántico; lo *novelesco* —utilizando la palabra más frecuente en la época, lo *romancesco*— se convierte en una dimensión esencial del teatro.[59] Durán, en su *Discurso* de 1828, lo había señalado de modo terminante para el teatro español del Siglo de Oro:

Por lo que toca a los partidarios exclusivos de las unidades, convengo con ellos y les confesaré que el drama español o romántico no es la tragedia

[58] *The London Review*, I, 1835, n.º 1, *apud Obra inglesa* trad. Juan Goytisolo Barcelona, 1974, 310-319.
[59] "La técnica romántica se forma por las repetidas incursiones de lo novelístico en otros géneros literarios, señaladamente, el teatro" propone Russell P. Sebold (1983, 138). En la *Minerva* (1806) se afirma de una comedia sentimental que "viene a ser una novela dialogada"; Alberto Lista explicaba el *romanticismo* —fenómeno literario y palabra designadora— desde la etimología de "novelesco", que encuentra en las lenguas inglesa y francesa, para añadir inmediatamente, "mayor oposición debió haber para que adquiriese la ciudadanía en España, donde son tan antiguas las voces *novela* y *novelesco* que significan lo mismo" ("Del Romanticismo", *Ensayos literarios y críticos*, Sevilla, II, 1844, 34). En un orden complementario, Agustín Durán estudiaba las tramas del teatro de Lope desde la perspectiva de las peripecias novelescas (véase su artículo "La poesía popular. Drama novelesco de Lope de Vega", *Revista de Madrid*, II, 1839, 68-75).

ni la comedia de los griegos, romanos ni franceses; también les concederé, pues lo pretenden, que dicho género de composiciones no es muchas veces otra cosa que unas novelas puestas en acción; pero insistiré siempre en que constituyen de por sí una clase de teatro susceptible de la mayor perfección y colmado de bellezas tan encantadoras que acaso jamás podrían obtenerse iguales en el teatro clásico, o reduciendo a las reglas de Boileau y Aristóteles los cuadros románticos de nuestros dramas.

Las relaciones fronterizas del drama y la novela nos ayudan a entender por qué los comentaristas de los estrenos románticos acudían a la analogía de la novela para dar una explicación aceptable de lo que se les acababa de ofrecer a su oído y a su vista. Para un anónimo reseñista del *Don Álvaro*, el argumento de la obra era "más propio para la narración que para el movimiento, esto es, mejor para una novela que para un drama" (*La Abeja*, 10-IV-1835); igualmente pensaba Larra que había ocurrido en el drama de García Gutiérrez, en el que su autor "ha imaginado un plan vasto, un plan más bien de novela que de drama y ha inventado una magnífica novela", y el editor Francisco de Paula Mellado al anunciar unos *Días fúnebres. Imitación de Cadalso* (1832);[60] más aún, la titulación específica de cada uno de los *actos* o *jornadas* implica un solapamiento entre la guía para la representación que debe ser un texto teatral y la titulación de los capítulos de una novela.[61]

[60] "Su plan es enteramente nuevo; dispuesto en forma dramática, sólo transcurren tres días mientras pasa la escena, alternando el diálogo con el relato, y variando las pinturas de tal modo que es imposible llegue a hacerse nunca pesada" (*Prólogo*, apud Juan Antonio Tamayo, "El problema de las *Noches Lúgubres*", *Revista de Bibliografía Nacional*, 1943, 327-329); todavía Patricio de la Escosura reelaboraba las *Noches lúgubres* en otro drama del mismo título (M. Hafter, 1971).

[61] Numerosas piezas románticas cultivaron esta modalidad de intensificación *para la lectura* en la titulación de las secuencias del drama. En *Teresita* las jornadas sucesivas se denominan "El Romanticismo", "las Mujeres y los Frailes", "El Drama y el desafío" y "La Confesión"; en *Adolfo* estos son los títulos, "Presentimiento", "Pasión", "Remordimiento", "Confusión", "Crimen"; en *El Trovador*, "El Duelo", "El Convento", " La Gitana", "La Revelación" y "El Suplicio"; "Libertinaje y escándalo", "Destreza", "Profanación", "El Diablo a las puertas del Cielo", "La sombra de doña Inés", "La estatua de don Gonzalo", "Misericordia de Dios y apoteosis del Amor" en *Don Juan Tenorio*. La práctica de la titulación explica la parodia de Mesonero en el artículo "El Romanticismo y los Románticos": "Los títulos de las jornadas (porque cada una llevaba el suyo, a manera de código) eran, si mal no me acuerdo, los siguientes: 1.º Un crimen. 2.º El veneno. 3.º Ya es tarde. 4.ª El panteón. 5.ª ¡Ella!. 6.ª ¡El!".

La proximidad entre los dos géneros también se refleja en las desviaciones estilísticas que manifiestan los personajes teatrales respecto a la que puede considerarse habla culta de la época: "lo que sí puedo decir —advertía Martínez de la Rosa en *La Conjuración de Venecia*— desde ahora es que, al hacer este ensayo, me propuse dar a los sentimientos, al estilo y al lenguaje la mayor naturalidad".. *Naturalidad* es la palabra clave que se predica en los tratados de declamación de actores (Jesús Rubio, 1988, 267-274), y todo lo que pudiera sonar a desvío lingüístico de un patrón de comportamiento establecido se convierte en el objeto de la parodia idiomática, en objeto de sátira y censuras gramaticales (Crespo Matellán, 1979; E. Caldera, 1988, 422). Desde el punto de vista de la creatividad, el habla de los personajes teatrales no es rica en recursos imaginísticos, son escasas las metáforas características del estilo romántico, y suelen aparecer concentradas en las escenas de máxima tensión dramática. La mayor intensidad expresiva se realiza en torno a los procedimientos lingüísticos que subrayan la fuerza emocional vivida por los personajes; los poetas del teatro romántico "en busca de lo natural y de la palabra adecuada, confían la exuberancia de sentimiento a un vocabulario sencillo. La elevación poética la consiguen a fuerza de vehemencia y de exaltación" (Joaquín Casalduero, 1967, 235).

Entre los reparos que los críticos de periódicos y revistas señalaban a las *comedias románticas* figuran, precisamente, las denuncias de "trivialidades", "frases atrevidas e indecorosas", "frases demasiado libres" o "frases malsonantes" (E. Caldera, 1978, 95-98). Pero si los registros expresivos de los personajes teatrales románticos no han sido estudiados aún con el rigor que el tema merece, sí es idea establecida entre los estudiosos la de considerar el trasfondo alusivo de los *dramas históricos* como la proyección de los conflictos vividos por el escritor y la sociedad española contemporánea; ya Monteggia, en su memorable artículo de 1823 en *El Europeo*, aseguraba que los argumentos románticos "nos recuerdan las circunstancias de nuestra vida".[62]

Los conflictos políticos subyacentes a la instauración de un régimen constitucional caldearon los textos teatrales del trienio

---

[62] "Romanticismo", *El Europeo*, I, 1823, 48-56 (índice de Luis Guarner, Madrid, CSIC, 1954, 100a).

1820-1830; los conflictos sociales manifiestos a partir de los años treinta (guerras civiles, nuevos regímenes de propiedad y producción, institucionalización legal de las libertades públicas, ataques a los grupos represores de los cambios) serán recogidos en los dramas históricos y contemporáneos, como *Teresita;* de una manera analógica en el teatro de García Gutiérrez (ed. de Picoche, 1979, 24-30 y C. Ruiz Silva, 1985), de un modo directo y militante en las piezas de Gil y Zárate, Alfonso García Tejero o los hermanos Asquerino (para estos últimos, Salvador García Castañeda, 1984).

Instituciones periclitadas, como la Inquisición (E. Caldera, 1985) se convierten en el símbolo de la despreciable intolerancia civil y religiosa: desde la adaptación teatral en 1820 del acreditado éxito narrativo *Cornelia Bororquia* o el *Lanuza* (1822) de Rivas, hasta obras tan significativas del universo romántico como la adaptación larriana del *Don Juan de Austria* de Delavigne, la *Doña Mencía* de Hartzenbusch y el rotundo alegato que constituye el *Carlos II el Hechizado* de Gil y Zárate; ni el mismo Zorrilla supo sustraerse a este tópico, como se advierte en su leyenda "El escultor y el duque". Los militares y el ejército (Picoche, 1982) o la aventura americanista (Patrizia Garelli, 1984) son otros tantos temas de la mitología española que pasan al fondo de referencias contemporáneas del teatro romántico.

Al igual que ocurre en la novela —y no en vano nos encontramos ante dos géneros que, durante el romanticismo, fueron tan cercanos—, la máquina de lo fantástico introduce en la escena la turbadora presencia de sombras y fantasmas —*Alfredo, El zapatero y el rey*—, susceptibles, claro está, de la réplica inmediata en la parodia —*Muérete y verás*, a modo de ejemplo. Los aludidos elementos fantásticos y maravillosos debieron llegar a producir un punto de cansancio en el público; "autores, público y críticos están de acuerdo en no admitir las brujas, los fantasmas, los muertos en gran abundancia e, incluso, lo fantástico" resume Picoche (1978a, 50). El fracaso de la traducción que García de Villalta realizó de *Macbeth* (sólo en cartel del 13 al 16 de diciembre de 1836) fue atribuido por Gil y Carrasco a la mala ejecución de los actores y a otras causas que Vicente Lloréns (1979, 378-382) estima como resultado del "cansancio del drama romántico, y la dificultad de la tragedia en España, de toda tragedia y no sólo la neoclásica". El mismo teatro-espectáculo de las *comedias de magia*, según la apreciación de Ermanno Caldera (1983a, 186) estuvo cargado por "una fuerte instancia de realismo y de verdad que en España acompañó la difusión del romanticismo".

La poética del drama romántico se cifra, en suma, en una potenciación del efecto natural producido directamente en el escenario y exhibido, como tal ante el espectador. Los pactos implícitos entre el texto dramático y el espectador que sustentaba la dramaturgia clásica son liquidados por una nueva estética de lo natural, según esta convención cultural se produce a través de los efectos sensoriales. Placeres artísticos generados por los sentidos frente a placeres de la imaginación son las propuestas complementarias de la estética romántica del teatro y de la novela. Por ello, la poética de la novela suscitó más hondas reflexiones de los tratadistas teóricos del romanticismo (Jean-Marie Schaeffer, 1983). Y en este marco general de la dramaturgia romántica europea, los rasgos diferenciales que caracterizan al conjunto de los dramas románticos españoles estriban en la naturaleza de sus personajes y en los valores morales que éstos postulan en su discurso.

En cuanto a los personajes, una apreciación de Joaquín Casalduero (1967) sigue siendo el punto de partida en la interpretación de los estudiosos: el misterio es el territorio que envuelve su identidad. Héroes de origen oscuro o desconocido para los espectadores y para ellos mismos nuclean los conflictos de la mayoría de las obras más famosas: el Ruggiero de *La Conjuración de Venecia*, el Manrique de *El Trovador,* el héroe misterioso por antonomasia *Don Álvaro*, el Gabriel Espinosa de *Traidor, inconfeso y mártir*... Estos héroes de incierto perfil se revelarán o se reconocerán a sí mismos en situaciones de acreditada tradición literaria como son las premoniciones, los presentimientos y, singularmente, las agniciones. Y junto a estos héroes *oscuros* —aspecto en el que los personajes teatrales mantienen un paralelo con los héroes de las novelas scottianas—, están los personajes que proceden de las capas marginales de la sociedad —corsarios en *Simón Bocanegra*, bandidos en *Los Amantes de Teruel*, artistas, pintores o escultores en varios textos (Susana Vedovato, 1984), moros aventureros en *Aben Humeya*, menestrales en *El zapatero y el rey* o *Las germanías de Valencia*... Y, en último término, los personajes que deliberadamente se colocan al margen de la sociedad, como *Don Juan Tenorio*. Todos son personajes que significan una radical oposición a la moral establecida y que por su marginalidad o por su condición subalterna —pajes en *El Paje* o *Carlos II el Hechizado*, trovadores en el drama de García Gutiérrez o en la *Elvira de Albornoz* de Díaz, menestrales en *Juan Lorenzo*...— traen a la escena un ímpetu de cambio en los valores sociales que no puede pasar desapercibido, desde que en el *melodrama* francés de la Revolución se había abierto la puerta al personaje justiciero (Rumeau, ¿1938?, 334). Pero ahora, en los años románticos, a diferencia de lo que había ocurrido en los antecedentes melodramáticos del XVIII, el personaje termina vencido por la fatalidad y por la imposible culminación de la comunicación humana en que se manifiesta la creencia de que la sociedad es impasible y ajena a los tormentos del individuo.

Las reacciones contrarias a los dramas franceses de Dumas y Victor Hugo fueron inmediatas a su estreno. *Lucrecia Borgia, Catalina Howard, Hernani, Antony* fueron otras tantas muestras de lo que se llamó el "romanticismo fisiológico", que por cierto gozó de gran acogida entre el público semi-letrado si nos guiamos, al menos, por las ediciones abreviadas de los divulgadísimos *pliegos de cordel*, entre los que abundan estas obras francesas y algunas de las célebres españolas (Joaquín Marco, 1977, 348-387). Y esto llama la atención porque los adulterios, el incesto —*Doña Mencía, El paje, Alfredo*— y el suicidio, eran pautas morales absolutamente opuestas por el vértice a lo que había sido el código moral de la sociedad. El mismo Larra, aunque por motivos más complejos que el mero rechazo misoneísta, había manifestado sus reservas al respecto. En el teatro de todos los tiempos y de modo más acentuado a finales del XVIII (Sebold, 1973) se habían planteado contravenciones morales como éstas, pero nunca hasta ahora se había realizado tal prédica en un discurso en el que se minaban los fundamentos teóricos de la sociedad establecida; "en el drama romántico había otros elementos que amenazaban destruir, a juicio de sus adversarios, creencias y valores muy arraigados en una sociedad católica y monárquica como la española; así por ejemplo, la falta de respeto a las instituciones civiles y eclesiásticas, el abandono del concepto tradicional del honor y de la autoridad paterna, la exaltación del plebeyo sobre el aristócrata" (Vicente Llorens, 1979, 424). La reacción tenía que producirse y los críticos coinciden en atribuírsela al teatro de Zorrilla.

EL MODELO DRAMÁTICO DE ZORRILLA

Los primeros pasos de Zorrilla como autor dramático no supusieron la entrega de los espectadores, tal como se había producido desde la publicación de sus primeros poemas. Obras no representadas y algunos estrenos de poco éxito —como el drama escrito según la vieja fórmula de la colaboración, en este caso con García Gutiérrez, *Juan Dandolo*— preceden a su primer triunfo escénico que fue la primera parte de *El zapatero y el rey* (1840). Desde esta fecha y hasta 1850, en que su salida de España —Francia, luego Méjico— corta su carrera teatral, estrenó más de una docena de obras que acreditaron su condición de autor dramático aplaudido y, posiblemente, fijaron un modelo de *drama histórico* que, para buena parte de la crítica es un servicio de la ideología consoladora del conservadurismo que se instaló en la sociedad burguesa de mediados del siglo (Vicente Llorens, 1979, 425-457). El oportunismo del que ha hablado este estudioso (1983) a propósito del autor vallisoletano se refiere a los iniciales tanteos temáticos de su primer tomo de *Poesías* (1837), a los que se debe sumar su drama *Vivir loco y morir más* (1837) (Picoche, 1983), tanteos de poeta esproncediano que son rápidamente preteridos por una instalación en la tradición legendaria, sobre la que el poeta hizo muchas consideraciones en sus *Recuerdos* y contra las que previene también el citado Lloréns.[63] Con todo, deben ser revisados los juicios que se han formulado sobre la pretendida inanidad de sus textos poéticos y teatrales, en la medida en que supo integrar materiales de la tradición y la cultura oral, profundamente arraigada en la España de su tiempo (pp. 139 y siguientes) y les añadió una tensión subjetiva de oscuras adivinaciones sensoriales y rítmicas.

Contra lo que se viene diciendo desde Allison Peers (II, 216-231), el teatro de Zorrilla no reproduce el modelo del teatro barroco ni en recursos escénicos, ni en lenguaje, ni en la misma

---

[63] La tensa relación afectiva con su padre fue enmascarada literariamente por el escritor en declaraciones que algo sugieren, aunque no deban ser tomadas al pie de la letra; por ejemplo, cuando se refiere —en los *Recuerdos del tiempo viejo*— a la quiebra de su trayectoria revolucionaria por efecto de su piedad filial: "yo me he hecho así famoso, yo, hijo de la revolución, arrastrado por mi carácter hacia el progreso, porque no he tenido más ambición, más objeto, más gloria que parecer hijo de mi padre y probar el respeto que le tengo".

estructura compositiva. Su aceptación por parte del público contemporáneo debe radicarse en su visión espectacular de la Historia, en las capacidades evocativas de su versificación, en la propuesta optimista que, según Picoche (1975) caracteriza a los héroes de su teatro; "la vida es un juego, un juego divertido, y es preciso no perder nunca la ocasión de distraerse; el héroe zorrillesco domina a sus semejantes, les hace andar a su aire, los burla, los aterroriza". Uno de los estrenos de su etapa final como autor dramático se titulaba, precisamente, *Entre clérigos y diablos. Partida en tres jugadas.* Juan María Díez Taboada (1985, 413-423) ha esbozado un sintético análisis del teatro de Zorrilla en el que pondera las virtualidades teatrales del dramaturgo que habrá que tener en cuenta cuando se proceda a una rigurosa revisión literaria de su obra teatral.

No fue el *Don Juan Tenorio*[64] la obra por la que Zorrilla manifestó mayor devoción ni tampoco la que provocó la liturgia de representación novembrina que, desde el siglo anterior, lucraba el drama de Zamora *No hay plazo que no se cumpla ni deuda que no se pague.* La recepción inmediata del drama *fantástico religioso* fue menos llamativa de lo que hoy suele pensarse. El acierto en la elección del mito hispánico del *burlador* (Navas Ruiz, 1980; Picoche, 1988b), su tratamiento teatral y las licencias teológicas que se tomó el poeta en la resolución optimista del conflicto han sido tópicos frecuentados por la crítica que pueden verse resumidos en las recientes ediciones del drama (S. García Castañeda, 1975; José Luis Varela, 1975; Aniano Peña, 1979; Picoche, 1985).

Ha interesado a la crítica más reciente el peculiar tratamiento del tema demonológico ("don Juan aparece como un Satanás desde los inicios de la obra, pero se trata como allí mismo se dice en dos ocasiones, de un demonio *familiar*, consagrado por una mitología de siglos que lo ha hecho, no por diabólico, menos humano". Aurora Egido, 1987, 37; "el satanismo de Zorrilla no es inquietante y corrosivo como el de Espronceda, sino decorativo, ortodoxo, de iconología popular católica donde el diablo aparece a la postre bajo el pie del ángel", J. Rubio, 1989, 14), el

---

[64] Suele darse como fecha de estreno la del 28-III-1844; José Luis Varela (1975) apunta datos que adelantan la primera representación al día 27 de marzo.

ritmo y la armonía compositiva que otorgan a la obra la dosificación de instrumentos para-teatrales, como la carta que don Juan
envía a doña Inés (G. Pérez Firmat, 1983), el fondo carnavalesco
que abre el desarrollo del drama (Horst, 1979) o las funciones
reguladoras de los nombres de los personajes (Feal Deibe, 1981).
David T. Gies ha insistido (1980a, 1983a) en negar el papel de
personaje revolucionario que se venía adjudicando al héroe zorrillesco y lo sitúa, por contra, en la tradición de las comedias
tradicionales de santos, a las que el autor sólo habría añadido la
actitud recentísima del *épater le bourgeois*, y que Ventura de la
Vega situaría en 1845 en su celebrada obra *El hombre de mundo*
(John Dowling, 1980). Russell P. Sebold (1982a, 61-65), en la
aplicación de su tesis sobre la continuidad del romanticismo español, propone una interpretación de los contenidos morales del
drama zorrillesco a partir de la mezcla de inocencia y pecado,
componentes que provendrían, respectivamente, de una ética
roussoniana y una moral cristiana tradicional, coincidentes ambas en la obra. Desde el punto de vista de las tradiciones legendarias enlaza la interpretación zorrillesca del *Don Juan* con el
énfasis que su autor dio al imaginario hispano de las leyendas de
tradición oral y del siglo de oro (D. Becker; Feal, 1984).

Otro camino que siguió el teatro de los años cuarenta fue el
de la versión escandalosamente distorsionada de la Historia,
pero en una clave progresista, lo que no es sino otra manera de
mitologizar *a propósito*. Los hermanos Asquerino, singularmente
Eusebio, "utilizaron el teatro para hacer propaganda y atraer al
incipiente proletario de las ciudades que ya comenzaba a tomar
conciencia de clase, e hicieron una demagogia tan desfachatada y
tan valiente como la de sus correligionarios Ayguals de Izco y
Martínez Villergas" (S. García Castañeda, 1984). En otra posición, no tan combatiente, se situaron los dramas de Romero
Larrañaga y las últimas obras de García Gutiérrez, cuyo *Juan
Lorenzo* (ya de 1865) es personaje de reivindicativa estirpe prole-
taria, pero cuya tesis configura una ideología feudal —acata-
miento de la situación establecida— que se armoniza con los
principios burgueses de democracia legal y la salvaguarda de los
derechos de propiedad (según la interpretación de José Escobar,
1982a). En la conclusión del sexenio revolucionario volvió a
triunfar sobre los escenarios españoles otra modalidad del drama
histórico con el teatro de José Echegaray —*La esposa del vengador*,

1874, *En el puño de la espada*, 1875...—, una modalidad que en palabras de un sagaz crítico teatral de la Restauración volvía a adquirir "con toda franqueza y resolución, con inusitada energía, con relieve palpable e inconfundible, todos, absolutamente todos, sus caracteres de antaño, sin modificación ni alteración alguna. Y lo curioso es que nadie se substrae a la fascinación que causa".[65]

Esta fascinación, operante todavía en los años finales del siglo, derivaba de los aportes del drama romántico a la historia del teatro. La clave poética de género tan innovador residía 1.°) en la aproximación del texto y el espectáculo hacia la actualidad de los espectadores —lenguaje natural, conflictos similares a los de la vida cotidiana, atracción de los sentidos con escenografías pungentes— y 2.°) en el ahondamiento en el interior de los personajes, o en aquellos, al menos, en que el poeta había acertado con una tercera dimensión de profundidad simbólica o psicológica.

La lucha contra la fatalidad, las imposibles fronteras de la comunicación humana o la angustia de los límites impuestos por la vida social están expresadas por los personajes del teatro romántico en la soledad de sus monólogos —recuérdense los dos fundamentales de don Álvaro en el drama de Rivas— o en la dialéctica interminable de sus diálogos con los oponentes (Jerry Johnson, 1987) o con la mujer amada. Estos formantes significativos de índole lingüística —monólogos y diálogos— se suelen sobreponer a elementos escenográficos que actúan como *símbolos plásticos* del mensaje transmitido al público.

El espacio escénico abierto —una plaza, el salón de un palacio, un cementerio, un campo de batalla— es susceptible de simbolizar la angustiosa soledad del personaje (E. Caldera, 1988, 170-171). Pero los espacios cerrados sirven también para las mismas funciones, ya sea la cárcel como símbolo de la derrotada condición humana —*Don Álvaro, Macías, El Trovador, Carlos II el Hechizado*— o los claustros y las celdas conventuales como efímeros refugios contra el fatal acaecer de la existencia, tal como la siente el anhelo insatisfecho del hombre romántico; escenarios estos últimos que llegaban, además, al teatro del XIX desde las comedias lacrimosas y los melodramas (McGaha, 1973; Sebold, 1985b, 427-428; Caldera, 1988, 444-

---

[65] José Yxart, *El arte escénico en España*, Barcelona, I, 1894, 68-69.

447). De todas formas, la significación simbólica de algunos escenarios románticos dependía —y ello era ya inevitable en una etapa de denso cambio histórico— de los códigos culturales vigentes en cada comunidad de espectadores. Muy oportunamente había observado Covert-Spring en 1836, que "los frailes, en Inglaterra y en Francia, producen en la escena un efecto muy *romántico*, porque la generación actual no los conoce sino por la lectura y las tradiciones".[66] En España, y en ese mismo momento histórico, los frailes y los conventos provocaban otro tipo de emociones, implicadas más directamente en los enredos de la política del momento. Y, al hacer estas observaciones sobre la actitud receptora de los diversos públicos, he vuelto por los fueros del *historicismo* que había sentado la justificación teórica del drama romántico.

[66] Texto citado por Alberto Blecua en su edición del *Don Álvaro*, 1988, 194.

VI

PROSA

La teoría y la crítica literarias. El ensayo

La forma artística apropiada para la exposición de cuestiones técnicas y científicas fue generando sus propios recursos en los textos intelectuales del siglo XVIII hasta confluir en el peculiar estilo de la prosa decimonónica, cuyas versiones oratoria y periodística mantienen vínculos retóricos muy estrechos (María Cruz Seoane, 1977). El auge considerable que, desde principios del siglo XIX, experimentan los vehículos editoriales volanderos —el folleto, la publicación periódica, la hoja suelta— y el apogeo de una voluntad de expresión individual dan razón de una escritura directa y polémica que se desarrolla ampliamente en el curso del siglo. El *Discurso* feijoniano resulta, pues, escala intermedia entre una *literatura mixta* aureosecular, anclada aún en los fundamentos de las *autoridades*, y el mucho más inmediato y subjetivo escrito que puede denominarse ya, sin género de dudas, *ensayo*. La actitud intelectual y los rasgos constructivos que destacan en esta forma tan característica de la modernidad pueden aislarse en buena parte de los escritos *metaliterarios* en los que se ofrece de forma inmediata la pugnaz presencia de la primera persona del propio escritor. Y ello es así, porque para la prosa didáctica de la primera mitad del siglo puede sostenerse, como ha señalado David T. Gies (1983), que "cada autor descubre y desarrolla una voz que va ligada simultáneamente a la forma del ensayo y a la auto-conciencia de romanticismo".

El alto grado de percepción subjetiva que implica la *sátira* contribuye, complementariamente, al fuerte énfasis que manifiesta el *yo* del escritor en la expresión de la prosa crítica, ya escriba sobre apologética religiosa, debata acerca de las instituciones públicas o practique el estudio de las costumbres y la crítica literaria. El prestigio de los estilos de burlas y parodias de la literatura española del Siglo de Oro todavía tiene arraigo entre los escritores del XIX, por lo que no es infrecuente que el tratamiento de cuestiones severas se presente aderezado con enormidades de feroz cuño expresionista. La sátira y la burla de bulto, aplicadas por un Miñano, un Gallardo, y en menor medida, un Larra (Valeriano Bozal, 1982a), reviven viejos odres que contienen asuntos modernos. De manera que el distanciamiento del escritor y su visión alejada o irónica no son las pautas *castizas* habituales en el estilo de la prosa crítica de los románticos españoles. La atractiva personalidad de Bartolomé José Gallardo,[1] entreverada de saber filológico y beligerante militancia liberal, depara la mejor muestra de un estilo colmado de pliegues sarcásticos y despiadadas agresiones personales.

1. *Vigencia de las Humanidades clásicas y Preceptiva*

Vicente Lloréns (1979, 268-269), reiterando una opinión anterior de Luis Cernuda, ha considerado que la precariedad de los estudios de Humanidades, y del helenismo español por modo excelente, explicaría los fallos literarios de nuestro romanticismo. La hipótesis no es en absoluto desdeñable, pero ha de ser contrastada, en todas sus implicaciones, con la realidad intelectual y literaria de la España del primer tercio del siglo XIX.

En este tramo histórico, la enseñanza de las lenguas y literaturas clásicas seguía manteniéndose, bien que de forma mortecina, en los programas de estudio de los centros escolares. Aunque no se haya trazado el balance completo del proceso de decadencia de estos estudios en las aulas españolas del siglo pasado, diversas noticias bibliográficas y biográficas, además de algunas pistas

---

[1] Escribe, por ejemplo, sobre la Biblioteca Nacional y sus dos bibliotecarios Bretón de los Herreros y Agustín Durán: "este flamante bibliotecario, por desgracia irreparable (si Santa Lucía no hace un *milagro* de los que no suele) tiene un ojo menos [Bretón], y a su dignísimo compañero le falta el oído [Durán]; de forma que no parece sino que la Biblioteca Real, bajo la dirección del insigne abate Patiño, va convirtiéndose en un cuartel de inválidos, o digámosle, como llama don Francisco Manuel de Melo al más ingenioso de sus libros *El Hospital de las Letras*" (*Criticón*, n.º 5, ed. Pedro Sainz Rodríguez, *Obras escogidas,* Madrid, II, 1928, 85).

proporcionadas en las citas clásicas manifiestas en los textos de los románticos, permiten sospechar cierta pervivencia de los antiguos usos escolares y de los *studia humanitatis*. Ahora bien, la sustitución del latín por el español como lengua oficial de la enseñanza sólo se propuso oficialmente en 1813 —en el proyecto de la Junta de Regencia elaborado por Quintana—, propuesta que pasó por diversos avatares hasta su establecimiento definitivo en los planes de estudio de 1845 y 1847; durante ese proceso, como ha mostrado Gutiérrez Cuadrado en su repaso de disposiciones legales de ámbito nacional y de las decisiones de algunas universidades, la tendencia a la supresión del latín no respondía a razones exclusivamente técnicas, sino a motivos políticos que buscaban "la expulsión de una lengua enemiga del progreso, de la lengua del clericalismo y de la reacción". Los tratados clásicos seguían editándose[2] para su empleo en las aulas (véase para la difusión de la *Ars minor* de Donato el trabajo de Closa Farrés), especialmente en materias jurídicas y teológicas; los conocedores de la antigüedad seguían traduciendo afanosamente textos griegos y latinos (Ranz de Romanillos a Isócrates y Plutarco, Castillo y Ayensa a Anacreonte, Pérez del Camino a Tibulo, Javier de Burgos a Horacio, Gómez Hermosilla a Homero),[3] y en los prosistas y poetas se perfila la impronta de los textos venerables en una presencia del mundo antiguo mucho más rotunda que lo que pudieran sugerir las banales contraposiciones entre clásicos y románticos (véase el estudio de Closa Farrés sobre la imagen de

---

[2] Son numerosas las ediciones de los varios libros del *De Institutione Grammaticae* nebrisense, en sus versiones latinas o en modernas traducciones al español (cf. *Catálogo colectivo del patrimonio bibliográfico español. Siglo* XIX, Madrid, II, 1989, números 4680-4701). El manuscrito 7772 de la Biblioteca Nacional de Madrid (98 folios) contiene el "Privilegio adquirido por el Hospital General de Madrid para imprimir y vender el Arte del maestro Antonio de Nebrija y arrendamiento de dicho privilegio (...) a favor de la Compañía de Impresores y Libreros del Reino" y otros documentos relacionados con este asunto, producidos entre 1766-1866.

[3] La fortuna, entre poetas, de la traducción de la *Ilíada* realizada por Gómez Hermosilla se evidencia documentalmente en su empleo por parte de Espronceda y Lautréamont. Leyla Perrone y Emir Rodríguez Monegal (1983) han podido estudiar las notas manuscritas de Ducasse en el ejemplar que éste había manejado en su infancia; el que había pertenecido a Espronceda, y que se reseña en la lista de libros de su biblioteca, pasó a poder de Lázaro Galdiano, en cuya biblioteca hoy puede consultarse con anotación manuscrita de Vicente Colorado.

Roma en las letras del XIX, 1982). Uno de los tópicos culturales puestos en circulación por los ensayistas románticos alemanes —el de la oposición de los pueblos del Norte y los pueblos del Sur— tuvo amplio eco en las discusiones españolas sobre el romanticismo y, en su defensa de la cultura meridional, los autores hispanos abundaron en caracterizaciones sumarias de las raíces greco-latinas y de los rasgos específicos de la cultura septentrional.[4]

Luis Cernuda, en 1955, veía una solución de continuidad entre la poesía española del XIX y la "poesía del mundo clásico, latina y helénica". Pero la realidad histórico-literaria fue más compleja de lo que sugieren estas apreciaciones; la obra poética de Sánchez Barbero, Arriaza, Cabanyes y, pocos años más adelante, vertientes de la poesía esproncediana y de la prosa de Larra matizan el aserto del poeta del 27. Signo de la complejidad histórica que tiene el fenómeno de las pervivencias clásicas es el caso del helenista catalán Bergnes de las Casas, editor de novelas históricas y autor de una *Nueva gramática griega,* como oportunamente ha recordado Manuel Fernández Galiano (1977, 37-39).

Situando el problema en el ámbito de las Bellas Artes, debe tenerse presente, a propósito de la vigencia en España de los modelos del Humanismo clasicista, que tanto en la actividad plástica como en la arquitectura del primer tercio del siglo pervivió de modo muy arraigado el arte neoclásico (Navascués, 1989) y que en la creación literaria romántica coexistieron géneros como la tragedia (pp. 279-282) y la anacreóntica (pp. 205-206). Para el marco literario europeo de los primeros años del siglo ha recordado Juretschke (1982, 19) que "la disputada polémica con el clasicismo había tardado en producirse, dado

---

[4] Algunos casos: "los griegos en sus obras de imitación no pintaban otros crímenes sino aquellos que formaban parte de la historia mitológica (...) gracias a la literatura de los pueblos septentrionales, los personajes de los dramas y novelas son asesinos, salteadores, brujos, magos, corsarios, diablos y hasta vampiros" (¿José Joaquín de Mora? en la *Crónica Científica y Literaria,* 16-XI-1819); "la mitología de aquellos pueblos nunca fue la griega y latina; sus hábitos, nunca los de las naciones clásicas; el cielo que las cubría, el suelo que pisaban, eran y son diferentes en un todo de los de Grecia y del Lacio; sus sensaciones hubieron de ser, por lo mismo, diversas, y sus asociaciones de ideas muy distintas de las que hacían impresión en los sentidos y reinaban en las cabezas de los antiguos griegos y romanos" (Antonio Alcalá Galiano, prólogo de *El Moro Expósito,* 1834).

que el romanticismo incipiente convivía al principio pacíficamente con el clasicismo, hecho que ya registró, sorprendido, el historiador Meinecke en 1936. August Wilhelm Schlegel representa el testimonio más vivo de esta convivencia". De manera que la evidente convivencia de clasicismo y romanticismo en las literaturas inglesa y alemana— aspecto que cuenta con una nutrida bibliografía interpretativa desde la ya lejana monografía de Siegfried Giedion—, aunque no tiene paralelo exacto en el caso español; sí debe ser atendida con mayor exigencia de lo que suele ser habitual.[5]

Vinculada al aprendizaje de las lenguas clásicas estaba la enseñanza de la Retórica y Poética en los centros secundarios y en los cursos propedéuticos de la Universidad, cuestión sobre la que no disponemos de un estudio sistemático. Los datos parciales que poseemos sobre la enseñanza de las materias humanísticas durante la primera mitad del siglo nos permiten suponer un errático oscilar entre la docencia del latín y del español, en la que se aplican viejos recursos pedagógicos que trasladaban a los alumnos una mínima familiaridad con fragmentos de ambas literaturas y con los procedimientos estereotipados de los *tres estilos*; Larra había adquirido adiestramiento en las figuras retóricas empleando la obra del P. Hornero (P. L. Ullman) y Hartzenbusch, como anotaba Ferrer del Río en su biografía, había aprendido el arte de versificar en la *Poética* del P. Losada; los conocimientos retóricos de Martínez de la Rosa (como mostró J. F. Shearer) tienen un hondo arraigo en la tradición latina. Los ejercicios de composición latina que nos conservan algunos impresos recopiladores de las fiestas escolares de jesuitas o escolapios para las dos primeras décadas del siglo y los planes de estudio de los establecimientos públicos y privados para las siguientes (véanse los trabajos de Guillermo Díaz-Plaja, 1961-62, Carmen Simón Palmer, 1969, Andrés Soria, 1974 y Buesa Oliver, 1983a, 39-41) confirman una práctica docente repetitiva en que el libro de texto tradicional es instrumento indispensable.

La parva capacidad formativa de los programas de Retórica y Poética, tal como se aplicaban habitualmente, queda de mani-

---

[5] Pérez Galdós, tan sagaz en la percepción de muchas tensiones de fondo que recorrían la vida española del XIX, reconstruye en *La estafeta romántica* un cuadro vivaz de la asimilación que realiza Fernando Calpena de la educación clasicista y de la nueva cultura literaria del romanticismo.

fiesto en las declaraciones más sinceras de algunos docentes. Respondiendo a la invitación que se le cursaba desde Cáceres para que ocupase en aquella ciudad una cátedra de Humanidades, escribía Donoso Cortés que aceptaría la propuesta si la finalidad de su trabajo fuese "no solamente explicar los rudimentos de las humanidades, sino subir hasta sus principios más fecundos y sus aplicaciones más brillantes"[6]; las condiciones del joven docente debieron de ser aceptadas, puesto que en 1829 leyó en aquella ciudad un *Discurso* inaugural, estimado como uno de los primeros manifiestos del romanticismo español (E. Caldera, 1962, 79-90). Precisamente en torno a los meses en los que Donoso ocupa la Cátedra de Cáceres, el profesor mantiene una vivaz correspondencia con su amigo Joaquín Francisco Pacheco en la que los jóvenes corresponsales manifiestan haber superado la filosofía del sensualismo.[7]

Sobre la docencia de la Preceptiva clásica, Giner de los Ríos escribiría en 1866 que "o la Retórica y la Poética se organizan científicamente bajo el plan elemental de la Literatura o debe renunciarse a ellas por completo. De hecho se muestra que, entendidas como hasta aquí, son por lo menos inútiles, más frecuentemente perjudiciales y sólo propias para formar copleros y pedantes".[8] Con todo, la fatigosa continuidad de determinados libros de texto es dato revelador de los propósitos educativos que perseguían los profesores de Humanidades.

Libros como las *Instituciones Poéticas* (1793) de Santos Díez González eran publicaciones cuya finalidad inmediata se situaba en el uso del aula, puesto que, fundamentalmente, se limitaban a exponer las repetidas nociones de géneros y estilos poéticos y las clasificaciones de figuras retóricas. En el XVIII, las propuestas más sustantivas sobre los textos y las series literarias en que se inscriben hay que buscarlas en la *Poética* de Luzán, en las adiciones de los traductores a los tratados de Blair y Batteux y, ya entrado el siglo XIX, en las Historias de la Literatura que van jalonando, desde los primeros años del siglo, la cada vez más pujante concepción diacrónica de los fenómenos literarios.

---

[6] "Carta a don Jacinto Hurtado" de 18-VIII-1829 (*Obras Completas*, Madrid, BAC, I, 1970, 179).

[7] Cf. Juan Donoso Cortés, *Obras*, Madrid, BAC, I, 1970, 171 y siguientes.

[8] *Obras Completas*, III, 1919, 134.

En el primer tercio del siglo, los tratados más influyentes en el orden de la teoría literaria son las traducciones-adaptadas de los *Principes de la Littérature* (1746-1748) del abate Batteux y las *Lectures on Rethoric* (1783) del catedrático de Edimburgo Hugo Blair. De la primera obra realizó una versión ampliada Agustín García de Arrieta (en nueve volúmenes, publicados entre 1797 y 1805, que no volvieron a reeditarse) y la segunda fue trasladada por José Luis Munárriz en una edición de cuatro volúmenes aparecidos entre 1798 y 1801 que sí tuvieron reediciones sucesivas (1804, 1816-1817), abreviaciones (1815, 1819, 1822, 1824, 1841) y refundiciones (en la *Poética y Retórica* de Sánchez Barbero, reelaborada por el latinista Alfredo Camus). Andrés Soria (1979) llevó a cabo una primera indagación sobre los alcances innovadores que, en teoría literaria, deparaban las *Lecciones* de Blair —básicamente, una estética del *emocionalismo* y de la *sublimidad* que justifica el teatro isabelino, los poemas ossiánicos y la novela moderna (D. Paul Arbott, 1989)—, y que no es posible encontrar en la obra del francés, aunque este segundo tratado experimentó curiosas modificaciones en su traducción española (estudiadas por Inmaculada Urzainqui, 1989).

La especie divulgada por Antonio Alcalá Galiano (en sus artículos sobre "Literatura española" y en sus *Memorias* posteriores) de que cada una de estas traducciones responden al impulso de dos grupos literarios madrileños —la de Batteux a los moratinianos y la de Blair a los un poco más jóvenes amigos de Quintana— se revela inexacta en el análisis que Inmaculada Urzainqui ha verificado de la génesis y aportaciones personales que García de Arrieta llevó al texto por él traducido, donde el adaptador hispano llega a afirmar que "nuevos géneros, nuevos progresos exigen nuevas reglas y éstas en muy corto número" (*Principios filosóficos de la Literatura*, IV, 227). De todas formas, la idea de *imitación* que se mantiene en el original de Batteux y en la versión hispana es menos flexible que la sustentada por el autor escocés y su adaptador español.

La obra de Blair fue empleada por profesores de Retórica hasta que le vino la alternativa en el *Arte de hablar en prosa y verso* (1826) de Gómez Hermosilla, declarada oficialmente libro de texto en las clases de Humanidades, sustitución en la que "ganó algo la pureza de la lengua, pero no ciertamente la educación de los españoles, puesto que el libro de Blair, por cualquier lado que se le considere, descubre una crítica mucho más elevada e independiente que la de Hermosilla y una preocupación de los problemas de estética, para los cuales el *Arte de hablar* es caso de todo punto extraño e indiferente". Este juicio de Menéndez Pelayo,[9] si acertado en la estimación de un manual cuajado de preceptos, no es justo proyectarlo sobre el conjunto de la actividad humanística del autor, que unió a su condición de helenista el interés por las cuestiones de teoría del lenguaje en sus *Principios de Gramática General* (1835) y que, como ha probado Val Álvaro, resulta una eficaz integración de planteamientos lingüísticos logicistas y sensualistas.

El natural envejecimiento que experimentan los tratados escolares y las sucesivas reformas parciales del sistema educativo eliminaron la enseñanza obligada de la retórica clásica —paralelamente acompañada de la eliminación del latín como lengua de los actos públicos universitarios, (Buesa Oliver, 1983a)— y fueron dando lugar al incremento de los manuales de Retórica española fundidos con los atisbos de historiografía literaria nacional que se habían abierto camino en la investigación de los estudiosos y en discusiones de los críticos (Emilia de Zuleta).

Aunque el catálogo de manuales de Preceptivas, a partir de los años treinta, da un saldo copioso de textos, el interés y la novedad ya no es rasgo que los caracterice. Las *Poéticas* publicadas fuera de los circuitos de la actividad educativa son las que ofrecen planteamientos más cercanos a la transformación que estaba experimentando la creación contemporánea —caso de la *Poética trágica* (1834) de Alonso de la Avecilla (estudiada por Leonardo Romero, 1968)—, o marcas de expresión que evidencian una posición particular del autor en las cuestiones que considera. La *Emancipación literaria* (1837) de Ribot y Fontseré —título que procede del *discurso* de Durán— y la *Novísima Poética* (1859, pero compuesta en 1844) de Braulio Foz buscan una comunicación más próxima con el lector tanto en sus interpretaciones como en su expresión coloquial, lo que las acerca en el estilo y en el modo de tratamiento de los problemas al periódico o al ensayo (Leonardo Romero, 1985), ya estén escritas en verso (Gloria Rokiski, 1988a) o en prosa; para la *Poética* de Martínez de la Rosa, ver Cebrián (1990).

---

[9] *Historia de las ideas estéticas*, 1963, III, 182.

2. *Instituciones culturales*

La unión de personas en grupos que comparten intereses comunes es una de las líneas maestras en la configuración de la sociedad del XIX que tiene su eco en el terreno de las actividades culturales, artísticas y literarias. Por una parte, continúan las sesiones de las instituciones dieciochescas —Academias y Sociedades Económicas— [10] que tímidamente se asoman o intervienen en las innovaciones traídas por el nuevo tiempo histórico. La Real Academia Española, durante la década de los años treinta, abre sus puertas a Lista (que ingresa en 1830), Juan Nicasio Gallego (1831), Martínez de la Rosa (1833), al duque de Rivas (1834), Bretón de los Herreros (1834), Gil y Zárate (1836), Ventura de la Vega y Mesonero (1838), Agustín Durán (1839) (Rafael Lapesa, 1984, 353). En la Academia de Barcelona, se consigue la aclimatación de la estética de los pintores *nazarenos*, importada por Pablo Milà, aunque en 1839 Puig i Esteve había manifestado en la misma institución una oposición radical al romanticismo, la Sevillana de Buenas Letras fomenta los concursos públicos y en algunos de ellos se discutió también sobre el romanticismo (para el informe adverso de José de la Revilla, Aguilar Piñal, 1980). Por otro lado, deben tenerse en cuenta las más recientes fundaciones de Academias literarias de carácter privado, como la valenciana de Apolo a la que se vinculó el P. Arolas,[11] o la madrileña del Mirto, pilotada por Lista y en la que ensayó sus primeros versos José de Espronceda.[12]

Frente a estas instituciones y, además de las más informales tertulias de los domicilios particulares —desde la reunión de los

[10] La información contenida en la monografía bibliográfica dieciochesca dispuesta por P. Demerson, J. Demerson y F. Aguilar (*Las Sociedades Patrióticas de Amigos del País en el siglo* XVIII. *Guía del investigador*, San Sebastián, 1974) apunta posibilidades para la indagación de las actividades de estas instituciones durante el siglo XIX.

[11] Cf. Arolas, *Obras*, ed. de F. Díaz Larios, Madrid, BAE, vol. CCLXXXIX, p. XXV.

[12] Robert Marrast (ed. de Espronceda, *Poesías líricas*, 1970, pp. 10-12 y 46-47) resume las noticias que había proporcionado el marqués de Jerez de los Caballeros en un *Discurso* académico de 1897 y colaciona los textos del poeta conservados en el manuscrito de la Academia del Mirto. La edición de este manuscrito, aún inédito, corroborará probablemente la pervivencia de la actividad de las Academias renacentistas y barrocas bien entrado aún el siglo XIX.

pasantes de Cambronero en torno a 1830 (Larra, Alonso...) o
la que tenía lugar en la casa del editor valenciano Cabrerizo a la
que asistían López Soler, Juan Nicasio Gallego, Sabater, posiblemente Arolas (con datos del propio editor, en Díaz Larios,
ed. de Arolas, I, pp. XXIV-XXV), hasta las suntuosas reuniones del marqués de Molíns, a mitad del siglo, (Antonio Gallego
Morell, 1972, 9-28 y Gallego Roca)—[13] están las tertulias de
los cafés, realidad cultural difícil de documentar y sobre la que
planea el modelo del "Parnasillo" establecido en el café del Príncipe (Mesonero, *Memorias*, 2.ª parte, cap. IV; González Bravo,
El Alba, 1838, VI, 3-7), que recientemente ha vuelto a considerar Gregorio C. Martín (1981); no deben olvidarse, a este propósito, las tertulias políticas de los cafés gaditanos, como el de
Apolo que ha estudiado Navarro Latorre, aunque la aportación
más completa a la historia de los cafés del XIX sea el discurso
académico de Antonio Bonet Correa (1987). Pero las *asociaciones*
que mejor personifican la vida cultural del romanticismo son
creaciones de nueva planta: los Ateneos y los Liceos. En fecha
tan temprana para la institucionalización de estas entidades
como es el año 1824, un anónimo redactor de *El Europeo* publicaba en la revista barcelonesa un ensayo descriptivo "De las sociedades literarias" (vol. III, pp. 105-114) en el que se proclama
rotundamente que "el alma de estos establecimientos es el celo
patriótico".

No disponemos de una investigación sistemática sobre la di-
seminación de ambas instituciones culturales (Mesonero, *Memorias*, 2.ª parte, cap. XIII), extendidas rapidísimamente por todas las ciudades españolas a partir de la fundación madrileña del
segundo Ateneo (1835). En la restauración de la entidad intervi-

---

[13] Como índices verbales, el material léxico recopilado por Lapesa (1989,
402) es revelador: "El trato social da lugar a *relaciones, conocimientos* y *conexiones*,
así como el goce del *favor* o *influencia. Sociedad*, que cuenta entre sus significados los de reunión y conjunto de personas reunidas; equivale también a vida
social intensa en los sintagmas *tener sociedad* y *abrir su casa a la sociedad*. La
reunión en una casa es una *tertulia*; hay tertulias de *confianza, de respeto* y *de gran
tono*, unas veces homogéneas, otras a las que concurren gentes de varias es-
feras". El *Diccionario de las gentes del mundo para uso de la corte y de la aldea*, en su
traducción ampliada de 1820, anotaba "TERTULIAS: Fomento del espíritu
público a favor de la Constitución cuando se reúnen en los cafés y son dirigidas
por el amor del orden y un espíritu de moderación. Principio de revoluciones
cuando son *secretas* o la exaltación las dirige."

nieron de modo eficaz Mesonero, Rivas y Alcalá Galiano, que transmitieron al centro el estímulo liberal que consideraba a la cultura como el fundamento del sistema político constitucional, y organizaron el Ateneo, también en un planteamiento liberal, sobre la base de la permanente controversia ideológica. Un fundamento liberal moderado, el del Ateneo, que es la tribuna de las conferencias dedicadas a tema entonces tan novedoso como el Derecho Político Constitucional; Ángel Garrorena (1974) ha explicado de modo convincente cómo las intervenciones sucesivas de Donoso Cortés (1836-1837), Antonio Alcalá Galiano (1838-1840) y Joaquín Francisco Pacheco (1844-1847) abundaron en los planteamientos teóricos del liberalismo doctrinario.

Se ha insistido en las monografías relativas al Ateneo madrileño en que la institución funcionó como sala de espera previa a la instalación de sus asociados en el poder, lo que explicaría que los principales estudios que se le han dedicado, tanto al de la época isabelina como al restauracionista, se organicen desde la retícula que ofrecen los acontecimientos políticos contemporáneos. Pero debe tenerse en cuenta que el Ateneo de los años románticos es, políticamente hablando, un núcleo mayoritario del liberalismo moderado que activó la creación de una asociación alternativa —la Sociedad de Instrucción Pública— propiciadora de planteamientos políticos próximos al partido demócrata (Ángel Garrorena, 1974, 179-192). Con todo, el Ateneo de la plazuela del Ángel (años 1839 a 1848) mantuvo una intensa actividad docente en torno a las cátedras (Ruiz Salvador, 62-66) y los debates de las secciones específicas. En la de Literatura y Bellas Artes, y entre los años 1836 y 1839, se discutió de los temas que importaban a los escritores y críticos del momento, es decir, sobre los clásicos y los románticos, la validez de las reglas en el teatro moderno, la función social de la literatura o las novelas históricas y caballerescas (Ruiz Salvador, 66-73). El modelo teórico de la entidad y la configuración de sus actividades se fue reproduciendo en los Ateneos de otras ciudades, sobre algunos de los cuales, y para la segunda mitad del siglo, disponemos de valiosas investigaciones, cosa que no ocurre para los Ateneos provinciales de los años treinta y cuarenta (véase la cuidada sistematización que para el Ateneo de Zaragoza ofrece Francisca Soria, 1993).

Institución paralela, pero nunca coincidente con el Ateneo,

es el Liceo, que también desde Madrid —y a partir de su fundación en 1837— sirvió un modelo teórico y organizativo a las asociaciones similares que fueron surgiendo inmediatamente en muchas capitales de las provincias españolas. El *Semanario Pintoresco Español* solía refundir las noticias sobre el funcionamiento de las dos entidades madrileñas (cf. para el año 1838, pp. 417-418, 425-427, 432-434, 454, 469-470), ya que Mesonero Romanos participó directamente en una y otra; pero en el Liceo, junto a este empresario de la cultura figuraron escritores como José Fernández de la Vega y Zorrilla, no tan directamente implicados en la fusión vital de política y literatura como lo eran las figuras fundacionales del Ateneo.[14]

La polarización en las actividades artísticas que distingue las actividades de los Liceos los vacía de la proyección pública que se adjudicaban a sí mismos los Ateneos y delimita para aquellos un espacio de cultura burguesa casi incontaminada.[15] Los Liceos, comenzando por el madrileño, tuvieron vida más efímera que los Ateneos, y tanto unos como otros fueron escenarios imprescindibles para las manifestaciones de la vitalidad cultural de las ciudades españolas (para el Liceo malagueño, véase la monografía de Ángel Caffarena, 1966). Ahora bien, para los Liceos, sólamente las publicaciones periódicas conservan informaciones detalladas de sus actividades, habida cuenta la función social más *representativa* que los caracterizaba y que se refleja de inmediato en las páginas de revistas literarias o diarios de información. Es el caso del *Liceo Artístico y Literario* (1838) madrileño (índice realizado

[14] José Luis Varela (*Vida y obra literaria de Gregorio Romero Larrañaga*, Madrid, CSIC, 1948, 63-144) proporciona un resumen de las actividades del Liceo madrileño.

[15] Gil y Carrasco ponderaba la fusión de las actividades artísticas e intelectuales del Liceo madrileño de 1839 en estos términos: "Las sesiones ordinarias y extraordinarias de competencia nos han sabido presentar a un mismo tiempo los encantos de la poesía, las armonías de la música y las magias del pincel, junto con el atractivo de una brillante y escogida sociedad. Mucho tiempo se pasará antes de que se olvide la introducción al poema del *Diablo Mundo* del señor Espronceda. Los robustos acentos del señor Salas a los delicados y riquísimos de las señoras Vega y Bonaplata, y los espléndidos cuadros de Villaamil o los maravillosos dibujos de la señorita Weis. (...). El Liceo hasta el día no había cumplido la misión de enseñanza que le estaba encomendada; en el día la cumple, en el día domina lo presente y señala el porvenir; en el día, finalmente, es la expresión completa del arte, así en la actualidad como en lo futuro" (*El Correo Nacional*, 12, abril, 1839).

por José Simón Díaz), de *La Alhambra* (1839-1843) de Granada
(Nicolás Marín, 1962, 62-65), de *La Aurora* (1839-1841) de
Zaragoza (José-Carlos Mainer, 1983, 306-308), de *El Liceo Valenciano* (1837) o de las publicaciones del Liceo alicantino (1839-
1849) estudiadas por Ríos Carratalá (1987, 29-32).

Cuando hayan sido vaciadas las publicaciones periódicas que
dan cuenta de estos sugestivos fenómenos de la vida española en
los años treinta y cuarenta, se podrá dibujar un plano de la difusión social de las ideas y tópicos literarios suscitados con el romanticismo y podrá ser medida con más acierto su capacidad de
incidencia en la evolución de las mentalidades provincianas y en
la producción de fenómenos de naturaleza específica, como los
regionalismos y nacionalismos. De manera que lo que en el plano de la discusión teórica se presentaba como una aportación
ideológica de la modernidad —la vinculación entre actividad
artística y estado de la sociedad—, desde la perspectiva de las
ciudades españolas se vivía, en aquellos momentos, como una
pasión de la vida cotidiana.

3. *Aportaciones de la nueva crítica*

El tantas veces citado libro de Mme de Staël *De la littérature
considerée dans ses rapports avec les institutions sociales* (1800), trasladaba al siglo XIX la visión histórico-social de la Literatura que
habían sostenido los ilustrados dieciochescos. Desde ambas
fuentes —la *filosofía* de la Ilustración y los programas de trabajo
de los primeros románticos europeos— llegaron a los críticos
hispanos las ideas sobre el papel que el artista representa en el
marco de la sociedad; sobre ello se discutió ampliamente en los
Ateneos y en las páginas de los periódicos (recuérdense los artículos de Espronceda "Influencia del Gobierno sobre la poesía"
de 1834, de Larra "Literatura. Rápida ojeada sobre la índole de
la nuestra", 1836, o de Gil y Carrasco "Del movimiento literario
en España en 1837"). El proceso —una sociología literaria *avant
la lettre*— evidencia las transformaciones conceptuales operadas
por los estudiosos y los escritores que, desde fines del XVIII,
habían considerado la Literatura no como un universal abstracto
sino como una realidad histórica, susceptible de metamorfosis
generadas por los ritmos de la vida social.

La erudición del XVIII —Mayans, Velázquez, Sarmiento, Tomás Antonio Sánchez—, había rescatado para el patrimonio español textos del pasado cuya publicación habría de contribuir a una más exacta visión de lo que habían sido la lengua y la literatura españolas. Por otra parte, el germen historicista que subyacía en la obra de Luis Joseph Velázquez y en los tertulianos de la Academia del Buen Gusto fue desarrollando paulatinamente la idea de que la *restauración* de la literatura española no se iniciaba en la mitad del XVIII sino en los años finales del siglo (por ejemplo, en los artículos de Gorostiza publicados en *New Montly Magazine*, 1824, glosados por Llorens, 1968, 362-365).

En la larga etapa del traspaso de siglos, confluyeron en un proyecto unitario de Historia literaria nacional la *Poética* sensualista —nucleada en torno a conceptos como *genio, gusto, imaginación, sentimiento*— y las propuestas individualizadoras del romanticismo germano (Garrido Palazón, 1988). Es en el curso de esta fase de mutación de ideas poéticas cuando se publican las *Obras* de Leandro Fernández de Moratín (1830-1831), en Madrid y bajo protección real. En esta recopilación se ofrece un *corpus* de crítica teatral que constituye una historia del teatro español construida sobre estos tres elementos: 1) un panorama del teatro antiguo, del que quedan excluidos los textos barrocos, (los *Orígenes*), 2) una visión de conjunto del teatro dieciochesco (el *Prólogo* de la edición parisina de las *Obras* de 1825), y 3) una justificación de la propia estética teatral en las *Notas* que acompañan a las comedias del autor en esta edición. El estimable trabajo de recopilación de noticias y la exhibición de estimaciones moratinianas se publicaron cuando los supuestos hermenéuticos del teatro europeo iban por otros derroteros; Moratín, ni como bibliógrafo dominaba la información textual de que disponían otros estudiosos más jóvenes —Böhl, Gallardo, Durán—, ni como teórico era capaz de superar su propio horizonte de ideas. Síntoma definitivo es su disidencia de los teóricos alemanes del romanticismo, a los que evoca *nominatim* en sus observaciones sobre la *Numancia* cervantina.[16]

---

[16] "Si es contraria esta opinión a la que formaron de esta pieza los alemanes Bouterwerck y Schlegel, puede considerarse cuál habrá sido mi sentimiento no pudiendo suscribir los elogios que de ella hicieron aquellos doctos críticos; resulta necesaria de la absoluta imposibilidad de conciliar sus principios con los míos acerca de la composición dramática" (*Obras*, BAE II, p. 222).

Otros trabajos crítico-literarios del primer tercio del siglo
—antologías de textos oratorios preparados por Capmany o de
textos líricos por Quintana, la *Biblioteca Selecta* dispuesta por
Pablo Mendívil y Manuel Silvela (Burdeos, 1819, 4 vols.) o las
Lecciones de Filosofía Moral y Elocuencia del abate Marchena (Burdeos, 1820, 2 vols)— deparan la vigencia de una estimativa
neoclásica, abierta en Quintana y Marchena a las intuiciones de
la sensibilidad emocionalista de la segunda parte del siglo XVIII.
El *Discurso* que precede [17] a la obra de Mendívil y Silvela es —para
Menéndez Pelayo— "sensato y erudito para aquel tiempo; pero
si carece de las extravagancias del abate Marchena, tampoco tiene sus genialidades felices, ni sus atrevimientos ingeniosos".
Juan Francisco Fuentes, en una pulcra monografía, ha devuelto
a la figura del célebre *afrancesado* los matices de explicación histórica que reclamaba, aunque el estudio de su obra literaria se
limita a enunciar las facetas que ya trató Menéndez Pelayo. De
los humanistas del primer tercio del siglo preocupados por cuestiones de creación literaria, quizás sólo los jóvenes poetas del
grupo sevillano llegaron a asimilar aspectos que habrían de ser
claves de la nueva poética romántica.

Manuel María del Mármol, Arjona y Reinoso no parecen
haber modificado sustancialmente los esquemas del sensualismo
que habían asimilado durante sus años jóvenes (F. Sánchez Blanco, 1982; y con aportaciones monográficas, Ríos Santos, 1989,
279-305 para Reinoso y Juan Rey, 1990, 117-126 para Mármol); pero un Lista y un Blanco, cuyas trayectorias humana y
literaria son ricas en accidentes y situaciones conflictivas, sí experimentaron elocuentes cambios de mentalidad. José María
Blanco, puesto en estrecho contacto con la literatura inglesa desde su auto-exilio de 1810, inaugura con sus escritos sobre la
Celestina, las "imaginaciones inverosímiles", el teatro de Shakespeare o las crónicas medievales españolas, un nuevo concepto
estético, no erudito, de la literatura medieval (Vicente Llorens,
1968, 387-409; ed. de la *Antología*, 1971, 36-38; Miguel Ángel Cuevas, 1982); él es el primer escritor español que asimila
con todas sus implicaciones la revolucionaria noción de *imaginación* creadora que había formulado Coleridge en su *Biographia*

---

[17] "Estudio crítico-biográfico" en *Obras Literarias de José Marchena,* Sevilla,
II, 1896, p. CXVI, nota 1.

Literaria (1817) (Leonardo Romero, 1986). El papel que representó Alberto Lista como rector cultural de prestigio reconocido y como educador de jóvenes pertenecientes a las clases privilegiadas (para su última fase de profesor en Cádiz, María Josefa Reyes Soto, 1983) multiplicó el eco de la difusión de sus opiniones políticas y sus juicios literarios. Hans Juretschke (1977) ha delineado cuatro etapas en la trayectoria crítica del sevillano, en el curso de las cuales se observa una moderada evolución desde una concepción poética aristotélica y sensualista hacia un historicismo no especialmente de vanguardia (ver también García Tejera y Martínez Torrón, 1989, 1990, 1991, 1993, 1993a).

Historicismo. El giro copernicano que experimenta la concepción del arte en el cambio del neoclasicismo al romanticismo reside en el descubrimiento de la radical *historicidad* de aquel como acontecimiento y como producto. La idea de la Belleza que sostuvo Mengs —tratadista canónico de la estética neoclásica— hipertrofiaba la estimación universal y abstracta de las obras de arte; la explicación de éstas a partir de las circunstancias en que se producen, habría de ser el postulado básico de los teóricos de la modernidad romántica. Tan fundamental cambio de ideas, puede sintetizarse en la contraposición de dos aseveraciones tan opuestas por el vértice como la que en 1789 se lee en la segunda edición de la *Poética* de Luzán y la que, en 1828, formularía Agustín Durán en su *Discurso* sobre el teatro español. En el texto del XVIII, leemos: "una es la poética y uno el arte de componer bien en verso, común y general para todas las naciones y para todos los tiempos; así como es una la oratoria en todas partes (...). De aquí es que sería empeño irregular y extravagante querer buscar en cada nación una oratoria y una poética distinta"; por contra, en el texto del XIX afirma su autor: "el teatro debe ser en cada país la expresión poética e ideal de sus necesidades morales, y de los goces adecuados a la manera de existir, sentir y juzgar de sus habitantes; circunstancias todas que influyen poderosamente en el modo de la inspiración fatídica y que nunca serán el resultado del arte ni del análisis metafísico o erudito de obras extranjeras y opuestas al carácter de cada pueblo".[18] Glosando, precisamente, el texto de Durán, escribía Larra: "infiére-

---

[18] El texto de Luzán en *Poética*, libro I, cap. IV (ed. R. P. Sebold, 147); el texto de Durán, ed. Ricardo Navas-Ruiz, 1971, 62-63.

se del discurso, pues, que una nación, al abrazar un género literario, no hace sino obedecer a las leyes necesarias de su existencia moral, que la crítica moderna, siguiendo una expresión enérgica del mismo autor, no ha examinado imparcialmente" (*Revista Española*, 2-IV-1833).

En la génesis del sentido histórico que caracterizará a los críticos literarios del romanticismo fue imprescindible la filosofía y la crítica literaria desarrolladas en Alemania, desde mediados del siglo XVIII. *Fernán Caballero*, posiblemente con motivos no absolutamente desapasionados, se dolía con Hartzenbusch de que el romanticismo español procediese "de la imitación exagerada francesa y no de su origen alemán e inglés" (carta a este último de 1-X-1859). La escritora andaluza postulaba directamente el estímulo germano —en su ed. de *Elia*, José F. Montesinos subrayó las raíces herderianas de su trabajo folklórico—, aunque los fundamentos de su doctrinarismo conservador sean esencialmente franceses (Javier Herrero, 1963). Tres modelos foráneos —Alemania, Inglaterra y Francia—, que en medidas aún no suficientemente calibradas contribuyeron decisivamente a la conformación del espíritu de la modernidad en España, y sobre cuya proyección específica en la génesis del romanticismo hispano se han formulado valoraciones muy encontradas.

Por lo que respecta a la difusión de la moderna cultura germana, es preciso destacar los trabajos de Hans Juretschke que ha perseguido en una continuada serie de estudios la asimilación española del organicismo de Herder, el romanticismo del grupo de Iena, el posterior romanticismo heineano, el neo-espiritualismo cristiano, la filosofía idealista y la moderna ciencia de la naturaleza. Juretschke (1974, 1975, 1978) ha ido mostrando cómo la recepción de cada una de estas corrientes suele provenir de versiones intermedias francesas y cómo los ritmos de incorporación son discontinuos tanto en su aspecto cronológico como en su difusión territorial; de ello deriva el gran interés que ofrecen los grupos intelectuales y artísticos catalanes como vía de penetración de la cultura romántica alemana (el componente social de *El Propagador de la libertad*, las actividades de Aribau, Bergnes, Covert-Spring, Pablo y Manuel Milà, Roca i Cornet).

Suele repetirse que el libro *De l'Allemagne* de Mme de Staël fue el vehículo difusor del romanticismo germano en la vida cultural española del primer tercio del siglo (Leonardo Romero,

1968). Juretschke (1978, 15-20) matiza el tópico crítico añadiendo un fundado rechazo de la pretendida corriente "eclécti-
ca", sobre la que, con escasos fundamentos, tanto insistió Allison Peers (Juretschke, 1989, *passim*). La ruidosa participación
del matrimonio Böhl de Faber en la que Camille Pitollet denominó —en su aún imprescindible monografía de 1909— "querella calderoniana" es la prueba fundamental sobre la difusión
previa de la teoría schlegeliana con anterioridad al conocimiento
de la obra de Mme de Staël. En la "querella calderoniana", junto
a otros figurantes de menor alcance, representó un papel importante doña Frasquita de Larrea con su temperamento exaltado y
su vehemencia reaccionaria, tal como ha señalado Guillermo
Carnero (1978; 1990). Pero la figura central de este episodio fue
la del representante en Cádiz de los intereses comerciales de las
repúblicas hanseáticas, Johann Nikolas Böhl von Faber.

A propósito de este personaje, debe tenerse en cuenta que,
según todos los indicios, ya había publicado en 1805 unas "Reflexiones sobre la poesía" en las *Variedades* de Quintana, donde
trasladaba a los lectores hispanos la concepción poética de Schiller, y que entre 1821-1825 publicaba en Hamburgo una selección de textos líricos que tituló *Floresta de rimas antiguas castellanas*. Con esta publicación se ofrece la otra cara del hispanista
Böhl: la del coleccionista de antiguos libros españoles y la del
acérrimo partidario de la idea herderiana de que la lírica de tipo
tradicional es la auténtica cristalización del alma de las naciones.[19] Su más conocida divulgación de la teoría teatral de Augusto Guillermo Schlegel sobre el teatro español del Siglo de
Oro se situó en el territorio de las polémicas gaditanas, amplia-
das en una segunda fase madrileña. Pitollet recordó la reconstrucción interesada de la polémica que, ya avanzado el siglo,
realizó uno de sus participantes, Antonio Alcalá Galiano. A partir de estos testimonios de parte interesada, se ha formulado la

---

[19] Hans Juretschke ha exhumado cartas de Böhl dirigidas al académico
Fernández Navarrete en las que podemos leer: "una nueva era de poesía comenzó, cincuenta años hace, en Inglaterra con la publicación de baladas antiguas del pueblo por el Obispo Percy y poco después en Alemania por colecciones de la misma clase. Desde entonces se desterró la desgraciada
imitación de griegos y latinos, que tanto tiempo había trabado al genio, y se
reconoció que nada puede hablar verdaderamente al corazón y al alma, sino lo
que es nacional" (Juretschke, 1989, 41).

convicción de que Böhl instrumentalizó el teatro del Siglo de
Oro para su interpretación contrarrevolucionaria de la función
de la literatura (Javier Herrero, 1963, 23-106; Vicente Llorens,
1968, 415-423; 1979, 11-32; Guillermo Carnero, 1978) y que
la "polémica calderoniana" no pasó de una cuestión personal,
"sin representación inmediata en la literatura castellana" (Marrast, 1974, 69-72).

Ciertamente, Böhl incorporó en su polémica con José Joaquín de Mora y Alcalá Galiano una apasionada defensa del sistema cultural implicado en el teatro de Calderón, que trasladó al
panorama de la política fernandina, defendida por él con singular vigor;[20] muchos de los argumentos que empleó habían sido
ya adelantados en las dilatadas polémicas teatrales del siglo
anterior (revisión reciente de este aspecto en Guillermo Carnero,
1982), de manera que las intuiciones del sistema schlegeliano
que incorpora a sus escritos —como las parejas de opósitos *mecá-
nico/orgánico, finito/infinito, paganismo/cristianismo* —pasan a su
argumentación con el mismo rango de consistencia que su apasionada apología del *Ancien Régime*. Algo similar puede sostenerse respecto a su concepción de la "literatura nacional".

Ahora bien, la "polémica calderoniana" no fue exclusivamente
un episodio de las tensiones políticas del momento ni una insignificante anécdota local (Alfonso Par, I, 1935, 143-192; Giovanni
Allegra, 1975; Flitcher, 1986). Limitar los alcances de la "polémica" a la pugna liberales/absolutistas implica el olvido de la fascinación que experimentó la Alemania contemporánea por el teatro
calderoniano (Hoffmeister, 1980, 178-188, Behler, 1981, y Rötzer, 1990, para la teoría de calderonismo germano) —estimado en
tres ciudades burguesas y protestantes como Göttingen, Hamburgo y Weimar— y de la que se hacía eco el cónsul Böhl de Faber.
Por otra parte, el alcance de los argumentos literarios esgrimidos
en la polémica alcanza a otros escritores, ajenos al ámbito de pugna
vivida entre los pertenecientes al grupo gaditano. Larra, por ejemplo, resumiendo el balance de la polémica en términos periodísti-

---

[20] Es texto antológico esta invectiva de Böhl: "No es a Calderón a quien
odian los *Mirtilos*; es el sistema espiritual que está unido y enlazado al entusiasmo poético, la importancia que da a la fe, los límites que impone al raciocinio,
y el poco aprecio que infunde de las habilidades mecánicas, único timbre de
sus contrarios" (cf. Pitollet, *La querelle caldéronienne de J. Böhl von Faber et J. J.
de Mora*, París, 1909, 119)

cos podía afirmar en 1834 que "los alemanes fueron los primeros que desenterraron nuestras bellezas y Calderón vino a serles un objeto de culto" (*Obras*, I, 379a). Algunas aportaciones teóricas de los románticos alemanes que habían sido introducidas por Böhl pueden leerse en páginas escritas en la tercera década del siglo por Mendíbil, Lista o Martínez de la Rosa, aunque el conocimiento directo de los textos originales que pudieran tener es harto dudoso. Sí hay reflexión y propuestas teóricas que enlazan directamente con escritos de los hermanos Schlegel en la revista barcelonesa *El Europeo* (1823-1824) en la que escribieron refugiados liberales como el italiano Monteggia y el alsaciano Cook, y los avisados españoles Buenaventura Carlos Aribau y Ramón López Soler; los trabajos sobre orientalismo de Cook y Aribau[21] y los análisis sobre el romanticismo de López Soler y Luigi Monteggia han sido considerados, muy acertadamente, como los "primeros manifiestos" del romanticismo español (E. Caldera, 1962, 9-44; también Juretschke, 1989, 15-17, 45-47). Brian J. Dendle (1965-66) ha mostrado cómo algunos artículos de López Soler —por ejemplo, los dedicados al análisis de "la cuestión agitada entre románticos y clasicistas"— hay una huella de las *Vorlesungen* de Augusto Guillermo Schlegel, a través de la versión de Böhl de Faber[22] (para una visión más amplia del significado literario de Böhl, Juretschke, 1989, 40).

Los oponentes de Böhl, como es sabido, modificarían sus

[21] A(ribau), "Sobre la literatura oriental" (1823, vol. I, pp. 336-342); C(ook), "Sobre las composiciones dramáticas de los antiguos Indús" (1824, vol. II, pp. 246-258, vol. III, pp. 374-385), donde reproduce amplios fragmentos de *Sakuntala*. El orientalismo de los románticos europeos motiva, como es sabido, las investigaciones sobre la lengua sánscrita y desarrolla la sistemática de la Gramática comparada.

[22] Valga el cotejo de estos significativos párrafos, de entre los que ha exhumado Dendle: "Exigiremos, pues, de toda producción poética una forma determinada; pero esta forma no deberá ser mecánica (como lo entienden los sectarios de las tres unidades), sino orgánica. Llamamos forma mecánica la que se labra con moldes, y forma orgánica la que es innata. De esta clase son las formas que nos ofrece la naturaleza desde la cristalización de las sales hasta la figura humana" (Böhl, *Las vindicaciones de Calderón*, 1820, 2); "adoptan, sí, una forma orgánica que podemos considerar como innata y de cuyo género, según observa Schlegel, son todas las formas que presenta la Naturaleza, desde la cristalización de las sales hasta el cuerpo humano" (López Soler, "Conclusión del análisis de la cuestión agitada entre románticos y clasicistas", *El Europeo*, p. 80). En la novela de López Soler *Jaime el Barbudo* aparecen citas de Schlegel, como la que introduce el capítulo XI.

opiniones con el curso de los años; Antonio Alcalá Galiano en
sus escritos autobiográficos y en significativos trabajos críticos
daría muestras —singularmente a partir de su exilio londinense— de haber compartido la estimación por la literatura medieval
de un Blanco White y de haber profundizado en la idea de poesía que sostenían los románticos ingleses (García Barrón, 1970,
102-107; para el prólogo al *Moro Expósito*, 112-126). José Joaquín de Mora experimentaría parecidos cambios de opinión. Sus
traducciones de *Ivanhoe* y *El Talismán* o sus *Cuadros de la historia
de los árabes* (textos que edita en Londres, entre 1825 y 1826,
para el editor Ackermann) implican una aproximación externa al
fenómeno romántico que se integra en una captación interna
del fenómeno, tal como se evidencia en sus artículos críticos de
1824;[23] su reconsideración del mérito erudito de Böhl y el interés que manifestó por lo medieval han sido ampliamente documentados por Luis Monguió (1965) para la etapa que vivió en
Buenos Aires en 1827, época en la que mantiene valoraciones,
en clave moderna, del mito de don Juan y de los Autos Sacra-
mentales y en que llega, incluso, a afirmar que con la poesía
renacentista "hubo poesía clásica y dejó de haber poesía española".

Bibliófilo como Böhl e interesado, como él, por el teatro
barroco y la poesía tradicional del *Romancero*, fue Agustín Durán, amigo de Quintana, discípulo de Lista[24] y, en determinados
puntos de erudición, enfrentado a Bartolomé José Gallardo. En
1828 inició dos empresas editoriales que perseguían la recuperación del teatro clásico y del romancero: la *Colección de Comedias*
del impresor Ortega (Leonardo Romero, 1988) y la *Colección de*

[23] "We shall trace the dominant qualities of the first epoch of Spanish
poetry, forgetting that we have studied Horace and Boileau. The heart and the
imagination must be the touchstone by which we try those treasures which art
has not adulterated, and which were not the produce of either abstract theories
or views of self-love" son palabras de Mora en artículo de la *European Review* (cf.
V. Llorens, 1968, 365-367).

[24] Durán dedicaba el *Discurso* de 1828, implicándole muy sutilmente en su
proyecto literario, a Alberto Lista: "una empresa tan ardua y difícil debía
desempeñarse por manos más hábiles que las mías y más acostumbradas a
expresar por escrito los pensamientos con toda la gala y bizarría propia de
nuestra rica y armoniosa lengua; mas por desgracia, uno de los hombres a
quien creo más capaz de tratar dignamente esta materia y a cuya amistad debo
toda mi educación literaria, se halla de continuo sabia y modestamente ocupado en la enseñanza de la juventud y en obras más importantes que le impiden
dedicarse a ésta" (*Discurso*, ed. R. Navas-Ruiz, 1971, 55-56).

romances castellanos anteriores al siglo XVIII (1828-1832); con esta segunda obra en cuatro pequeños volúmenes adelantó la metodología de trabajo y el impresionante *corpus* romanceril que recogería más tarde en los dos tomos del *Romancero General* de la Biblioteca de Autores Españoles, aunque Menéndez Pidal considera las ideas del *Discurso preliminar* del tomo de 1832 como "las vigentes en España desde tiempos de Sarmiento" (David T. Gies, 1979). La trascendencia que tuvo el *Discurso sobre el influjo que ha tenido la crítica moderna en la decadencia del teatro antiguo español*, también del año 1828, ha sido expuesta en pp. 300-301. David T. Gies (1975, con atención a su posición política de liberal moderado) y Pedro Sainz Rodríguez (en trabajo recogido póstumamente, 1989, 179-195) han destacado las espléndidas facetas literarias y críticas que desarrolló este opaco erudito de la primera mitad del siglo, en las que prevalece la idea de la dialéctica que relaciona creación literaria y *espíritu nacional*:

> Lo que llamamos espíritu nacional es casi exclusivo como el impulso que dirigía a los hombres considerados aisladamente y libres de los vínculos sociales. Los individuos de cada sociedad lo refieren todo a las glorias, religión e historia de aquella a que pertenecen y, poco o nada a la erudición, jamás extensiva a la generalidad de un pueblo entero. Por esto cada nación desdeña en su teatro las formas o costumbres que no están en armonía con su carácter o que no puede comprender.[25]

Se viene interpretando el *Discurso* de Donoso Cortés, en el Cáceres de 1829, como situado en la órbita de las ideas literarias de Agustín Durán (E. Caldera, 1962, 79-90); pero la vinculación del joven profesor extremeño con el círculo sensualista sevillano podría explicar su evolución desde la filosofía de la Ilustración hasta la estética romántica de los hechos diferenciales (Flitter, 65-69). Alberto Lista, cuya obra como crítico literario ha suscitado diversas aproximaciones recientes (Juretschke, 1977; María del Carmen García Tejera, 1989), también tuvo como punto de partida la filosofía sensista, planteamiento que fue atenuando en el curso de su dilatada trayectoria. Si en 1821 formulaba rotundos rechazos morales[26] —última razón que

---

[25] *Discurso*, cito por la edición de R. Navas-Ruiz, 1971, 73-74.

[26] La nueva "secta de literatos" sostiene que "el drama sentimental, el histórico y el *romancesco* son verdaderos géneros de poesía dramática (...); la nueva teoría de los dramaturgos germánicos se ha inventado para introducir en toda Europa y con ella la expresión de las pasiones sacadas de quicio y las máximas

siempre fundamentó sus juicios críticos—, a partir de 1828 y posiblemente por influencia de Durán (según tesis de Juretschke, 1951, 268-269, también en E. Caldera, 1962, 51), reelabora sus esquemas de valores literarios con una notable aproximación hacia los presupuestos de la historia nacional tal como la concibían los escritores del romanticismo.

Antonio Alcalá Galiano, activo en política liberal y cultivador de la crítica desde los años en los que participó en la "querella calderoniana", fue un fecundo integrador de las tendencias estéticas ilustradas, de la tradición literaria española y de las propuestas creativas del romanticismo inglés, que conoció en sus textos originales durante su exilio londinense. El panorama de la literatura española contemporánea que publicó en inglés en 1834 en la revista *The Atheneum* (ed. traducida al español por Vicente Llorens, 1969), más allá de las informaciones no muy exactas, es pieza clave para mostrar cómo el sentido histórico del arte es un punto de partida en su concepción teórica, que desemboca en la observación inmediata de las relaciones entre literatura y sociedad.[27] Esta serie de artículos, el prólogo que escribió para *El Moro Expósito* (1834) del duque de Rivas y sus obras de crítica posterior, singularmente la *Historia de la literatura española, francesa, inglesa e italiana en el siglo* XVIII (1845) estudiada por Russell P. Sebold (1982), dan la imagen de un inteligente lector que, desde los supuestos de una dieciochesca "visión filosófica", coloca en la cima de su estimativa el valor de lo espontáneo frente a la literatura de imitación, tal como había sido para él la poesía española del XVI; en esta concepción histórico-literaria —repetida más tarde en la *Historia de la Literatura* de Ticknor— Juretschke (1989, 58-59) encuentra la influencia de Friedrich Schlegel.

---

más peligrosas en materia de moral (...) el célebre drama de *los ladrones* basta para destruir el orden civil en todo país donde se permitiese su representación" ("Reflexiones sobre la dramática española en los siglos XVI y XVII", *El Censor*, VII, 1821, 135-136).

[27] "En un país donde no existe la libertad política, donde los escritores se ven reducidos a temas exclusivamente literarios, podrá no parecer muy obvia la conexión entre política y literatura; sin embargo, la misma causa que impide a esa conexión manifestarse externamente en obras impresas, opera en secreto fortaleciéndola. El resultado de los impedimentos y restricciones gubernamentales sobre una oposición es el de consolidarla" (*Literatura española. Siglo* XIX, ed. V. Llorens, 1969, 30).

Friedrich Schlegel, precisamente, había colocado en el ápice de las literaturas modernas el continente español que forman el romancero, el teatro barroco, Cervantes y Calderón. (Juretschke, 1986). Estos autores y estos textos conforman el *canon* del *espíritu nacional* y sobre ellos se construye el complejo edificio de las *Historias literarias* del siglo XIX. Luzán, Velázquez, Sarmiento, el P. Andrés, los traductores de Blair y de Batteux, Leandro Fernández de Moratín, entre los más conocidos estudiosos de la literatura del pasado, habían recuperado textos y habían roto lanzas en favor de las creaciones literarias de los ingenios hispanos; pero no se percibía en sus escritos la orientación historicista radical que traerán las obras de Bouterweck y Sismondi, de muy precaria base informativa, pero contundentes en la aplicación del sistema crítico de Herder y los hermanos Schlegel.[28]

El método histórico de estos hispanistas reside en la aceptación de los siguientes *apriorismos*: 1) la creencia idealista en unos supuestos rasgos caracterizadores del *espíritu* de cada nación; 2) la fecunda aceptación del concepto orgánico de historia, según el cual cada etapa del acaecer humano tiene importancia sustantiva dentro del desarrollo general, lo que determina la recuperación de la literatura de la Edad Media y de áreas lingüísticas prácticamente ignoradas hasta entonces; 3) la visión de una correspondencia dialéctica entre literatura y sociedad. Sólo en trabajos de reducida extensión —discurso de ingreso de Lista en la Academia de la Historia (1828), polémicas de Gallardo (1829-1830) a propósito de la traducción parcial de la *Historia* de Bouterweck, notas de Amador de los Ríos a su versión de la obra de

---

[28] El traductor español resumía la aportación teórica de Federico Schlegel para la historiografía literaria con estas palabras: "La historia de la literatura, a pesar de ser asunto en que varios ingenios se han ejercitado, no ha sido considerada propiamente hablando hasta Federico Schlegel, de un modo completo y verdaderamente filosófico. Circunscrita la esfera de casi todas las obras cuyos autores han querido presentar un cuadro histórico y general de las producciones literarias a un examen aislado y uniforme de éstas, hecho tan sólo en virtud de las leyes más o menos arbitrarias de lo que han reputado por buen gusto; hase atendido siempre con preferencia a la forma exterior del pensamiento, sin detenerse apenas en el pensamiento mismo; y se ha descuidado las más veces un punto del mayor interés para poder apreciar debidamente la literatura; cual es su influencia necesaria y poderosa sobre los demás elementos sociales, y la que sobre ella a su vez ejercen el vario carácter de los siglos y la diversa fisonomía de las naciones "(*Historia de la Literatura Antigua y Moderna,* Barcelona, Librería de J. Oliveres, tomo I, 1843, *prólogo*).

Sismondi (1841-1842), aplicaciones escolares en el *Manual* (1844) de Gil de Zárate, en cuyo volumen II se publican fragmentos de Augusto Schlegel sobre Calderón— se encuentran atisbos de la concepción historicista romántica, que no tendrá una rotunda expresión, pensada en español, hasta la *Historia Crítica de la Literatura Española* (1861-1865) de José Amador de los Ríos. Pero esta obra inaugura, en paralelo con los trabajos de Milà en Barcelona, la etapa positivista de la Filología española del pasado siglo.

Filología. Los avances que, en la Europa del romanticismo, realizaron durante las primeras décadas del siglo la gramática histórica y comparada fueron prácticamente desconocidos en España. La pervivencia de los antiguos modos en el tratamiento filológico de los textos (Iso Echegoyen para el *arte Latina* de Braulio Foz) y una candorosa fidelidad a las versiones que aparecían como más fiables eran los instrumentos de trabajo con que los eruditos españoles de la primera mitad del siglo se acercaban a las ediciones de textos antiguos. Bartolomé José Gallardo fue la figura más sólida en el aporte de material literario del pasado y en el método de trabajo que propuso para su estudio. Sus planteamientos filológicos quedan consignados, explícitamente, en sus folletos polémicos e, implícitamente, en los cuadernos —muchos todavía manuscritos y pendientes de estudio— en los que extractaba los materiales literarios que pasaban por sus manos y que dieron ocasión al póstumo *Ensayo de una Biblioteca de libros raros y curiosos*. Pedro Sainz Rodríguez, que describió y estudió en diversas ocasiones la obra del bibliógrafo extremeño (véase su último estudio de conjunto, 1985, 197-220), ha exhumado un precioso texto en el que el bibliógrafo propone unas normas mínimas de *ecdótica*:

> siempre es preciso manifestar al público las fuentes de donde se han sacado las variantes, si del original quirógrafo, si de la edición príncipe o de los códices del tiempo del autor, y cuando se carezca de todos estos recados críticos de justificación de las enmiendas, alegar razones de probabilidad o congruencia; pero en buena crítica, siempre que un editor presente alterado el texto del autor, debe alegar los motivos de tal alteración.[29]

---

[29] "Reparos críticos al Romancero y Cancionero publicado por don Manuel José Quintana en la Colección de Poesías Castellanas de don Ramón Fernández", *Criticón*, n.º 6, editado póstumamente en 1859 y reeditado por Sainz Rodríguez en *Obras escogidas*, Madrid, 1928, vol. II.

La laboriosidad del académico Clemencín al anotar extensamente su edición del *Quijote* (1833-1839, seis volúmenes) es la otra contribución importante de carácter filológico efectuada por un estudioso de la época fernandina. Las recuperaciones de textos antiguos en la *Revista de Madrid* (1838-1845) (Juretschke, 1989, 82-85), el medievalismo y el arabismo de Pascual de Gayangos (López Estrada, 1986) y el programa de ediciones de textos de la Biblioteca de Autores Españoles (iniciada en 1846) fueron muy valiosas contribuciones al clima de interés lingüístico y literario, pero estuvieron gravemente lastradas por las carencias filológicas de los editores y por limitaciones de muchos de ellos como lingüistas y filólogos.[30]

La crítica militante. Casi todos los escritores de la primera y de las posteriores generaciones románticas cultivaron la crítica literaria en los periódicos y las revistas. La gacetilla teatral o la página impresionista era una inevitable ceremonia de iniciación para el autor que se abría camino en el mundo de las letras. De ahí que el interés de las secciones críticas en las publicaciones periódicas, muchas veces es mínimo, dado su carácter mimético y repetitivo. Con todo, sería un balance mutilado de la literatura romántica el que prescindiese de este campo tan significativo de la escritura, que ofrece, además, datos inexcusables sobre la penetración en España del romanticismo europeo (Ilarraz 1985).

Ejercitaron una influencia literaria con sus trabajos de crítica periodística, además de autores como los citados, Bretón de los Herreros con sus críticas teatrales en el *Correo Literario y Mercantil* (ed. de Díez Taboada y Rozas), Miguel Agustín Príncipe en las publicaciones teatrales en las que colaboró (no agota esta vertiente del escritor la monografía de Aldea Gimeno y Serrano Dolader), los eruditos Manuel Milà y Fontanals y Manuel Cañete que iniciaron su carrera literaria como polémicos cronistas periodísticos y terminaron en la profesionalización filológica,

---

[30] Severo, pero justo, el juicio madrugador de Américo Castro sobre la penuria filológica del pasado siglo: "las ediciones de Gayangos y Janer [en la Biblioteca de Rivadeneyra] son un arsenal de faltas y descuidos de toda clase, que salen a luz a medida que se hacen ediciones modernas de aquellas obras o se comparan las ediciones con los originales" ("La crítica filológica de los textos", *Boletín de la Institución Libre de Enseñanza*, IV, 1916, 26-31).

impresionista en el caso de Cañete (Donald A. Randolph) y fecunda y científicamente rigurosa en el investigador catalán (Juretschke, 1974; Manuel Jorba, 1984 y 1989). Ahora bien, integrando las varias especializaciones que deparaba la actividad periodística —la cronística, la política, la costumbrista, la crítico-literaria—, Mariano José de Larra compone la figura del primer escritor español profesionalizado en el trabajo literario, con unos resultados artísticos que lo convierten en el primer clásico de nuestros modernos (pp. 430-460).

LA PROSA NARRATIVA

Tanto la narración histórica como la narración ficticia encontraron una nueva potencia de fecundación en el ámbito del romanticismo. La *novela* será el *género total* de la teoría literaria de los románticos alemanes (Schaeffer, 1983) y desde las implicaciones que este hecho supone, las relaciones romanticismo-novela en las diversas literaturas europeas resultan singularmente complejas. En la literatura española o bien se ha buscado una identificación de los fenómenos —la "novela romántica" de Juan Luis Alborg (1980, 658-708)— o bien se ha procurado distinguir las fronteras existentes entre ambos, al proponerse marbetes del tipo el "romanticismo en la novela" (Blanco García, I, 1891, 351-373) o la "novela en el romanticismo" (González Herrán, 1981, 36). Pero si estas distinciones son oportunas desde el punto de vista de las claridades didácticas, su empleo amplificado puede llevar a una distorsión del fenómeno "prosa narrativa" que engloba tanto los relatos ficticios como los testimonios de sucesos reales, los relatos extensos y los relatos de corta extensión. Propondré, pues, una consideración conjunta de la prosa de ficción y la prosa histórica, en función de la base de *narratividad* que da coherencia a los textos *diegéticos*.

1. *Circuitos de producción y consumo*

Los estudios sobre novela decimonónica de los últimos años han prestado especial cuidado a las circunstancias de producción, distribución y consumo de los textos, debido, en parte, a los postulados sociológicos que la crítica literaria ha asimilado de la teoría social y de la metodología de investigación histórica. La repetida tesis —simplificación de la concepción hegeliana— de la correspondencia entre la preponderancia de un género literario (la novela) y el ascenso de una clase social (la burguesía) ha dado lugar a la indagación de bases documentales que pudieran probar este supuesto y a la lectura automatizada de los textos en que predominan las *homologías* entre conflictos de clase social y contenidos ideológicos. La indagación documental ha perseguido, fundamentalmente, determinar las *mediaciones* ideológicas que manipulaban la interpretación del sentido de los textos (censura previa, sanciones legales o recepción crítica; cuestiones atendidas por Iris M. Zavala, 1971, con útil apéndice de textos críticos de la época; Juan Ignacio Ferreras, 1973, 15-47, 1976, 13-22 y Leonardo Romero, para la intervención de la censura, 1976, 72-89).

También ha interesado el estudio de los precios de las publicaciones y las capacidades adquisitivas de los públicos potenciales, a efectos de determinar si predominaba un público lector femenino o burgués (Juan Ignacio Ferreras, 1973, 49-80 y 1976, 35-57; Peter B. Goldman, 1974; Leonardo Romero, 1976, 111-118). Sin desconocer algunas aportaciones parciales de estos trabajos se revela como más segura y elocuente la estimación sobre lectores que, a partir de la documentación notarial, ha exhumado Martínez Martín (1986). Una vía de difusión peculiar era la transmisión oral de relatos, aspecto sobre el que ha formulado estimables consideraciones Rodney Rodríguez (1989).

Los estudios de orientación sociológica han subrayado la importancia que en el proceso de fabricación de textos narrativos tuvieron editores y libreros como empresarios de diversa condición y eficacia, pero no han llegado a efectuar aportaciones sustanciales sobre las que ya habían realizado Almela y Vives, Olives y Canals o José F. Montesinos (1966). Sólamente el libro de Antonio Rodríguez-Moñino sobre los catálogos de los libreros españoles (1966, 81-102 y 167-201) depara materiales bibliográficos que pueden tener validez para las exégesis de índole sociológica; reproduce, a vía de ejemplo (pp. 98-100), un prospecto anunciador de una colección de novelas traducidas que sacaba en 1818 el editor valenciano Mariano Cabrerizo, donde podemos leer esta sabrosa identificación de la prosa ficticia: "la novela viene a ser una máquina eléctrica que el novelista dispone conforme necesitan los lectores para que reciban un sacudimiento más o menos fuerte".

Para cualquier aproximación al estudio de la novela decimonónica se necesitaba disponer de un catálogo fiable de las publicadas a lo largo del siglo. La confección de este catálogo revestía numerosas dificultades, pues debía incorporar los textos publicados como volúmenes exentos, los aparecidos por entregas en cuadernillos de publicación periódica, los impresos en los *folletines* de los periódicos y los que han permanecido manuscritos; por otra parte, debía establecerse una diferenciación entre los textos originales y los traducidos y entre los impresos en España y los publicados fuera, atendiendo a todas las dificultades de atribución e identificación de imprentas. Para el gran caudal de textos narrativos traducidos, José F. Montesinos (1966) presentó un estudio y relación que siguen teniendo vigencia como colección de noticias bibliográficas y como propuestas interpretativas de la historia de la novela española durante la primera mitad del XIX. Juan Ignacio Ferreras (1979) ha publicado un catálogo de novelistas españoles que, pese a sus insuficiencias técnicas e informativas (puestas de relieve por Amancio Labandeira en sus adiciones de 1980, 1982, 1983, 1984), es útil instrumento de consulta. Ninguna atención han merecido los textos que no llegaron a publicarse y que se conservan manuscritos —novelas de Andrés Avelino Benítez, de Pérez de Zaragoza, de Mariano Rementaría...— y muy escasa los relatos que se publicaron fuera de sazón histórica (caso de *La familia de Alvareda,* texto elaborado entre 1828 y 1836, en su primera redacción; ed. de Julio Rodríguez-Luis, 1979, 61-65 y 201-272; y caso también de *Elia,* escrita ya en 1835, según supone José F. Montesinos).

Sobre los editores de novela —los Oliva, Bergnes de Barcelona, Mompié, Cabrerizo de Valencia, Repullés, Delgado, Jordán de Madrid, etc.—, muy poco se ha avanzado en conocimientos. Robert Marrast (1988a; 1989) ha podido establecer las conexiones comerciales habidas entre el impresor francés Jean Alzine, establecido en Perpiñán, y sus traductores Pablo de Xérica y Francisco Altés y Gurena, con una acertada percepción de lo que significó para la cultura liberal española esta localidad francesa, equivalente extraterritorial a la plaza de Gibraltar. [31] El mismo estudioso (1974, 372-383) ya había resumido lo conocido sobre la *colección de novelas históricas originales españolas* que publicó en Madrid, entre 1833 y 1835 el editor Delgado, serie editorial de éxito relativo, pues de las ocho obras publicadas sólo fueron reeditadas *El Doncel de don Enrique el Doliente* de Larra y *El golpe en vago* de García de Villalta.

Capítulo especialmente relevante de la historia editorial española del XIX es el de la constitución de las empresas que se organizaron con arreglo a un proyecto moderno de trabajo que implicaba el estudio previo del mercado y la posterior producción que satisficiera las demandas observadas. En el plano de las producciones editoriales *serias* es caso paradigmático el de Manuel Rivadeneyra, entre cuyos trabajos memorables destacan la Biblioteca de Autores Españoles[32] y la edición del *Quijote* y las *Obras* cervantinas (1863-1864) realizadas en la imprenta instalada en Argamasilla de Alba. Como modelo de una empresa editorial concebida para el consumo de los lectores de escasas exigencias culturales, recuérdese la *Sociedad Literaria,* pilotada por la familia Ayguals de Izco, productiva desde 1843 (véase *El Eco del Comercio* de 17-II-1843), y dedicada a la impresión de publicaciones periódicas, novelas por entregas y textos históricos o literarios de garantizado consumo popular (la sociedad ha sido estudiada por Leonardo Romero, 1972, 61-65 y Víctor Carrillo, 1977a).

---

[31] El proyecto de publicar unas "Obras Completas de Walter Scott traducidas al castellano por una sociedad de literatos españoles" fue promovido por Alzine y continuado por otros impresores del sur de Francia (cf. J. M. Quérard, *La France Littéraire,* reed., París, VIII, 1964, 580; Vauchelle-Haquet; resume la proyección de Alzine en el ámbito hispano; ver también Marie Grau, 1985, 226-227).

[32] Rivadeneyra es un catalán afincado en Madrid que laboró extensamente en favor de la industria editorial y de las letras. Su gran colección de clásicos españoles respondía a un programa muy elaborado del que testimonian los dos tomos primeros de la serie. El primero, dedicado a las *Obras* de Cervantes y el segundo a las obras de los Moratines —el clásico antiguo y los clásicos modernos en la estimativa de los ilustrados del primer tercio del siglo XIX— llevaban sendos estudios preliminares de Buenaventura Carlos Aribau, otro catalán relacionado con el banquero Remisa y situado entre Barcelona y Madrid. Cf. la "Noticia biográfica" redactada por su hijo Adolfo, en BAE, tomo LXXI, pp. V-XXIII.

2. Teoría narrativa de la primera mitad del siglo XIX

Es todo un síntoma de la difusa teoría de la novela vigente en la época la reiteración de imprecisiones con que, en buena parte del siglo XIX, fueron denominadas las diversas modalidades de textos narrativos traducidos o escritos por españoles contemporáneos. *Romance* y *novela* son dos palabras que compiten, durante la segunda mitad del siglo XVIII, como denominaciones de la forma narrativa por antonomasia. Russell P. Sebold ha mostrado singular interés en documentar el uso de las palabras *romancesco* y *romance* como neologismos de la época ilustrada y ha destacado cómo los autores dieciochescos con estos términos señalaban "las repetidas incursiones de lo novelístico en otros géneros literarios, señaladamente el teatro" (Sebold, 1983, 138).

A los testimonios léxicos que ofrece Sebold pueden sumarse otros que matizan sus observaciones lexicográficas e histórico-literarias. En los textos españoles del siglo XVIII que he podido allegar (Leonardo Romero, 1993), tanto la palabra *romance* como *novela* presentan una primera significación que las sitúa en el ámbito de lo inusitado y, por tal, inverosímil.[33] De todas formas, la diversificación literaria que implicaban uno y otro término en las literaturas europeas del XVIII parece haberla recogido el duque de Almodóvar cuando en su *Década Epistolar* (1780, 180-181) propone a la Academia el neologismo *romance*, "que en mi concepto significa una invención historial más extensa y compuesta que la novela". Juan Andrés sería rotundo en la distinción: "pequeños *romances* son las *novelas* en las cuales sin tanto enredo de aventuras y variedad de accidentes se expone un solo hecho, y pueden considerarse respecto de los romances lo que los

---

[33] Terreros en su *Diccionario* (1788) declara que *romances* son "fábulas o historias, libros de caballería"; don Vicente María de Tercilla, que vertió al español en 1777 *Della forza della Fantasia* de Muratori, traducía el pasaje de las imaginaciones oníricas diciendo que la mente, en el sueño, "viene a ser como criada de la Fantasía, conviniéndose con ella para poner en acción y discurso aquellas figurillas, pero sin poder discernir lo verdadero o lo falso de aquel *romance*" (p. 88). Russell P. Sebold ha recordado (1985b, 430-431) cómo el personaje don Simón de *El delincuente honrado* (c. 1774) comenta las complicadas peripecias que acaecen en el drama diciendo que "cuanto pasa parece una *novela*, yo estoy aturdido, y apenas creo lo mismo que estoy viendo" (acto V, escena VI).

dramas de un solo acto en comparación de una comedia completa".[34] *Romance,* como es sabido, es la denominación genérica que, por ejemplo, Montengón aplicó a su *Rodrigo.*

Sobre el solapamiento semántico de los dos términos podrían añadirse muchos testimonios del siglo XIX; valgan algunos: el "Ensayo sobre lo maravilloso en las *novelas* o *romances*" en la traducción de Scott de 1830; el de Juan Cortada en el prólogo a *La heredera de Sangumí* (Barcelona, 1835), "cuando publiqué mi primer *romance histórico* titulado *Tancredo en Asia*" o el muy elocuente de Julián Sanz del Río —artículo de la *Revista de Madrid* (1844, II, 47)— cuando afirmaba que "más inmediatamente allegado a la vida material, aunque no por esto menos rico de influjo ni menos capaz de nuevos adelantos y mejoras es el *romance,* o como se llama hoy, con poca propiedad por cierto, la *novela*". Parecidas confusiones semánticas depara el empleo del término *cuento,* usado tanto para la designación de los poemas narrativos, como para titular las traducciones de Byron (Montesinos, 1966, 64-66 y 168-170) o los relatos breves que, a finales del XIX, terminaron por apropiarse de la denominación.

En 1826, Gómez Hermosilla fue tajante en la fijación de los términos y desde su *Arte de hablar en prosa y verso* (Madrid, II, 1826, 80) los tratadistas de preceptiva literaria y los mismos críticos procuraron un empleo acorde con la propuesta del humanista: "es necesario prevenir que las que yo llamaré siempre *novelas* son las que los franceses llaman *romans,* y algunos de los nuestros con un imperdonable galicismo han llamado también *romances.* Esta palabra está destinada entre nosotros a significar, no historias de hechos fingidos, sino una de las varias formas de nuestra versificación". (Un trabajo pendiente es el estudio de las denominaciones de las obras de ficción en las Poéticas y Retóricas del XIX).

La elaboración de una teoría de la novela fue el resultado de un lento proceso en el que la actividad de los creadores provocaba la reflexión de los teóricos, quienes se encontraban desprovistos de una fundamentación sólida en la tradición de las *Poéticas* postaristotélicas y se sentían todavía seducidos por el modelo que suponían los poemas épicos. "¿Y qué es una novela —se pregun-

---

[34] *Origen, progresos y estado actual de toda la Literatura,* trad. española, Madrid, Sancha, IV, 1787, 526).

taba Alberto Lista—[35] sino una *epopeya escrita en prosa,* con su protagonista, sus descripciones, su moral y sus sentencias?"

Montesinos (1966, 5-11) formuló algunas consideraciones sobre la insatisfactoria reordenación de géneros literarios a que se vieron abocados los ilustrados, cuyas ideas sobre la novela tendían a subrayar componentes indisputables de cualquier texto literario: la verosimilitud, la moral y el interés. Puede asegurarse —sin haberse exhumado aún todos los textos pertinentes—, que en España, las reflexiones sobre la novela de finales del XVIII y principios del XIX no fueron ni extensas ni penetrantes. Sólo el capítulo dedicado por Juan Andrés al género y las observaciones contenidas en algunas páginas críticas o prólogos de novelas dan alguna idea acerca de la concepción que se tenía del género en la época. Para la novela dieciochesca Teresa Barjau (1983) ha trazado una perceptiva síntesis de problemas, entre los que se deben destacar la consideración sobre el papel que representaban las mujeres como lectoras de novelas (prólogos de Santibáñez a su traducción de *La mala madre,* 1787, y de Tóxar a *La filósofa por amor,* 1799) y la adjudicación de la prosa como vehículo expresivo del género narrativo (prólogo de Valladares a *La Leandra,* 1797)[36]. El entendimiento de la *novela* como el relato de acontecimientos inverosímiles y ajenos, por tanto, a la experiencia y observación de la realidad inmediata, es una idea establecida entre los ilustrados de finales del XVIII[37] que perdura durante el

---

[35] "De la epopeya", *Ensayos Literarios,* Sevilla, II, 1844, 51.

[36] "La Novela tiene sus apasionados y sus rivales. Unos la celebran y otros la desprecian. Los primeros la comparan con el Poema Épico y los segundos la miran como una cosa frívola (...). En efecto, no hay más diferencia entre la Novela y el Poema que ser éste en verso y aquélla en prosa" (*La Leandra, novela original que comprehende muchas,* Madrid, I, 1797, 3-16). En 1849, Antonio Ribot y Fontseré establecía una correlación de géneros paralela, bien que añadiendo la romántica *leyenda:* "[Walter Scott] se apoderará de todas las gloriosas tradiciones de su patria para formar con ellas magníficas novelas, las cuales, si como están escritas en prosa estuviesen escritas en verso, serían ingeniosas leyendas que se parecerían mucho más a las baladas y a los cantos de Byron que a los poemas épicos de los griegos y de los latinos" (Prólogo de *Solimán y Zaida o el precio de una venganza,* Madrid, Gaspar y Roig, 1849, p. XI).

[37] Dos testimonios que recogen hechos de comunicación directa y coloquial: "Siempe he procurado evitar *el estilo de novela,* es decir, ocuparme más de las palabras que de las cosas. Igualmente he tenido cuidado de no exagerar ni la magnitud, ni la pequeñez, ni la rareza de los objetos, y emplear siempre la expresión conveniente a la medida real de cada cosa, tal como la he visto o tal

XIX;[38] Blair encuadraba la novela en el marco de la "Historia ficticia", clasificación que pasaría a manuales españoles posteriores. Y desde las consideraciones de los ilustrados de fines de siglo no encontramos propuestas novedosas hasta las discusiones de finales de los años treinta —artículos de Mesonero Romanos, debate del Ateneo de 1839 y réplica posterior de Alberto Lista— en las que se formula una idea diferente del género narrativo.

En artículo de 1838, atribuible a Mesonero, la rotunda aceptación de la secular idea que se tenía de la *imaginación* sirve de fundamento para justificar un modelo de novela basada en la fidelidad a los datos observados en la realidad cotidiana:

> es cosa ya generalmente reconocida que el poeta ni el novelista no pueden absolutamente inventar los elementos de su fábula (...) Es muy curioso el observar la sujeción de la imaginación humana, aun en aquella especie de composiciones que se consideran como separadas de la historia, por reinar en ellas libremente la imaginación. En ellas puede seguirse paso a paso toda la vida privada del poeta o del novelista.[39]

De esta propuesta teórica se deducen tres modalidades narrativas, "las *históricas,* las de *acontecimientos maravillosos* y las de *costumbres*", que repetiría Mesonero en su Discurso de ingreso en la Academia y que se pueden ver reiteradas en diversos trabajos periodísticos de los años cuarenta.[40]

---

como la concibo" (Félix de Azara, *Viajes por la América Meridional,* trad. del francés de Francisco de las Barras, Madrid, Espasa-Calpe, 1941, 78-79; la primera edición, en francés, París, 1809); "Que somos muy imperfectos, muy malos, muy feroces cuando se nos presenta la ocasión de serlo, y que los mejores sistemas de gobierno deben considerarse como *novelas muy bien escritas*" (Leandro Fernández de Moratín, *Viaje de Italia,* apud *Obras Póstumas,* Madrid, I, 1867, 473), los subrayados son añadidos.

[38] Valgan otros dos testimonios de novelistas de la segunda mitad del siglo: "ya escribiré yo con el tiempo, una novela, toda fingida, en la cual he de poner más lances y más enredos que hay en *Los tres Mosqueteros* y en *Los Misterios de París*" (Juan Valera, *Mariquita y Antonio,* 1861, cap. XIII); "si la novela novelesca significa la restauración del disparate picaresco y seudo-romántico, nada tiene que ver todo lo anterior con el asunto" (Leopoldo Alas, "Clarín", *Ensayos y Revistas,* Madrid, 1892, 153).

[39] "De la novela en general", *Semanario Pintoresco Español,* 1838, p. 817.

[40] Cf. el artículo anónimo "Novela Española", en la revista literaria de *El Español,* 8-VI-1845; Antonio Neira de Mosquera, "De la novela moderna", *Revista de España, de Indias y del Extranjero,* XII, 1848, 181.

Mesonero ingresa en la Academia en 1838 con un discurso sobre los dos géneros literarios que, para él, tenían una "importancia suma en la educación moral de las modernas sociedades": el teatro y la novela.[41] Para el autor madrileño, la novela "ha de describir costumbres, ha de desenvolver pasiones, ha de pintar caracteres". Para otro colaborador del *Semanario Pintoresco Español* el contenido "De la novela moderna" debía ser la sociedad presente y sus conflictos;[42] Eugenio de Ochoa, conocido divulgador de temas literarios, expondría en diversos lugares su idea de la novela, que cifraba en el estudio de los caracteres y en el acierto de las descripciones. De este tenor son las declaraciones que sobre la ficción podemos encontrar en los textos críticos y teóricos de la mitad del siglo. De manera que, cuando los contertulios de la condesa de Algar en *La Gaviota* (segunda parte, cap. IV) desplieguen un coloquio ingenuamente metaliterario sobre las modalidades narrativas posibles, la fórmula del acuerdo sea la propuesta por el racial Rafael: "hay dos géneros, que a mi corto entender, nos convienen: la novela histórica, que dejaremos a los escritores sabios, y la novela de costumbres, que es justamente la que nos peta a las medias cucharas, como nosotros".

En este trayecto de estimaciones novelísticas ha quedado perdida en el camino la narrativa *fantástica* para la que se habían roto algunas lanzas —bien que trasladadas de otras lenguas— en la década de los treinta. El modelo germano —E.T.A. Hoffman y el barón de La Motte-Fouqué— era el punto de referencia en las reflexiones sobre la narrativa fantástica que podían leer los lectores españoles de los primeros años románticos. La traducción, por ejemplo, del "Ensayo de lo maravilloso en las novelas" de Walter Scott era concluyente en la determinación de la base teórica del "género fantástico": "donde la imaginación se abandona a toda la irregularidad de sus caprichos y a todas las combinaciones de escenas las más raras y las más burlescas". Pese al tributo que los escritores españoles pagaron, desde la tercera década del siglo, al cultivo del relato fantástico, cautelas como la scottiana o la de Mesonero contra la facultad imaginativa aún tendrían algunos años de vigencia en la actividad de los críticos españoles. El imperativo de la *verosimilitud* en los *caracteres*, la

---

[41] *Algo en prosa y en verso inédito publicado por sus hijos,* Madrid, 1883, 27-41.
[42] Salvador Bermúdez de Castro, "De la novela moderna", 1840, 150-151.

persecución del *color local* en las *descripciones* y los intentos por escribir los conflictos de la "sociedad presente como materia novelable" fueron constantes reiteraciones en la crítica novelística de más visos teóricos. Todo un programa de trabajo que evidencia la gravitación de la preceptiva dramática, mucho más elaborada y con mayor tradición crítica que la teorización sobre la narrativa. Incluso en definiciones que parecen radicalmente modernas, subyace el modelo de la Poética tradicional; valga como prueba el juicio de Pío Gullón: "una novela no tiene reglas, apenas cuenta media docena de principios. Ser filosófica, sincera, verosímil, eso le basta. Y en el inmenso terreno que abarcan sus tres o cuatro límites, puede tratarlo todo".[43]

En otro orden de cuestiones teóricas cual es el de las relaciones existentes entre las diversas modalidades literarias, eran menos precisas aún las delimitaciones de fronteras entre los géneros diegéticos consagrados por la tradición y las nuevas formas narrativas,[44] hasta el punto que tanto en el plano de la denominación genérica como en la estructura de los textos se producen coincidencias, fácilmente observables en las reiteraciones de temas, tópicos y motivos constructivos que se repiten en novelas, relatos cortos y poemas.

3. *Novela del Siglo de Oro y novela gótica*

Los estudiosos de la narrativa del cruce de siglos XVIII y XIX dan por sentado que, en esta secuencia histórica, se había producido una fisura irreparable respecto a la tradición narrativa de los siglos XVI y XVII; según Montesinos, en la España del romanticismo "no era empresa fácil resucitar la antigua novela española. Era de muy ardua lectura y se refería, auténticamente, a una sociedad extinta que la novela histórica trataba de reconstruir bien arbitrariamente, ingiriendo en ella las pasiones de hoy" (1966, 99-100); el juicio se ha repetido sin mayores matizacio-

---

[43] "De la novela contemporánea", *El Museo Universal*, 30-VIII-1857.

[44] "(La novela) es mezcla anómala, mitad prosa, mitad poesía, que participa de lo individual de la lírica, de lo grande de la epopeya, de la universalidad del drama; es el género literario que con éste comparte el imperio del mundo, es el género más importante de nuestra edad" (Nicomedes Pastor Díaz, *El Museo de las Familias*, 1863).

nes (Picoche, 1978b, 332). Con todo, deberían revisarse las noticias bibliográficas que Montesinos presenta de las ediciones de
relatos del Siglo de Oro durante la primera mitad del XIX, ya
que los textos *costumbristas*, sin ir más lejos, ofrecen testimonios
de la vigencia de Zayas, Cristóbal Lozano, la picaresca y no diga-
mos Cervantes.[45]

El Cervantes leído por los románticos españoles está aún inédito, aunque se ha realizado una aproximación a su presencia en
la novela histórica (Ana Baquero Escudero). Montesinos (1966,
35-42) ha enfatizado la recepción dieciochesca de un Cervantes
crítico que desborda su papel de creador de la novela moderna;
con todo, en algunos textos ilustrados "la estructura episódica y
el perspectivismo crítico del Quijote constituían el paradigma
narrativo del viaje" (José Escobar y Anthony Percival, 1984b,
84). Entre las más antiguas apropiaciones del mito quijotesco en
la novela de principios del siglo hay que recordar el *Don Papis de
Bobadilla* del jurisconsulto y rezagado humanista Rafael José
Crespo (1779-1842), disparatado viaje de dos nuevos personajes
quijotescos en prosecución de la *crítica de la seudo-filosofía*
(R. Andrés Alonso y Calvo Carilla, 1984, 42-56; José-Carlos
Mainer, 1989, 13-38). El *Quijote* del XIX ofreció poderosos estímulos a los eruditos, a los casticistas y a los mejores narradores
de la llamada "escuela realista" (Leonardo Romero, 1989a), aunque, como ha señalado Anthony Close (1977), se dio una inge-
nua lectura de los románticos españoles que no percibieron los
registros irónicos del texto cervantino.

De todas formas, el más potente estímulo cervantino para la
novela de la época viene desde las variaciones particulares intro-

---

[45] Doña Paulita, personaje de *The Incognito* de Trueba y Cossío "conocía al
dedillo" las novelas de María de Zayas; a "Las niñas del día" que describe
Mesonero Romanos, "el *Desiderio y Electo* y las *Soledades de la vida* eran las
únicas lecturas que se les permitían" (*Panorama matritense*, BAE, CXCIX,
1967, 158); Zorrilla pondera su lectura de la obra de Cristóbal Lozano (*Recuerdos del tiempo viejo*). El *Catálogo* del bibliópola madrileño Pedro Joseph Alonso y
Padilla anunciaba a la venta, en 1737, abundantes ediciones dieciochescas de
novelas del Siglo de Oro (Rodríguez-Moñino, 1966, 33-35). Podrá efectuarse
una valoración ponderada de la difusión novelesca del Siglo de Oro cuando se
disponga de una monografía paralela a la que ha dedicado Antonio Juárez
Medina a *Las ediciones de obras de erudición de los siglos XVI y XVII durante el siglo
XVIII*, (Frankfurt, Peter Lang, Studien und Dokumente zur Geschichte der
Romanischen Literaturen, 1988).

ducidas por escritores españoles en la adopción de la novela scottiana (el cervantismo de *El Doncel de don Enrique el Doliente* ha
sido considerado sugestivamente por José Luis Varela en su ed.
de la novela, 1978, 33-37). No parece acertado buscar raíces
cervantinas en las novelas del escocés, pues no en vano éste negó
rotundamente tales correspondencias en el prólogo de *Waverley*:
"From the minuteness with which I have traced Waverley's pur-
suits, and the bias which these unavoidably communicated to
his imagination, the reader may perhaps anticipate, in the follow-
ing tale, an imitation of the romance of Cervantes. But he will
do my prudence injustice in the supposition" (véase el análisis
de esta cuestión en la monografía de Álvarez Rodríguez, 1983,
80-83); deberá apurarse el estudio de correspondencias sobre los
recursos constructivos en Scott, Cervantes y la novela histórica
española (los inicios de novela en forma de diálogo presentativo
mantenido por personajes secundarios o los juicios dubitativos
del narrador sobre sus personajes).

Aspecto central en la narrativa de la primera mitad del XIX
es el papel que desempeñan en ella los componentes maravillosos
y terroríficos que, en un todavía insuficiente estudiado proceso
de expansión, va manifestándose tanto en narraciones cortas
como extensas. El rasgo innovador y el éxito de lectores que
consigue la denominada novela *gótica* inglesa, desde mediados
del XVIII —admítase el año 1765, fecha de *The Castle of Otranto*
de Walpole—, trae consigo la sustitución del modelo de novela
de aventuras que habían servido hasta esos momentos otras
formas clásicas del relato. El texto *gótico* intensificará, además, la
sensibilidad por lo sanguinario, lo prohibido o lo exótico,
territorios donde la "salvaje España" tenía escenarios que ofrecer en los siniestros claustros conventuales —*The Monk* de Lewis— o en las orgías sanguinolentas habidas en los calabozos
inquisitoriales, como ocurre en el *Melmoth* de Maturin, registra-
do plásticamente en un lienzo de Delacroix (García Castañeda,
1987).

Esta vertiente de la creación literaria en el cambio de siglos
es para Guillermo Carnero (1983, 97-123) una faceta más de "la
cara oscura del Siglo de las Luces" que no tuvo en España sino un
eco tardío y escaso. No faltan, con todo, desde fines del XVIII
textos españoles que incorporan elementos compositivos y orna-
mentales de la literatura *gótica* europea: secuencias descriptivas

de la célebre palinodia de Olavide *El Evangelio en triunfo*[46] reiteradas en sus novelas editadas póstumamente en 1828 en Nueva York (ed. Estuardo Núñez, 1971), la tragedia de Quintana *El Duque de Viseo* cuya dependencia de *The Castle Spectre* de Lewis ya fue advertida por Peers, I (288-89), las escenografías macabras de piezas teatrales, traducidas u originales, de la segunda y tercera décadas del siglo a que se ha referido con alguna detención Ermanno Caldera (1988, 403-404); todo ello constituye la excitación timérica a la que Mesonero habría de referirse como la literatura de "tumba y hachero" y que todos los estudiosos encuentran en los rasgos más superficialmente llamativos del romanticismo español.

La utilización de elementos espaciales capaces de sugerir misterios y la presencia de acontecimientos inexplicables racionalmente pueden ser materiales constructivos procedentes de la literatura gótica. Comoquiera que ello sea, estos componentes aparecen en el teatro del XVIII que lleva al romanticismo, en poemas líricos y narrativos y en prosas ficticias de tema histórico o de estructura folletinesca; "pasadizos ocultos, puertas secretas, subterráneos que conducen a lugares insólitos, descripciones ambientales envueltas en extraños sucesos, palacios o castillos aislados, celdas recónditas y ocultas" son algunos de los elementos que enumera Rubio Cremades (1982, 274) como característicos de la escenografía propia de la literatura de terror. Con todo, la confianza excesiva en la trascendencia artística de estos elementos puede llegar a la formulación de tesis tan radical como la sostenida por David Gies (1988a, 60-68) que ve en el teatro de terror y en la narrativa *gótica* el "sustrato sobre el que se construye toda la literatura romántica".

Juan Ignacio Ferreras aisló una reducida nómina de las esca-

[46] Una muestra del estilo, en la siguiente descripción de la carta II: "Entro, pues, sin que nadie me detenga, y lo primero que se presenta a mi vista es un espacioso patio rodeado de largos y desiertos corredores. A pesar de la aversión con que yo veía todo lo que era claustro, la extrema agitación de mi alma me hizo sentir algún consuelo, cuando vi la calma y profundo silencio que reinaba en aquel vasto espacio. Me pareció que mi corazón se penetró del sentimiento serio y melancólico que produce la inmovilidad de los sepulcros; pero comparando la tranquilidad y sosiego de aquel sitio con la turbación y desorden de mi espíritu, sentí más el peso de mis propias angustias" (Madrid, Joseph Doblado, MDCCXCIX, 28-29).

sas narraciones terroríficas traducidas al español —Lewis, Lee, Radcliffe, pero no Walpole ni Beckford— y las menos abundantes originales —Pérez Zaragoza, Torre López—, y de su parva cosecha concluía que no se produjo en España la novela de terror "porque ha faltado el grupo social [se refiere, claro está, a la burguesía] o la visión del mundo capaz de utilizar este irracionalismo de una manera artística" (1973, 243-264). Sólo la *Galería fúnebre de espectros y sombras ensangrentadas* de Pérez Zaragoza (1831, 12 volúmenes) cumple los requisitos del género con la acumulación —en palabras de su editor moderno— de "multitud de prodigios, acontecimientos maravillosos, apariciones nocturnas, sueños espantosos, delitos misteriosos, fenómenos terribles, crímenes históricos y fabulosos, cadáveres ambulantes, cabezas ensangrentadas, venganzas atroces y casos sorprendentes" (Luis Alberto de Cuenca, 1984, 114).

Los estudios descriptivos de esta clase de narrativa suelen centrarse en la enumeración de elementos lúgubres, macabros o repugnantes que la caracterizan y cuya acumulación concluye por traducir efectos paródicos que denunciarían Tapia, Bretón o Larra. Pero, dando coherencia textual a este caudal de materiales sombríos, intervienen mecanismos de mayor complejidad que implican la actitud de los lectores: lo maravilloso racionalmente explicable,[47] la desnuda intervención de lo extraordinario irreductible a razón —y que requiere la aquiescencia de un público previamente convencido, como supone Navarro Villoslada para los lectores de su novela *Amaya*—[48] o la simple iluminación del

---

[47] Walter Scott, con probado conocimiento de causa, prevenía contra la acumulación de material fantástico y contra las excesivas explicaciones racionales: "En algunas de sus obras el barón de la Motte-Fouqué ha sido muy pródigo de pormenores históricos; la inteligencia del lector no puede siempre seguirle cuando le conduce al través de las antigüedades alemanas. El novelista deberá poner el mayor cuidado en no sofocar el interés de su ficción bajo los artificios de la ciencia, porque todo aquello que no se comprende al momento o que no se explica brevemente, está demás en los romances históricos" ("Ensayo sobre lo maravilloso en las novelas o romances", traducción española publicada en el tomo III de la *Nueva Colección de Novelas, de Sir Walter Scott,* Madrid, 1830).

[48] "Ni lo niego ni lo afirmo. Que el espíritu maligno tomó parte directa y activa en estos sucesos, todos sus historiadores lo aseguran, y la tradición de once siglos, dándolo por cosa corriente, jamás lo ha puesto en duda. Con hechos de este linaje hay que contar para escribir la historia, la cual, descartada de lo sobrenatural, queda incompleta y mutilada" (*Amaya,* Madrid, Calleja, 1900, II, III, IV, 341).

horror que subyace en los relieves insignificantes de la vida cotidiana —como magistralmente expone el duque de Rivas en el capítulo "El ventero" con el que colaboró en el libro costumbrista *Los españoles pintados por sí mismos*.[49] Guillermo Carnero (1973) ha aplicado una retícula teórica a explicar la dimensión terrorífica en las novelas históricas de los años treinta y encuentra que en ellas se impone una limitación de partida en "la poca audacia que demuestran al dar siempre una explicación racional a lo extraordinario y la tosquedad con que plantean las explicaciones de carácter psicológico", carencias achacables a incapacidad de los autores o al rechazo de un público que evita "admitir la aventura espiritual que propugna la genuina literatura fantástica".

Sin atenuar una y otra causa, no resultaría inoportuno atender también a la vigencia durante el XVIII y el XIX de los textos narrativos barrocos en los que sadismos sanguinarios y situaciones macabras constituyen obligado punto de referencia; todo ello se intensifica si no se echa en olvido la gran fascinación que muchos románticos hispanos sintieron por la pervivencia de una mentalidad mágica primitiva, cristalizada en las leyendas folclóricas y en las tradiciones de la cultura popular y de las que Zorrilla es testigo irrecusable (Rubio Jiménez, 1989, 22-23),[50] y a las que tampoco fueron ajenos Rivas, Estébanez Calderón, Hartzenbusch, Fernán Caballero y, poco más tarde, muchos escritores de la llamada generación posromántica.

4. *Tendencias de la llamada "novela romántica"*

El presupuesto crítico que sugiere el salto en el vacío desde la novela barroca hasta la novela histórica del siglo XIX —causado por la censura, los prejuicios teóricos y morales y la abundancia de traducciones— ha sufrido considerables correcciones en

---

[49] Este relato dejó huella en la página becqueriana "Un lance pesado" y en la *Sonata de Otoño* (Alberich, 1977).

[50] "*Margarita la tornera* es una fantasía religiosa, es una tradición popular, y este género fantástico no le repugna a nuestro país, que ha sido siempre religioso hasta el fanatismo. Las fantasmas de Hoffmann, sin embargo, no serán en España leídas ni apreciadas sino como locuras y sueños de una imaginación descarriada" (José Zorrilla, *Obras Completas*, Valladolid, I, 617).

varios de sus flancos. Juan Ignacio Ferreras (1973) ordenando temáticamente las tendencias de los relatos publicados entre 1800 y 1830, Russell P. Sebold (1981) prolongando estudios anteriores en los que acentuaba la manifestación del *realismo* español en textos literarios del XVIII tributarios de la filosofía sensista del conocimiento, Rodney T. Rodríguez (1985a) volviendo por la idea del prestigio del Siglo de Oro durante la Ilustración —del que sirve de muestra el título que en 1788 dio el P. Isla a sus *Aventuras de Gil Blas de Santillana robadas a España y adaptadas en Francia por Monsieur Le Sage, restituidas a su patria y a su lengua nativa por un español celoso que no sufre que se burlen de su nación*—, han puesto en evidencia lo que las indagaciones bibliográficas de Reginald Brown (1953) habían comenzado a iluminar: la realidad de un caudal de narraciones españolas escritas y publicadas en el primer tercio del siglo XIX

Ferreras (1970; 1973, 133-166), tras situar la crítica dieciochesca de las costumbres —Antonio de San Román, Cándido María Trigueros, Eugenio de Tapia, Sebastián de Miñano, Pedro Felipe Monlau y otros— en la serie de la narrativa clásica, determina varias tendencias que denomina novelística *moral y educativa, sensible y quizá sentimental,* la casi inexistente de *terror* y la *anticlerical.* Rodney T. Rodríguez matiza estas clasificaciones proponiendo tres fuerzas permeabilizadoras de la narrativa inmediata al romanticismo: "la pervivencia de la nativa tradición picaresca, la proliferación de una novelística moral y ejemplarizante y la introducción de la *sensibilité* francesa o de la novela sentimental de Inglaterra" (1985a, 51). El balance histórico-literario que podrán dar las monografías que están dedicándose a los autores de entre siglos —Céspedes y Monroy, García Malo, Rodríguez de Arellano, Valladares de Sotomayor, Pedro Montengón, Martínez Colomer o Zabala y Zamora (para los últimos, ver las ediciones preparadas por Guillermo Carnero)— aportará el tejido de textos imprescindibles que explique el proceso evolutivo de la prosa ficticia desde la literatura ilustrada hasta el romanticismo. (Ver, ahora, Álvarez Barrientos, 1991).

Ha venido siendo un lugar común de la crítica la identificación de romanticismo con novela histórica de asunto remoto —preferentemente medieval—, ignorando los estímulos que para la representación de los accidentes comunes de la vida cotidiana ofrecían las novelas del primer tercio del siglo. Reginald

F. Brown en un trabajo pionero (1956) sentó las bases correctoras de esta errónea visión. Recordaba el hispanista inglés cómo en numerosas novelas de los años treinta y cuarenta se apuntaba un inicio de *relato realista* cuyos resultados definitivos no se medirían hasta la promoción de novelistas contemporáneos a Pérez Galdós, ya que en aquellas —*Aventuras de un elegante, Las tres Navidades, El dios del Siglo*— "el novelista no describe, narra el fondo, actúa en función de la intriga; no es color local, es extensión vital de las actividades del personaje, que sin ello no se puede comprender".

Efectivamente, las novelas *históricas de tema contemporáneo* y las ficciones consignadas en la contemporaneidad del escritor fueron dos variantes narrativas de la primera mitad del XIX que marcaron los pródromos del moderno *realismo* literario en España, tanto en la agilización de las técnicas descriptivas como en las más complejas relaciones dialécticas entre el tiempo de la ficción y el tiempo del lector. La simple percepción crítica de las realidades del momento y que prolonga el discurso moral de la sátira clásica —véase la anónima *El lente, novela satírico-moral* de 1833—, la enumeración de rasgos privativos de espacios pintorescos —ambientes miserables de Londres en la *Luisa de Bustamante* de Blanco White, escrita en 1839 (y editada por Ignacio Prat, 1975a)— no llegan a conformar la variedad narrativa que, en los años mediales del siglo, se denominó a sí misma *novela de costumbres contemporáneas*.

El mencionado marbete se empleaba indiscriminadamente como subtítulo de novelas de aventuras folletinescas —fueran históricas o contemporáneas— y como definición genérica de las obras que pretendían ser en España lo que los *études des mœurs* de Balzac estaban siendo en Francia. Pedro Sánchez, el héroe de la novela del mismo título de Pereda (1883), una implacable anatomía de la vida literaria madrileña en torno a la Revolución de 1854, veía meridianamente "los puntos en que debía diferenciarse una novela de costumbres españolas, de las que con tal rótulo se exponían en los escaparates, escritas a destajo en perverso castellano". La insuficientemente estudiada obra narrativa de *Fernán Caballero* y la teoría literaria que en ella subyace podrían explicar las líneas maestras de esta versión hispana de la novela realista, contemporánea de Duranty, Champfleury y Octavio Feuillet. Algunas de las diferencias de fondo que la alejaban de la novela histórica convencional están aludidas en un curioso prólogo del novelista Juan de Ariza a su *Don Juan de Austria o las guerras de Flandes* (1847).

El imperativo de fidelidad a los conflictos de la sociedad del momento es, pues, el punto de partida de la *novela de costumbres*. Su relación con el artículo *de costumbres* es tangencial, una relación en la que junto a líneas de coincidencia existen zonas de absoluta autonomía. Antonio Flores, por ejemplo, en el prefacio de sus *Doce españoles de brocha gorda* (1846) explicaba cómo a partir de una serie de *tipos* había redactado una *novela de costumbres contemporáneas;* una muestra de la correlación habida entre dos géneros literarios, cuyo estímulo partía del mismo punto, tal como sintetizaba Fernández de los Ríos, cuando declaraba, en 1848, el predominio de la novela histórica: "no nos hallamos ciertamente en tan ventajosa posición respecto a la novela de costumbres por la razón obvia de no tenerlas propias en la actualidad; pero si carecemos de ellas, no por eso creemos que deje de haber materiales aplicables, tesoros inagotables de peripecias y contrastes de seguro efecto en el estado de transición por que vamos pasando en la lucha contra las costumbres que se van y las que llegan".[51]

No debe confundirse, pues, la práctica del *realismo* en esta parcela de la novela española del XIX aún no estudiada, con el imperativo teórico de fidelidad a las fuentes, al espíritu y a las formas del pasado, que Walter Scott introdujo como principio constructivo en las novelas históricas.[52] Esta técnica literaria —a la que Sebold ha denominado "realismo de tiempo pretérito"—

---

[51] Prefacio de *La Casa de Pero Hernández, leyenda* de Miguel Agustín Príncipe.

[52] Alberto Lista afirmaba del imperativo verista que había traído Walter Scott a la novela que era "imposible ser novelista en su género sin llenar las condiciones siguientes: 1.ª, un profundo conocimiento de la historia del período que se describe; 2.ª, una veracidad indeclinable en cuanto a los caracteres de los personajes históricos; 3.ª, igual escrupulosidad en la descripción de los usos, costumbres, ideas, sentimientos, y hasta en las armaduras, trajes y estilo y giro de las cantigas. Es necesario colocar al lector en medio de la sociedad que se pinta; es necesario que la vea, que la oiga, que la ame o la tema, como ella fue con todas sus virtudes y defectos. Los sucesos y aventuras pueden ser fingidos, pero el espíritu de la época y sus firmas exteriores deben describirse con suma exactitud" (serie de artículos "De la novela histórica", *Ensayos literarios y críticos,* Sevilla, I, 1844, 158). La reacción de Larra en *O.C,* II, 230a.

encontró una rápida apropiación en las maneras de reconstrucción del pasado en que tanta fidelidad se debe a la historia como a la geografía, pero cuyo sentido último era muy diverso del que tenían las verosimilitudes espaciales y temporales en la *novela de costumbres contemporáneas*. Ésta podría responder a las expectativas y exigencias de una clase media (Stephen Miller, 1980, explicando el punto de vista de Mesonero al respecto; aunque Leonardo Romero, 1983, lo enfoca de modo diverso), o a la diferencia entre los novelistas que difunden ideología de modo artificioso (Ros de Olano, Gertrudis Gómez de Avellaneda, Salas y Quiroga) o con rotundidad (Ayguals de Izco, *Fernán Caballero*), según propone Rodney T. Rodríguez (1978) en una diferenciación que corresponde a las que Salvador García (1971, 107-120) llama "novelas filosóficas" y "novelas sociales".

El modo de difusión de muchas de estas novelas —la publicación por entregas— y la función propagandística que en la mayoría de los casos comportaba el vehículo de distribución y consumo son circunstancias que han interesado a bastantes estudiosos de la novela del XIX. La descripción de las empresas editoriales y el modo de fabricación y de recepción de la *entrega* (Jean-François Botrel, 1974; Víctor Carrillo, 1977), la fijación de unos estereotipos narrativos que llegarán a penetrar en la narrativa "artística" de la segunda mitad del siglo (Leonardo Romero, 1972 y 1976, 119-226), la ideología difundida por algunos de los más conspicuos representantes de la modalidad (Ayguals de Izco, estudiado en este aspecto por Rubén Benítez, 1979), son algunos de los aspectos que han sido tratados con amplitud por los especialistas. Leonardo Romero (1976, 9-30) ha denominado muy latitudinariamente a estas publicaciones "novelas populares" en la medida que algunos de los canales empleados en su difusión y, especialmente, rasgos caracterizadores de su estructura tienen estrechas relaciones con el ancho río de la literatura de consumo popular que corre paralelo a la literatura culta desde los orígenes de la imprenta. Por otra parte, los contenidos de denuncia política y social que son tan apropiados para esta forma de narración, también se destacan en novelas no ajustadas en estricto sentido al modelo folletinesco, como planteó Gertrudis Gómez de Avellaneda en su ficción anti-esclavista *Sab* (1841) y Carolina Coronado (Monroe Z. Hafter, 1983). La estructura de la *novela de folletín* presenta elementales tramas en las que funciona como ley amplificadora la simple superposición de aventuras y peripecias. Este modelo de entrelazamiento sin límite se articula sobre las contraposiciones de un reducido grupo de personajes —mejor dicho, arquetipos morales— que proyectan al universo de las ideologías el discurso comprometido que el escritor pretende proporcionar.

En las décadas de los cuarenta y los cincuenta se publicaron en España novelas que, como hechos aislados, apuntaban a posibilidades artísticas que no llegaron a cristalizar en tendencias consolidadas. Díaz Corbeille publicó, precisamente en el *folletín* del periódico *La Patria,* en 1848, la primera parte de la novela lírica *De Villahermosa a la China,* publicada completa y como volumen en 1858. El relato del poeta gallego ofrece un proceso de introspección de cuatro personajes que eluden la civilización de Madrid y sólo encuentran su ámbito espiritual en los brumosos paisajes de las rías norteñas; la notable presencia de la *falacia patética* —en la tradición de Rousseau y Sénancour—, el adelgazamiento de la anécdota argumental y los juegos de perspectivas temporales hacen de esta obra un experimento narrativo digno de atención.

Hacia 1850, según Brian J. Dendle (1967-1968) se escribiría la novela *Una temporada en el más bello de los planetas* que se publicó en 1870 en la *Revista de España;* es obra que, de confirmarse las hipótesis de su reciente comentarista, adelantaría para España en varios años a Jules Verne y la novela de *ciencia-ficción,* aunque la visión del viaje interplanetario que presenta parece responder a los modelos del viaje satírico consagrado por Luciano de Samosata y sus continuadores del siglo XVIII (por ejemplo, el *Viaje de Enrique Wanton al país de las monas,* estudiado recientemente por Escobar y Percival, 1984b).

El empleo del material folclórico responde a postulados teóricos e ideológicos de gran amplitud cuyos efectos se hacen sentir en muchas facetas de la creación literaria en España (véanse pp. 138-150). Con todo, debe recordarse aquí la novela de Braulio Foz *Vida de Pedro Saputo* (1844) en buena parte construida sobre un esquema de *enfilage* que despliega un caudal de cuentos y motivos tradicionales. Si para Francisco Ynduráin (1986) la acumulación del material folclórico acerca esta obra al *realismo* decimonónico, para otro analista de la obra (Sergio Beser 1986; 7-18), la inserta en la corriente de la literatura fantástica o maravillosa.

Con todo, el abundante material procedente de la tradición oral que exhibe la obra del autor aragonés cumple funciones ideológicas y constructivas muy diversas de las que *Fernán Caballero* adjudicaba al fondo folclórico andaluz incorporado en sus cuentos y novelas (Juan Villalba, 1989).

El relato fantástico es uno de los caballos de batalla en la historia de la ficción española del siglo XIX. Si los excesos decorativos de la novela gótica inglesa no encontraron mayores ecos hispanos en la "literatura de tumba y hachero" del primer tercio del siglo, hoy no puede sostenerse que el relato fantástico es sólo resultado del esfuerzo de prosistas cercanos a la estética del *realismo*, como Bécquer y Alarcón. En las revistas literarias de los años treinta aparecieron relatos cortos construidos sobre las intervenciones de brujas, demonios y aparecidos que dan un mentís a las afirmaciones que hasta ahora han sido lugar común. Carla Perugini ha sostenido con datos muy convincentes (1988) la realidad "de una literatura de miedo y de una literatura fantástica, negadas las dos por estudiosos cuales Rafael Llopis, Juan Ignacio Ferreras, Baquero Goyanes o Antonio Risco", aunque esta literatura "se queda en los mismos umbrales de la novela gótica inglesa y no los traspasa" (aportaciones posteriores, en la ed. de cuentos realizada por C. Perugini y en la tesis de Montserrat Trancón). Entre los relatos extensos tenemos algunas muestras románticas, conocidas pero insuficientemente estudiadas, en la novela de Romero Larrañaga *Amar con poca fortuna* (1844) y en el curioso texto de Ros de Olano *El Doctor Lañuela* (1863).

5. *La novela histórica*

La parcela mejor estudiada de la narrativa española escrita durante la primera mitad del XIX es la novela histórica, bien que las consideraciones de la crítica concluyen sustanciándose en apreciaciones, generalmente compartidas, sobre la limitada calidad de los textos, su dependencia estructural del modelo scottiano y su función vicaria como *discurso* ideológico de la clase burguesa; no han sido prácticamente atendidas dimensiones tan características de esta modalidad como su estructura narrativa (salvo Liliana Bergquist, 1978; Isabel Román, 1988, vol. I, 129-152), las marcas propias de su lenguaje arcaizante (María Antonia Martín Zorraquino, 1986) ni otros aspectos que la relacionan con modelos sincrónicos —Manzoni, Fenimore Cooper— o la otra vertiente de la novela histórica de los años románticos, la de tema contemporáneo (tesis inédita de Antonio Ferraz 1990). Lista, y posteriormente Menéndez Pelayo en dos discursos académicos de 1883 y 1895, situaron en sus justos términos el problema histórico-literario que supone la coincidencia en el empleo de material histórico en el teatro, en la novela y en la poesía narrativa (vuelto a considerar por Albert Dérozier, 1974, desde el ángulo de los romances históricos del duque de Rivas).

El extenso cultivo de la novela histórica dio lugar a consideraciones teóricas, cuya reiterada dedicación al tópico confirma, desde la recepción crítica, el relativo éxito del género. Loreta Rovatti (AA.VV. 1977) ha resumido los documentos más conocidos de la polémica sobre el género histórico para concluir que, en su proceso de recepción crítica, se destacan un complejo de inferioridad respecto a la producción extranjera y una fuerte fidelidad a los preceptos de la Poética clasicista. Luzán había explicado con envidiable claridad cómo se resolvía en la práctica la dicotomía aristotélica poesía/historia, afirmando que el historiador y el poeta emplean el mismo material en los textos en los que reconstruyen conflictos reales del tiempo pasado, pero que el poeta "labra y mejora aquella materia que ha tomado prestada de la historia, dándola nueva forma y nuevo ser con su arte y con su invención" (*Poética,* libro III, cap. V, ed. R. P. Sebold). Muchos intérpretes de la novela histórica del XIX y del XX —Gallardo, Manzoni, Ortega y Gasset, por recordar algunos eximios— han quedado prendidos en la falsa aporía verdad histórica y valor particular de lo *que ha sucedido versus* verosimilitud poética y valor universal de lo que *pudiera haber sucedido*.[53] Los cultores del género supieron resolverlo adecuadamente tanto en la teoría

---

[53] "El novelista ha de intentar, por el contrario, anestesiarnos para la realidad, dejando al lector recluso en la hipnosis de una existencia virtual. Yo encuentro aquí la causa, nunca bien declarada, de la enorme dificultad —tal vez imposibilidad— aneja a la llamada *novela histórica*. La pretensión de que el cosmos imaginado posea a la vez autenticidad histórica, mantiene en aquélla una permanente colisión entre dos horizontes. Y como cada horizonte exige una acomodación distinta de nuestro aparato visual, tenemos que cambiar constantemente de actitud; no se deja al lector soñar tranquilo la novela, ni pensar rigurosamente la historia. En cada página vacila, no sabiendo si proyectar el hecho y la figura sobre el horizonte imaginario o sobre el histórico, con lo

como en la práctica,[54] —salvo el peculiar caso de Manzoni, estudiado por Amado Alonso (1984, 50-70)— aunque los epígonos ofrezcan, como en todo caso de inerte repetición, flancos débiles de fácil ataque.

Muchas creaciones literarias de la antigüedad y de los siglos XVI al XVIII habían desplegado sus conflictos en el tiempo pasado y en referencia a acontecimientos de los que constaba su realidad histórica. En el madrileño Ateneo de 1840 se había discutido sobre los "paralelos entre las modernas novelas históricas y las antiguas novelas caballerescas" (véase el *Semanario Pintoresco Español*, 1839, 47); Alberto Lista prolongó el debate en una memorable serie de artículos sobre "la novela histórica"[55] en los que, entre otras consideraciones inteligentes, volvía una vez más sobre los antecedentes inmediatos de la literatura de tema histórico: Mlle. Scudéry, *Las guerras civiles de Granada*, Montengón y Mmes. Cottin y Genlis, autoras éstas últimas cuyas obras "tienen un interés novelesco, superior quizá al que inspiran los héroes de Walter Scott, pero [en las que se describen más] los afectos generales de la humanidad que los sentimientos propios y peculiares de un periodo". Todo ello, como certeramente apuntaba Lista, es muy diverso de lo que había traído Scott al relato histórico posterior a 1814.

La presencia de Walter Scott en la literatura romántica española es bien conocida desde los trabajos clásicos de Peers y Churchman (resumidos y comentados por Iris Zavala, 1971,

---

cual adquiere todo un aire de falsedad y convención" (J. Ortega y Gasset, "Ideas sobre la novela", *Obras Completas*, Madrid, Revista de Occidente, III, 1947, 411-412).

[54] Un testimonio rotundo de Pérez Galdós: "entre las miles de víctimas del absolutismo húbolas nobilísimas y altamente merecedoras de cordial compasión. Si el historiador acaso no las nombrase, peor para él; el novelador las nombrará, y conceptuándose dichoso al llenar con ellas su lienzo, se atreve a asegurar que la ficción verosímil ajustada a la realidad documentada puede ser, en ciertos casos, más histórica y, seguramente, más patriótica que la Historia misma" (*El terror de 1824*, en *Obras Completas*, Madrid, Aguilar, 1970, 1740a).

[55] *Ensayos literarios y críticos*, Sevilla, I, 1844, 155-163. El prestigio remoto de los relatos caballerescos gravita sobre muchas novelas históricas españolas que o utilizan su información sobre usos caballerescos —armas y armaduras, duelos y desafíos, código del honor y del comportamiento amoroso—, o insertan citas de ellas y las ritualizan al máximo, haciendo que sus personajes lean novelas de caballerías; éste es el caso en *Los bandos de Castilla* o en *El Doncel de don Enrique el Doliente* (cap. VII).

24-390, por Juan Ignacio Ferreras, 1976, 110-114 para *Los Bandos de Castilla* y por Louis Urrutia, 1977), aunque los entusiasmos europeos comenzaron a decaer inmediatamente a raíz de su muerte, como ilustra para el ámbito hispano Amado Alonso (1984, 32-36, 43-44) con el juicio de José María Heredia y se puede ampliar con ironías de Larra.[56] La publicación de *Waverley* en 1814 había reanimado para los lectores imaginativos el mito napoleónico en el que se fundían el progreso de los acaeceres privados y de los acontecimientos públicos; la sociedad restauracionista de Europa había leído, además en las novelas del escocés una versión optimista de la historia en que se reinterpretaba el esquema cerrado de la novela gótica en una lectura en la que entraba la idea del cambio personal y social. En último término, y según la muy conocida explicación de G. Lukacs, con Scott ascendía una forma literaria en relación estrecha con la clase que se estaba convirtiendo en protagonista de la historia. Elementos del mensaje ideológico de las novelas scottianas debieron de ser captados por los escritores españoles del reinado fernandino y primeros años de Isabel II puesto que, al menos, la censura absolutista dio feroz cuenta de varios proyectos de ediciones.

"La obsesión por el pasado, la conciencia historicista del Romanticismo" (Moreno Alonso, 1979, 108) son rasgos definidores del clima intelectual europeo de la primera mitad del siglo, cuando en los estudios históricos se pueden oír las voces del pasado (Augustin Thierry, en el prólogo de su *Histoire de la conquête de l'Angleterre par les Normands* o más modestamente, Modesto Lafuente en el prólogo a su *Historia de España*). Es el descubrimiento del nacionalismo que efectúa la burguesía de la época y que puede llegar a cristalizar en modelos literarios, tal como proponen García Castañeda para la literatura española (1978, 233)[57] o Maria Teresa Cattaneo (1967, 102) para la catalana.

---

[56] "Me he ajustado con un librero para traducir del francés al castellano las novelas de Walter Scott, que se escribieron originalmente en inglés, y algunas de Cooper, que hablan de marina y es materia que no entiendo palabra" anota el "Pobrecito Hablador" en la primera de sus cartas a Andrés escritas desde las Batuecas (11-IX-1832; *Obras,* ed. Carlos Seco, BAE, vol, CXXVII, 81a).

[57] "Generalmente se admite que España es el país clásico de la caballería y el romance, y, sin embargo, mientras las crónicas y tradiciones de Inglaterra, Escocia, Irlanda y Francia fueron saqueadas por el gran escritor (Walter Scott) y sus imitadores más conocidos, todos parecen haber evitado, sin embargo, el

Con todo, la interpretación del éxito de las *Waverley novels* sólo a partir del modelo teórico de Lukacs es una limitación del alcance del fenómeno europeo y, por supuesto, de su más alicorta versión peninsular. Buena parte de los estudios recientes dedicados a las novelas históricas españolas han consistido en más o menos felices aplicaciones del modelo teórico con el que Lukács se explicaba en el Moscú de 1937 (trad. española, 1966) la técnica scottiana de fusión entre mundo particular y mundo colectivo. El modelo, que podría ser ampliado a los otros dos contemporáneos que compartieron el acierto de la fórmula —Manzoni y Fenimore Cooper[58] (mejor estudiada la huella española del primero que la del segundo; Macrì, 1976; Meregalli, 1977, Rossi, 1978)—, es difícilmente superponible a las novelas históricas españolas escritas antes de *La Fontana de Oro;* por ello es acertado el juicio conclusivo de Liliana Bergquist (1978, 230-231) cuando mantiene que el valorarlas por su fidelidad a la teoría del teórico húngaro no es sino ver una serie de intentos fallidos, mientras que "si las miramos desde otro punto de vista, como proveedoras de aventuras, de ensueños y de fantasías, veremos que los autores han logrado su propósito".

Un aporte clave en la teoría de la novela histórica es la idea del "héroe medio", que explica cómo en estos relatos la particu-

valerse de producciones tan brillantes y llenas de interés y carácter como las que forman el tesoro nacional de España" (*Prefacio* de Trueba y Cossío a su *Gómez Arias,* según la traducción española de 1831). De modo más rotundo, el célebre *Prólogo* de López Soler (1830) comienza: "La novela de *Los Bandos de Castilla* tiene dos objetos, dar a conocer el estilo de Walter Scott y manifestar que la historia de España ofrece pasajes tan bellos y propios para despertar la atención de los lectores como las de Escocia y de Inglaterra".

[58] Martínez de la Rosa, en la *Advertencia* que precede a su *Doña Isabel de Solís, reina de Granada* (1837-39), explicada su decisión de escribir la novela por el estímulo de la tríada de escritores: "hallándome en París hace pocos años [circa 1830], me ocurrió por vez primera el pensamiento de escribir una novela histórica (...). Por aquel tiempo había subido al más alto punto de Europa la fama de Walter Scott; traducíanse sus obras en Francia; apenas se publicaban en Inglaterra, en tanto que no pocos escritores de aquella nación se afanaban por enriquecer a su patria con novelas originales, tomando el argumento de la Historia; el célebre Manzoni daba a luz una obra de esta clase, bastante por sí sola para mantener en la nueva palestra el antiguo nombre y la gloria de Italia; y hasta más allá de los mares, como si cundiese al campo de la literatura la emulación de dos grandes naciones hermanas poco ha y hoy rivales, no faltaba quien desde las riberas del Delaware osase disputar la palma al bardo de Escocia".

laridad de los personajes deriva de la especificidad histórica en la que están situados y que, desde el punto de vista de las funciones narrativas, los personajes se constituyen en nudo de relaciones entre los diversos bloques o grupos sociales; idea que un redactor de *El Vapor* (1833) explicaba en estos términos: "[Walter Scott] ha sido ingenio único para servir de intérprete a unos y a otros, para echar un punto de comunicación entre clases que se destruían haciéndose la guerra". Albert Dérozier (1977, 1977a, 1978) ha reiterado un análisis de las novelas españolas del que se desprende la inexistencia de bloques históricos dialécticamente opuestos, la falta de relación entre el tiempo histórico de la Historia y el tiempo presente de la narración y la volatilización de la función mediadora del protagonista; ni en *Los Bandos de Castilla* de López Soler ni en *El señor de Bembibre* de Gil y Carrasco —textos que delimitan cronológicamente la serie *novela histórica romántica*— "existe verdadero protagonista porque los dos bloques de Walter Scott no existen, porque la dialéctica del escocés está ausente, porque el protagonista no es un interlocutor válido, virtual, posible" (1978); y todo ello ocurría porque la burguesía española era, a la sazón, una clase todavía débil e incapaz de saber leerse en el pasado (Dérozier, 1977, 86).

Las conexiones pasado/presente que constituyen la otra cara de la teoría lukasiana sólo se manifiestan en las novelas españolas de un modo episódico y pintoresco. Las pasarelas alusivas a los conflictos presentes —reinado de Fernando VII y subsiguiente cambio de régimen— que podemos leer en las novelas de los años treinta y cuarenta no pasan de ser guiños al lector contemporáneo (Dérozier, 1977, Bergquist, 1978). José Luis Varela al considerar el problema en la novela de Larra ha escrito que en *El Doncel de don Enrique el Doliente* "estas alusiones a acontecimientos contemporáneos —y hay muchas más: a la versatilidad de los periódicos ministeriales, al gobierno del justo medio etc.— originaron la burla cruel de Puschkin contra los seguidores sin talento de Walter Scott, porque como advierte Lukács, para el arte histórico realmente grande, la configuración de la historia exige una *relación vivenciable con el presente,* o sea la vitalización del pasado como relación preliminar del presente mediante la animación de las fuerzas sociales, históricas y humanas que han hecho de la vida que nosotros vivimos lo que real y actualmente es" (ed. de *El Doncel de don Enrique el Doliente,* 28-29). Sólo Navarro Villoslada (Bergquist, 1978, 157-220) acertaría a construir este puente vivido entre las dos dimensiones del tiempo, pero en novela que desbordó por su fecha de publicación —*Amaya o los vascos en el siglo, VIII* (1879) — el ámbito del romanticismo.

Sólo en muy escasos trabajos se ha prestado atención a un elemento estructurante de la novela histórica que podría explicar su éxito efímero entre los lectores de la primera mitad del siglo: el papel que representa el narrador como instancia que ordena y determina el sentido del relato histórico. Liliana Bergquist (1978) e Isabel Román (1988) han realizado aproximaciones a este fenómeno central de la *historia interna* de la novela española. El narrador en las novelas históricas españolas penetra con su propio discurso la enunciación del relato y los discursos ajenos de los personajes, ese es el procedimiento que lo autentifica como garante de la verdad histórica pero, además, con él potencia una relación de complicidad con el lector del presente —desde las alusiones a las fórmulas retóricas de interpelación— que hace de él un intermediario entre el relato y el receptor. El narrador y los personajes atienden, pues, al objeto temático de sus discursos y se desentienden de las formas de enunciación que podrían dar mayor encarnadura de realidad a la expresión lingüística.

Las construcciones narrativas que ofrecen alguna fórmula de novedad —presencia de narradores internos en *Los solitarios*, (1843) autor convertido en personaje de *Doña Blanca de Navarra*— no hacen fortuna, hasta el punto que el recurso más frecuente viene a ser el de la apelación a la fuente o documento histórico que garantiza la verdad del relato (al margen de las ironías de Larra en su novela[59] o de la alusión a la crónica en el capítulo final de

---

[59] A vueltas de una presentación distanciada de su novela, Larra da en el capítulo I de *El Doncel de don Enrique el Doliente* un compendio de las principales cuestiones teóricas en las que se sustenta la novela histórica: "Antes de enseñar el primer cabo de nuestra narración fidedigna, no nos parece inútil advertir a aquellas personas en demasía bondadosas que nos quieran prestar su atención, que si han de seguirnos en el laberinto de sucesos que vamos a enlazar unos con otros en obsequio de su solaz, han menester trasladarse con nosotros a épocas distantes y a siglos remotos, para vivir, digámoslo así, en otro orden de sociedad, en nada semejante a este que en el siglo XIX marca la adelantada civilización de la culta Europa (...). Con respecto a la veracidad de nuestro relato, debemos confesar que no hay crónica ni leyenda antigua de donde le hayamos trabajosamente desenterrado, así que el lector perdiera su tiempo si tratase de ir a buscar comprobantes en ningún libro antiguo ni moderno; respondemos, sin embargo, de que si no hubiese sucedido, pudo suceder cuanto vamos a contar".

El señor de Bembibre). Fidelidad a la fuente que, salvo raras excepciones, como Martínez de la Rosa, o Navarro Villoslada[60], nunca es rigurosa, sino mera aplicación a relieves de ambientación arqueológica con la que los novelistas, olvidando la creación poética, se aplican a "la presentación artística de un material intelectualmente sabido" (Amado Alonso, 1984, 8).

Otro recurso que ajusta la fidelidad a las fuentes históricas reside en las estrategias lingüísticas que revisten al discurso con una vitola de arcaísmo. El procedimiento, en el que Scott fue un adelantado, repristinó usos lingüísticos de la lengua inglesa (Álvarez Rodríguez, 1983, 77-79), lo que no fue similar en el caso de la española. Nuestros novelistas, por torpeza filológica o por imitación exacerbada de la "fabla antigua" no parece que dieran un sesgo caracterizador al empleo del arcaísmo lingüístico. Los fenómenos de esta naturaleza que María Antonia Martín Zorraquino ha estudiado para las novelas de Larra y Espronceda son de carácter léxico y morfo-sintáctico, aprendidos en los textos del Siglo de Oro y, por supuesto, en la prosa cervantina ("el *arcaísmo* de la novela histórica, evidente, por supuesto, implica, quizá, con todo, la acentuación, la intensificación de una serie de fenómenos lingüísticos que perviven en la narrativa no histórica del siglo XIX. Muchos de los arcaísmos morfosintácticos que yo he señalado aparecen en *todas* las obras de Larra, no sólo en su *Doncel*", Martín Zorraquino, 209). Cuestión diversa es la redacción de *pastiches* íntegramente escritos en una pretendida lengua *antigua* que abarcan desde la *Historia de la muy noble e sublimada señora Leonor Garabito* de José Bermúdez de Castro (*El Artista,* III, 1836, 61 y sigs.) hasta la obra más característica de esta

---

[60] En la correspondencia de Prosper Mérimée con Bofarull advertimos las complicidades de dos eruditos que conocen su oficio y tributan, además, al arte literario; valga como recordatorio de la relación intelectual, el principio de la carta de Merimée, fechada en París a mitad de 1846, y compárese la actitud del autor francés con la disparatada improvisación del Zorrilla que nos cuenta haber encontrado, hojeando la *Historia* de Mariana, el pasaje que daría pie a su episodio sobre el rey don Pedro en *El zapatero del rey*; "Desde hace varios años me ocupo en un trabajo sobre el reinado de don Pedro I de Castilla y procuro recoger todos los documentos que pueden arrojar luz sobre esta época curiosa de la historia de España. Los archivos de Madrid no me han deparado nada interesante, los de Aragón son —creo— mucho más ricos, y de acuerdo con el rumor público, están mucho mejor administrados" (Merimée 1988, 179).

tendencia que fue la escrita por el jurista valenciano Mariano
González Valls, titulada *El caballero de La Almanaca* (1859) y
que Donald C. Buck (1988a) ha interpretado como una herencia
de la más sólida tradición medievalista de los ilustrados españoles del XVIII.

Medievalismo en el que se funden el *revival* gótico de las
arquitecturas efímeras o las ilustraciones gráficas (Jesusa Vega,
1990, 220-269) y la ambientación de peripecias literarias en el
"enorme y delicado" tiempo del feudalismo. E. Allison Peers
dedicó una sección de su monografía (I, 168-221) a describir lo
que denominaba "el renacimiento de la literatura medieval",
con un despliegue de textos tributarios del tema, que no ha sido
superado. *Edad Media* es denominación que no se incorpora al
Diccionario académico hasta la edición de 1843; pocos años antes, en 1837, el historiador Manuel de Assas había publicado un
conjunto de artículos en el *No Me Olvides* con el propósito de
"disipar las nieblas que cubren la poética *edad media*, penetrar
sus misterios y adivinar la significación de sus jeroglíficos".[61]
Medievalismo, en fin, en el que la competencia de los historiadores —pese a la falta de "una conciencia clara a nivel general de
las diferencias existentes entre historia a secas e historia de carácter literario" (Moreno Alonso, 1979, 67)— iba por delante de
los filólogos, más perceptivos de los valores artísticos que de los
documentales. Excepciones entre los críticos literarios serían el
medievalismo de Blanco White (estudiado por Llorens, 1968,
399-409), el de Alberto Lista estudioso del feudalismo (Martínez Torron, 1990), o el del *Romancero* de Agustín Durán (considerado por David T. Gies, 1975, 92-119). Y junto al interés
por los asuntos medievales hispanos, la fascinación por los conflictos, reales o imaginados, de la monarquía española en la época
austríaca. Con ambos terrenos históricos como polos de atracción, no es fácil decidir si, en la novela histórica española, predomina lo vagamente sentido como medieval o lo apasionada-

---

[61] "Edad Media" y "Edad Media. El Gay saber o la Gaya sciencia". Gil y
Zárate traducía a Guizot en estos términos: "La imaginación se complace hoy
en día en renovar los recuerdos de la Edad Media. Sus tradiciones, sus costumbres, sus aventuras, sus monumentos tienen para el público un atractivo que
no se puede negar. Véanse la literatura y las artes, véanse las novelas, las
historias, las poesías de esta época, véase hasta los almacenes de muebles..."
(*Introducción a la Historia Moderna...*, Madrid, 1841, p. 12).

mente ideologizado en el mitificado Siglo de Oro; de manera que la hipótesis del teórico Vladimir Svatoñ —la novela histórica de cada nación tiende a cultivar temas que caracterizan determinada época histórica— no es aplicable literalmente a la literatura española del XIX.

6. Etapas de la novela histórica

La serie literaria *novela histórica* que inauguró Scott en 1814 tiene hoy día un fecundo cultivo en muchas literaturas nacionales. En el siglo XIX español, la abundancia de ficciones de este carácter hacen de la novela histórica un fenómeno literario de *media duración* en el que los estudiosos han delineado diversas etapas a fin de establecer una ordenación sobre los procedimientos artísticos de esta modalidad narrativa.

Peers (I, 193) sostenía que el año 1834 marcaba el cenit de la novela histórica primitiva en España; las dos obras de Larra y Espronceda y *Los Expatriados* de Vayo serían los síntomas del acmé. No tenemos evidencias de que ninguna de estas tres obras inaugurase modalidad específica en el arte de narrar de los escritores contemporáneos; con todo, el tirón de la fecha emblemática o la personalidad de los autores citados viene siendo lugar común de la crítica el poner frontera de la novela histórica en torno a este año. Así Reginald Brown (1953, 26-37) establece tres momentos, para la novela histórica española: "el pre-romanticismo, el romanticismo y el post-romanticismo, fases que corresponden, respectivamente, a los años 1827-1833, 1834-1844 y 1845 hasta más allá de 1850". Juan Ignacio Ferreras (1976, especialmente en pp. 99-103) amplía el campo de su consideración hasta la novela inmediatamente anterior a Galdós sin fijar márgenes rígidos entre las tres etapas que considera: la "novela histórica de origen romántico" realizada entre 1823 y la década 1840-1850, la "novela histórica de aventuras" que comienza a aparecer en la década 1840-1850 y la "novela de aventuras histórica" que surge a partir de 1845-1850 y acaba dominando desde 1860. Albert Dérozier (1978) y Jean-Louis Picoche (1978b, 351-352) establecen variaciones sobre estos esquemas cronológicos.

En todas las clasificaciones diacrónicas del género se observa un grado de indeterminación en la fecha inicial del proceso

—aunque se subraya el papel inaugural de *Ramiro, Conde de Lucena*, 1823, de Rafael de Húmara— y un énfasis singular en torno a las fechas 1833-34 y 1844. La primera referencia cronológica tributa a la esquematización convencional de las Historias literarias y la segunda —más allá de ser la fecha de edición de *El Señor de Bembibre*— mira hacia el año de 1848, clave en la teoría de Lukács para explicar la crisis de la conciencia burguesa y del género novela histórica.

Vicente Llorens llamó la atención sobre la novela de Húmara —ambientada en la conquista de Sevilla— como primera manifestación del género histórico en la literatura española; trabajos posteriores han ido situando la novela en la trayectoria de su autor y en el ámbito de inquietudes artísticas en que se produjo. Para Donald L. Shaw (1988) la formación ilustrada de Húmara impidió que *Ramiro, Conde de Lucena* presentara "la visión trágica del romanticismo más auténtico. Tal visión, latente en la novela, está contrapesada, no, como sería lógico, dadas las convicciones religiosas arraigadísimas de Húmara, por la simple intervención de la Providencia, sino por el heroísmo físico y sobre todo por el heroísmo moral". Vicente Lloréns (1968, 260-284), retomando añejas aficiones de Menéndez Pelayo, subrayó el acontecimiento literario que implicaba la edición de relatos históricos escritos en inglés por algunos españoles emigrados: Blanco, Valentín Llanos —esposo de la hermana de Keats— y Telesforo Trueba y Cossío. Sobre los dos últimos —Trueba fue el "padre de la novela histórica" según Menéndez Pelayo— ha elaborado García Castañeda (1978 y 1991) documentadas monografías.

La significación de pionero en el género que se había atribuido a Ramón López Soler (Peers, I, 164-167 y 186-192) ha sido matizada por los críticos recientes que niegan la condición de novelista scottiano al activo escritor catalán (Rovatti, 1977, 266) y la de importador de novedades al panorama literario español (Picoche, 1980). Con todo, la personalidad literaria de López Soler —partícipe en las primeras discusiones teóricas sobre el romanticismo, cultivador de todas las modalidades de la novela histórica y autor de uno de los llamados manifiestos del romanticismo español en el prólogo de *Los bandos de Castilla*— es digna de un estudio monográfico (véanse los materiales proporcionados por Rubio Cremades en su edición de *Jaime el Barbudo*).

Las novelas de Larra, Espronceda y Gil y Carrasco han sido objeto de abundantes aproximaciones, además de las cuidadas ediciones que han dispuesto Ángel Antón para *Sancho Saldaña* (1974), José Luis Varela para *El Doncel de don Enrique el Doliente* (1978) y Rubio Cremades (1986) y Picoche (1986) para *El Señor de Bembibre*. De la novela de Espronceda se subrayan los componentes maravillosos, la personalidad byroniana de su protagonista y la lección política que depara sobre el presente; la obra de Larra descubre ecos del fascinante mundo personal de su autor e interesa, especialmente, por sus estrategias narrativas (pp. 435-437); la obra de Gil y Carrasco destaca por su ideología contrarrevolucionaria (Picoche 1978b) y la discutida función que el paisaje representa en su economía narrativa (Montes Huidobro, 1969) (véanse, además, los trabajos coleccionados en el libro de varios autores editado por Güntert y Varela, 1986, la monografía de M.ª Pilar Yáñez, 1991, y el estudio de Alonso Seoane, 1985, sobre *El Señor de Bembibre*).

La edición de *El Señor de Bembibre* (1844), considerada desde los críticos decimonónicos como la mejor novela del romanticismo español, acerca la trayectoria del género a la cronología de la crisis europea de 1848; para Picoche (1978b, 334) no cierra la etapa primera del género sino que señala una nueva fase en la que abundarán los textos de ideología conservadora, caracterizados por sus reivindicaciones regionalistas (debe atenderse, con todo, a las novelas históricas de asunto catalán que Juan Cortada y Sala publicó desde 1835). Para esta nueva fase, faltan monografías dedicadas a los muchos autores locales que cultivaron la novela histórica (Ríos Carratalá, 1987, ha considerado el caso de los alicantinos) y han de ser más exigentes las indagaciones sobre las novelas folletinescas de planteamiento histórico (Tierno Galván, 1977).

Ayguals de Izco, precisamente, es el autor que mejor representa la modalidad de novela histórica de tema contemporáneo, que venía cultivándose, según indicación de Juan Ignacio Ferreras (1973, 294) desde 1813. En ese año apareció la ficción titulada *El héroe y heroínas de Montellano,* de Pablo Rincón, ambientada en la guerra de Independencia e iniciadora de una variedad que tendrá amplio cultivo a lo largo del siglo; los *Episodios* galdosianos son el mejor resultado de esta corriente temática a la que el novelista canario nunca aludió cuando tuvo que hablar de la elaboración de sus novelas históricas.

José Segundo Flórez, publicista político, justificaba en su biografía política de *Espartero* (1843-1845) las diversas funciones que desempeñaban la novela histórica de tema contemporáneo y la ambientada en más lejanas cronologías:

> No participamos de la opinión de aquellos que creen que las historias deben escribirse mucho tiempo después de acaecidos los sucesos y cuando las personas que en ellos figuran han desaparecido de la haz de la tierra. Bien al contrario, juzgamos con Volney, que así como la mayor distancia a que nos colocamos de los objetos disminuye la claridad con que vemos éstos, así también la claridad con que vemos los sucesos históricos, está en razón inversa de la distancia a que los observemos. Por eso creemos que las historias de mera narración, como será la nuestra, deben publicarse durante la vida de los actores o, al menos, de las personas que tengan interés en que quede consignada la verdad y nada más que la verdad de los hechos. Así estas personas podrán reclamar, y es muy natural y aun justo que reclamen contra la inexactitud de los relatos, lo cual suele surtir muy buen efecto, sobre todo en los países en donde es respetada y protegida la libertad de imprenta, que tan propicia es para el buen éxito de las obras históricas (1843, I, VII-VIII).

Relato polémico el de historia de actualidad frente a un relato no comprometido con el presente de los lectores podría ser la conclusión de estas palabras, lo que estaría confirmado por los conflictos con los poderes públicos que sufrieron algunos de estos textos, tuviesen mayor o menor hechura ficticia (Leonardo Romero, 1976, 85-89). En la colección de Delgado, García de Villalta publicó en 1835 *El golpe en vago,* ficción ambientada en el siglo XVIII (novela histórica de tema contemporáneo para Ferreras, 1976, 60-61) y que sugiere el tema de las sectas secretas, implícito en la obra de Gil y Carrasco. Pero fueron los grandes sucesos nacionales del período los anclajes externos que dan apresto a muchos relatos de historia contemporánea; guerra de la Independencia (con descripción de un grupo de textos, María Isabel Montesinos, 1977), colisión entre serviles y liberales, guerras carlistas, incluso accidentes naturales (*Los terremotos de Orihuela,* 1829, de Estanislao de Cosca Vayo, recientemente reeditada por Pilar Gomis), el bandidismo (*Jaime el barbudo,* 1832, de Ramón López Soler, reeditada por Enrique Rubio y María de los Ángeles Ayala), hechos de la actualidad europea (Vayo, *Grecia o la doncella de Missolonghi,* 1830; *Orosman y Zora o la pérdida de Argel,* 1830) son algunos de los acontecimientos que dan marco a las novelas de tema contemporáneo publicadas al mismo tiempo que las consideradas novelas históricas de la primera fase.

Las innovaciones que trajeron las novelas históricas del ciclo scottiano contribuyeron decisivamente al enriquecimiento de las formas narrativas. La interrelación dialéctica entre el tiempo de la Historia y el tiempo del relato, la atención retórica a los pequeños detalles que garantizaban la ambientación verosímil, las estrategias, aún torpes, del acto de enunciación de los narradores, son señales indicativas de que el autor de la novela histórica siente que el vehículo literario que emplea es un instrumento lingüístico que se adhiere a la vida tal como es, y que resultaban insuficientes, por tanto, los anclajes inmóviles en la tradición de las series literarias.[62]

7. El relato corto

El estudio de la narración breve del romanticismo español sigue apresado en una red de *idées reçues* en que se mezclan las constataciones acertadas con los juicios impresionistas. Falta una indagación bibliográfica, temática y narratológica que sitúe con mínima exactitud el plano de lo que fue el relato corto durante la primera mitad del siglo y la función que desempeñó como estímulo inmediato para las creaciones fantásticas de un Pedro Antonio de Alarcón o un Bécquer.

Mariano Baquero Goyanes, en una aún imprescindible monografía sobre el cuento del siglo XIX (1949) destacó un hecho que parece indubitable: el relato corto del XIX y, por supuesto, el que podríamos llamar romántico, vive y se transmite en las páginas de las publicaciones periódicas. No se ha hecho una

---

[62] María de las Nieves Muñiz (1980) resume el balance de la primitiva novela histórica: "en la concepción embrional de aquellas narraciones residen los fundamentos teóricos de la futura y verdaderamente *histórica* novela realista, a) el artista pierde derecho a falsear la realidad, b) la belleza y la verdad se relativizan y quedan ligadas al concepto de realidad histórica, c) lo público, tras haberse constituido como esfera separada, recibe sentido a través de su repercusión en la esfera íntima y, viceversa, lo privado recibe sentido de sus relaciones con lo público y termina por identificarse con la sociedad".

relación completa de las *colecciones de cuentos* ni de las ediciones exentas de narraciones breves realizadas en la época, pero cabe sospechar que éstas no fueron abundantes ni se pueden comparar a la difusión que tuvieron los periódicos y las revistas. Podría discutirse el estatuto bibliográfico que le correspondía a la novela, pero no se negaba la vinculación entre cuento y prensa periódica.[63]

Por un lado, se han efectuado aproximaciones entre el *cuento* y el *cuadro de costumbres* (Montesinos, 1960, 59-71) en la medida que una y otra formas literarias ofrecen coincidencias en los referentes de ambientación contemporánea y, de modo especial, en su técnica narrativa (véanse pp. 418-421). Por otro, Enrique Pupo-Walker (1978), desde el ángulo de visión que deparan las prosas costumbristas y el relato corto escritos en la América hispana del XIX, ha sostenido una radical diferencia entre ambas modalidades literarias.[64]. La atención a los mimbres folclóricos que subyacen tanto en textos costumbristas como en relatos cortos también ha producido aproximaciones entre estas formas literarias (véanse pp. 150-152; 422-426) que, hasta el momento, han resultado deficitarias para el estudio del cuento romántico. Lou Charnon-Deutch, (1985, 19-20 y 38-58) ha reducido el débito folclórico del relato breve en la primera mitad del XIX a la práctica negación del género y Rafael Lozano (1988) explica los cuentos de Eugenio de Ochoa aparecidos en *El Artista* como una adopción de estructuras diversas —del teatro, de la novela y la leyenda— que anulan la autonomía del relato breve. Cierto es que la plurinomasia en la denominación del género —como ocurre en

---

[63] Nicomedes Pastor Díaz escribía en su *Cuaderno autógrafo* sobre las degradantes vinculaciones de la novela y la prensa periódica: "la novela moderna no es la obra literaria, es el periodismo aplicado a los sentimientos, a las pasiones, a las intrigas de la vida, con nombres supuestos, a veces no más que disfrazados. El novelista no es un literato, es un periodista. Por eso se ha hecho folletín" (*apud* E. Chao Espina, *Pastor Díaz dentro del romanticismo,* Madrid, CSIC, 1949). Gil y Carrasco, escritor muy cercano al mundo poético de Díaz, escribía en carta a Mesonero Romanos que la novela "es género que si me dedico algún día, será cuando V., según sus buenos propósitos, tenga medios de ensanchar el periódico" (en Picoche, 1978b, 336).

[64] "El cuadro de costumbres aparece como una estructura abierta que sólo ocasionalmente remite a su propia hechura [sin embargo] (...) el cuento romántico apareció, tanto en España como en América, en la periferia de la actividad literaria. En sus estadios iniciales, el cuento surge dominado por el ensimismamiento lírico e indeciso de su forma" (Pupo-Walker, 1978, 7-9).

la época con todos los géneros literarios— no ayuda a la delimitación del territorio. Textos narrativos breves pueden aparecer consignados bajo la denominación de *leyenda, romance, historia, episodio, novela, novela en miniatura, cuento*. Este último marbete, que será el que terminará por imponerse a finales del siglo, también recogía varias significaciones, ya que podía designar relatos orales o escritos y textos en verso tanto como textos en prosa.

El relato breve, singularmente el aparecido en las publicaciones periódicas de la época, ha de ser objeto de una investigación sistemática. Carla Perugini (1982 y antología de textos, 1991), que ha considerado con alguna atención relatos publicados en revistas,[65] sostiene que la *novela* española tiene muchos límites en su inspiración y en los módulos formales, cosa que no ocurre con los *cuentos* ya que éstos recogen "muchas posibilidades del romanticismo europeo al insertarse en la tendencia *negra* o fantástica o visionaria y al adentrarse en los meandros de lo imaginario y lo onírico, según la que era lección fascinante de la literatura alemana o inglesa". Las inequívocas manifestaciones primeras de la moderna literatura fantástica escrita en español se documentan en los relatos breves aparecidos en las publicaciones periódicas del romanticismo, como también ha puesto de manifiesto Monserrat Trancón (1993) (para los textos fantásticos publicados en Londres, Llorens, 1968, 239-248).

El *medievalismo* que tiñe tantas manifestaciones de la cultura romántica amplió la tesis ilustrada del abate Andrés sobre la capacidad incentivadora de la *imaginación* que poseían las literaturas orientales; en la perspectiva de esta tesis se sitúan las observaciones de Blanco White en su análisis de los inéditos placeres que provocan las nuevas dimensiones del espacio y el tiempo en

---

[65] Los Almanaques de *No me olvides* que editaba en Londres Ackermann, desde 1824 al 1829 y en los que escribieron relatos cortos José Joaquín de Mora y Pablo Mendíbil; los imprescindibles *El Artista* y el *Semanario Pintoresco Español;* el *No Me Olvides* que editó en Madrid, entre 1837 y 1838 Jacinto Salas y Quiroga, *El Siglo XIX* de 1837-38 y *El Pensamiento,* hecho por los amigos de Espronceda en 1841. Publicaciones periódicas a las que es preciso sumar las que inician inequívocamente el romanticismo, como el *Correo Literario y Mercantil* o las *Cartas Españolas;* en esta última revista editó Estébanez Calderón sus primeros cuentos orientales como el titulado "Híala, Nadir y Bartolo", I, 1831, 132 (atribución de Cánovas).

el cuento de don Illán del *Libro de Patronio,* texto que —desde su inserción en la *Bibliothèque Universelle des Romans* (1781)— incitaría a críticos y eruditos como Blanco, el historiador Clarus o el ' editor Adalbert Keller y a creadores como Azorín y Borges. *El castillo de Monsoliú* (1837)[66] de Piferrer constituye un texto imprescindible en la galería de los relatos fantásticos ambientados en la Edad Media en la que se encuadran con derecho propio las narraciones de estilo "troubadour" impresas en las revistas.

La investigación pendiente de realizar deberá distinguir entre los textos que reelaboran motivos de la tradición literaria más venerable —por ejemplo, el asunto de la conocida historia medieval *Roberto el Diablo*[67] o la historia de la cabeza enterrada en "El tiesto de la albahaca", tratada ya en el *Decamerón,* cuentos ambos que se publicaron en la revista de Mesonero, o un cuento posterior de José María Díaz[68] que remite al tema de la cantiga CIII de Alfonxo X—, y los que son debidos a situaciones inmediatas, como el relato "Pamplona y Elizondo" sobre la primera guerra civil, publicado en *El Artista.* Con todo, podemos leer cuentos en los que, como en las novelas históricas, se funde la recreación de un tiempo pasado y la intencionalidad política inmediata; recuérdese el *Cuento oriental* "El delito del dátil" parabólicamente dirigido por su autor, Bartolomé José Gallardo, contra el ministro Cea Bermúdez[69], o el más cercano "Cuadro árabe" que Ros de Olano publicó en *El Siglo* (24-I-1834) y que Stephen Vasari (1978) también interpreta como relato *en clave.* Y no podrá prescindirse de las impresiones de relatos breves en cuadernos independientes, por ejemplo los folletos *Murkim o el*

[66] Este relato se publicó fragmentado en la publicación barcelonesa *El Vapor* (18, 20, 21, 22, 25-III-1837) y en edición exenta en la *"Biblioteca Romántica Moderna"* que sacó a luz, también en Barcelona, Domingo Vila y Tomás, en 1837; esta Biblioteca parece ser un proyecto de colección de relatos breves que no llegó a cuajar.

[67] Una muestra del éxito editorial que todavía tenían en el siglo XIX las *historias* de origen medieval tenemos en la más de media docena de ediciones de *Roberto el Diablo* (1823, 1831, 1844, 1851, 1873, 1877, 1879) que Juan Manuel Cacho describe en trabajo de 1986.

[68] José María Díaz, "El pájaro del paraíso", *El Museo de las Familias,* XVI, 1858, 121-123.

[69] El cuentecillo apareció en publicación tan poco significada en la literatura de la época como el *Boletín Oficial* de Toledo (12-XI-1833) y lo ha reproducido Pedro Sainz Rodríguez, *Revue Hispanique,* LI, 1921, 327-328.

perro de Melal (Barcelona, 1830),[70] la leyenda en verso *El Sayón* (1834) de Romero Larrañaga, la novelita satírica de José Somoza *El Capón* (1842) o la pirateada impresión gaditana de *Maese Pérez el organista* (1862).

Tenemos colecciones de textos traducidos, del tipo de los *Cuentos de duendes y aparecidos* (vertidos del inglés por José Urcullu y publicados en Londres en 1825) o las *Horas de invierno* (1836-37, 2 vols.), puestas en español por el activo Eugenio de Ochoa, y las menos frecuentes colecciones de relatos originales españoles; posiblemente el primer volumen de estas características que se publicó sea el titulado *Leyendas y Novelas jerezanas* de José de Hué (Ronda, 1838). Ha atraído la atención de los estudiosos del romanticismo (Picoche, 1988a) la colección de relatos históricos *Mil y una noches españolas* (Madrid, 1845) que reúne cinco textos de ambiente histórico firmados por Romero Larrañaga, José María de Andueza, Neira de Mosquera, Hartzenbusch y Corona Bustamante. La forma narrativa que, más tarde, sería considerada *novela corta* tiene su representación en la *Galería fúnebre de espectros y sombras ensangrentadas* de Pérez Zaragoza (reedición parcial de Luis Alberto de Cuenca, 1977, que considera plausiblemente la colección como procedente de traducciones de textos extranjeros).

Entre los habituales colaboradores de *El Artista* y del *Semanario Pintoresco Español* está la nómina de los cultivadores del relato corto durante los años treinta y cuarenta. El Conde de Campo Alange y Eugenio de Ochoa (Donald A. Randolph, 1966, 58-76) para la primera revista y Clemente Díaz, Juan de Ariza, *Fernán Caballero* o Agustín Bonnat para la segunda dan una amplia muestra de estilos personales y de tendencias narrativas en el cultivo de las formas breves del relato. Miguel de los Santos Álvarez y Antonio Ros de Olano, desde la revista *El Pensamiento* son los más conocidos cultivadores del relato *fantástico,* cara oculta de la narrativa española del XIX de la que pocas muestras presentables han llegado al lector medio actual (véanse los relatos de Ros de Olano editados por Enric Cassany, 1980).

---

[70] Este cuento, traducido por B. y C.., es una de las primeras manifestaciones de curiosidad española por los aspectos culturales de la India, aunque le preceden en varios años los artículos de C. E. Cook, sobre el teatro hindú, y de L. Monteggia, sobre deportes también indostánicos, en *El Europeo* de 1823-1824.

8. El relato histórico: biografías y autobiografías

La ficción histórica nunca está aderezada, en términos rigurosos, con las marcas de *fidelidad a las fuentes* que toda relación fiel a los hechos debe tener; fórmulas del tipo "yo he visto o yo he oído", "afirman las fuentes", "éstos son los testigos documentales o gráficos", cuando aparecen en la novela histórica, lo hacen en condición de fórmulas convencionales del género literario, y como ha escrito un estudioso reciente de las relaciones que existen entre la narración ficticia y la narración histórica, "con estos ejemplos se subraya el esfuerzo por distinguir una obra histórica de una obra de ficción. Mas en absoluto es suficiente. Baste pensar, de pasada, por ejemplo, en la marca *yo he visto,* característica de la *autopsia* griega; hoy, sin embargo la misma marca, por procedimientos enunciativos, pertenecería a otro género, ya no *de historia,* como otrora, sino, por ejemplo, libro de memorias, o crónica o libro de viajes".[71]

La naturaleza de la novela histórica reside, como se ha visto más arriba, en las transformaciones que el arte literario aporta a una ilusión de realidad previamente establecida en el relato, porque éste proyecta sobre el sentido general de la Historia una peripecia de signo individual. Ahora bien, la dimensión de acontecimiento particular que comportan las biografías o libros de memorias también pueden introducir una perspectiva de ilusión sobre el fondo de la veracidad histórica. El héroe individual de la biografía o el relato en primera persona del texto confesional establece una zona de narración intermedia entre la enuncia ción en tercera persona —dominante en la ficción histórica del romanticismo— y la del relato histórico convencional; de hecho, algunos relatos autobiográficos del XIX, como el de Emilio Castelar, se escribieron en tercera persona.

En la historiografía decimonónica pueden catalogarse varios tipos de relatos memorialísticos que, sin mayor violencia, mantienen zonas de coincidencia con los relatos históricos de ficción. Un primer modelo es el de la biografía histórica que cuenta en tercera persona los acontecimientos públicos y particulares de un individuo notable. La "llamarada de esfuerzos" individuales —Ortega *dixit*— que dio trama al acontecer histórico español

---

[71] Jorge Lozano, *El discurso histórico,* Madrid, Alianza, 1987, 128-129.

del XIX tuvo su eco en las biografías propagandísticas de personajes contemporáneos, muchas de ellas escritas —como recordaba el editor Hortelano en sus *Memorias*— para el propio reconocimiento de los adherentes a una posición política.

Por ejemplo, Francisco Brotóns, cultivador de la novela histórica de tema contemporáneo, edita en 1822 una vida del héroe
político del momento —*Rafael del Riego*— en que la venerable
técnica de la visión alegórica da a la *historia* particular del héroe
de Cabezas de San Juan una trascendencia de alcance nacional;
otro ejemplo interesante lo ofrecen las abundantes biografías de
artistas y personajes históricos que aparecen en las páginas de las
revistas literarias, singularmente en el *Semanario Pintoresco Español*. En el origen de este modelo narrativo están las célebres
biografías de Quintana, que al mismo tiempo que reproducen
modelos internacionales sentaron las bases de una forma litera-
rio-histórica que se habría de revelar como muy productiva en el
curso del siglo XIX.

El relato en primera persona de los acontecimientos históricos, ya sean vistos desde un ángulo de enfriamiento objetivo, ya
desde las reacciones particulares que ha experimentado el personaje, es modalidad narrativa que, además del imponente prestigio de que gozan las autobiografías escritas por franceses e ingleses, también fue cultivada por los españoles del siglo XIX (Ana
Caballé 1989 y 1991). Evidentemente, hubo situaciones que,
por su propia complejidad, provocaron la redacción de textos
analíticos o exculpatorios por parte de quienes habían tenido
algún grado de participación en los acontecimientos que recor-
daban. Y en este sentido, la primera coyuntura de conflicto político íntimo que se planteó fue la crisis de 1808, a raíz de las
disputas de la familia real española y la muy controvertida participación de los españoles en el gobierno del rey José Bonaparte
(Dufour y Vauchelle-Haquet, 1982b). Llorens (1968, 187-192)
elaboró un recordatorio de los textos memorialistas de esta
primera época que fueron publicados en Londres en la tercera década del siglo. Reúnen un gran interés para las noticias
sobre la vida cultural y literaria de la época las memorias
publicadas por Miguel Artola, 1957, en la Biblioteca de Autores Españoles (Moreno Alonso, 1979, 395-403) o algunas
reediciones, como la de la *Noticia biográfica* de Juan Antonio
Llorente (1982).

Los historiadores de la literatura española han utilizado generosamente —aunque no se haya realizado una recogida sistemática de datos a partir de estos textos— algunas autobiografías de personajes públicos, como las *Memorias* del político y crítico literario Antonio Alcalá Galiano o el general Fernando González de Córdoba. Para los acontecimientos particulares de las ciudades deben ser explorados sistemáticamente los registros de los logógrafos locales como Marcos Palomar en Burgos,[72] Félix González de León en Sevilla o Faustino Casamayo, que registra implacablemente los acontecimientos zaragozanos entre 1782 y 1823 (Ángel San Vicente, 1991).

Información noticiera sobre cuestiones literarias con juicios y valoraciones referentes al mundo de los libros —memorias de los editores y libreros Mariano de Cabrerizo, Dionisio Hidalgo, Benito Hortelano o Manuel Rivadeneira— se suma a los relatos autobiográficos de escritores: *Bosquejillo* de Mor de Fuentes (editado por Manuel Alvar la última vez en 1981), "Una mirada en redondo a los sesenta y dos años" de José Somoza, artículos recuperadores de la juventud en Patricio de la Escosura publicados en la *Ilustración Española y Americana*, *Memorias de un setentón* de Mesonero, zorrillescos *Recuerdos del tiempo viejo*, modernizadas *Impresiones y recuerdos* que publicó Julio Nombela, ya entrado el siglo XX. Bien que el ahondamiento en los repliegues del yo no se consiga sino muy levemente y por motivos de disputada interpretación (Francisco Sánchez Blanco, 1987) en algunas páginas autobiográficas de poetas líricos —el "Diario de un viaje" de Gil y Carrasco o la denominada *Autobiografía* de Gertrudis Gómez de Avellaneda—[73] o en las implacables inquisiciones interiores de ensayistas y eruditos como Blanco White

---

[72] Las *Cosas sucedidas en Burgos, sentadas y vistas por Marcos Palomar* (1776-1842) fueron editadas por Eloy García de Quevedo en *Libros burgaleses de Memorias y Noticias,* Burgos, 1931, 145-227.

[73] En realidad, un conjunto de cartas dirigidas al receptor real que era su devoto Ignacio de Cepeda; la fórmula recupera el esquema de la primigenia narración picaresca, aunque el texto de la escritora cubana tenga un sentido opuesto por el vértice. Suárez Galbán (1980) ha señalado la coincidencia de redacción de esta correspondencia amorosa y memorialista —año 1839— con la de otras dos autobiografías emblemáticas, la conocidísima del suizo Amiel y la del esclavo cubano Juan Francisco Manzano que ha editado Schulman; para el texto de la de Avellaneda véase ahora la reedición de Elena Catena (1989).

y Ramírez de las Casas Deza, mejor conocido el primero que el segundo.

De la obra crítica y poética del sevillano podría decirse, con Goethe, que son "fragmentos de una gran confesión". Sus más estrictas páginas autobiográficas han sido recientemente divulgadas en español gracias a las traducciones de Antonio Garnica (Blanco White, 1972 y 1975) Moreno Alonso (1989, 1990) y las aportaciones de Lucienne Domergue (1982b). La visión insobornablemente crítica de la España contemporánea, desde la época de Carlos IV hasta el trienio constitucional, es una de las más destacadas facetas del escritor "sin tierra" que ha atraído a creadores actuales (Juan Goytisolo, Ignacio Prat) y a estudiosos (Klaus-Dieter Ertler, 1985); pero, sin duda, la capacidad que muestra para la disección de la propia intimidad es el aspecto más original y conmovedor de sus escritos autobiográficos. El yo real de José María Blanco se desdobla en personajes ficticios que narran en forma epistolar las desazones que le provocan la presión asfixiante de la vida colectiva de la España —en las *Cartas*— o la España y la Inglaterra —en la *Life of the Reverend Joseph Blanco White*— que le tocó vivir. La faceta de documento costumbrista que estos textos contienen no ha sido aún suficientemente aprovechada, si bien la compleja personalidad del escritor ha sido biografiada en una monografía de Martin Murphy (1989). Sobre el cordobés Ramírez de las Casas Deza sólo disponemos aún de la edición de su *Biografía* (1977), preparada por Cuenca Toribio, biografía que va más allá de un registro episódico de nombres y acontecimientos y se convierte en la devanadera de un estado de ánimo apesadumbrado e insatisfecho.

Son escasas y poco conocidas las notas memorialistas escritas por mujeres españolas de la primera mitad del siglo; algunas observaciones de Francisca Larrea (Carnero, 1990), las autobiografías epistolares de Gertrudis Gómez de Avellaneda (reeditadas por Elena Catena, 1989)[74] o la brevísima y significativa au-

---

[74] Las cartas de la escritora cubana a sus varios confidentes masculinos son auténticos "fragmentos" de una autobiografía en toda regla; en carta dirigida a Ignacio de Cepeda podemos leer un diagnóstico autobiográfico tan caracterizador como el siguiente: "abrumada con el peso de una vida tan llena de todo, excepto de felicidad; resistiendo con trabajo a la necesidad de dejarla; buscando lo que desprecio, sin esperanzas de hallar lo que ansío; adulada por un lado, destrozada por otro; lastimada de continuo por esas punzadas de alfiler con que

tobiografía de la burguesa de Córdoba que ha publicado recientemente María José Porro (1991) son algunos de los imperceptibles hitos que nos dejaron las escritoras románticas. De todas formas el ampliamente documentado repertorio bibliográfico de escritoras del XIX que ha publicado Carmen Simón (1991) puede ser aprovechado para la obtención de noticias sobre textos autorreferenciales escritos por mujeres que aún no han sido tenidos en cuenta por los estudiosos.

EL COSTUMBRISMO[75]

La que para muchos lectores es la más importante forma en prosa del romanticismo ni fue delimitada con precisión crítica hasta bien entrado el siglo XX ni ha solido concitar estimaciones teóricas de entidad;[76] "costumbrismo" es palabra que no estaba registrada aún en el Diccionario académico de 1899, fecha en cuyas proximidades Menéndez Pelayo afirmaba reinar entre los críticos "extraña confusión sobre la índole y límites de esta forma de escribir". El poner en claro algunas de las líneas maestras del costumbrismo ha sido trabajo del hispanismo reciente, cuyas

---

se venga la envidiosa turba de mujeres envilecidas por la esclavitud social; tropezando sin cesar en mi camino con las bajezas, con las miserias humanas, cansada, aburrida, incensada y mordida sin cesar... he aquí un bosquejo de mi existencia, que tan fausta y brillante te finges" (5-VII-1845, ed. de Elena Catena, 1989, 242).

[75] Las ediciones de textos de Mesonero, Larra y Estébanez que se reseñan más adelante son las más recomendables contribuciones filológicas de los últimos años. Evaristo Correa Calderón dio a luz un volumen de *Costumbristas españoles* (1964) en que recogía textos de Rementería y Fica, Miñano, Somoza, Ramón Soler, Gil y Carrasco, Agustín Azcona y de *Los españoles pintados por sí mismos.*

[76] "Irritant problème que celui du *costumbrismo,* l'inévitable *costumbrismo,* tyrannique et omniprésent du siècle passé" (Jacques Beyrie, 1976, 73). En una visión radicalmente antiliteraria del fenómeno, escribía Ortega: "Hubo un tiempo en que irrumpieron en la literatura unos ilotas de la república poética llamados *escritores de costumbres.* Sus obras, útiles acaso un día para los historiadores, como hoy nos es útil Pausanias, carecen de valor estético. Aquellos hombres eran incapaces de conmover y se acercaban sin lirismo a las cosas. Describían con método paciente y nulo los usos que veían, ocupándose de ellos como si por sí mismos pudieran estos alcanzar interés poético. El resultado era penosísimo. Porque las costumbres son en grado eminente lo baladí, lo sin valor, lo insignificante" (*Obras Completas,* II, 1963, 180).

exhumaciones y análisis de textos han permitido afirmar a José F. Montesinos, con cierta dosis de optimismo, que "la historia del costumbrismo es simple, o al menos yo no hallo en ella grandes misterios" (Montesinos, 1960).

La representación de aspectos inmediatos de la realidad que rodea al escritor ocupa extensas parcelas creativas en todas las tradiciones literarias y ha formado parte del programa de trabajo de los artistas desde, valga un ejemplo eximio, la cicatriz de Ulises glosada magistralmente por Auerbach. En una visión reducida del costumbrismo, este vendría a ser una provincia —acotada por el detallismo superficial— del gran territorio que forma el *realismo*. En algunas caracterizaciones de la literatura española se encuentra repetidamente la idea de que, desde venerables textos como el *Libro de Buen Amor*, el *Corbacho*, la *Celestina*, estaría presente una veta costumbrista cuya manifestación más prototípica habría de exhibirse durante el segundo tercio del XIX. Y este parecer implica, además, al periodismo satírico de la segunda mitad del XVIII, situado en las inmediaciones del costumbrismo romántico.

Ahora bien, algunos de los más caracterizados costumbristas del XIX no sólo subrayaron el interés de los textos que cultivaban sino también su radical novedad. Larra, al hacer la reseña del *Panorama Matritense* (1836), sostenía tal idea: "este género, tal cual le cultiva tan felizmente entre nosotros el Curioso Parlante, es enteramente moderno y fue desconocido a la antigüedad"; palabras que refuerzan lo dicho por el propio Mesonero en el prefacio del *Panorama*: "sirvan estos juguetes sólamente para señalar de lejos un nuevo género, un camino gloriosísimo y no pisado en nuestro país".

El papel representado por el Madrid de los años treinta en la configuración del *cronotopo* que serviría de modelo para buena parte de la producción costumbrista posterior hace obligada la revisión de los textos de los siglos XVII y XVIII que convirtieron la capital del reino en núcleo de sus atenciones: comedia barroca y sainetes de Ramón de la Cruz, "novela cortesana" y sátira político-social de los ilustrados dieciochescos.[77] Madrid, en los años

---

[77] Tanto en Mesonero como en Larra el objeto de su representación literaria es el universo social de la capital española. Mesonero describe su plan de trabajo en "Las costumbres de Madrid" (*Cartas Españolas*, abril, 1832) señalando

treinta del XIX, además del centro de las Españas de la sociedad tradicional, es el punto de encuentro de las muy recientes, entonces, categorías sociológico-políticas de *nación* y *clase social*. La nueva mentalidad que supone la aceptación de estas categorías estaría representada —salvas diversidades de actitud personal— en el sistema ideológico de Mesonero y Larra al identificar la "auténtica nación española con la clase media" (Susan Kirkpatrick, 1978, 35).[78] Evidentemente, los considerados textos costumbristas del XVII son totalmente ajenos a esta red de ideas sobre la vida colectiva, pero la *Guía y avisos de forasteros que vienen a la Corte* (1620) de Antonio de Liñán y Verdugo, *Los peligros de Madrid* (1646) de Bautista Remiro de Navarra, *El día de fiesta por la mañana* (1654) y *El día de fiesta por la tarde* (1660) de Juan de Zabaleta o el *Día y noche de Madrid* (1663) de Francisco Santos son las prosas inevitables que por sus referencias a usos sociales y a lugares de la ciudad del siglo XVII habrían de ser evocadas en los escritos de los costumbristas del XIX (precisamente, una serie de grabados del *Semanario Pintoresco Español*, los "Peligros de Madrid", remite elípticamente a la obra de Remiro de Navarra).

Siendo importante este grupo de textos barrocos, cobra

---

que se había propuesto "presentar al público español cuadros que ofrezcan escenas de costumbres propias de nuestra nación, y más particularmente de Madrid, que como corte y centro de ella, es el foco en que se reflejan las de las lejanas provincias". Con todo, un segundo polo de atracción costumbrista depara el mundo andaluz. El ambiente de casticismo meridional que recogen los sainetes de González del Castillo y algunos textos periodísticos del XVIII avanza el tema del *majismo andaluz* — carta VII de las *Marruecas* como texto imprescindible — que se desarrollará más ampliamente en el romanticismo (véase Julio Caro Baroja, *Temas Castizos,* Madrid, 1980).

[78] La "clase media", que suele ser el objeto de la observación de los costumbristas, es una realidad histórico-sociológica de difícil determinación. J. F. Botrel y J. Le Bouill (1973) han dedicado páginas exegéticas que ilustran la evolución denominativa que va desde la noción de "clase media" (primera mitad del XIX) hasta la de "burguesía" (segunda mitad del siglo). En lo que se refiere a la función desempeñada por esta clase en el proceso del cambio social que transcurre desde el Antiguo Régimen hasta la sociedad industrial, el juicio de Josep Fontana no es muy favorable ("una revolución burguesa que apenas fue revolución y cambió muy pocas cosas", 1974, 387); José María Jover postula indagaciones sobre el pluriforme universo que fue la "clase media" de la etapa isabelina ("para llegar a conocerlo se impone el estudio regional; y dentro de cada región, el análisis comparativo de entidades de población lo suficientemente típicas y diferenciadas entre sí", (1976, 239 y siguientes).

mayor alcance en el enmarcamiento teórico e histórico del costumbrismo la honda corriente de la literatura satírica occidental y la variedad de estudios morales que inauguró Teofrasto con sus *Caracteres*, variedad que habría de generar, entre los cultivadores románticos del costumbrismo, una productiva interrelación entre formas *satíricas* clásicas y *moralidades* de las literaturas modernas. Addison, Steele, Swift, Courier y Jouy han sido señalados por los primeros estudiosos del costumbrismo como modelos remotos o próximos de los españoles del XIX. Francisco Caravaca (1963) enumeró un extenso repertorio muy poco probatorio de las influencias de estos autores sobre Larra; José Escobar (1973, 263-265) ha mostrado una más plausible gravitación de Jouy en *El Correo Literario y Mercantil* de 1828 a 1832 y José Luis Varela (1983, 159-162) ha reexaminado esta cuestión con mayor acopio de análisis de textos, cuestión que Gioconda Marun (1981) ha formulado de nuevo para aspectos parciales de Larra en sus relaciones con los ingleses Addison y Steele.

Más próxima que los guiños o intertextualidades cruzados entre los artículos del costumbrismo decimonónico y los referentes temáticos rastreables en Horacio, Juvenal, Ariosto, Boileau o Swift (para la presencia de estos clásicos en la obra de Larra ver p. 450), la tradición hispana ofrecía a los costumbristas la narrativa picaresca y los modelos cervantino y quevedesco, con su secuela de epígonos del XVIII, la fórmula satírica dialogal de los coloquios entre Perico y Marica[79] y el esquema didáctico de pregunta y respuesta propio de los diálogos catequísticos; en la literatura de polémica ideológica de fines del XVIII y principios del XIX menudean ambas fórmulas (Carballo Calero, 1983, para los diálogos en gallego del primer tercio del siglo; Fermín Gil Encabo, 1986 y Françoise Etienvre, en edición de Capmany, 1988 para los castellanos) y, especialmente, en los falsos epistolarios cruzados entre corresponsales ficticios (Llorente, Miñano) que reproducían las

---

[79] Producidos sobre el modelo Perico-Marica, varios diálogos del primer tercio del XIX contienen interesantes referencias costumbristas, como *Los vicios de Madrid* (manuscrito de 1807 editado por Foulché en *RHi*, XIII, 1905, 163-228) o *Las tardes del Prado a la vista del Campo de los mártires y el nuevo Tívoli o Diálogo entre dos señoritas patrióticas*, Madrid, 1821. Un adelanto del *corpus* textual de los textos satíricos que tienen a Perico y Marica como portavoces, en Mercedes Fernández Valladares, "Cartas en verso de rústicos y patanes. Las *nuevas* de la Corte a principios del siglo XVIII", *Varia Bibliographica. Homenaje a José Simón Díaz*, Kassel, 1987, 255-268.

obras epistolares del XVIII. Todas estas tradiciones literarias habrían de dejar sus huellas en los diálogos de los *seudónimos* costumbristas con sus interlocutores, singularmente el precario personaje que puede ser el extranjero ignorante, el pariente inexperto o el amigo menesteroso. En último término, como ha apuntado Carmela Comella, el *costumbrismo* es fenómeno que se manifiesta en todas las literaturas europeas de la primera mitad del XIX aunque posiblemente la más acentuada y abundante de todas sus manifestaciones sea la española, razón de una especificidad genérica que justificaría el marbete de "costumbrismo romántico" propuesto por José Luis Varela (1963).

Entre los primeros estudiosos del costumbrismo, W. S. Hendrix sugirió, en un trabajo de 1933, las relaciones externas que se establecieron entre esta forma literaria y las tendencias gráficas contemporáneas; recuérdese el estilo y significado crítico-social de la obra gráfica de un George Cruikshank en Londres, Carl Spitzweg en Munich o Daumier y Gavarni en París. La potencia propagandística de las imágenes gráficas, durante la guerra de Independencia, fue aprovechada en una considerable producción de estampas anti-napoleónicas —estudiadas por Claudette Dérozier— que, por su aproximación a los relieves de la vida cotidiana, debió de sumar su capacidad expresiva a las geniales manifestaciones plásticas de Goya. Otra línea pictórica que viene de la pintura neoclásica también transmitía elocuentes imágenes visuales de la vida callejera, en los cartones de Teniers y más contundentemente en las espléndidas colecciones de estampas pintorescas de Juan de la Cruz, de A. Rodríguez o Miguel Gamborino[80] (Valeriano Bozal, 1982). Las dos posibilidades técnicas de ilustración que se manifiestan en las revistas románticas —reciente litografía y arcaico grabado en madera

---

[80] La espléndida colección de *Gritos de Madrid* (1817, 1.ª ed. conocida) funde la representación plástica de *tipos* populares ejercitantes de oficios patrimoniales y las evocaciones de los *pregones*, de fuerte raigambre en la lírica tradicional. Antonio Flores en *Ayer, hoy y mañana* ("Los gritos de Madrid o la publicidad en 1850") contrapone la espontaneidad del pregón de principios de siglo con el tráfago ciudadano de mediados: "¿Qué vale el enfermizo pregón de la verdulera, junto al continuo martillear del arquitecto, que a fuerza de clavos se afana por terminar en marzo la jaula que empezó en febrero y que ha de estar alquilada en abril? (...)". Otra modalidad de *gritos* son los *Gritos de Madrid cautivo a los pueblos de España* de Capmany, recientemente editados por Françoise Etienvre (1988).

que emplearon, respectivamente, *El Artista* y *el Semanario Pintoresco Español*— son los soportes sobre los que se verificaría una auténtica revolución editorial en el modo de la presentación de los textos (Ucelay 1951, 116-122, Romero, 1990a).

La usada disposición tipográfica lineal en la que el discurso lingüístico no experimentaba alteraciones por parte de otros elementos gráficos, en el filo de los siglos XVIII y XIX, entró en competencia con otra forma de composición de la página impresa en la que las letras se alternan con los grabados; una etapa intermedia en este proceso de alteraciones de los hábitos editoriales estaría representada por las espléndidas láminas que ilustran el contenido de un texto, tal como encontramos, por ejemplo, en la pre-costumbrista *Gimnástica del Bello Sexo*, impresa por Ackermann en 1827.[81] La realización plena de la novedosa forma de composición tipográfica de la página comportó —y este es su aspecto históricamente más trascendente— un doble resultado: una nueva sintaxis expositiva de los textos y la creación de nuevos hábitos lectores en los consumidores (Lee Fontanella, 1982 y 1982a). Una voluntad de intemporalización de realidades en trance de desvanecimiento es la causa que, a veces, se expone como fuerza impulsora de los libros con grabados.[82] Este motivo psicológico, unido a los avances tecnológicos y a la función social que tiene la prensa periódica dan como resultado el que la ilustración gráfica se popularice en el transcurso del siglo, desarrollando funciones muy diversas y desplegando modalidades de estilo también muy varias (Valeriano Bozal, 1979).

[81] Corrobora la práctica editorial de acompañar los textos con láminas ilustrativas la nota previa con que se inicia el curioso libro anónimo *¡Madrid! Indicaciones de una española sobre inmoralidades y miserias presentes...* (Madrid, 1833): "Intenté no escusar *(sic)* la moda de dar tono a las chapucerías literarias con algunas estampas; estudiado tenía el argumento de las que debían darlo a la presente; pero el dinero, ¡el terrible dinero!, tiene la culpa de que no pueda cumplir aquel intento; los señores grabadores quieren anticipado al suceso de mi libro el pago de su trabajo, y no estoy en el caso de satisfacerles su prudente, justa voluntad" (p. III).

[82] Es generalmente admitido el papel de estímulo que representó el *Voyage pittoresque et artistique de l'Espagne* de Alexandre Laborde (1806-1808) para las producciones similares que vinieron después; Godoy se confiesa promotor de la obra en sus *Memorias* porque, según explica, España necesitaba también registrar "por el dibujo lo que la voracidad del tiempo podría llevarse en adelante" (*Memorias del Príncipe de la Paz*, BAE, vol. LXXXIX, p. 156a).

La importancia de esta fusión pictórico-literaria se observa más acusadamente que en los libros en las publicaciones periódicas, en las que el grabado suele ser más abundante y, muchas veces, entabla con el discurso lingüístico complejas relaciones de mutua dependencia que no es frecuente en las ilustraciones que aparecen en los volúmenes. Leonardo Romero (1990a) ha propuesto una explicación de mera vecindad para los grabados que acompañan a los relatos frente a las ataduras metonímicas que se despliegan en las publicaciones *pintorescas* —es decir, *ilustradas*— de la época romántica. Con todo, y a partir de la edición del *Panorama matritense*, las ilustraciones desempeñan un importante papel en los libros que recopilan los artículos costumbristas: grabados de Ortega, Elbo y Rey para el *Panorama* y las *Escenas* de Mesonero, ilustraciones de Lameyer para las *Escenas Andaluzas* de Estébanez Calderón, y de Ortega y Múgica para el *Teatro Social* de Modesto Lafuente, a lo que seguirán de modo inmediato las ilustraciones fotográficas, vistas como metáfora de la peculiar variedad de *realismo artístico* que practicaban los escritores costumbristas. Las primeras palabras del prólogo de *Los españoles pintados por sí mismos* (1843-1844) centran el homenaje de los retratistas de la pluma en Daguerre, el inventor de la nueva máquina reproductora de la realidad.[83]

Recientemente (Joaquín Marco, 1987) se ha vuelto a recoger un aserto de los escritores románticos que colocaban sus escritos de costumbres entre las saludables reacciones que les provocaban las visiones deformadas de la realidad española ofrecidas por los viajeros extranjeros. Ya en 1835 afirmaba rotundamente Mesonero en el prólogo del *Panorama*:

---

[83] "Mr. Daguerre mismo no previó seguramente en toda su extensión las consecuencias de su prodigioso invento. Orgulloso con haber encerrado al Sol a trabajar en su cámara oscura, en lo que menos pensó probablemente fue que en el discurso de algunos años se habrían hecho más retratos que hasta aquel día desde lo que los sabios historiadores de todas las edades llaman *tiempos primitivos*". Una elocuente correlación entre costumbrismo literario y fotografía es el libro *Madrid al daguerrotipo* (1849), en el que, al socaire del invento óptico, un obsequioso "Barón de Parla Verdades" despliega la descripción de espacios y personajes públicos de la capital. Los retratos de personajes políticos podrían haber contribuido lejanamente a la técnica descriptiva de los trabajos costumbristas, como puede advertirse en rasgos satíricos de la serie *Las Condiciones y semblanzas de los diputados a Cortes* (Simón Díaz, 1973, estudia la que abre plaza).

El medio más prudente de combatir tan ridículas caricaturas [las foráneas impresiones de viaje] prodigadas hace dos siglos contra nosotros, destruyendo la impresión funesta que causan en la crédula multitud, es el de presentar sencillamente la verdad, oponer a aquellos cuadros falaces e interesados el colorido propio del país, las acciones y hechos comunes a todas las clases, la naturaleza, en fin, revestida de formas españolas.[84]

1. *La novedad del costumbrismo*

Pese a los varios borradores de literatura costumbrista que pueden acotarse para el primer tercio del siglo XIX (Juan Ignacio Ferreras, 1973, 137-163, la organiza en dos vertientes que denomina "costumbrismo satírico" y "costumbrismo político"), la crítica de los últimos años es unánime al afirmar que la institucionalización del género no se produjo hasta el filo de 1830 (José F. Montesinos contribuyó decisivamente a la fijación de esta opinión, 1960), cuando coincidieron en la actividad periodística y, especialmente, en un mutuo ejercicio de estímulos de escritura, Mesonero Romanos, Estébanez Calderón y Larra. Los múltiples antecedentes nacionales y foráneos que se les pueden señalar[85] no resultan sino reservorios de motivos literarios

---

[84] Además de los apuntes de Larra sobre el apresuramiento estimativo de algunos viajeros extranjeros y de los polémicos escritos de Ayguals de Izco contra el viaje de Alejandro Dumas, resulta testimonio estimabilísimo la anotación de Estébanez en "El Roque y el Bronquis" (*El Español,* 17, IV, 1846): "[en los baños de Carratraca] se dejan ver por allí no pocos gringos y extranjeros que, (...) quieren, visitándolos, aprovechar la buena ocasión de conocer mejor el país, amén de adornar su álbum con algún pintarrajo tomado al revés, y pintado con brocha, y de enriquecer sus apuntes y recuerdos de viaje con algún mentirón estupendo, que después se revela en lindo periódico o *keepsake* de impresión de París y Londres, haciendo arquear los ojos de aquellos buenos leyentes y provocándonos a nosotros a risa estrepitosa de regocijo, si no ya de mofa y desprecio". *Fernán Caballero* abunda en idéntica denuncia: "doloroso es que nuestro retrato sea casi siempre ejecutado por extranjeros, entre los cuales a veces sobra el talento, pero falta la condición esencial para sacar la semejanza, conocer el original" (*prólogo* de *La Gaviota*). En 1862 seguía denunciando Bécquer que *Fígaro, El Curioso Parlante, El Solitario* y Bretón de los Herreros habían combatido "con las armas del ridículo esta funesta manía por imitar todo lo que viene de Francia; pero, ni sus chistes, ni las predicaciones serias de los que por lo serio han tomado la cuestión, han sido bastante a detener el torrente" ("La Nena", *Obras Completas,* Madrid, Aguilar, 1954 (8), 741).

[85] Mesonero en el prólogo del *Panorama* y Larra, en varios pasajes, evocan los nombres de autores que estimulaban sus plumas de costumbristas: "va-

germinales o coincidencias de actitudes personales hacia un nuevo entendimiento de la *mímesis* artística.[86]

José Escobar ha sentado algunas de las pruebas más convincentes sobre la novedad que suponen los "artículos de costumbres" en los años finales del reinado de Fernando VII; en estudio dedicado (1970), a oscuros colaboradores del periódico fundado por Carnerero en 1828 (*El Correo Literario y Mercantil*), en su investigación textual sobre los inicios de la obra de Larra (1973, 28-32, 258-279), en el transparente análisis del programa de trabajo contenido en el artículo "Costumbres de Madrid" aparecido el 8-VIII-1828 en *El Correo* y que inaugura una sección literaria de esta publicación (1977a) o en trabajo de síntesis (1977) que corrobora los impulsos latentes de cambio de todo orden que subyacen bajo la opaca sociedad fernandina, ha aportado abundantes y sólidas pruebas que avalan esta interpretación de la novedad traída por el costumbrismo romántico. Estímulos parejos recibían, fuera de las fronteras hispanas, algunos trasterrados como Blanco, Llanos o Trueba y Cossío tal como ahora vislumbramos en el pergeño de sus páginas evocadoras de los usos sociales del, para ellos, ausente país (García Castañeda, 1982). Esta hipótesis, además de introducir un factor dialéctico en la explicación del inicio del género, arrumba el bizantino debate sobre la prioridad en su cultivo por parte de los tres *grandes*, debate que había enfatizado Cánovas del Castillo en su todavía útil libro sobre Estébanez Calderón y que, planteado en términos estrictamente bibliográficos, se sustancia en favor de Mesonero con *Mis ratos perdidos o ligero bosquejo de Madrid en*

---

mos al artículo de hoy, que será de costumbres, por más que confesemos también no tener para este género el buen talento del *Curioso Parlante*, ni la chispa de Jouy, ni el profundo conocimiento de Addison" (Larra, *Obras*, BAE vol. CXXVII, 108a).

[86] Escribía Jouy en la introducción a sus *Œuvres* (I, 1823, 24): "Dans *l'Ermite* et dans ses suites, j'ai marché directement au but vers lequel je me sentais entraîné; pendant quinze ans je me suis étudié, comme Hogarth, à retracer, dans une suite d'esquisses et de portraits particuliers, la physionomie générale de nos mœurs. Ce genre d'essais n'avait point de modèle en France. Mercier (auquel je rends d'ailleurs toute justice) ne pouvait en servir. Fertile en observations de l'homme et de la société, la littérature française (...) n'avait trouvé personne qui voulût ou qui daignât, à l'exemple d'Addison et de Steele, consacrer sa plume à peindre sur place et d'après nature, avec les nuances qui leur conviennent, cette foule de details et d'accésoires, dont se compose le tableau mobile des mœurs locales".

1820 y 1821; para la génesis del *costumbrismo* español, el debate de las precedencias cronológicas no es, como ha sugerido Susan Kirkpatrick (1978, 28, nota 4), un problema literario sino un síntoma revelador de otras cuestiones.

Para definir la *novedad* traída por el género, la mejor síntesis de su poética es la reseña de Larra al tantas veces citado *Panorama matritense* (*El Español*, 19 y 20 —VI— 1836), donde el crítico determina la condición extrínseca y la marca intrínseca que explican la aparición del género literario. Condición extrínseca es la innovación aportada por el universo periodístico: "no hubiera, pues, llegado nunca el género a entronizarse sino ayudado del gran movimiento literario que la perfección de las artes traía consigo; tales producciones no hubieran tenido oportunidad ni verdad, no contando con el auxilio de la rapidez de la publicación. Los periódicos fueron, pues, los que dieron la mano a los escritores de estos ligeros cuadros de costumbres, cuyo mérito principal debía consistir en la gracia del estilo". La marca intrínseca reside en el acierto de los escritores como perceptores de los comportamientos humanos en el marco de un acelerado cambio social: "[Addison, Mercier, Jouy] no consideraron al hombre general como anteriormente se lo habían dejado otros descrito, y como ya era de todos conocido, sino al hombre en combinación, en juego con las nuevas y especiales formas de la sociedad en que lo observaban".

A esta percepción de la movilidad del comportamiento humano en dependencia de las circunstancias del cambio social se unía la polisemia que adquirió en español el término *costumbres*. Montesinos analizó con maestría filológica (1960, 48-49) la superposición de dos acepciones en la palabra: 'resortes morales' por una parte, y 'manifestaciones externas del comportamiento' por otra, y que Larra explicaría meridianamente en uno de sus más célebres artículos: "verdad es que nuestro país no es de los que se conocen a primera ni a segunda vista (...). Esto no obstante, comoquiera que entre nosotros mismos se hallen muchos en esta ignorancia de los verdaderos resortes que nos mueven, no tendremos derecho para extrañar que los extranjeros no los puedan tan fácilmente penetrar".

Mesonero emplea, generalmente, las palabras *costumbres* y *costumbrista* en el segundo de los sentidos y cuando quiere referirse a la actividad analítica de los resortes morales de la sociedad emplea el término *moralista*; Addison es para él "célebre moralista", los novelistas franceses contemporáneos "pretendidos moralistas modernos" y la máscara enunciadora de la que se reviste él mismo —es decir, *El Curioso Parlante* —puede ser "escritor filosófico", "filósofo observador" o "austero filósofo". Los cultores del costumbrismo emplearon de modo sobreabundante la segunda de las acepciones en la denominación de su práctica literaria; "de ahí la superficialidad *moral* del costumbrismo, tanto más sensible cuanto más contrasta con su afición a lo pintoresco", sentenciaba Montesinos en su apasionada requisitoria sobre el costumbrismo romántico.

Aplicando la reseña de Larra a la historia del fenómeno literario, puede sostenerse que solamente en los trabajos de los tres coetáneos —Larra, Mesonero, Estébanez— se dan simultáneamente las marcas caracterizadoras: condicionamiento externo desde el vehículo periodístico, "gracia en el estilo" y renuncia a la representación literaria del hombre abstracto y universal. Están estas notas ausentes en los trabajos "costumbristas" del primer tercio del siglo, pues en unos falta la motivación de la periodicidad periodística —Eugenio de Tapia, las *Condiciones y semblanzas de los diputados*—, en otros predomina la intención explícitamente moralizante— artículos de *El Indicador de las Novedades y los Espectáculos, El Censor* o *El Correo Literario y Mercantil*— y casi todos están vacíos de una deliberada voluntad de estilo.

El estilo personal es la primera capacidad de fascinación que ejerce la prosa de Larra, el primer clásico moderno de la literatura española y el escritor romántico que epitomiza en su vida y su obra las contradictorias facetas del romanticismo que se vivió en España, por su decidida voluntad de profesionalización exclusiva en la escritura y por los varios caminos que anduvo en la persecución de la *misión* que se había adjudicado (véanse pp. 194-195). Sin carecer de un estilo personal, se muestran más ceñidos a la modalidad costumbrista Mesonero y Estébanez.

Ramón de Mesonero Romanos (Madrid, 1803-Madrid, 1882) fue el gran empresario del costumbrismo desde la iniciativa editorial que lo llevó a la creación del *Semanario Pintoresco Español* (1836); (Richard A. Curry, 1976). Hasta esta fecha, Mesonero había colaborado en las revistas que concedían un espacio a los nuevos artículos de "Costumbres"; de forma más remota en *El Indicador* o el *Correo Literario* y, a partir del 12-I-1832 en las *Cartas Españolas*, donde publica su primer artículo costumbrista —"El retrato"—, que había sido precedido por su folleto, aunque editado sin nombre de autor, *Mis ratos perdidos* (1822). Considerando en un nivel técnico sus escritos sobre Historia y reformas urbanísticas de la capital de la nación (Edward Baker, en ed. de la *Rápida ojeada sobre el estado de la capital*; Ulrich Laumeyer en monografía de 1986), su actividad literaria se especializa en la *adaptación* textual del teatro de los contemporáneos de Lope de Vega y en la escritura de *artículos de costumbres*.

El Mesonero costumbrista desarrolla un esfuerzo creativo que va desde 1832 hasta 1852, en los trabajos que edita en diversas publicaciones periódicas y que, posteriormente recoge en las obras que titula *Panorama matritense* (1835-1838, 3 vols.) y *Escenas matritenses* (1842, 4 vols., con posteriores ediciones de 1845, 1851, 1879 y 1881). La inclusión de los artículos en los volúmenes de estos títulos y las sucesivas transformaciones de los textos son las pruebas de un taller literario en perpetua actividad que ha sido glosado recientemente por María del Pilar Palomo (ed. de *Escenas matritenses*, 1987, pp. XXXII-XLI).[87] Esta estudiosa también ha subrayado una evolución en el plan de los artículos de Mesonero que supone el paso desde una indeterminación genérica en los textos anteriores a 1835 hasta los plenamente incardinados en las marcas del género, porque en ellos "El Curioso Parlante" se dirige directamente a sus lectores sin otros intermediarios que la *máscara* de que se reviste su voz enunciadora. La enunciación, en sus artículos, resulta una suma de registros de percepción, —la del erudito y la del escritor,— que facultan una doble visión de los *cuadros* y las *escenas*.

Ahora bien, la voz de "*El Curioso Parlante*" se desdobla a su vez en la enunciación del narrador y la enunciación de algún personaje que puede intervenir en las situaciones que describe aquel; un juego de complementariedad entre la *máscara*-testigo y la de

---

[87] José Escobar (1988) ha ejemplificado la trascendencia de alguna de las variantes de Mesonero; en el artículo "La romería de San Isidro" encuentra una sustantiva modificación: "Termina el primer párrafo diciendo, 'vamos a la sustancia de mi narración'. Y en la edición de las *Escenas matritenses* de 1845 dice a renglón seguido: 'yo quería regalar a mis lectores con una descripción de la Romería de san Isidro'. Pero en la de 1851 leemos: 'yo quería regalar a mis lectores con una narración de la Romería de San Isidro'".

la *máscara*-personaje, como han visto Isabel Román (1988, 209-213) y María Pilar Palomo (ed. cit., pp. XXI-XXII). Esta última ha apuntado la dependencia de los *cuadros* de Mesonero respecto al teatro de costumbres, como propuesta complementaria a la mucho más repetida de la vinculación de los *cuadros* con los modelos novelescos (Montesinos, 1960, 13-20 y 41-74, especialmente p. 15 para negar la competencia del autor en el género narrativo; Beyrie, Miller, Sebold, 1981 y Romero Tobar, 1983, para matizarla).

El costumbrismo de Estébanez Calderón ha suscitado menor interés entre los estudiosos (Montesinos, 1960, 22-39; Muñoz Rojas, 1968; González Troyano, 1985, en edición de las *Escenas andaluzas*; López Molina, 1985, para el lenguaje del escritor). Es frecuente subrayar su excentricidad literaria por el universo social que presenta en sus escritos y por sus peculiares registros expresivos (Ucelay, 1951, 42; Montesinos, 1960, 31). González Troyano (ed. de 1985, 36-40) explica la excentricidad por razones sociológicas, en la medida en que "El Solitario" fue el iniciador, entre los españoles, de la imagen literaturizada de una Andalucía marginal y pintoresca.

Aunque no disponemos aún de la monografía que el tema requiere, sigue insistiendo la crítica en su estilo peculiar, aunque se quiere explicar su habla "macarena y de germanía" a partir de causas sociolingüísticas (Luisa Pavesio) que difuminan el perfil irrepetible de un casticista, maestro de escritores de raza, como Prosper Merimée (ed. de *Viajes a España*, 1988) y Juan Valera. Cánovas sostenía que el estilo de Estébanez reproducía el habla castiza de la Andalucía de su tiempo; Juan Valera, su discípulo literario, era de la misma opinión.[88] Entre los escasos estudiosos recientes que se han acercado a esta cuestión, López Molina, mantiene que "el carácter libresco de las *Escenas andaluzas*, aunque se pueda rebajar algunos grados, no llegará a invalidarse". Posiblemente cuando conozcamos mejor las variedades diatópicas y diastráticas de la lengua española

---

[88] No suele tenerse en cuenta el rotundo juicio de Valera referido al valor coloquial del estilo en Estébanez: "el afán de Estébanez Calderón fue el de resucitar en el lenguaje, hoy hablado, mucho de lo bello que se empleaba antes del siglo XVIII, y el de poner en la lengua escrita y literaria los elegantes giros, frases y vocablos que copia de boca del pueblo" (continuación de la *Historia de España* de Modesto Lafuente, VI, 1882, 423).

de la primera mitad del XIX se despejará el debate en el que se encierra la parva crítica aplicada a la obra del costumbrista andaluz.

El estímulo ejercido por la obra de Larra, Estébanez y Mesonero suscitó la continuidad inmediata en numerosos colaboradores de los periódicos de Madrid y de las restantes localidades españolas. Los epígonos madrileños son tan próximos al triunvirato fundacional que dan la falsa impresión de formar un *continuum* indiferenciado. Aunque no disponemos de monografías sólidas, el lector percibe que en esta primera generación de secuaces se repiten los rasgos formalizadores y las estructuras básicas de las páginas costumbristas troqueladas por los maestros. Valga como muestra individualizadora el ejercicio de la seudonimia como *máscara* y como recurso de enunciación en el Santos López Pelegrín que firma como "Abenamar", en José María Segovia o "El Estudiante" (al que dedicó una breve monografía de carácter descriptivo María Luisa González Molleda, 1963), en el Modesto Lafuente geminado en "Fray Gerundio" y "Tirabeque", en José María Andueza transmutado en "Aben Zaide" o en el levantino Antonio Flores (Enrique Rubio Cremades, 1978) que mantiene su nombre civil en las prosas costumbristas.

Como es sabido, a la boga de los artículos o libros costumbristas de autor individual siguen las publicaciones colectivas, iniciativa editorial en la que la industria librera de Inglaterra —*Heads of the People*— y Francia —*Le Livre des cent-et-un, Les Français peints par eux-mêmes*— habían llevado la iniciativa (Margarita Ucelay, 1951, 68-98). En el inicio español de esta modalidad bibliográfica están *Los Españoles pintados por sí mismos*, iniciativa del editor Ignacio Boix realizada entre 1843 y 1844, aunque deberían revisarse los inmediatos antecedentes contenidos en las traducciones españolas de obras, también colectivas, como *Los niños pintados por ellos mismos* (1841) y las *Escenas de la vida privada y pública de los animales* (1842).

Para Margarita Ucelay *Los Españoles* es la obra que marca una transición entre el costumbrismo practicado en los años treinta —de *escenas*— y el que se aplicará de forma más abundante durante el resto del siglo —costumbrismo de *tipos*—, distinción de subgéneros que, si resulta esclarecedora desde un punto de vista bibliográfico, no ha conseguido aislar aún lo específico de ambas

modalidades en términos de técnica literaria.[89] La fórmula libresca establecida en la obra del editor Boix —publicación por
entregas, autoría de diversos escritores, complemento de las láminas ilustrativas y pretensión de fijar el perfil de un estereotipo
geográfico-cultural— tuvo abundantes imitaciones durante el
siglo XIX que han descrito, entre otros estudiosos, Margarita
Ucelay (1951, 181-210), Evaristo Correa Calderón (ed. de
1964, XL-XLV) y Enrique Rubio (1983), y cuyas implicaciones
en la gestación de una conciencia diferenciada de las *regiones* o
naciones peninsulares no se ha estudiado en toda su extensión y
profundidad (Gil Encabo, 1983 y 1991 para lo aragonés). En *Los*
españoles pintados por sí mismos como denominación de la identidad local se emplea abundantemente el neologismo político-ad-
ministrativo *provincia* ("bailes provinciales", "trajes provinciales", las "Provincias" por antonomasia, o sea el país vasco) y, en
menor abundancia, "país" o "patria" (Margarita Ucelay, 1951,
160). Puede afirmarse, en términos aproximativos, que, a partir
de *Los Españoles* el modelo costumbrista centralizado que había
diseñado Mesonero ("Madrid, como corte y centro de ella [Espa-
ña], es el foco en que se reflejan los de las lejanas provincias",
Obras, I, 39a) fue diversificándose en los modelos regionales y
locales (García Castañeda, 1991a), para los que *Fernán Caba-*
llero, en 1849, proponía una recogida sistemática de ámbito nacional.[90] Una propuesta de fusión de la actividad literaria y el
trabajo gráfico con finalidades arqueológica y costumbrista
propondría, años después, Bécquer,[91] haciéndose eco de lo que

[89] Otra distinción terminológica, la establecida entre *artículo* y *cuadro* de
costumbres, tampoco ha ido más allá de las delimitaciones impresionistas ("the
artículo as the word and history of the *genre* both indicate, is written for a
periodical publication. In the form given it by Mesonero and Larra it also has a
pronounced narrative or dramatic element approximating to a story or dramatic sketch with a moral or critical point or scene. The *cuadro*, on the other
hand, frequently forms part of a larger work or collection (even of a novel) and
stresses the descriptive, the popular, the conservative" (F. C. Tarr, 1939, 16).

[90] "Cada nación debería escribirse las suyas [las novelas de costumbres].
Escritas con exactitud y con verdadero espíritu de observación, ayudarían mucho para el estudio de la humanidad, de la historia, de la moral práctica, para
el conocimiento de las localidades y de las épocas. Si yo fuera la Reina, manda-
ría escribir una novela de costumbres en cada provincia, sin dejar nada por
referir y analizar" (*La Gaviota,* 2.ª parte, cap. IV).

[91] "(...) Bien pensionándolos, bien adquiriendo sus estudios o coadyuvan-
do a que se diesen a luz, el gobierno debía fomentar la organización periódica

hasta entonces habían sido realizaciones de empresas individuales (Vicente Mamerto Casajús, *Album Sevillano*, 1839; Francisco Javier Parcerisa y otros, *Recuerdos y Bellezas de España*, 1839-1872, 11 vols.; Jenaro Pérez Villaamil, *España artística y monumental*, 1842-1850).

La conflictividad que el cambio histórico introducía en la sociedad española fue enfocada por los fundadores del género costumbrista desde la tensión que podría darse entre las *clases* sociales y, singularmente, las de la capital de España. La llamada "clase media" (Botrel y Le Bouill, 1973; Jover 1976, 239 y siguientes) se constituía como el objeto central de la observación del costumbrista; las otras clases —la aristocracia y el pueblo— no reunían los rasgos de integración que presentaba el grupo burgués, que era clase intermedia y *pintoresca*, precisamente, por su lejanía de la capacidad de iniciativa económica con que empujaban las burguesías de Francia o Inglaterra. Larra, una vez más, fotografía con la luz adecuada la estratificación de la sociedad madrileña a propósito de la novedad que constituían los "Jardines públicos":

> La manía del buen tono ha invadido todas las clases de la sociedad; apenas tenemos una clase media numerosa y resignada con su verdadera posición; si hay en España clase media, industrial, fabril y comercial, no se busque en Madrid, sino en Barcelona, en Cádiz, etc.; aquí no hay más que clase alta y clase baja; aquella, aristocrática hasta en sus diversiones, parece huir de toda ocasión de rozarse con cierta gente (...). La clase media, compuesta de empleados o *proletarios decentes*, sacada de su quicio y lanzada en medio de la aristocrática por la confusión de clases (...). En la clase baja, nuestras costumbres, por mucho que hayan variado, están todavía muy distantes de los jardines públicos. Para ésta es todavía monadas exóticas y extranjeriles lo que es ya para aquélla común y demasiado poco extranjero. He aquí la razón por qué hay público para la ópera y para los toros y no para los jardines públicos.

Este análisis crítico de la estructura social madrileña no es el que proyectan habitualmente los escritores de costumbres, para

---

de algunas expediciones artísticas a nuestras provincias. Estas expediciones, compuestas de grupos de un pintor, un arquitecto y un literato, seguramente recogerían preciosos materiales para obras de gran entidad. Unos y otros se ayudarían en esa fraternidad artística (...)" (IV carta *Desde mi celda*, 12, VI, 1864).

quienes el tipo humano más productivo suele ser el tipo procedente de las clases medias de la sociedad. De entre ellas escoge Larra, sin ir más lejos, sus tipos sociales cuando prefigura rasgos morales de comportamiento en el empleado don Braulio o en el literato don Timoteo y, sin distinciones teóricas, en ese entendimiento se manifiestan casi todos los escritores,[92] Mesonero por modo excelente. Este había explicitado su campo de observación social en uno de sus madrugadores trabajos aparecidos en la *Revista Española* (10-XI-1832): "en mis discursos, si bien no dejan de ocupar su lugar las costumbres de las clases elevada y humilde, obtienen naturalmente mayor preferencia las de los propietarios, empleados, comerciantes, artistas, literatos y tantas otras clases como forman la medianía de la sociedad". Y a este programa permaneció fiel toda su vida con su conocido apego a los principios establecidos. Susan Kirkpatrick (1978) ve a los fundadores del costumbrismo interpretándose a sí mismos como traductores, para todas las clases sociales, de los usos y valores propios de la burguesía, clase social que Mesonero, sin hacer problema de ello, y Larra, muy críticamente, identificaron con la moderna idea política de *nación*[93].

La exégesis estrictamente sociológica del costumbrismo como condensación de las tensiones vividas por la clase burguesa no resulta improcedente para una forma literaria cuya difusión y cuyos referentes eran de manera abrumadora los miembros de la nueva clase emergente. Pero todo ello no resulta incompatible con otra función socio-cultural cumplida por los artículos de costumbres, cual es su valor como investigación y registro folclórico de muchos componentes de la cultura tradicional. Los profundos cambios que trajo el nuevo tiempo histórico afectaron

---

[92] Blanco White explica al corresponsal de sus *Cartas* los usos gastronómicos, las cortesías sociales, el vestuario de las damas, desde la óptica de las clases intermedias (carta segunda). Para Bretón de los Herreros "las clases medias absorben visiblemente a las extremas; fenómeno que en parte se debe a los progresos de la civilización, en parte al influjo de las instituciones políticas" ("La castañera", en *Los españoles pintados por sí mismos,* I, 1843, 32); cf. Margarita Ucelay, 1951, 141-153.

[93] Es decir, la comunidad de individuos copartícipes en el ejercicio de derechos que había establecido la Revolución Francesa y a la que, por ejemplo, Larra se refiere en su idiolecto político (Ruiz Otín, 1983, 49), frente al sentido arcaico de la palabra que registraba Terreros y Pando en su *Diccionario* (1787): "pueblo grande, reino, estado, etc., sujeto a un mismo príncipe".

simultáneamente a las creencias y valores de la moderna cultura de las ciudades como a los seculares traspasos intergeneracionales de la cultura popular. La fijación de lo perecedero importaba a los observadores de la vida ciudadana, pero igualmente formaba parte de los intereses de los pintores y artistas que registraban inmemoriales formas de vida amenazadas de consunción. Artículos de Estébanez —"La feria de Mairena", "Un baile en Triana"— y de Vicente de la Fuente —como "La bajada del ángel", "Las segundas nupcias", "Las vacaciones"—, de Mesonero —"El entierro de la sardina", "El día de toros"— y de sus epígonos, los constituyen en los primeros documentos para el archivo de lo que, al final del siglo, constituirá el objeto de estudio de antropólogos y folcloristas.

Con todo, el material informativo sobre el aceleramiento de los cambios sociales vividos en los años románticos quedó recogido en textos de muy diversas hechuras que enriquecen, complementariamente, la literalidad de los artículos costumbristas. La literatura satírica y las publicaciones de carácter informativo sobre la actualidad constituyen imprescindibles contextos iluminadores; por ejemplo, el *Diccionario de las gentes de mundo* (Madrid, 1820) o el *Diccionario de flamantes* de Sir Satsbú [Vicente Bastús] (Madrid, 1829) reúnen tan valioso caudal de neologismos relativos a los usos sociales que, como ha escrito Pedro Álvarez de Miranda (1984a, 161), cuando se haga el estudio detenido del léxico de la moda española de la época, estos repertorios servirán "para documentar o confirmar el empleo del *frac* o del *corsé*, la costumbre de lucir *bucles* y *patillas*, la aparición de unas bolsas llamadas *ridículos*, la importancia de estar *abonado* a un palco o de saber bailar el *wals*".

2. *La peculiar "imitación" de los costumbristas*

"Nadie podrá quejarse de ser el objeto directo de mis discursos, pues deben tener entendido que pinto, no retrato". Este aserto que Mesonero repite en varias ocasiones establece, mediante una metáfora plástica, el anclaje del costumbrismo en la tradición poética clasicista. Los dos modos de *mímesis* consagrados en la especulación literaria postrenacentista polarizaban la apropiación del mundo exterior en una llamada "imitación de lo universal" y una "imitación de lo particular".[94] Tanto los *viajes fantásticos* de la Ilustración —recuérdese el de Enrique Wanton al país de las monas— como muchos de los viajes reales efectuados en esa época habían procurado la descripción y crítica de estados sociales mediante la práctica de una *imitación de lo universal*. Este era un propósito al que renunciaba Blanco White, puesto a escribir sus *Letters from Spain*:

> Tendrá que perdonarme usted por haberme abstenido de trazar un cuadro del carácter nacional de los españoles. Siempre he considerado tales descripciones carentes de sentido, mero conjunto de antítesis en donde, para producir efecto, se contraponen las buenas y las malas cualidades, con muy poca base en la naturaleza humana. El poder de observación del hombre no puede ser al mismo tiempo tan preciso y tan extenso, tan minucioso y tan general, como para permitirle incorporar los rasgos particulares de millones de seres en un solo ser abstracto que contenga los de todos ellos. Sin embargo, esto es lo que intentan la mayoría de los viajeros tras unas pocas semanas de estancia, y lo que estamos acostumbrados a esperar desde la primera vez que pusieron en nuestras manos un manual de geografía.[95]

La intuición expresada por el exiliado español en 1822 y que estaba diluida en el ambiente —a título de ejemplo, recuérdese que la había formulado cincuenta años antes Louis-Sébastien Mercier—[96] será retomada por los costumbristas de los años treinta sin llegar a la propuesta de otras vías intermedias entre las dos modalidades de la *imitación* canónicamente establecidas, bien que ellos mismos las abordasen o bordeasen en muchas páginas. Así pues, pese a las repetidas declaraciones teóricas de

---

[94] Luzán las denomina *icástica* y *fantástica* y las explica didácticamente con analogías pictóricas: "y como de la icástica es objeto la verdad, así de la fantástica lo es la ficción; al modo que la pintura, o representa algún hombre como es, lo que propiamente se llama retratar, o la forma de su idea y capricho, según lo verosímil, como hizo Zeuxis, que, para pintar la famosa Helena, no se contentó con copiar la belleza particular de alguna mujer, sino que juntando todas las más hermosas de los crotoniates, tomó de cada una, aquella parte que le pareció más perfecta, y así formó más que el retrato de Helena, el dechado de la misma hermosura" (*Poética*, lib. I, cap. VIII, ed. R. P. Sebold, 170).

[95] Trad. de A. Garnica, *Cartas de España*, 1972, 52-53.

[96] "Ce n'est point l'homme en général qu'il faut peindre, c'est l'homme dans tel temps et dans tel pays" (*Du Théâtre, ou Nouvel essai sur l'art dramatique*, Amsterdam, 1773, 149-50; ahora en reed. facsímil de Slatkine, Ginebra, 1970).

Mesonero y algunas de Larra[97] en que el periodista repite ideas recibidas, la observación directa del natural da como resultado una singular mixtura de *imitación* de lo *universal* y de lo *particular*. Mesonero nunca pretendió construir tipos universales —el avaro, el celoso, la alcahueta...—, lo que le interesaba eran los individuos de la mesocracia madrileña, los seres de la *intrahistoria* de su tiempo histórico; al concluir el espectáculo de "El teatro por dentro" pone un énfasis especial sobre el retorno a la vida cotidiana: "los *Hernanis* y las *Tisbes* huyeron de nuestra vista y ya sólo tenemos delante las Tomasas y los Pedros, el *hombre* y la *mujer* se han convertido ya en mujeres y hombres". De igual modo, un costumbrista de ocasión —Manuel de Ilarraza en *Los Españoles pintados por sí mismos*— justifica la página que dedica a "El anticuario" señalando que "como todos los anticuarios se parecen entre sí tanto como las bellotas de una misma encina, para dar a conocer a la clase basta retratar a un individuo, y yo me propongo hacerlo así".

La imaginería pictórica, tantas veces empleada por los escritores a la hora de explicar o definir su trabajo, es una vía complementaria que ilumina el peculiar entendimiento de la *mímesis* que tuvieron nuestros autores. El venerable *topos* que identifica la *pluma* con el *pincel* se multiplica en elocuentes variaciones —*pintura, bocetos, cuadros, copia, original, bosquejos, Linterna mágica*[98], *daguerrotipos, fotografías,* —[99] todas ellas tendentes a la vi-

---

[97] "Muchos son los obstáculos que para escribir encuentra entre nosotros el escritor, y el escritor sobre todo de costumbres (...) ¿Dibujó un carácter y tomó para ello toques de éste y de aquél, formando su bello ideal de las calidades de todos? *¡Qué picarillo*, gritan, *cómo ha puesto a don fulano!* ¿Pintó a un avaro como hay ciento? *Pues ese es don Cosme*, gritan todos, *el que vive aquí a la vuelta*. Y no se desgañite para decirle al público: Señores, que no hago retratos personales, que no critico a uno; que no conozco siquiera a ese don Cosme" ("La polémica literaria", *Revista Española*, 9 -VIII-1833).

[98] La *Gaceta de Madrid* (20-IV-1833) anunciaba *"la linterna mágica* donde se ve el mundo y algo más; crítica de costumbres. Se vende a cuatro reales en la librería de Sánchez". En 1840 se publicó un periódico de carácter satírico que se titulaba *La linterna mágica* (Hartzenbusch, *Apuntes para un catálogo de periódicos madrileños...*, 1894, núm. 406).

[99] "Mi débil paleta no alcanza a combinar acertadamente los diversos colores que forman su conjunto?"; "propúseme desarrollar mi plan por medio de ligeros bosquejos o cuadros de caballete en que (...) procurase reunir, en lo posible, el interés y las condiciones principales de la novela y el drama"; "en vano el pintor fatigado la persigue [a la sociedad] y estudia, espiando sus movimientos, sus actitudes, sus tendencias —trabajo inútil—; la sociedad se

sualización del ejercicio imitativo que se efectúa en las páginas costumbristas. Este recurso expresivo ha sido sólo ligeramente tocado por los estudiosos a la hora de establecer una base explicativa de la técnica literaria propia del nuevo género (R. P. Sebold, 1981, 342-345; María del Pilar Palomo, ed. de Mesonero, 1987, XVIII-XIX), cuando podría dar razón, de ser estudiado exhaustivamente, de los diversos entendimientos de la *imitación* que subyacen en las declaraciones programáticas de los autores. Repárese, a vía de ejemplo, en que prosistas que cultivan el costumbrismo y la ficción folletinesca distinguen con gran precisión entre *pintar* y *retratar*, dos palabras que designan dos modos diversos de la *mímesis* artística. Ayguals de Izco (en las novelas de la serie *María*) o Antonio Flores (en *Doce españoles de brocha gorda*) cuando hablan de *retrato* se refieren a la posición verista extrema en que el escritor se limita a recoger los acontecimientos o las personas tal y como estos se producen en la realidad cotidiana.

Íntimamente unido a este fondo de teoría poética está el ejercicio constructivo de la página costumbrista, en su indeterminada dosificación de narración y descripción. Caracterizaciones sumarias del género han subrayado la extensión y profundidad que tiene la descripción en las páginas costumbristas; y, efectivamente, esta técnica retórica resulta generosamente prolongada desde sus reiteradas manifestaciones en la prosa aureosecular (López Grigera, 1983, 353) y que Pupo-Walker (1978) ha enfatizado como marca formal específica de los artículos de costumbres. Ahora bien, la descripción no es sólo una técnica retórica más de las empleadas por los costumbristas. Su muy abundante uso se desdobla en otras dimensiones de técnica compositiva y de procedimientos enunciadores del discurso, pues como ha precisado José Escobar (1988) en un estudio comparativo de dos cuadros de costumbres "un *modo de estar* y no *un modo de ser* es lo que determina la mímesis del relato enmarcado en el *cuadro de costumbres*, entendida como figuración narrativa y descriptiva de lo local y circunstancial, de lo limitado en el tiempo

---

le escapa de la vista; el modelo se le deshace entre las manos; imposible sorprenderle en un momento de reposo, y sólo echando mano de los procedimientos velocíferos de la época, del vapor, de la fotografía y de la chispa eléctrica, puede acaso alcanzar a seguir su senda rápida e imprecisa", son algunos de los textos de Mesonero en que se reitera la imagen *ut pictura poesis*.

y en el espacio, en contraste con la representación de la sociedad reflejada en el *espejo de la naturaleza humana eternamente igual a sí misma*".

Describir, para los prosistas de la época, no era sólo acumular series enunciativas de nombres de cosas o de cualidades predicables; describir también era construir modalidades de relato, tal como en diversos lugares explicitó Eugenio de Ochoa, puesto a establecer fronteras entre los cuentos y las novelas. [100] Al lado de estas cuestiones de estructura básica, la caracterización microtextual de los artículos de costumbres —los dobles títulos, las citas abundantes, el copioso subrayado tipográfico de las palabras marcadas—, atenúa su validez como recurso identificador desde el momento que tanto vale para señalar marcas del género como para describir desvíos estilísticos del *ideolecto* de cada autor.

3. *Las marcas del costumbrismo*

Larra, Estébanez, Mesonero cultivaron tres estilos personales del costumbrismo que han sido explicados a partir de las diversas actitudes de los tres autores ante la España que les tocó vivir. Sus diferencias de enraizamiento y visión del mundo hacen posible que se hable de los costumbrismos o de los estilos del costumbrismo, pero en ningún caso anulan los relieves que otorga su adscripción a un molde común de realización literaria. Porque la especificidad de la literatura costumbrista no reside tanto en una panoplia de rasgos de estilo como en sus constituyentes estructurales.

Los artículos de costumbres de la primera promoción —el triunvirato y sus epígonos inmediatos— suelen estar enunciados en primera persona. El "yo" enunciador es el hilo que enlaza los distintos fragmentos de la realidad ambiental registrados en ca-

---

[100] "Verdad y novedad en los caracteres; verdad y novedad en las descripciones; tales son los dos grandes ejes sobre que ha de girar necesariamente toda novela digna de este nombre. Casi estamos por decir que ellos son la novela misma y que todo lo demás es lo accesorio (...)", ("Juicio Crítico" sobre *La Gaviota* recogido en la primera edición de la novela en volumen, 1856); con expresión más directa: "los novelistas siempre tienen algo de escribanos y de prenderos" ("Los guerrilleros", *Revista Española de Ambos Mundos,* III, 1855, 82).

da artículo, un hilo que es 1) la personalidad del escritor, 2) su
delegación en un "autor implícito" y 3) su transformación en
una nueva figura literaria que se construye bajo el disfraz seudo-
nímico —"Los seudónimos" es, precisamente, el título de las
Memorias de un setentón en que se habla de este aspecto—. Tan
complejo artificio enunciador aleja radicalmente la primera persona ficcionalizada en el artículo de costumbres de la primera
persona confesional que hemos visto actuar en las autobiografías
y memorias y que también interviene en la enunciación de los
viajes fantásticos o reales. Por ello apuntaba E(ugenio) de
O(choa) en su reseña del *Panorama* que "el yo del Sr. Mesonero
no es el yo enfático, egoísta y presumido de algunos escritores"
(*El Artista*, II, 196-197) o, en sentido contrario, el "yo" del
abulense José Somoza muestra toda la carga de la expresión testimonial porque no se ha ocultado bajo el aderezo de ninguna
máscara. Primera persona, en fin, que despliega una estrategia
de enunciación cuyas fintas ha procurado aislar Isabel Román
(1988, 200-217), destacando los varios grados de integración
que se manifiestan en las instancias del acto de enunciación
—escritor /narrador-personaje/ lector— en los textos de Larra,
Mesonero y Estébanez Calderón.

El lector de las *Cartas Españolas*, la *Revista Española*, el *Pobrecito Hablador* o el *Semanario Pintoresco Español* había suscrito un
pacto con las publicaciones respectivas que reposaba en las enunciaciones en primera persona de los seudónimos costumbristas.
Todo ello evoca fórmulas de la prensa satírica dieciochesca, aludida por Montgomery como primera etapa del costumbrismo,[101]
pero que en los textos del XIX cobran entidad más compleja. El
seudónimo costumbrista[102] se atavía con trazos que constituyen
el preámbulo del pacto formalizado con el lector contemporáneo: don de la ubicuidad en el laberinto madrileño o en el campo

---

[101] La voz enunciadora de *El Censor* (1781-1786) señalaba de sí mismo que
su carácter había sido distinto "antes que llegase a experimentar este humor
pensativo que se ha apoderado de mí" (I, 1781, 96).
[102] Síntoma de la importancia capital que tiene el seudónimo en el género
costumbrista es la búsqueda nunca terminada del más pertinente. Mesonero, el
más estable en esta inquisición, fue también *Un Curioso Parlante;* Estébanez
había firmado como *La Máscara* y *El Solitario en acecho* hasta adquirir un seudónimo más cenceño, que pasaría más tarde al amistoso *Sefinaris, el rey de Ca-
padocia* con que lo identifica Juan Valera; la seudonimia de Larra es una brillante dimensión de su personalidad creadora (ver pp. 440-445).

andaluz, probada erudición sobre el espacio en el que se mueve y —algo que llama poderosamente la atención por tratarse los tres autores de hombres jóvenes cuando escriben en las mencionadas publicaciones— simulación de una edad avanzada ("mi persona revejida, seca y avellanada" dice de sí *El Solitario* en "Pulpete y Balbeja" o "mis copiosos años pueden permitirme la libertad tan inocente" en "La rifa andaluza"; "ya en mi edad pocas veces gusto de alterar el orden que en mi manera de vivir tengo hace tiempo establecido confiesa *El Pobrecito Hablador* en "El castellano viejo"; o el Antonio Flores cuando se alegra de "no pecar de joven"). Los seudónimos, pues, posibilitan el desdoblamiento del escritor, introducen la riqueza del perspectivismo y añaden un nuevo matiz como es la dinámica de la irresponsabilidad. El yo ficcionalizado es el ojo que ve y que no es visto, el que orienta las valoraciones y el que aleja a la persona del autor del escenario diseñado.

A todo lo anterior se suma otra estrategia enunciativa, cual es la maleabilidad de las paredes del tiempo, algo que resulta capital a la hora de fijar un espacio literario plenamente ficcionalizado. La dimensión imaginativa se hace patente en los artículos de costumbres en que la fluencia temporal se articula como pilar de su estructura básica.[103] Los estudiosos han subrayado de manera muy convincente (entre otros, José Luis Varela, 1963; Javier Herrero, 1978) cómo la proyección del pasado en el presente determina el sentido de muchos textos costumbristas. Nostalgias por las excelencias de lo ya fugado, voluntad de inmovilización de lo que está a punto de desaparecer, desdén o rechazo hacia las innovaciones que se anuncian como inminentes son las réplicas paladinas de una personalidad conservadora, por razones ideológicas y sentimentales. Esta motivación añorante es

---

[103] "Pretérito, presente y futuro son las tres grandes épocas en que los gramáticos dividen los tiempos; y yo que ni de crítico me precio, ni de destructor presumo, cuando encuentro bien las cosas o cuando nada me va ni me viene en ellas, respeto lo existente (con perdón sea dicho del Sr. Mendizábal nuestro contemporáneo). Dispútense el porvenir clases numerosas y respetables de la sociedad; los políticos y las gitanas andan al morro sobre quién acertará (…). El presente nos pertenece a los españoles que gozamos del hoy sin que nos conturbe el mañana (…). El pretérito es un tiempo desconsolador; muéstresenos como un arenal de infortunios de donde sólo se levantan amargos recuerdos que emponzoñan la vida" (Manuel de Ilarraza, "El anticuario", *Los españoles pintados por sí mismos,* cito por ed. de Madrid, Roig, 1853, 165b).

obvia en los escritos satíricos de los años veinte, cuando los cambios del nuevo tiempo histórico empezaban a tocarse con las manos. Pero la imposible correspondencia entre los *Lamentos del Pobrecito Holgazán* y la crítica de Larra no va más allá de la analogía onomástica —como ya mostró Lomba y Pedraja—, y la común visión esperpéntica de los valores inertes del antiguo Régimen. La patente lección sobre la naturaleza perecedera de la cultura del *Antiguo Régimen* es tópico ritual en el teatro de los años veinte —recuérdense *Las costumbres de antaño* (1819) de Manuel Eduardo Gorostiza, las comedias de Bretón de los Herreros y los escritos de Rementería y Fica en *El Correo Literario y Mercantil*.

Parece conclusión banal que, de la observación sobre el cambio histórico que está experimentando la sociedad de un modo uniformemente acelerado, se deriven las analogías sobre el "antaño y hogaño", el "Antes, ahora y después", el *Ayer, hoy y mañana* o los objetos que han pasado por distintos avatares de la historia, tales "El dominó" o "El cuadro" de Mesonero. Y ello es así porque la eficacia imaginativa que depara el contrapunto de varios planos temporales se consigue eficazmente por otros medios, por ejemplo cuando la conclusión del artículo remite al punto inicial de su redacción (el narrador que, al cerrar la historia de una noche de vela al agonizante de cuyos bienes se prometen mucho los interesados herederos, estampa esta anotación entre notarial y borgeana, "y luego que quedó solo el incógnito, se arrimó a un bufete, tomó la pluma, escribió largo rato, puso al principio de su discurso este título: *Una noche de vela*, y al final de él estampó esta firma: EL CURIOSO PARLANTE"), o al hipotético futuro en el que podría realizarse la aniquilación de la escritura ("*¡Eh! mañana le escribiré*. Da gracias [lector] a que llegó por fin este mañana, y que no es del todo malo; pero, ¡ay! de aquel mañana que no ha de llegar jamás" que previene Larra en 1833, y por el que sigue preguntando patéticamente en 1836, "¿llegará ese mañana fatídico?").

4. *Los tópicos del costumbrismo*

No se ha elaborado aún una tipología de los asuntos que suscitaron el interés de los escritores costumbristas ni, por supuesto, de las referencias que llegan a la literatura del XIX desde la sátira de costumbres dieciochesca y las que emergen entre las innovaciones del nuevo tiempo histórico. Sólamente para algunas se han apuntado análisis literarios satisfactorios.

El viejo motivo del carnaval rebrota en el costumbrismo de los años treinta, en Larra para delinear las nuevas fronteras que se están estableciendo entre las clases sociales (Gies, 1988, 124-131), en Mesonero y otros para registrar costumbres populares valiosas para antropólogos y folcloristas[103b]. El venerable *carácter moral* del *oligarca* que ya había adelantado Teofrasto, revive ahora en múltiples variedades, a tenor de las posibilidades político-administrativas que genera la complejidad organizativa del Estado moderno; recuérdense, a vía de ejemplo, "El ministerial" de Larra, "La vida de un diputado a Cortes" de Somoza, "El cesante" de Mesonero y las omnipresentes "politicomanía" y "empleomanía", tantas veces solicitadas por los cultivadores del género.[104] La idiosincrasia de los nacidos en los antiguos reinos españoles había sido rica fuente de inspiración para los tipos sociales de la literatura satírica y costumbrista del Siglo de Oro; *un tipo regional* que perdura desde fray Antonio de Guevara y Eugenio de Salazar hasta los peredianos *hombres de pro* es el hidalgo montañés, cifra de la rancia hidalguía de Castilla la Vieja estudiada por García Castañeda (1985).

Un sugestivo motivo de la literatura dieciochesca es *la diligencia* que, desde Jovellanos (Joaquín Arce, 1981, 406-411) circula por los poemas y los relatos de los españoles modernos; entre los costumbristas, el viaje en diligencia —"La diligencia" larriana, el "viaje al Sitio" de Mesonero, o en la apertura y cierre de relatos posteriores como en las novelas *Una en otra* o *El clavo* —reinterpreta en versión sociológica el *topos* del "mundo abreviado". La recurrencia de ciertos oficios llega a la máxima autosatisfacción con la descripción de escritores literarios del más variado pelaje: "Costumbres literarias" y "El romanticismo y los románticos" en *El Curioso Parlante*, "Ya soy redactor", "Don Cándido Buenafé" o "Don Timoteo o el literato" en *Fígaro*; Ra-

---

[103b] Julio Caro Baroja, *El Carnaval (Análisis histórico cultural)*, Madrid, Taurus, 1965, 108-112.
[104] Cf. el artículo anónimo "De la intención" para los arquetipos de políticos mudables en su opinión (*El Siglo*, 14-II-1834).

món Soler publicó, en 1833, un desconocido folleto titulado *La literatura de ogaño* (sic) que constituye la radiografía más próxima a los escenarios públicos en los que se manifestaba la generación de escritores románticos. [105]

Y junto a los asuntos y *topoi* heredados de la tradición, los referentes traídos por los progresos tecnológicos y culturales de la sociedad moderna. Los globos aerostáticos a que Larra alude de manera obvia en "El hombre globo", globos cuyas primeras ascensiones había presenciado a finales del siglo pasado Antonio Ponz (Leonardo Romero, 1989, 448-49); otros trabajos de Larra, como "El album" y "Jardines Públicos", se refieren a dos manifestaciones de la *confortable* vida burguesa que tímidamente suavizaba las maneras de los españoles y que han estudiado, respectivamente, Leonardo Romero (1990) y Edward Baker (1982); las reformas urbanísticas que tanto ocuparon a Mesonero se reflejaban, entre otros textos, en "Las casas por dentro" (tópico gráfico-literario que ha estudiado sagazmente José Escobar, 1976). Los usos gastronómicos, el lenguaje conversacional, las formas de cortesía, las vestimentas, los tocados que cubren las cabezas..., son todas realidades de la sociedad nueva que constituyen dechados del cambio social vivido en la época y de la percepción artística que hacen del fenómeno los escritores.

Por ejemplo, en 1784 formulaba Jovellanos un *Dictamen reservado* sobre la importación de las muselinas, a los efectos fiscales e industriales que preocupaban a un ilustrado; las viejas pragmáticas sobre el uso de determinados productos textiles, en el *Dictamen*, se han vaciado ya de las connotaciones morales que las caracterizaban, y han sido sustituidas por argumentos económicos; el escrupuloso

---

[105] Los paseos y las tertulias son dos formas de relación social que caracterizan a los jóvenes escritores, según Soler; la obra se presenta como una carta del autor a un amigo erudito y, en ella, leemos, que "hay que ser puntual asistente, puntualísimo, al café del Príncipe. Allí verás a docenas los redactores de periódicos; allí conocerás a los hombres de fama, cuyos nombres solos y por sí solos forman época en la literatura del siglo diez y nueve; allí escucharás largas y porfiadas discusiones sobre la pureza del idioma (mejor diré sobre su impuro engrandecimiento), sobre la nomenclatura moderna y sobre los puntos más difíciles del arte de escribir; allí te perfeccionarás, si no has olvidado lo que aprendiste, en el divino arte de la poesía; allí oirás a cada momento epigramas, letrillas y sonetos, allí aprenderás a censurar todas las piezas dramáticas, presentes, pretéritas y futuras; allí se juzga y sentencia todo cuanto ve la luz pública, allí, y precisamente allí, existe el foco de la nueva literatura" (Madrid, imprenta de Fuentenebro, 1833, 16-17).

magistrado argumenta su prueba considerando, entre otros elementos, "*las mantillas* que forman hoy el principal artículo de este uso" (BAE, vol. LXXXVII, 114). Por las mismas fechas, Leandro Fernández de Moratín anotaba con asombro que, en Londres, "la bata larga, la escofieta y el sombrero es un traje muy común" (*Obras póstumas*, I, 1867, 194) y que hasta "las mujeres que barren el lodo de las calles no por eso dejan de estar muy puestas de sombrerillo y bata"; el tocado castizo de las damas españolas era, a fines del XVIII, la mantilla frente al sombrero. La sustitución de aquella por éste se produjo en la España de los años treinta; Richard Ford, como curioso de fuera, Antonio María Segovia, Eugenio de Ochoa, Mesonero, Bretón,[106] Fernán Caballero, desde dentro, lo testimonian con un toque de melancolía, dando así una clave elocuente de los nuevos usos sociales y las nuevas actitudes ideológicas; Mariano José de Larra, en artículo de septiembre de 1834 exhumado por José Escobar (1983, 163-164), acredita que el nuevo aditamento vestimentario era símbolo positivo del cambio de tiempos:

> ¿No hay cierta relación entre la Inquisición y aquella monotonía de la basquiña y la mantilla, traje oscuro, negro, opresor y pobre de nuestras madres? Las mantillas y la basquiña estrecha de las señoras, y la capa, encubridora y sucia de los hombres ¿no presentaban el aspecto de un pueblo enlutado, oscuro y desconfiado? (...). El Prado de ahora y de veinte años atrás son dos pueblos distintos y parecen, separadamente considerados, dos naciones distintas entre sí.

[106] Richard Ford (cito por la trad. española), *Manual para viajeros por Andalucía,* Madrid, Turner, 1980, 111-116; Antonio María de Segovia (artículo de enero, 1835 en el *Correo de las Damas); * Mesonero, "El sombrerito y la mantilla", serie primera de las *Escenas matritenses* (BAE, I, 233-236); Eugenio de Ochoa, "Modas", *El Artista,* II, 59-60; *La Gaviota,* ed. Rodríguez-Luis, 272-273. Mesonero anotaba en el artículo citado: "los autores extranjeros (...) al describir el aspecto de nuestros paseos y concurrencias, han repetido que la capa oscura en los hombres y el vestido negro y la mantilla en las mujeres, presta en España a las reuniones públicas un aspecto sombrío y monótono, insoportable a la vista acostumbrada a mayor variedad y colorido". Compruébese, efectivamente, en estas notas de viaje de Charles Didier: "caímos como un trueno en medio del paseo de Santa Engracia [de Zaragoza]. Era domingo; estaba lleno de señoras muy arregladas, pero sus vestidos de fiesta parecían de luto. Todas llevaban basquiña negra, medias de seda negras, guantes negros y las tres cuartas partes de su rostro quedaban ocultas bajo una mantilla negra" (traducción de "Souvenir d'Espagne", *Revue de Paris,* LVIII, 1838, 155-179, II).

Con el tocado de los varones se planteará querella idéntica a la del sombrero y la mantilla, aunque la documentación costumbrista que para ella poseemos es un poco posterior: el librito colectivo, aún no estudiado, *El sombrero, su pasado, su presente y su porvenir*, impreso en Madrid en 1859.

Desde la sociedad dieciochesca y potenciando las facetas sugestivas de la *España romántica* avanzaba una galería de *tipos* cuya enumeración recuerda "El Solitario" en el prólogo de sus *Escenas andaluzas*: "¿Dónde hallaríais un torero? ¿Dónde un gitano como el español? ¿Un contrabandista como el andaluz? ¿Una manola como la madrileña? En ninguna parte". Son *tipos* que a su condición de racialmente hispanos añaden su dimensión de marginales sociales que viven en la excepcionalidad moral de los héroes románticos colocados fuera de las reglas establecidas.

El *majo* prolonga en el siglo XIX la peculiaridad de un tipo popular troquelado en el ámbito de la cultura dieciochesca (Caro Baroja, 1980, 9-101).[107] El *toreo*, con sus efectos catalizadores simbólicos y sociales, desarrolla, durante la primera mitad del siglo, una intensísima vida que se refleja en la canonización escrita de sus reglas, en el desarrollo de un vocabulario específico enriquecedor del caudal de la lengua española (J. C. de Torres) y, en la mitificación de sus protagonistas como figuras literarias (Alberto González Troyano, 1988, 103-172);[108] téngase en cuenta que uno de los costumbristas de la segunda promoción —Santos López Pelegrín, "Abenámar"— fue el autor de uno de los primeros tratados sobre el tema —la *Filosofía de los toros*, Madrid, Boix, 1842— y que para los expertos puede ser el au-

---

[107] El *majismo* y la *manolería* de la segunda mitad del XVIII han recibido sucesivos acercamientos a partir del sugestivo ensayo orteguiano sobre *Goya;* cf. Carmen Martín Gaite, *Usos amorosos del dieciocho en España,* Madrid, Siglo XXI, 80-93 y 254-262.

[108] Aunque la polémica dieciochesca de los partidarios y los enemigos de la fiesta taurina tenga sus ecos entre los románticos, se impuso su peculiaridad *nacional* porque, como escribía Estébanez Calderón, "su desuso en las demás partes del mundo [contrasta con] su existencia única y peregrina entre nosotros". Larra fue la excepción a este exceso de costumbrismo castizo, en alusiones de pasada y, especialmente, en su juvenil artículo "Corridas de toros", que es una reelaboración irónica de la *Carta histórica sobre el origen y progresos de las fiestas de toros en España* de Nicolás Fernández de Moratín y también del célebre panfleto *Pan y toros,* del que llega a reproducir algún párrafo (estudió las correspondencias José Escobar, 1973, 176-199; véase también, Lorenzo-Rivero, 1986, 45-57 y el estudio léxico de José Carlos de Torres).

téntico autor de la obra atribuida a Francisco Montes, "Paqui-
ro", *Tauromaquia completa* (Madrid, 1836). El *gitano*, en sus irre-
nunciables peculiaridades culturales y lingüísticas, atrae a viajeros aventureros como George Borrow o Lyonel Sackville, a los
poetas que persiguen la marginalidad como forma superior de
existencia (Espronceda en *El Diablo Mundo*, Victor Hugo en *Notre Dame de Paris*), a los narradores de relatos cortos ("Los gitanos", novelita en la estela cervantina que se incluye en *Leyendas
jerezanas*), a los autores de la *comedia andaluza* y, por sobrado
queda, a escritores de costumbres como Estébanez Calderón. El
bandido o el contrabandista, en fin, conforman una peculiar forma de reglamentación de los *outsiders* muy llamativa en los países del Sur de Europa y que, en la España del XIX, tuvo sus
especiales motivaciones de carácter histórico-social (Álvarez Barrientos y García Mouton), aunque la productividad literaria de
este último tipo fue más significativa en la narrativa que en los
artículos de costumbres.

Tanto los componentes formales como temáticos que quedan
señalados pueden rastrearse en los dos géneros fronteros al artículo de costumbres como son la comedia y la novela. Mesonero
sintetizó esta estética fronteriza en unas líneas evocadoras de sus
Memorias: "Propúseme desarrollar mi plan por medio de ligeros
bosquejos o cuadros de *caballete,* en que ayudado de una acción
dramática y sencilla, caracteres verosímiles y variados y diálogo
animado y castizo, procurase reunir, en lo posible, el interés y las
condiciones principales de la novela y el drama". Russell P. Sebold (1981) y Leonardo Romero (1983) han considerado estas
palabras, pero así como la relación teatro-artículo de costumbres
no ha sido especialmente atendida, sí ha promovido diversas
aproximaciones la relación habida entre costumbrismo y novela.

5. *Costumbrismo y novela*

La crítica ha sido unánime a la hora de establecer la génesis
de la novela realista del XIX, literariamente hablando, a partir
del artículo de costumbres ("el embrión de la novela realista está
en el costumbrismo", Correa Calderón, ed. 1964, p. XLVII).
Montesinos recogió la tesis para acentuar los efectos nocivos del
costumbrismo sobre la ficción novelesca. "El costumbrismo creó

entre nosotros el gusto por la menuda documentación, pero hizo que ésta fuera formularia e inimaginativa. Enseñó a ver muchas cosas, pero siempre las mismas o variadas" sentenció en su tantas veces citada monografía (1960, 135).[109] La autoridad de Montesinos ha generado, a su vez, juicios sumarios que niegan al costumbrismo romántico el interés literario, si no el documental, y la voluntad artística de sus cultivadores (Inman Fox, 1985, 384).[110] Juan Ignacio Ferreras (1970 y 1973), ha dado la vuelta a esta tesis aduciendo el entronque directo del costumbrismo decimonónico en la tradición satírica y realista de las dos centurias anteriores (véase también, en la misma dirección, Rodney Rodríguez 1985a).

El punto de vista de Ferreras descuida las circunstancias externas y los lineamientos estructurales del género que han sido explicitados más arriba. Sólo deberá recordarse, para el balance definitivo de la polémica, que el moralismo explícito que inunda el tejido lingüístico en los considerados textos costumbristas del XVIII y primer tercio del XIX se transmuta, a partir de 1830, en la mucho más sutil estrategia de la enunciación, formulada desde la visión y los registros individuales de cada escritor.

De los iniciadores del costumbrismo, tanto Larra como Mesonero conocían las direcciones de la novela francesa contemporánea y habían sabido ver las rupturas que los *études des moeurs* estaban introduciendo en la historia del género narrativo. Mesonero dedicó al asunto dos artículos en el *Semanario,* entre 1839 y 1840, en los que mostraba haber sabido captar cómo las novelas de Balzac y de *George Sand* implicaban el estudio en profundidad de la conflictividad social contemporánea (Stephen Miller,

---

[109] Independiente de las tesis de José F. Montesinos, pero adherida al *dictado* tradicional, la crítica comparatista de la novela del XIX repite también la relación de dependencia entre costumbrismo y novela; "In Spain, where there was a strong tendency towards *costumbrismo* — local colorism— the works of Emilia Pardo Bazán, Leopoldo Alas and Palacio Valdés were considered to participate in the new movement [el *realismo*], and were soon powerfully seconded by the novels of Benito Pérez Gadós" (G. J. Becker, *Documents of Modern Realism,* Princeton, 1963, 14).

[110] "Al costumbrismo le faltan las relaciones constitutivas de la novela; es prosa desproblematizada, desuniversalizada y despersonalizada. Se caracteriza por la ahistoricidad de las relaciones materializadas, por falta de una problemática entre individuo y universo", según E. I. Fox, 1985, 384, que resume una corriente crítica.

1980; Leonardo Romero, 1983). Larra, en 1836, había sido aún más penetrante. Para él ni Vigny, ni Eugène Sue, ni Georges Sand, ni Paul de Kock llegaban a acertar en su plan literario, porque "ni los creemos animados de buena fe ni son realmente escritores de costumbres"; sólo Balzac —del que el escritor español tenía ya un buen conocimiento, en 1836— [111] había sabido recorrer el mundo social para ver en su confín "un abismo insondable, un mar salobre, amargo y sin playas, la realidad, el caos, la nada". Mesonero rehusó plantear en sus trabajos periodísticos un panorama tan amargo; Larra no lo evitó, pero fue a su búsqueda por otros caminos.

Ambos, además de Estébanez y los epígonos inmediatos, limitaron su reproducción de la sociedad presente a una práctica entreverada de la imitación *icástica* y la imitación *fantástica* —por emplear los términos luzanescos ya recordados—, ignorando deliberada o inconscientemente que la imitación que se imponía en el horizonte de su tiempo era la de lo particular en sus particularidades. La fórmula enunciativa en primera persona que adoptaron en su sistema de comunicación con el lector tampoco les ayudó mucho a los efectos de la construcción de universos imaginados. Las artificiosas relaciones que se establecían entre "autor implícito", *máscara* enunciadora, personajes y lectores corrían el peligro de enfriar la aquiescencia de estos últimos. Los indicios de universos imaginados que se representaban en los artículos de costumbres eran fragmentos de ficción sometidos a una instancia enunciativa que los desrealizaba por acumulación de *tics* retóricos. De todo ello viene la impresión de que entre costumbrismo y novela hay unas permanentes relaciones conflictivas, nunca una total solución de continuidad.

La aguda percepción del cambio, la representación convincente de objetos, lugares y tipos tomados directamente de la realidad, los esbozos de narración o diálogo que exhiben muchas páginas del costumbrismo no pasan de ser meras coincidencias de procedimientos entre dos géneros fronterizos, pero distintos. La visión de la "sociedad presente como materia novelable" im-

[111] Del "genio infatigable que, como escritor de costumbres, no dudaremos en poner a la cabeza de los demás", conocía Larra, con seguridad, dos de su novelas más inquietantes, *Le peau de chagrin* que cita expresamente en alguna ocasión y *Le chef d'œuvre inconnu* que figura en la relación de bienes existentes en su casa a raíz de su muerte.

plicaba la admisión de una nueva teoría poética y los consiguientes experimentos innovadores en cuanto a formas de enunciación aptas para el nuevo género.

Coopera a la confusión del problema el desarrollo de una "novela de costumbres contemporáneas españolas" en una cronología coincidente con el periodismo costumbrista de la segunda generación; todavía en 1876, Pedro Antonio de Alarcón recordaba en su Discurso de ingreso en la Academia "su afición a la novela de costumbres". Estas novelas —cuyo más conocido representante fue *Fernán Caballero*— pretendieron estudiar los conflictos de la sociedad contemporánea y asimilaron técnicas del arte costumbrista (Isabel Román 1988, 224-235), pero su marco de género literario es otro muy diverso, cuyas notas caracterizadoras están aún pendientes de estudio.[112] En este doble frente que formaron los textos costumbristas y los relatos de tema contemporáneo es donde será preciso buscar, sin preconcebidas descalificaciones de los primeros, la fabricación de unas *técnicas realistas* cuya eficacia para la novela se habrían de mostrar particularmente eficaces a partir de 1870, por señalar una fecha convencional en la historia de la novela española. Los propios escritores españoles de la época fueron sagaces en su visión del proceso; el viejo Mesonero Romanos, en su comunicación con Galdós y con la anuencia de éste, encontraba la continuidad de su obra en la joven narración del canario, de Pereda y de Alarcón; recordaba Galdós, refiriendo sus encuentros de 1874 con *El Curioso Parlante:* "añadió que me tenía por de su escuela, lo mismo que Pereda".

Entre 1828 (inicio del *Correo Literario y Mercantil*) y 1851 (fecha de la mejor edición de las *Escenas matritenses*) los tres grandes cultivadores del costumbrismo introdujeron en el romanticismo literario español semillas de contradicción y de complicidad. Por un lado, la antinomia entre *mímesis* costumbrista y expresividad romántica (José Escobar, 1988, 54), explicable por el arraigo de los principios poéticos clasicistas. Por otro, ruptu-

---

[112] La crítica europea contemporánea recibió las novelas de *Fernán Caballero* como las contribuciones españolas a la moderna novela *realista* (Ferdinand Wolf "Über den realistischen Roman Spaniens", *Jahrbuch für Romanische und Englische Literatur,* I, 1859, 247-297. Charles de Mazade, "Le roman des mœurs en Espagne. Fernán Caballero et ses récits", *Révue des Deux Mondes,* 15-XI-1858).

ras llamativas con la tradición, en la excitación plástica ante las realidades que resistían al cambio social —tipismos regionales, heroicidad de los marginales— o lo representaban y, en último término, demorados ensayos de formas de enunciación que agilizaron la lengua española, en su léxico y en su sintaxis.

MARIANO JOSÉ DE LARRA

Antes de poner un término a mi carrera periodística, acaso demasiado larga ya, recorro rápidamente las anotaciones que tengo en varias épocas tomadas para la formación de estos articulillos a cuya publicidad me ha ido sucesivamente animando la buena acogida de mis lectores, acogida que me ha sido siempre tanto más lisonjera cuanto eran menores los derechos que en mí existían a ella. [113]

Esta declaración, inédita, del escritor contiene algunos de los elementos que otorgan relieves de modernidad a su obra: el patetismo de la propuesta de liquidación de una carrera profesional, la confesada dependencia respecto de sus lectores, el modo de trabajo laborioso y tenaz a que alude, la exhibición, en fin, de una intimidad que no recata, en los momentos de crisis, las tensiones más agitadas; constituye este testimonio —como se decía en el tiempo de Larra— una *profesión de fe* en la profesionalidad del escritor que vive su trabajo y de su trabajo, pendiente de las oscilaciones del mercado y de las expectativas de sus lectores.

1. *La trayectoria del escritor*[114]

Mariano José de Larra alardeó insistentemente de la independencia absoluta desde la que había construido su biografía;

---

[113] Pertenece este párrafo a una hoja autógrafa del propio Mariano José de Larra que se conserva en la Biblioteca Nacional de Madrid (Ms. 21550(2)), cuya autenticidad, si la grafía no fuera suficiente argumento, está avalada por una carta de Luis Mariano de Larra a Sánchez Calvo.

[114] *Ediciones, Obras,* ed. de C. Seco Serrano (contiene el más amplio *corpus* de artículos periodísticos reunido hasta ahora y también varias obras teatrales, *El Doncel de Don Enrique el Doliente,* los folletos, cartas y otros textos), Madrid,

independencia en el orden económico —"como estoy viviendo
de milagro desde el año 26 me he acostumbrado siempre a mirar
el día de hoy como el último" escribía en una conocida carta
familiar de 1835—, e independencia en el plano moral y político— "no (...) atenido a sueldos ni a voluntades ajenas, sino
periodista para mí y ante mí" escribe en enero de 1835—; "independiente siempre en mis opiniones, sin pertenecer a ningún
partido de los que miserablemente nos dividen, no ambicionan-
do ni de un Ministerio ni de otro ninguna especie de destino..."
son las palabras que comienzan la arreglada carta que publica en
El Español en mayo del 36—. Desde entonces se ha especulado
sobre las motivaciones que pudo haber tenido para mantener
esta cuidada imagen de libertad personal, terreno en el que se ha

---

BAE, 1960, 4 vols. Susan Kirkpatrick (1983) ha editado parcialmente un
conjunto de artículos no recogidos en los volúmenes antes citados y que se
publicaron sin firma durante el año 1836 en *El Español;* esta aportación invita a
reunir definitivamente todos los escritos periodísticos de Larra que aún no han
sido coleccionados. Abundan las antologías de artículos anotados; véanse las
preparadas por Navas Ruiz (Almar, 1877), Correa Calderón (Castalia, 1979),
Jerry L. Johnson (Bruguera, 1979), Seco Serrano (Planeta, 1981), José Luis
Varela (Espasa-Calpe, 1982), Cano Ballesta (Alhambra, 1982), González Herrán (Cincel, 1983), Rubio Cremades (Cátedra, 1984), Ortiz de Mendívil
(Plaza Janés, 1985) y la pulcra y documentada de Pérez Vidal (ediciones B,
Barcelona, 1989). *El Doncel de Don Enrique el Doliente* ha sido editado por José
Luis Varela, 1978, el *Teatro* original por Torres Nebreda (1990) y la traducción de dos piezas de Scribe junto con el libreto de una ópera por Leonardo
Romero (1991) en *Textos teatrales inéditos.* Sobre las modificaciones textuales en
los artículos de Larra sólo disponemos de un trabajo de conjunto de Seco Serrano (1962) que ofrece testimonios elocuentes de las motivadas variaciones que
introducía el escritor en sus escritos periodísticos cuando los reeditaba. Una
tesis de Diana C. Berkowitz de 1970 contiene, según mis noticias, datos sobre
las razones de estilo que explicarían cambios textuales entre los artículos y su
reedición posterior.
   Repertorios bibliográficos y estados de la cuestión: después del imprescindible
trabajo de F. Courtney Tarr (1936) que situaba lo realizado por la investigación larrista hasta ese año, Joe Dennis Sánchez (1974) ha reunido un conjunto
de 441 entradas bibliográficas ordenadas alfabéticamente e ilustradas con un
sucinto comentario; Jean-René Aymes (AA. VV., 1983, 45-95) ha diversifica-
do en varias partes el extracto del contenido de sesenta y nueve trabajos sobre
Larra, entre los que se cuentan algunos de los más autorizados.
   Libros que reproducen monografías específicas: Rubén Benítez (1979) con algunos clásicos en la bibliografía larriana; A. Dérozier-A. Gil Novales (1983),
Georges Güntert-J. L. Varela (1986) y John E. Rosenberg (1988b) han editado trabajos larrianos encargados específicamente a especialistas.

llegado a la imputación que toca la calumnia.[115] Un trabajo clásico de Courtney F. Tarr (1937) dedicado a los compromisos políticos de Larra con Istúriz y Andrés Borrego a propósito de las elecciones de 1836 (con nuevos datos en Freire López, 1991) y las recientes aportaciones documentales de Jorge Urrutia (1977) y José Luis Varela (1978; 1983, 30-33, 144-155, 237-247; 1986, 15-34) sobre su militancia en las filas de los Voluntarios Realistas, matizan las complejidades de la personalidad del escritor y sus compromisos con las circunstancias envolventes de la vida española contemporánea. Los elementos de juicio que aportan las investigaciones citadas son contribuciones decisivas para la biografía del escritor —no disponemos todavía de ninguna que supere la bien compuesta información de Sánchez Esteban en su libro de 1934, aún contando con las aportaciones parciales que ha realizado Gregorio C. Martín 1974 y las adivinaciones de Umbral—, y también lo son para la elucidación de alusiones elípticas contenidas en algunos de sus artículos; pero corroboran, además, el perfil del escritor profesional que busca, desde sus primeros tanteos, el espacio literario más conveniente para la comunicación con los lectores y en último término, la fama literaria.

En la más reciente investigación larriana han sido documentados aspectos de la vida profesional de su padre (traductor de la *Toxicología* de Orfila y médico de cámara durante algunos meses del infante Francisco de Paula; Gregorio C. Martín, 1974, 13-25), el alcance literario y personal de las polémicas de *El Duende* con el *Correo Literario y Mercantil* (José Escobar, 1973, 205-240),[116] los esfuerzos del joven escritor por vincularse a los Voluntarios Realistas, primero, y a la Milicia Nacional, más tarde

---

[115] "Hay cierto escritorcillo sabandija [...que] hollando con atrevida planta todas las reales disposiciones que prohibían justamente las siempre odiosas personalidades, atacaba reputaciones, hostilizaba insidiosamente a cuantos le eran designados por el dedo del amo, como objetos sobre los cuales debía esgrimir una pluma de hierro, mojada en vinagre y hiel" (del artículo que le dedica el influyente actor del Antiguo Régimen Agustín Azcona en el *Semanario Teatral*, 2, VI, 1834a) que ha exhumado José Escobar en 1976a.

[116] Además de la personalidad de José María Carnerero, editor del *Correo* —hoy mejor conocida gracias al trabajo de Gloria Rokiski, (1987)—, Escobar muestra la correlación entre el artículo "Fisonomía de esta villa" y el *Tableau de París* de Mercier, y entre los periodistas de *El Correo* y los escritores a sueldo de la *Gaceta de Bayona;* imagina, también, una hipotética denuncia contra el grupo que formaban los jóvenes "románticos" madrileños de 1828 y que se reflejaría en el artículo del *Correo* que se titula "El convite del pavo"; para el *Tableau*, Stierle (1979).

(José Luis Varela, 1983, 27-33), sus implicaciones polémicas con el mundo del teatro[117] y la intensificación de las diversas crisis que se manifiestan —como ya viera Tarr (1936, 103; también Escobar, 1973, 70-71)— en el verano de 1834, en la primavera de 1835 —con la solución del viaje a Europa que ha considerado Leonardo Romero (1992a) para los efectos profesionales del mismo y también G. C. Martín, 1974, 140-160—[118] y entre junio de 1836 y febrero de 1837 con el decisivo periodo que estudió Tarr (1937) y sobre el que han vuelto Gregorio C. Martín (1974, 162-187) y José Luis Varela (1983, 248-290), aportando este último datos contundentes que proceden de las cartas cruzadas con los amigos políticos que prepararon la aventura electoral de Ávila.

La trayectoria de Larra como escritor es el graduado progreso de un joven que se estrena en la carrera de las letras como poeta áulico y de circunstancias (para la obra lírica, véase el trabajo de conjunto de Rumeau, 1948, y los más recientes de J.K. Leslie, 1953, José Escobar, 1969, Leonardo Romero, 1991), y cuyos aciertos poéticos son harto discutibles y de alcance muy reducido. Debe atenderse de modo más pormenorizado a la historia textual de algunos poemas —¿por qué no publica, por ejemplo, la oda a la libertad a propósito de la lucha independentista de los

---

[117] Un primer enfrentamiento con el actor Nicanor Puchol, a raíz de la censura larriana sobre la actuación de este en la representación del *Pelayo* y que se tradujo en la prohibición oficial a la crítica periodística de los actores, ha sido ampliamente documentado por Gregorio C. Martín (1974, 131-140, 228-233). José Escobar ha reconstruido el que era confuso episodio de las críticas larrianas a las actuaciones de la cantante de ópera Giuditta Grisi, demostrando la ausencia de motivaciones amorosas, el enfrentamiento de Larra con el actor Azcona y que las notas de éste en el *Semanario teatral* "se refieren únicamente a los juicios de Larra sobre las representaciones teatrales y para nada dejan traslucir la menor referencia a las relaciones entre el crítico y la cantante fuera del campo profesional" (Escobar, 1976a, 64).

[118] Gregorio C. Martín (1974, 140-160) ha supuesto un proyecto de periódico político que Larra y el embajador español en París, a la sazón el duque de Frías, habrían trazado de consuno; la documentación administrativa que ha manejado este investigador no permite llegar hasta estas conclusiones. Sí existen en los fondos del Ministerio de Estado ofertas de proyectos periodísticos hechos al duque de Frías, pero por parte de escritores franceses. Leonardo Romero (1992a), por su parte, subraya la estrecha relación que, en el viaje a París, relacionó a Larra con el influyente empresario cultural que era entonces el barón Taylor, que mercaría un inmenso barato de pintura de la escuela clásica española gracias a los efectos de la desamortización.

griegos?— y a los elementos de proyección autobiográfica que contienen otros.

Desde la poesía pasó a la actividad teatral en todas las posibilidades que ofrecía el teatro de su época. Su primer experimento teatral fue el estreno, en 1831, de su adaptación de Scribe, *No más mostrador.* He expuesto en otro lugar que en el curso del año 1831 "había iniciado su carrera como autor de teatro original *{El Conde Fernán González}* y como traductor; en un caso, ofreciendo su nombre, y en otro, con un seudónimo; con aceptación de los espectadores para su versión del texto francés y con rechazo de la censura en su obra original; desarrollando temas históricos en fórmula que tanteaba el *drama histórico* de los románticos e introduciendo variantes notables sobre un vaudeville de la escena parisina. Solamente le faltaba ensayar en el terreno del teatro musical para hacer prueba de las posibilidades escénicas del momento, y es lo que intentó el año siguiente con el libreto para la ópera *El Rapto,* compuesta por el maestro Genovés y estrenada en el teatro de la Cruz" (Leonardo Romero, ed. de *Textos teatrales inéditos,* 16).

La crítica teatral fue la dimensión periodística que más ampliamente le ocupó durante toda su carrera de escritor. La inició con su sintomático rechazo del drama de Ducange *Treinta años o la vida de un jugador* (en el segundo cuaderno de *El Duende*) y pocos días antes de su muerte aún publicaba reseñas escénicas en *El Español.* Trató del conjunto de problemas que tensaban la vida teatral en un momento privilegiado del proceso de cambio, desde los viejos usos hasta el teatro moderno (véanse pp. 255-274 y Gregorio C. Martín, 1986-87); contempló y juzgó buena parte de las obras que subieron a los escenarios madrileños entre 1828 y 1837. De manera que el significado de esta ancha vertiente de sus artículos sumado a los varios experimentos escénicos en los que se implicó son datos que permiten formular la sospecha de si Larra no fue, antes que otra cosa, un hombre de teatro (Varela, 1983, 183).

En su teoría dramática debe subrayarse, como caracterización previa, que sus concepciones teatrales estuvieron en permanente proceso de cambio y que fue en torno a las fechas de su viaje europeo (verano de 1835) —como ha propuesto Profeti (1964, 64, 72)— o en el curso del climatérico año 1836 (Behiels), cuando se perfiló su idea de lo que debía ser el nuevo

teatro. De todas formas, su actividad crítica le llevó a conflictos
personales con actores abroquelados en las prácticas paralizantes
del Antiguo Régimen, tal como le ocurrió con Nicanor Puchol o
con Azcona, a propósito de su apuesta decidida en favor de Grimaldi y los planteamientos reformistas de la nueva empresa de
teatros (José Escobar, 1976a; David T. Gies, 1988, 110-118).
Leonardo Romero (ed. de 1991, 23-38) Gregorio C. Martín
(1986-87) y Ermitas Penas (1992) han resumido las grandes líneas
de su crítica periodística dedicada al teatro contemporáneo, tema
que deberá ser estudiado con detención en la medida que reconstruye un plano muy certero de la realidad escénica y los proyectos
estéticos en los años cruciales del romanticismo español.

Como traductor de textos teatrales franceses —dramas históricos y vaudevilles (pp. 246-251)— practicó la técnica de la
adaptación y la refundición, que había rechazado para el teatro
clásico español. "Traducir bien una comedia es adoptar una idea y
un plan ajenos que estén en relación con las costumbres del país
que se traduce, y expresarlos y dialogarlos como si se escribiera
originalmente; de donde se infiere que no puede traducir bien
comedias quien no es capaz de escribirlas originales" escribía en
1836 ("De las traducciones", *Obras,* II, 180). La aplicación de
este programa fue sistemática, tanto en las versiones de piezas
dramáticas —*Robert Dillon o el católico de Irlanda* es un calvinista
francés en el original de Ducange, como ha puesto de manifiesto
A. Rumeau (1962)—, como en las piezas cómicas —la ampliación de la pieza breve *Les adieux au comptoir* a una comedia *original*
en cinco actos (G. Torres Nebreda, edición de 1990, 54-70)—.

El mayor empeño teatral larriano fue el drama *Macías,* en el
que ofrece el mismo conflicto de su novela *El Doncel de don Enrique el Doliente.* Presentó el drama a la censura el 10-VII-1833 y
ésta no dio *plácet* para su representación; el estreno tuvo lugar,
consecuentemente, a la muerte de Fernando VII. El contrato
para la novela es de finales del 33 y el primer tomito de la obra
podía adquirirse a fines de enero del 34. Ha sido frecuente infe-
rencia de los críticos la proyección sobre estas dos obras de la
patética biografía del escritor; sin negar que este procedimiento
tenga alguna base legítima, su utilización indiscriminada es insatisfactoria para los objetivos de una crítica literaria que preten-
da ser autónoma en sus procedimientos. Como método de análisis de los textos, es mucho más productiva la indagación de los

espejeos temáticos o textuales que el drama y la novela tienen en la tradición literaria y en la prosa periodística del propio autor. José Luis Varela (ed. de *El Doncel,* 39) ha resumido las líneas de coincidencia de los dos textos: "novela y drama mantienen la misma asociación de amor y muerte, la misma apelación al honor —sobre todo en boca de Elvira—, el subsuelo autobiográfico con idénticas características y, en fin, sublimidades operísticas en las escenas del idilio". El mismo estudioso ha puesto de relieve la reducida incidencia que tienen las fuentes histórico-legendarias en el tejido del drama y la novela. A Larra le interesaba mucho más la tensión del héroe que contraviene las normas sociales —"(...) rompe, aniquila / esos, que contrajiste, horribles lazos. / Los amantes son solos los esposos. / Su lazo es el amor. ¿Cuál hay más santo? / Su templo el universo"— que la aplicación del modelo scottiano en su dimensión social, aunque algunos recursos formales del novelista escocés —tal, la creación de *color local* a base de citas literarias de textos medievales— están presentes en su novela.

El "laberinto de sucesos" que enuncia el narrador de la novela se construye sobre dos acciones entrelazadas cuales son el conflicto de don Enrique de Villena con la Orden de Calatrava y el amor imposible del poeta Macías. En el drama se prescinde del primer conflicto y se concentran todos los recursos en un esquema teatral ajustado atemperadamente a las unidades de lugar y tiempo (Torres Nebreda, edición de *Teatro,* 70-103; Ermitas Penas, 1992). Un solapamiento análogo entre formas neoclásicas —es decir, respeto a las unidades de lugar y tiempo— y pulsiones individuales se ofrece en el drama *El Conde Fernán González y la exención de Castilla,* el otro drama original de nuestro autor. Ambos textos teatrales coinciden en resaltar la función moralmente ejemplar de la esposa, el conflicto del individuo con el poder establecido y el simbolismo político-moral que supone la prisión en la que está encerrado el héroe; pero en el *Macías,* además, como ha sostenido Durnerin (1983) y ya había sugerido el propio autor, resuenan múltiples ecos del drama de Dumas *Henri III et sa court,* y por modo fundamental, la intriga palaciega en que se simbolizan las tensiones entre pasión individual —"Macías es un hombre que ama, y nada más" leemos en la advertencia preliminar— y las tramas asfixiantes de la sociedad.

La novela presenta mayores complejidades que el drama histórico. Por de pronto, un *narrador indigno de confianza* que establece toda suerte de complicidades con el lector del siglo XIX (Liliana Bergquist; Georges Güntert); incluye, también, un recamado de citas literarias y la proyección de la prestigiada prosa tervantina en una irónica reflexión sobre el mundo social contemporáneo. En resumen, un ejercicio de perspectivismo que María Paz Yáñez explica señalando que en la novela "hay que admitir que existe una inteligencia superior, responsable de todo el texto" (en AA. VV., 1986, 83). El relato llega a prefigurar rasgos relevantes de la trágica visión del mundo del Larra de los últimos meses, con el dialéctico desdoblamiento del *yo* y el *otro* o la vivencia, tan específicamente romántica, de la nostalgia infinita,[119] además de aludir expresamente al motivo romántico —interpretado por algunos larristas en clave autobiográfica— de la inautenticidad del amor matrimonial.[120]

Pero la actividad periodística fue la estación de llegada en la que probó sus mejores condiciones como espectador de su entorno y como artista de la palabra. Convencido del poder comunicativo que la nueva tecnología aportaba al periodismo— "el gran movimiento literario que la progresión de las artes traía consigo"—, explicó en diversos artículos la función y conflictividad sociales que implicaban la profesión de periodista (véanse los artículos "Ya soy redactor" de 19-III-1833, *El Siglo* en blanco" de 9-III-1834, "El hombre propone y Dios dispone o lo que ha de ser el periodista" de 4-IV-1834, "Un periódico nuevo" de 26-I-1835," Publicaciones nuevas, *El jorobado,* periódico", 4-III-1836), artículos con los que fue testimoniando su visión del nuevo marco para la actividad literaria que era para él

---

[119] "Y en estas ocasiones se hubiera creído que don Enrique y su juglar eran un solo ente compuesto de dos personas: la una sublime e inteligente que debía discurrir, hablar y proponer, y la otra material y brutal encargada de escuchar" (*El Doncel,* ed. de J. L. Varela, 93); "una tristeza vaga y sin causa positivamente determinada era el síntoma predominante de la hermosa camarera de la Albornoz" (ed. cit., 122).

[120] José Luis Varela, ed. cit. p, 296-297, ha subrayado el eco literal de los versos del drama, arriba citados en el capítulo 21 de la novela y en otros pasajes concordantes; téngase también en cuenta esta confesión de la protagonista a la esposa de Villena: "la vida común, en la cual cada nuevo sol ilumina en el consorte un nuevo defecto que la venda de la pasión no nos había permitido ver la víspera en el amante, se opondrá siempre a la duración del amor entre los esposos" (ed. cit., p. 74).

la página de los periódicos. "El hecho es que me acosté una noche autor de folletos y de comedias ajenas y amanecí periodista", como escribe en "Ya soy redactor", en una fórmula expresiva con la que compendia la naturaleza profesional de su trabajo. La publicación de las dos revistas hechas exclusivamente por él —*El Duende satírico del día* (cinco cuadernos entre el 26 de febrero y el 31 de diciembre de 1828) y *El Pobrecito Hablador* (catorce cuadernos entre el 17 de agosto de 1832 y el 26 de marzo de 1833)— ha suscitado valoraciones diversas sobre la madurez artística que estos escritos suponen. De los larristas recientes ha sido José Escobar el que ha apurado con más detenimiento el análisis de ambas publicaciones. En trabajo dedicado a la presencia de la sátira en *El Pobrecito Hablador* confirma la gravitación de los modelos clásicos sobre los folletos periodísticos de modo que en éstos, la sátira "se manifiesta en una literatura concebida como expresión de emociones personales suscitadas por la oposición del autor a la situación política y social, y dirigida a provocar el inconformismo en los lectores con el deseo de cambio y mejora" (Escobar, 1972, 20). En libro posterior (Escobar, 1973) ha buceado entre las raíces ideológicas y literarias de *El Duende* (prosa del dieciochesco *Censor* de Cañuelo y del más cercano Miñano en *Los lamentos del Pobrecito Holgazán*) y las interpreta como "la voluntad literaria de expresar el desacuerdo con la España en la que el autor vive inmerso", además de ver un ejercicio de práctica costumbrista en el trasfondo de sus polémicas con el periódico de Carnerero. Después de estas dos aventuras propias del ámbito periodístico del Antiguo Régimen, Larra se contrata como periodista asalariado en sucesivas y simultáneas publicaciones a las que presta la maduración de su arte y el prestigio social de la firma que lo acreditaba profesionalmente como "Fígaro".

En los últimos meses de su vida, Larra se abrió a otros caminos de actividad literaria en los que sumó las perspectivas formales de la prosa del ensayista con las inquietudes espirituales de los jóvenes europeos que, a la altura de 1836, representaban la capacidad crítica más pugnaz del momento histórico (Lamennais, Heine, Lerminier). Las traducciones que realizó, en la primavera de 1836, del viaje político de Charles Didier *Une année en Espagne* y del alegato del sacerdote Lamennais *El dogma de los hombres libres,* publicado a finales de 1836, pese a existir traduc-

ciones en el mercado, son otras tantas muestras del horizonte de
nuevas perspectivas intelectuales y profesionales que se le habían
abierto a raíz de su viaje a varios países europeos (verano y otoño
del 35) y en el que estableció relaciones fructíferas con influyentes personajes de la vida cultural parisina a los que pudo retri-
buir con la prosa del francés aprendido en sus años infantiles (se
trata de su participación en el *Voyage Pittoresque* del barón Taylor, vuelta a considerar, a la luz de nuevos datos, por Leonardo
Romero, 1992a). Los contactos con la vanguardia europea del
momento, estudiados para su relación indirecta con Heine (A. J.
Aregger, 1981, y antes por Marrast, 1974, 510-511) y para la
más directa aplicación española del mundo religioso de Lamennais (José Luis Varela, 1980; 1983; 150-151), deben ser proyec-
tados sobre el marco del saint-simonismo hispano de los años
románticos (pp. 117-118).

Dentro de los caminos literarios que he dibujado, el territorio seguro de nuestro autor fue el periodismo. Un periodismo
que era la modernidad inexcusable —"un libro es a un periódico lo que un carromato a una diligencia"— y, simultáneamente, la fórmula de salvaguardia de la independencia personal:
"estas y otras muchas reflexiones (...) me movieron a ser periodista; pero no como quiera periodista atenido a sueldos y voluntades ajenas, sino periodista por mí y ante mí".[121] Con los
escritos periodísticos Larra exorcizaba una necesidad de comunicación que, a su vez generaba, las más diversas reacciones de sus
lectores. "¿Quién es el público y dónde se le encuentra?" se
interrogaba *El Pobrecito Hablador:* no más de cien personas con-
testaría "Fígaro" en "Modos de vivir que no dan de vivir"; «cien
jóvenes afrancesados y anglizados que viven en Madrid» observa-
ría el reseñista del *Antony.* El periodismo potenciaba una conversación con los lectores que agilizaba sus estrategias expresivas en
la lucha con la censura —bestia negra y constante denuncia,

---

[121] Su percepción de las contradicciones propias de cualquier situación humana no invalida el que Larra, en otros textos, deplore las condiciones de
trabajo del periodista— "paso la mayor parte del tiempo, como todo escritor
público, en escribir lo que no pienso y en hacer creer a los demás lo que no
creo" (*Obras,* II, 39a) —o enuncie el tormento central que define esta actividad
profesional: "en una palabra, ha de ser el periodista un imposible, no ha de
contar sobre todo jamás con el día de mañana; ¡dichoso el que puede contar con
el de ayer!" (*Obras,* I, 365).

emblematizada en los artículos "*El Siglo* en blanco", "La policía", "Lo que no se puede decir, no se debe decir", "La alabanza o que me prohiban este" (Diego Mateo del Peral, 1976)— y que generaba un circuito cerrado de comunicación, en el que tan dependientes del texto eran el escritor como sus destinatarios: "yo mismo habré de confesar que escribo para el público, so pena de tener que confesar que escribo para mí" (*Obras*, I, 76b).

2. *Los seudónimos de Larra*

La elevación del artículo periodístico al nivel de una categoría artística realizada por "Fígaro" tiene, en mi opinión, su prueba más trasparente en la peculiar forma de comunicación que mantuvo el escritor con los lectores de su tiempo; y esta operación se hace visible a través de la panoplia de seudónimos que empleó Mariano José de Larra en el curso de su carrera periodística.

"El Duende", "El Pobrecito Hablador" o el "Bachiller Juan Pérez de Munguía", "Andrés Niporesas", "Fígaro" son las sucesivas firmas que usó Larra en sus artículos. Los escritores de periódicos en el XVIII y los costumbristas contemporáneos a Larra habían acreditado la práctica de la seudonimia. Debe tenerse en cuenta, además, que en algunas ocasiones Larra firmaba con su nombre[122], en otras con sus iniciales y que, siguiendo usos de la prensa periódica de todos los tiempos, publicaba textos sin firmar, circunstancias todas que no suelen aclarar las ediciones modernas de sus obras. En algunos trabajos, en fin, hace intervenir episódicamente a otras firmas como el difícilmente identificable "H. W." o el anagrama "Ramón Arriala" que encontramos en el *Duende Satírico del día* o los "Mateo Pierdes", "Frasco Botiller" y "Simón Sinsitio" de los "Robos decentes" publicados en el *Pobrecito Hablador*.

Larra era muy consciente del juego identificador que esta sucesión de falsos nombres podía depararle; frecuentes guiños y alusiones lo comprueban. Sólo algunas muestras: la portada del

---

[122] En cartas formales publicadas en sus periódicos y, esporádicamente en otros artículos; recuérdese que en su comunicación inédita a *El Español* apuntaba la posibilidad de firmar con su nombre "en vez del seudónimo *Fígaro*, que supone artículos jocosos, que en el día no puedo escribir" (Tarr, 1936, 8).

Duende satírico del día incluía como ampliación del título: "le publica de su parte Mariano José de Larra;"[123] en "Las casas nuevas" (13-IX-1833) resumía su caudal de seudónimos con estas palabras:

> pesándome de que me llamen todos los días, desde el año 9 en que nací, por el mismo apellido, cien veces dejé aquel con que vine al mundo, y ora fui el *Duende satírico,* ora el *Pobrecito hablador,* ora el *Bachiller Munguía,* ora *Andrés Niporesas,* ora *Fígaro,* ora... y qué sé yo los muchos nombres que me quedarán aún que tomar en los muchos años que, Dios mediante, tengo hecho propósito de vivir en este bajo suelo.

En uno de sus últimos escritos, la carta dirigida por "Fígaro a los redactores del *Mundo*", vuelve por las identificaciones, aunque en este caso estuviese motivada por las agrias polémicas de este periódico:

> yo soy *Fígaro;* todo el mundo sabe quién es *Fígaro,* o por si acaso alguien lo ignora, añadiré que *Fígaro* y *Mariano José de Larra* son uña y carne como el diputado Argüelles y la Constitución del 12, y que no se puede herir al uno sin lastimar al otro.

La crítica reciente ha reconocido el fenómeno y ha propuesto diversas interpretaciones sobre su significación. Reinhard Teichmann (1978) contraponía la cara de la conciencia que representan las tres edades del hombre —infancia en el *Duende,* juventud en el *Pobrecito* y madurez en *Fígaro*— a la dimensión del subconsciente, identificada con *Andrés Niporesas.* Ermitas Penas (1980) vincula notas de personalidad con rasgos de estilo en cada uno de los seudónimos —el *Duende* sería renovación de la figura clásica del "Diablo cojuelo", el *Bachiller* despliega la técnica de la sinécdoque satírica, *Niporesas* significa la visión nihilista y *Fígaro* sintetiza el radicalismo crítico— y considera cada uno de estos registros seudonímicos como recursos para la manifestación de la complejidad del propio autor, de modo que los seudónimos serían una suerte de "heterónimos" que transmiten frag-

---

[123] A propósito de esta cuestión, no debe olvidarse que Larra en la *Colección de artículos* de 1835 eliminó todos los del *Duende satírico* y suprimió también las figuras del "Bachiller" y "Niporesas" en los recogidos de la serie *El Pobrecito Hablador.*

mentos parciales del hombre y del artista; "el que Larra consiga una total autonomía de sus personajes-heterónimos con respecto a él mismo o éstos sean sus *máscaras transparentes,* en expresión de Octavio Paz, no enturbia, en absoluto, su intención de crear entes con independencia" sostiene en la conclusión de su estudio Ermitas Penas, (1980, 251).

Susan Kirkpatrick (1977) ya había subrayado que "el elemento estructural central de los artículos de *El Pobrecito* es el de la *persona,* máscara a través de la cual se enuncian los textos" (1977, 216-217), aunque ve cómo en el progreso de la obra periodística de Larra se va acentuando una tensión "entre la sátira socialmente dirigida y una modalidad confesional, promediada por la *persona* narrativa ficticia" (262); para la tesis de Susan Kirkpatrick esa tensión se identifica en determinados momentos, puesto que el empleo de la "máscara de *Fígaro*" equilibra dos pulsiones de Larra, "el impulso de expresarse a sí mismo y su compromiso con la crítica social objetiva" (265). José Luis Varela (en su antología de textos, 1982, 27-28) reitera su consideración del despliegue de seudónimos como un recurso de la escritura costumbrista que, en Larra, exclusivamente acentuaría efectos de la evolución diacrónica del escritor ya que "la proliferación de seudónimos no determina necesariamente, sin embargo, una pluralidad de perspectivas"; también G. Marún (1981) e Isabel Román (1988, vol. I, 200-209) se han aproximado indirectamente a la interpretación de las "máscaras" empleadas por Larra.

Independientemente de las imprecisiones conceptuales que se han introducido en la explicación del sistema comunicativo que forman los seudónimos de Larra —los críticos han empleado indistintamente las nociones de *heteronimia, voces, personas, dialogismo*—, Alejandro Pérez Vidal ha resumido con exactitud los varios *epistolarios* entre personajes ficticios que construyó el periodista en el curso de su trabajo (Pérez Vidal, 1983, 78-81). En el *corpus* textual constituido por las misivas que se cruzan desde "El Bachiller" y "Niporesas" (1832-1833) hasta "Niporesas" y "Fígaro" (1836) se perfila un sistema de comunicación escrita referido a asuntos satirizables de la vida española que puede engañosamente inducir a la consideración de *polifonías* enunciativas, algo que está lejos de corresponder a los estímulos literarios subyacentes a estas cartas y, también, a la expresión autobiográfica del propio escritor.

El diálogo entre dos personajes inventados —diálogo teatralizado o tejido en epistolarios— [124] era un acreditado procedimiento de la satírica clásica, renovado en la literatura epistolar del XVIII y, singularmente, en la sátira política española del primer tercio del XIX. [125] Frente a la tradicionalidad de este recurso— no incompatible por ello con la agilidad crítica que introduce el *perspectivismo* de la crítica social moderna—, Larra construye otro coloquio entre seudónimos que pertenecen a ámbitos diversos de su propia actividad literaria: en diciembre de 1828, el diálogo del "Duende" y la firma "Ramón Arriala" que emplearía tres años más tarde en las traducciones de *vaudevilles* y dramas románticos; en la mitad de 1836 en la correspondencia cruzada entre "Fígaro" y el albacea testamentario del *Pobrecito Hablador*, "Andrés Niporesas". [126] Pero en ambos casos, el diálo-

[124] Diálogo formal entre el "Duende" y el "librero" y entre el "Duende" y "Ramón Arriala" (para las relaciones con el venerable "Diablo cojuelo", ver J. Escobar, 1973, 104-118); intercambio epistolar entre "El Bachiller" y "Andrés Niporesas" de *El Pobrecito*, entre "un liberal de acá" y "un liberal de allá" de *El Observador* y entre "Andrés Niporesas" y "Fígaro" en folletos de 1836; cartas de una sola dirección dirigidas por "Fígaro", de 31-VII y 13-VIII-1835, a un indeterminado "Bachiller", y durante los meses finales al periódico *El Mundo*.

[125] Cf., sin pretensión de exhaustividad, los textos de Llorente *Carta de un español liberal residente en París a otro que se halla en Madrid* (París, Herhan, 15-V-1820) y *Cartas de un español liberal residente en París a otro español liberal que habita en Madrid*, 27-V-1820 (Vauchelle-Haquett, 1985, n.º 88 y 88 bis); también el epistolario cruzado entre el "Pobrecito Hablador" y "Don Servando Mazorra o Mazculla" en los *Lamentos* de Miñano.

[126] Esta correspondencia nunca ha sido explicada en los términos exactos en que se produjo. Es sabido que "Fígaro" publicó, a su regreso a España del viaje europeo, una "Carta a un su amigo residente en París" (*El Español*, 5-I-1836); la prensa madrileña anunció la venta de dos folletos de "Fígaro" que ampliaban el epistolario e identificaban al corresponsal de "Fígaro" como "Andrés" (*Buenas Noches* se anunció en *El Eco del Comercio* de 8-II-1836 y *Dios nos asista*, en el *Diario de Avisos* de 4-IV-1836). Una sátira anónima y en verso, hasta ahora desconocida, que debió de publicarse a mediados del año, y que era un feroz arreglo de cuentas políticas con Larra se titulaba *Contestación de Andrés a la segunda carta de su amigo Fígaro*, (Madrid, Imprenta de D. León Amarita, 1836). Larra reaccionó contra este texto, reivindicando la auténtica correspondencia de "Fígaro" con su amigo "Andrés" y para que no hubiese ninguna duda publicó el folleto *Ni por esas. Verdadera contestación de Andrés a Fígaro*, texto en el que se establece la identificación plena del corresponsal, quien se despide de "Fígaro" en estos términos: "Hasta aquí las causas que influyeron en mi determinación, y la clave explicatoria de cómo resido ahora en París, después de haber sido en las Batuecas corresponsal de nuestro común amigo el Pobrecito Hablador. —*Andrés Niporesas*". Larra había experimentado parecido procedi-

go de los seudónimos de diverso origen y cronología no es, en mi opinión, sino una potenciación del recurso dialogal de la sátira antigua y moderna.

Solamente en un artículo, y salvo algunos breves fragmentos de otros textos, desarrolló Larra el desdoblamiento de su *yo* en el *otro*. Se trata del conmovedor "La Nochebuena de 1836", texto que proyecta las negras obsesiones del artista sobre un esquema literario que viene de Horacio (sátira VII del libro II, diálogo saturnal del poeta y su esclavo Davo) y posiblemente de *Las Confesiones* agustinianas (libro IV, cap. VI, como propone Rafael Lapesa, 1977). Este artículo sí es, en mi opinión, un posible caso de *dialogismo* bajtiniano en que el autor se muestra en su haz y en su envés; Pérez Vidal lo ha resumido muy claramente: "el autor de *La Nochebuena de 1836* es aquí el criado, además, en la medida en que la voz de éste se nos presenta con plena necesidad como desdoblamiento de la conciencia de aquél" (1983, p. 83); Ricardo Gullón (1962, reed. AA. VV., 1979, 264-268) y Susan Kirkpatrick (1977, 280-284), entre otros críticos, han abundado en idénticas consideraciones sobre la bifurcación de personalidad que presenta este texto memorable.

Con todo, los seudónimos empleados por Larra denotan unas expectativas de los lectores contemporáneos que identificaban la mordacidad satírica con la firma de "Fígaro"[127], lo que le permitió firmar contratos muy ventajosos con varias empresas periodísticas. La atención a las circunstancias en las que se produce un *enunciado* nos deben llevar a descubrir cómo es su recepción

---

miento cuando publicó el folleto *Carta panegírica de Andrés Niporesas a un tal D. Clemente Díaz, gran poeta y literato, en contestación a cierta sátira contra el Pobrecito Hablador* (Madrid, Imprenta de Repullés, febrero de 1833). Debe observarse con todas las cautelas del caso, que la crítica sobre "Un procurador o la intriga honrada", eliminada de *El Español* apareció póstumamente en el *Semanario Pintoresco Español* (1852, pp. 3-4) bajo la firma de "Andrés Niporesas".

[127] En un trabajo titulado "Literatura" de *El Eco del Comercio* (8-II-1836) se afirma que los lectores preferían, entre todas las obras de Larra, las satíricas; el propio Larra se vio en la obligación de desmentir su pertenencia a la redacción de un periódico satírico aparecido a principios de 1836 ("Publicaciones nuevas. *El Jorobado,* periódico"). Los suculentos contratos que firmó con *El Español* y, más tarde con la empresa editora de *El Mundo* y *El Redactor General* subrayan el prestigio de su firma periodística: "Don M. J. de Larra procurará al periódico titulado *El Redactor General* seis artículos al mes firmados *Fígaro,* no pudiendo usar esa firma en ningún otro periódico, sino en *El Mundo*" (Sánchez Esteban, 197).

inmediata, lo que traducido al ámbito de los trabajos periodísticos de Larra quiere decir que la primera función del estudioso estriba en la más exacta reconstrucción de las expectativas y de las lecturas que de sus artículos hacían día a día sus lectores contemporáneos. Susan Kirkpatrick (1977, 206-287) ha resaltado los artificios de escritura empleados por Larra con la finalidad de establecer la más directa comunicación con sus lectores, comunicación que algunos intentaron prolongar con firmas de "Fígaros" apócrifos, después de su trágica muerte. Es el caso de las firmas "Fígaro" que signan una "carta de Fígaro" en *El Mundo* de 9-IV-1837, del folleto *Carta del Nuevo Fígaro a su corresponsal en París acerca del actual estado de cosas políticas del reino* (Madrid, Imprenta de D. N. Sánchez, 1838) o el "Nuevo Fígaro" que editaba en Barcelona, también en 1838, una *Colección de artículos selectos y delicados para abrir los ojos a los que tengan cerrados*. Sin entrar en la identificación de estos seudónimos, parece evidente que, en el tiempo inmediato a la muerte de Larra, determinados escritores pretendieron lucrarse con el prestigio aparejado a la firma más conocida del escritor.

3. *Géneros literarios y temas de los artículos*

La complejidad de la obra periodística de Larra comenzó a ponerse de manifiesto en las revisiones noventayochistas de Azorín o Miguel de los Santos Oliver (AA. VV., 1979, 55-77) que vieron en ella algo más que un trivial trabajo de costumbrista o las obligadas páginas del efímero comentario político. Para los lectores actuales, y desde el punto de vista del contenido, los artículos presentan una llamativa dispersión temática; "daremos —escribía en noviembre de 1832—, para agradar a todos, en la carrera que hemos emprendido, artículos de todas clases, sin otra sujeción que la de ponernos siempre de parte de lo que nos parezca verdad y razón". De todas formas, el escritor dio pie a una convencional clasificación temática de sus escritos cuando tituló su selección *Colección de artículos dramáticos, literarios, políticos y de costumbres* (1835, tres vols. publicados en vida del escritor; dos más, póstumamente). A este fácil esquema organizativo se ha acudido en muchas reediciones de textos larrianos, hechas con más acusada voluntad didáctica que histórica o filológica.

Pero, en rigor, esta clasificación se hace en múltiples ocasiones inabordable en la medida en que el núcleo temático de muchos artículos se enriquece con invasiones de las más diversas cuestiones, la materia política por modo excelente; sus observaciones sobre la vida teatral (Ullman, 1971, 71-739), las críticas de estrenos —recuérdese el texto titulado "Teatros. Artículo sin alusiones políticas"—, las notas sobre publicaciones literarias, las páginas de costumbres sociales, todo va impregnado de alusiones vivaces a la vida española del momento. Precisamente sus contemporáneos subrayaron la vertiente de escritor político de actualidad en detrimento de otras facetas más significativas de su obra; por ejemplo, Mesonero en un rotundo aserto añadido en la edición de 1851 de "Las costumbres de Madrid" aseguraba que "el intento constante del ingenioso Fígaro fue (con cortas excepciones) la sátira política, la censura o retrato apasionado de los hombres de la época". Para José Escobar (1973, 101, 157, 166-167) las manifestaciones de oposición política se dan ya desde el *Duende,* donde llega a enlazar con la posición liberal y antirromántica de los oponentes de Böhl en la "polémica calderoniana"; para José Luis Varela (1983, 168), Larra en la época calomardiana "era más conformista y concordista de lo que suele señalarse". La crítica social de *El Pobrecito* acentuaría el contenido político hasta el punto que la "Conclusión" del periódico reza en estos términos: "nuestro bienestar y nuestra representación política no ha de depender de ningún talismán celeste, sino que ha de nacer, si nace algún día, de tejas abajo y de nosotros mismos".

La escritura política de Larra está íntimamente relacionada, por una parte, con los compromisos coyunturales que vincularon al escritor con los Voluntarios realistas en 1826-27 y con los moderados de Istúriz en 1836, y, por otra, con la situación colectiva de cambio que vivió la España de su tiempo. Destacar la primera vertiente del problema acentuando la personalidad y carácter del artista es el objetivo de José Luis Varela (especialmente, 1983 y 1986);[128] incidir en la tesis de la globalización

---

[128] Limitar la crisis de Larra "a una *contemplación* moral de contradicciones políticas es revestir de respetabilidad ideológica y personal una etapa lamentable y finalmente trágica, y aplicar una perspectiva actual y dialéctica para enjuiciar vicisitudes que los protagonistas no pudieron alcanzar con suficiente perspectiva, inmersos como estaban en esas vicisitudes" (Varela, 1986, 33).

histórica atiende a la perspectiva que contrapone las tensiones entre individuo y sociedad (Kirkpatrick, especialmente 1977; J. Escobar, 1973, 1983 y 1984).[129] En escritor de tan fuerte impronta personal como es Larra resulta tan impertinente la neutralización de la llamada "falacia autobiográfica" como la hipertrofia de la visión dialéctica; ambos polos del debate —la tradición mostrenca y el talento individual— deben ser considerados en el estudio de su obra como exigencias metodológicas a las que invitan sus escritos.

Volviendo a los estudios sobre los contenidos políticos de sus artículos, además de las descripciones de los conflictos que fue viviendo con los sucesivos ministerios, han proporcionado exégesis interpretativas Gustavo Fabra (1967) defendiendo un revolucionarismo teórico, Cecilio Alonso (1971, 15-55) señalando el posibilismo del crítico de la política, y, en otra dirección, Paul Illie (1974) que estima una interpretación más actual la centrada en la estética de lo grotesco, José Luis Varela (1983, 120-154) volviendo a la tesis del compromiso del autor con una actitud moderada cruzada transitoriamente por momentos radicales, Flitter (1986, 102-103) y Donald Schurlknight (1983), en fin, que explican el atenuado radicalismo político de Larra en función de su conciencia del *historicismo organicista* que se iba abriendo camino en la España de su tiempo. El descubrimiento que pudo hacer durante su viaje europeo de los escritos de un Heine (Agnes J. Aregger, 1981), de un Lamennais de quien traduce un folleto (José Luis Varela, 1980)[130] o de un Saint-Simon frecuentado también por Espronceda (Robert Marrast, 1974, 513-529; José Luis Varela, 1983, 150) explicarían la tensión de fraternidad universal y el ritmo de invectiva bíblica que ofrecen algunos escritos de la segunda parte del año 1836; sin embargo, el posible descubrimiento de estos autores no llega a explicar; en mi opinión, el criptorepublicanismo que Doris Ruiz Otín (1983, 127-135; AA. VV., 1984a, 119-126) advierte en

[129] "No creo que lo importante sea el *caso Larra,* sino la crisis ideológica que Larra vislumbra tempranamente en el liberalismo europeo visto como futuro del incipiente liberalismo español" (Escobar, 1984, 547).

[130] *El Español* (7-IX-1836) anuncia la versión larriana de *El Dogma de los hombres libres* y la elogia diciendo, que viene "para destruir la caduca preocupación de los que han querido hacer creer que la libertad a que tienden los pueblos no se aviene con el espíritu de la religión cristiana".

textos como el folleto "Ni por esas" o en la crítica al *Felipe II* del 20 de diciembre de 1836.

En terreno muy cercano al de los planteamientos políticos se sitúa la conciencia social del escritor que, estando muy alertado de las injusticias e insuficiencias de la *revolución* que estaba viviendo España —véanse los trabajos dedicados a "Los barateros", "El Duelo" o "Un reo de muerte" comentados por Aranguren—, mantiene una ambivalencia mucho más significativa que por su desvalorización de determinados *tipos* del pueblo bajo —el criado, la trapera, los camareros, el campesino extremeño (Kirkpatrick, 1977, 268-269)—, por su razonado convencimiento en la idea de la "aristocracia del talento", sobre la que han verificado comentarios Varela (1983, 134-135), Donald Schurlknight (1983) y Lapesa (1985, 404-405).

La crítica cultural (Marrast, 1974, 501-512) —teatros, libros, conciertos, espectáculos públicos— es la sección periodística en la que tenemos identificados un mayor número de textos larrianos. Muchos, mero trabajo de circunstancias; algunos, modélicas exposiciones teóricas de determinados fenómenos literarios —por ejemplo, las reseñas del *Panorama matritense* para el costumbrismo, del poema narrativo *Blanca* para la lírica romántica, del género latino por antonomasia en "De la sátira y los satíricos"—; en su gran mayoría, los artículos de crítica fueron crónica diaria e indagación teórica sobre el teatro de la época. María Gracia Profeti trazó un esquema de conjunto en el que explica de modo coherente la evolución experimentada por la crítica literaria de Larra: "la exigencia de una literatura docente y el principio de la estrecha dependencia de ésta respecto a las circunstancias históricas, o mejor dicho, políticas, constituyen las *constantes* de las varias posiciones asumidas por Larra" (Profeti, 1964, 84). Lieve Behiels ha precisado más la coincidencia de unas *constantes* críticas dentro de una trayectoria evolutiva al estudiar detenidamente los sentidos de la noción de *verosimilitud* en las páginas del crítico literario.

Una idea central en la crítica larriana de plenitud es la de la historicidad de la producción artística. Imprescindible es el aserto de su "Profesión de fe" literaria de 18 de enero de 1836: "libertad en literatura, como en las artes, como en la industria, como en el comercio, como en la conciencia", que, como es sabido, remite al prólogo del *Hernani,* "la liberté dans l'art, la

liberté dans la société, voilà le double but auquel doivent tendre
d'un même pas tous les esprits conséquents et logiques".[131]

   Precisamente la estrecha vinculación que establece entre literatura y sociedad se manifiesta programáticamente desde un
artículo de abril de 1832 —"Don Cándido Buenafé o el camino
de la gloria", estudiado por Leonard T. Perry— hasta los tres
textos fundamentales de 1836— la "Profesión de fe", la crítica
al *Antony* de Alejandro Dumas y la reseña sobre la colección de
relatos *Horas de invierno*—, textos que ha comentado perceptivamente Susan Kirkpatrick (1982) como un coherente proceso de
pérdida de ilusiones y que, para la citada estudiosa, no es más
que "un caso ejemplar de quien por su momento y lugar históricos tiene que valerse de la ideología burguesa como instrumento
de pensar, aunque mal en el contexto concreto". La distinción de
clases sociales tal como la tipifica Larra en algunos artículos
—"Jardines públicos" y, singularmente, en la crítica del *Antony*— explicita la aparente contradicción que supone su condena
del drama francés, para Larra absolutamente impertinente en
una colectividad sociológicamente inerte, como la española, en
la que sólo una exigua minoría dirigente poseía iniciativas de
transformación: una "aristocracia del talento"

   poco numerosa, criada o deslumbrada en el extranjero, víctima o hija de las
   emigraciones, que se cree ella sola en España, y que se asombra a cada paso de
   verse sola cien varas delante de las demás; hermoso caballo normando, que
   cree tirar de un tílburi, y que, encontrándose con un carromato pesado que
   arrastrar, se alza, rompe los tiros y parte solo" (*Obras Completas*, II, 247a).

   El molde literario que la tradición le ofrecía para su visión y
censura de la sociedad contemporánea era la forma satírica.

---

[131] A pesar de la estimación que le merece a Larra el esfuerzo intelectual de
los ilustrados dieciochescos que "restauraron las bellas letras", reconoce que lo
hicieron a base de una contradicción interna, pues "al adoptar las ideas francesas del siglo XVIII, quisieron representarlas con nuestra lengua del siglo XVI".
Ahora bien, la más radical oposición larriana a la Poética neoclásica se hace
evidente en su idea de la finalidad de la literatura. Recuérdese que el poeta,
según Luzán, debe formar "una imagen de los hombres no como regularmente
son en sí, sino como deben ser"; para el periodista romántico la literatura debe
enseñar "verdades a aquellos a quienes interese saberlas, mostrando al hombre,
no como debe ser, sino como es, para conocerle" ("Profesión de fe", *Obras*, II,
134b).

Como costumbrista y satírico político lo interpretaron muchos de sus lectores contemporáneos; a la sátira consagró el título de sus dos primeras publicaciones —*El Duende satírico del día* y *El Pobrecito Hablador*. *Revista satírica de costumbres*— y un trabajo teórico de marzo de 1836 en el que posiblemente vertió confesiones autobiográficas: "el escritor satírico es por lo común como la luna, un cuerpo opaco destinado a dar luz, y es acaso el único de quien con razón se puede decir que da lo que no tiene". Cultivadores clásicos de la sátira son aludidos en su sincrética "biblioteca" de la "Profesión de fe" literaria —Horacio, Ariosto Boileau, Molière, Moratín—, y a ellos y a otros modelos del género acude desde sus primeros escritos (Escobar, 1973, 63-64, 123-126; Varela, 1983, 195-233). Francisco Caravaca (1966) ha explorado posibles estímulos en Swift, Voltaire, Heine y Courier; aunque el conocimiento de Heine sea muy de última hora (Aregger), el de Courier prácticamente imperceptible (Varela, 1983, 160-161) y el de Voltaire de carácter muy difuso (Varela, 1983, 213-215), los clásicos latinos, Boileau y los satíricos españoles del Siglo de Oro permean intensamente la prosa satírica de nuestro autor. Huellas y ecos verbales de todos ellos han sido mostradas para diversos pasajes de sus artículos que, en alguna ocasión, será preciso recoger y valorar en su conjunto.

Su proximidad, en el empeño satírico, a escritores de la generación anterior como Gallardo y Miñano (Valeriano Bozal, 1982) sirve para inaugurar una vía de la literatura crítica del XIX que, en el curso del siglo, fue muy popular y alcanzó momentos de audacia e inteligencia irrepetibles; los recursos satíricos que emplea (Vicente Cabrera) proceden unas veces del fondo retórico tradicional y otras de sus propias acuñaciones estilísticas (para sus troquelaciones más personales de estilo son contribuciones imprescindibles, Lorenzo-Rivero (1977) y, singularmente, José Luis Varela (1983, 101-118, donde el estudioso refunde anteriores trabajos). Con todo, la exacerbación satírica se da en los escritos anteriores al viaje europeo y de manera programática en *El Pobrecito Hablador*, publicación que José Escobar (1972) ha estudiado muy detenidamente para mostrar las interrelaciones entre *sátira* y *costumbrismo* que se producen en los artículos de esta revista.

Precisamente el *costumbrismo* de Larra es uno de los tópicos de la historiografía literaria que más ha lastrado la interpretación de este fenómeno literario en la obra de "Fígaro". Él no dudó en conceder la primacía sobre el "nuevo género" a su colega Mesonero Romanos (*Obras*, II, 244b) y se cuidó mucho de afirmar su condición de escritor de *mores* sociales genéricas, para diferenciarse del vejador de individuos y del analista de superficialidades ("sólo hacemos pinturas de costumbres, no retratos" afirma categóricamente en la primera de las cartas de Andrés Niporesas al Bachiller). De manera que, aunque pagó tributo a convencionalidades del género —recursos literarios comunes como la caracterización del seudónimo con rasgos de personaje y la utilización de tipos estereotipados—,[132] ya intuyó, desde sus primeras páginas periodísticas, que su proyecto crítico se habría de centrar en los espacios de proyección de la moral colectiva: fondas, cafés y lugares públicos son las "cosas más al alcance de todos" que le propone al *Duende* el incógnito "H. W.". Y, efectivamente, sobre los nuevos espacios de un Madrid que empezaba a modernizarse urbanamente y sobre los nuevos hábitos de comportamiento de los grupos sociales emergentes se fijó el escalpelo del estudioso moral de una sociedad en proceso de cambio —"La fonda nueva", "Las casas nuevas", "Jardines públicos", "La diligencia", "El álbum"—.

La crítica ha enfocado diversas facetas del discutido costumbrismo de Larra. José Luis Varela (1963) en una edición de textos costumbristas románticos subrayaba el personalísimo estilo en la prosa de nuestro autor; Francisco Caravaca (1963) un repertorio de *fuentes* literarias para veintiún "artículos de costumbres", fuentes, en su mayoría, de índole general y en algún caso notoriamente errónea; Eva Konitzer (1970) sistematizando lo que se había dicho para esta dimensión de la obra larriana y José Escobar (1972) considerando perceptivamente la integración de *sátira y costumbrismo* en *El Pobrecito Hablador*. Pérez Vidal (1983, 71-78) ha avanzado una plausible caracterización literaria y formal de los "artículos de costumbres" que, de forma aproximativa, se asemejan entre sí por tener "brevísimas tramas narrativas,

---

[132] "Don Cándido Buenafé" y "Don Timoteo o el literato" de los artículos de estos títulos; el Braulio de "El castellano viejo", evocado en otros artículos; el don Periquito de "En este país"; el Lope de Antaño y el Pedro José de Arrierán de "La educación de entonces"; los extranjeros ignorantes de los hábitos hispanos en "Vuelva usted mañana", "La fonda nueva", "Las circunstancias"; el Medrana informador de "Fígaro" en "No lo creo".

a veces con diversos episodios, que constituyen los núcleos de los textos". La atenuación, con todo, de la narratividad propia del género costumbrista y la expresa afirmación de las reglas de fondo que rigen los cambios y el comportamiento de los grupos sociales son las diferenciales marcas del *costumbrismo* larriano en relación a los trabajos de los otros contemporáneos suyos que cultivaron el género. Se impone, pues, el proyecto de lo que hoy llamaríamos el *analista social* sobre las peculiaridades de un género literario que, por muy atenido que estuviese a la captación de la realidad contemporánea, era, por encima de todo, y singularmente para sus receptores inmediatos, una modalidad de arte verbal.[133]

Una autoridad indiscutida en la estimulación costumbrista de Larra fue la del francés Jouy. Recuérdese el subtítulo del primer artículo de *El Pobrecito Hablador:* "Artículo mutilado, o sea, refundido, Hermite de la Chaussée d'Antin"; en las "Dos palabras", introductorias de la revista, bromeaba Larra sobre los robos de materiales literarios, y sobre cómo terminaría "publicándolos íntegros o mutilados"; en páginas posteriores volvería varias veces sobre lo mismo. W. Hendrix (1920, reed. AA. VV., 1979, 217-225) estudió la relación entre el trabajo costumbrista de ambos escritores, cuestión sobre la que han vuelto en términos descriptivos F. Caravaca (1966), José Escobar (1973, 121-128) y Pérez Vidal (1983). Modelo literario, el de Jouy, que comparte con otros clásicos el inevitable diálogo intertextual; más arriba he recordado las relaciones con los grandes satíricos —Horacio, Ariosto, Boileau, Swift, Addison—, a los que debe sumarse la presencia de escritores españoles como Cervan-

---

[133] La feliz insistencia con que Larra subraya los rasgos del género en la reseña del *Panorama* —la agilidad de ideación a que obliga el vehículo periodístico y la tensión de los individuos con sus cambiantes circunstancias— le lleva a alejar el nuevo género del *alegorismo* caracterizador de la tradición moralista. La convicción que manifiesta sobre el profundo cambio social de la España que él está viviendo le aboca, por el otro lado, a un trabajo de descripción casi individual que también quiere evitar: "No todo ha de ser *Teatros,* no ha de ser *Facciosos* todo. ¡Costumbres, pues, *costumbres!* He aquí una exigencia más difícil de satisfacer de lo que parece. ¿Tiene en el día nuestro pueblo y tienen sus costumbres un carácter fijo y determinado, o tiene cada familia sus costumbres, según la posición que ha ocupado en este medio siglo anterior? Mucho me temo que sea ésta la verdad, y que nos hallemos en una de aquellas transiciones en que suele mudar un gran pueblo de ideas, de usos y de costumbres" ("La educación de entonces", 5-I-1834).

tes, Quevedo, Isla, Cadalso (todos ellos considerados pormenorizadamente por Varela, 1983, 198-233).

Cadalso precisamente censuró en la *Carta marrueca* 67 lo que Larra denunciaría como la "manía de citas y epígrafes", es decir, la falsa erudición literaria. Ligeramente en el *Duende* y más intenso después, Larra supo dar al espejeo de citas literarias una considerable alacridad que dinamizó, sin duda, para sus contemporáneos, los ecos de los textos de otros autores en sus propias páginas. El procedimiento que siguió fue o referenciar expresamente la fuente empleada —tal, el romancillo moratiniano titulado "El coche en venta" sobre el que se pergeña la sátira anticarlista en "El hombre menguado" (E. Inman Fox, 1960)— o aludir implícitamente a citas medianamente trasparentes para los lectores contemporáneos —como la invectiva de la primera catilinaria que resuena en el título "¿Entre qué gentes estamos?" o el eco "nunca mañanamos" de Lope en "Vuelva usted mañana"—.[134] Huellas de Quevedo, en aspectos estilísticos y compositivos han sido apuntadas por Rogelio Reyes (1972), y Varela (1983, 204-208 y 219-222) las ha ampliado, señalando la reelaboración del modelo quevedesco a través del filtro que fue la prosa dieciochesca del P. Isla.[135] La presencia, en fin, de Cervantes es permanente, tanto en *El Doncel* (Varela, ed. 1978) como en los artículos: alusiones numerosas al *Quijote* (con adivinaciones tan significativas como el aserto "cada uno tiene en su imaginación un tipo particular de Don Quijote y Sancho"), citas explícitas de pasajes cervantinos, apropiación del discurso autorreflexivo suscitador del diálogo —en pasajes como el del autor y su pluma en el arranque de "El mundo es máscaras" o los arrepentimientos y muerte del Bachiller (véanse Kirkpatrick, 1977, 232-235 y Varela, 1983, 198-204).

La complejidad temática de los textos, la esquiva definición formal de la sátira como forma literaria, la misma labilidad com-

---

[134] Este eco y la huella de Ariosto (Sátira III) han sido señalados por Francisco Rico, *Primera Cuarentena y Tratado General de Literatura*, Barcelona, El Festín de Esopo, 1982, 43-45.

[135] En la enumeración de rasgos retóricos y compositivos marcados enfáticamente en la prosa larriana, José Luis Varela (1983, 105-106) apunta, como modalidad de la eutrapelia verbal, la inserción en los artículos de fabulillas o cuentos breves, a lo que también ha aludido Erwin Félix Rubén; además de la huella de Isla, podría interpretarse este recurso como una curiosidad de escritor de cultura urbana por el fondo narrativo de la tradición folclórica.

positiva de las páginas periodísticas hacen muy discutibles las tipologías formales que han sido esbozadas a propósito de los artículos de Larra. Sólo revisten una configuración formal inequívoca los textos formalizados como cartas. Entre los estudiosos recientes, Pérez Vidal se inclina por una inclusión de los escritos larrianos en el campo del moderno *ensayo*,[136], propuesta a la que se habían inclinado Tarr o José Escobar y que José Luis Varela explicita como el resultado de una evolución en la diacronía literaria— desde el *ensayo* de Cadalso hasta Larra (Varela, 1983b)— y en la propia trayectoria del gran periodista.[137]

4. *La desautomatización en el estilo y en la actitud*

Es afirmación compartida por la crítica larriana la de que su temprano interés por las cuestiones lingüísticas se dio en paralelo con su competencia idiomática como escritor. Efectivamente, como ha puesto en evidencia A. Risco (1972), Larra sustenta una concepción dinámica de la lengua sobre la que edifica su estimativa de las innovaciones lingüísticas *in genere* y su singular trabajo de estilo, en particular. El instrumento comunicativo por excelencia le merece, desde los inicios de su carrera, una singular estima —visible en ponderaciones poco felices, como esta de 1832, "bien se deja conocer que la lengua es para un hablador lo que el fusil para el soldado"—, y esta estima irá adquiriendo complejidad en escritos posteriores, hasta llegar a

---

[136] Tras enumerar algunos de los rasgos que dan complejidad a la obra periodística del autor, argumenta Pérez Vidal (1983, 23) que esos elementos, precisamente, "inducen a pensar que es tal vez la idea del ensayo, de un ensayo de las reducidas dimensiones y con las peculiaridades de amenidad y ligereza necesarias para la difusión periodística, como el *familiar essay* o el *periodical essay* británicos, la más fiel al conjunto de las prosas breves de Larra"; el *ensayo*, en este sentido, terminará desplazando al *discurso* de la prosa didáctica de los Siglos de Oro y del XVIII.

[137] "El costumbrismo se libera de la sátira y del tratado didáctico, merced al periódico en el momento en que Larra concibe y realiza un costumbrismo satírico con toda la carga literaria de la tradición dieciochesca y lo utiliza finalmente como instrumento de la descarga romántica, con lo que la escena costumbrista se convierte primero en sátira de costumbres sociales, luego en sátira de costumbres políticas y luego en sátira elegiaca, en crónica de una sañuda y masoquista autodestrucción literaria y personal" (José Luis Varela, 1983, 156).

esa feroz denuncia de la función caótica que supone la malversa-
ción del lenguaje y que nos ofrece en los artículos de 1835 y
1836, "Por ahora", "Las palabras", "Cuasi". Con todo, el profesional de la pluma que exigía a los traductores de teatro y a los
periodistas un alto grado de competencia en el uso de la lengua y
que postulaba para los escritores de costumbres que su "mérito
principal debía de consistir en la gracia del estilo", era muy
consciente de hasta dónde debía llegar sobre el grado de corrección en el habla estándar de la época y cuál podía ser el relieve de
su creatividad lingüística. Esta última ha atraído siempre a sus
lectores y explica el porqué hoy sigue fascinando más que los
impecables análisis políticos o económicos de sus contemporáneos Andrés Borrego o Flórez Estrada.

Luis Lorenzo-Rivero (1977) ha catalogado un conjunto de
usos estilísticos característicos en la prosa de Larra; Pierre Ullman (1971) ha puesto de manifiesto la hábil manipulación que
realizaba de troquelaciones verbales generadas en el éxito efímero de las anécdotas políticas de su tiempo; Vicente Cabrera
(1977) ha anotado recursos de su arte satírico y José Luis Varela
(trabajos anteriores reelaborados en 1983, 101-118) ha destacado con especial acuidad los recursos larrianos que denomina
eutrapelia verbal, imágenes vulgarizantes y enumeración caótica, traductores todos ellos de la actitud satírica permanente y de
la visión desesperanzada de los últimos meses de su vida.

Aunque se haya discutido el grado de formalización que
adoptan las imágenes en Larra (Lorenzo-Rivero, 1977, 165-193,
frente a Varela y Risco), es hecho admitido por todos los lectores
que la intensificación de las que Susan Kirkpatrick denomina
imágenes de "doble filo" se produce en el momento de la plenitud del escritor, es decir, en el curso de los años 1835 y 1836.
La riquísima información léxica que deparan los artículos de
"Fígaro" para la historia del léxico político, intelectual y moral
de la España romántica ha sido puesto de manifiesto por Rafael
Lapesa en sucesivos trabajos (1984, 1985, 1989) y por Doris
Ruiz Otín (1983, 1984a); ambos estudiosos, en aplicación del
método lexicológico, han penetrado, desde las palabras, en el
mundo de las inquietudes espirituales del gran prosista, en la
medida que el tráfico verbal requería un peculiar "diccionario de
palabras de época".

Los estudiosos del estilo de Larra han coincidido en señalar la intensificación de la imaginería de raíz autobiográfica y las sombrías connotaciones que se advierten en sus escritos a raíz de la crisis de 1835 y, singularmente, en los meses finales de su vida. El esbozo que él mismo trazó del carácter moral propio de los escritores satíricos es un testimonio ilustrativo de esta tendencia: "esa acrimonia misma, esa mordacidad jocosa que suele hacer tan a menudo el contento de los demás, es en él la fría impasibilidad del espejo que reproduce las figuras no sólo sin gozar, sino a veces empañándose" ("De la sátira y los satíricos", 2-III-1836). En este derrumbadero de la trayectoria del escritor y de la biografía del hombre es donde se manifiesta su naturaleza de artista radicalmente romántico.

No es su final trágico —en feroz paralelo más que con el *Werther* que propone Ortega Spottorno[138] con el Alejandro Pushkin muerto en duelo un día de febrero de 1837— la señal definidora del romanticismo de Larra. Ni tampoco su controlada actitud de crítico literario que le lleva a asumir un romanticismo "en cursiva" (son palabras de José Luis Varela, 1983, 184-187) con el que desdeña las inverosimilitudes de melodramas de la época y con el que discute la aceptación de las propuestas de moral social contenidas en el teatro de Dumas. Precisamente la reseña del *Antony* de este último (23 y 25-VI-1836) es el documento más conocido respecto a su asunción del romanticismo francés.[139] El historicismo sociológico, como lo interpreta ahora Schurlknight (1983), y el historicismo literario que predicaba Durán en su *Discurso* de 1828, reseñado por él en 1833, son

---

[138] Ver "Muertes paralelas" en los *Relatos en espiral* de José Ortega Spottorno (Madrid, Austral, 1990, 13-18) y las evocaciones de la muerte de Larra hechas recientemente por Miguel Hernández (*Historias de suicidas,* Libertarias, Barcelona, 1990) y Enrique Vila-Matas (*Suicidios ejemplares,* Anagrama, Barcelona, 1991)

[139] En el arranque de la crítica del *Antony* leemos esta auténtica "Profesión de fe" sobre su evolución en criterios literarios: "Hace años que, secuaces mezquinos de la antigua rutina, mirábamos con horror en España toda innovación; encarrilados en los aristotélicos preceptos, apenas nos quedaba esperanza de restituir al genio su antigua e indispensable libertad; diose empero en política el gran paso de atentar al pacto antiguo, y la literatura no tardó en aceptar el nuevo impulso; nosotros, ansiosos de sacudir las cadenas políticas y literarias, nos pusimos prestamente a la cabeza de todo lo que se presentó marchando bajo la enseña del movimiento. Sin aceptar la ridícula responsabilidad de un mote de partido, sin declararnos clásicos ni románticos, abrimos la puerta a las reformas (...)", (*Obras,* II, 246a).

las más intensas apropiaciones que realizó Larra de la teoría literaria del romanticismo. Considérese este enraizamiento de Larra en la corriente romántica ya desde la vertiente del caso individual —como viene siendo la línea conducente en las interpretaciones de estudiosos españoles—, ya desde la vertiente de los conflictos colectivos —como ha sido común denominador de los larristas de las últimas décadas—, son inequívocamente modernas la poética de la pasión que acentuó en los escritos del año 36 y el conjunto de artículos trágicamente autocríticos que inauguró con "El día de difuntos de 1836".

En la novela *El Doncel de Don Enrique el Doliente* Larra había pagado el tributo que la ficción histórica exigía de los caracteres egregios y las fuerzas pasionales que daban calor a sus personajes. En la crítica literaria y en los "ensayos" no son raras las alusiones a la función socialmente igualadora que desempeñan las *pasiones* entre los humanos; en febrero de 1833 aconsejaba a los malos actores "si alguna cosa hay en el mundo que iguale las clases es la pasión; el corazón, pues, y el sentimiento son la fuente donde ha de beber el actor su inspiración". La tesis, que tiene sus antecedentes en la tradición moralista de *los caracteres*, adopta en ocasiones un énfasis autorreferencial,[140] para llegar a ser formulada como postulado de índole poética: "En política el hombre no ve más que *intereses y derechos, es decir, verdades. En* literatura no puede buscar por consiguiente sino *verdades.* Y no se nos diga que la tendencia del siglo y el espíritu de él, analizador y positivo, lleva en sí mismo la muerte de la literatura, no. Porque las pasiones en el hombre siempre serán *verdades,* porque la imaginación misma ¿qué es sino una *verdad* más hermosa?" (en la "Profesión de fe" literaria del 18-I-1836).

Aranguren (1967, 173) ha hablado de la "tetralogía pesimista" en referencia al *corpus* que constituyen los artículos "El día de difuntos de 1836", "*Horas de invierno*", "Necrología. Exequias del conde de Campo Alange" y "la Nochebuena de 1836"; la consideración conjunta de estos textos es un hábito de la crítica, si bien es necesario añadir al elenco la reseña de *Los*

---

[140] Cf. "Las Antigüedades de Mérida. Artículo primero", 22-V-1835, (*Obras,* II, 87a) y), especialmente, la reseña de *Los amantes de Teruel* de 22-I-1837 (*Obras,* II, 298-299).

amantes de Teruel y proyectar este pequeño *corpus* sobre las otras colaboraciones, cronológicamente coincidentes, en el periódico *El Mundo*. En rigor crítico, el proceso de hiriente auto-reflexión larriana se inicia en la conclusión del considerado comúnmente como prototipo de artículo de costumbres, "Vuelva usted mañana".[141] "Monólogo satírico" es el marbete que propone José Luis Varela (1983, 179-182; también Pérez Vidal, 1983, 82-83) como fórmula sintetizadora del patético acto de enunciación de un yo atribulado que constituyen estos textos; podría hablarse también de "monólogo dramático", trasladando el sentido que Robert Langbaum daba a determinadas enunciaciones líricas (recuérdese la contribución de Jaime Gil de Biedma para Espronceda), aunque quizás convenga la noción de *polifonía* para el destructor desdoblamiento de personalidad que es el diálogo entre "Yo y mi criado" (subtítulo de "La Nochebuena de 1836"). El anhelo insatisfecho, la desesperanza total recorren las afirmaciones feroces de estos artículos —"ley implacable de la naturaleza, o devorar o ser devorado", "olía a muerte próxima", "*aquí yace la esperanza*"...—; un aserto exclamativo de la "Necrología" dedicada a su amigo el conde de Campo Alange da la medida de la tensión emocional vivida por el Larra de los finales de 1836: "¡ay de los que le lloran, que entre ellos hay muchos a quienes no es dado elegir, y que entre la muerte y el desengaño tienen antes que pasar por éste que por aquella".

Las circunstancias subjetivas y colectivas que enmarcan todos estos escritos son bien conocidas, así como la fuente quevedesca para el primer texto de la serie —"El día de difuntos de 1836"— y la horaciana para el último —"La Nochebuena de 1836". Pueden apurarse otros ecos literarios y referencias a la realidad inmediata, pero debe destacarse en ellos lo que, y de modo singular en "La Nochebuena de 1836", hay de tragedia sacra con la inmolación del propio escritor como otro *varón de dolores*. El criado, que "come y bebe de mis artículos", somete a

---

[141] "Y concluyo por hoy confesándote que ha más de tres meses que tengo, como la primera entre mis apuntaciones, el título de este artículo, que llamé *Vuelva usted mañana;* que todas las noches y muchas tardes he querido durante ese tiempo escribir algo en él, y todas las noches apagaba mi luz diciéndome a mí mismo con la más pueril credulidad en mis propias resoluciones: ¡Eh! *mañana le escribiré!* Da gracias a que llegó por fin este mañana, que no es del todo malo; pero ¡ay de aquel mañana que no ha de llegar jamás!".

"Fígaro" a una implacable *pasión* de sarcástica *noche buena;* a
un "Fígaro" que, dos meses antes, había quedado atrapado entre
los cadáveres de la gran ciudad y la propia sepultura de su esperanza. Con todo, y en un ejercicio de esfuerzo compensador en la
parodia de la *pasión y resurrección,* "Fígaro" reapareció a finales
del año 36, "dado al *Mundo*", "de nuevo saliendo de entre las
tumbas, impasible como un muerto; sacando la cabeza por entre
las ruinas como un secretario de la Gobernación; impalpable,
imprendible, inconfinable, como cuerpo glorioso, y no dándose-
me nada por nada, como alma de barbero".[142]

En síntesis *adrede,* puede sospecharse que, durante los meses
críticos del final de su vida, conviven en el ánimo y en las prosas
del escritor el emocionante victimismo que ya le reprochaba Ferrer del Río y la fuerza combativa del periodista crítico cuyo
público lector esperaba siempre el efecto desautomatizador de
sus artículos. Una gacetilla de *El Mundo* aparecida el mismo día
en que *El Redactor General* publicaba el autocorrosivo "Delirio
filosófico" (26-XII-1836) corrobora las expectativas de sus lectores:

> Sea mil veces enhorabuena, señor Fígaro, por su feliz y oportuna resu-
> rrección; y mil veces más por los deseos de viajar con que ha vuelto de la
> mansión de los muertos, en donde a la verdad hubiera hecho muy mal en
> quedarse, privándose por ello de la satisfacción y goces que por acá nos
> esperan.

Los lectores hicieron de "Fígaro" un símbolo polisémico,
desde los primeros pasos del escritor (oposición del *Correo Literario y Mercantil,* arremetida de González Carvajal, nota infamante

---

[142] Las alusiones pasionales y críticas aparecen como hilo conductor en los
trabajos del año fatídico: "...acabará el mundo, algún día, si hemos de creer
las sagradas escrituras, las cuales añaden hablando de eso, que Nuestro Señor
Jesucristo vendrá a juzgar a los vivos y muertos" ("Buenas Noches", *Obras,* II,
146b); "cada liberal es una pura y viva representación de los trabajos y pasión
de Cristo, porque el que no anda azotado anda crucificado" ("Tercera carta de
un liberal de acá a un liberal de allá", *Obras,* II, 46a); "pero la respeto [la
Constitución de 1812] como Cristo respetó el Testamento viejo, fundando el
nuevo" ("Dios nos asista", *Obras,* II, 198a); "el que quizá no tenía ayer dónde
reclinar su cabeza" ("Los Amantes de Teruel", *Obras,* II, 295a); "y D. Carlos
podía decir con el Salvador: cuando vengáis a Mí, yo siempre estaré en medio
de vosotros" ("El cartujo", *Obras,* IV, 335b...

aparecida en la *Foreing Review*, textos todos exhumados por José Escobar, 1973 y 1983). Su entierro se convirtió en un *manifiesto* militante de la nueva generación española (véanse, a título de ejemplo, las cartas de Luis Sanclemente, en AA. VV., 1979, 24-28 y la nota de Mesonero en la ed. de 1851 a su *escena* "El duelo se despide en la iglesia"), y si para unos contemporáneos fue el Chatterton hispano —alusiones implícitas en "¿Por qué lloras, papá?", cuento de Núñez de Arenas en *El Observatorio Pintoresco* de 1837 o en el drama de José María Díaz *Un poeta y una mujer*—, para otros, como Alberto Lista,[143] personificaba el caso detestable de la moral de excepción postulada por el teatro francés contemporáneo. La interpretación mediatizada de la figura y de la obra literaria de Larra ha sido una constante, desde entonces, fenómeno que, en parte, ha reconstruido José Luis Varela en un capítulo de su libro (1983, 47-98). Con menos pasión de patria, las huellas de "Fígaro" entre los escritores de los países americanos constituye el caso de más llamativa presencia de un escritor romántico español entre los contemporáneos de la otra ribera del Atlántico, los porteños de especial modo. Luis Lorenzo-Rivero (1968) ha considerado la relación de Larra y Sarmiento, Gregorio C. Martín (1976) la presencia del español en los periódicos uruguayos de la época y Vicente Cano (1985) ha repasado, a la luz de "Fígaro", la figura del "Figarillo" que fue Juan Bautista Alberdi (información de conjunto para este aspecto, Emilio Carilla, I, 98-103).

---

[143] El juicio de Lista sobre Larra (ahora en AA. VV., 1979, 33-34) fue leído por su autor en la Academia de la Historia, que le había encargado una censura del poema elegíaco dedicado a Larra por el francés avecindado en Madrid Verneuil (Cf. también Sebold, 1983, 165-184).

REPERTORIO BIBLIOGRÁFICO*

EDICIONES DE TEXTOS LITERARIOS

AA. VV.

1946 *El Artista (Madrid, 1835-1836)*, ed. José Simón Díaz, Madrid, CSIC, colec. de Índices de Publicaciones Periódicas.

1946 *Semanario Pintoresco Español (Madrid, 1836-1857)*, ed. José Simón Díaz, Madrid, CSIC, colec. de Índices de Publicaciones Periódicas.

1947 *El Liceo Artístico y Literario (Madrid, 1838)*, ed. José Simón Díaz, Madrid, C.S.I.C.

1957 *Memorias del tiempo de Fernando VII*, ed. Miguel Artola, Madrid, BAE, vols. XCVII y XCVIII, 1957. (Incluye memorias de Juan de Escoiquiz, el marqués de Ayerbe, Miguel José de Azanza y Gonzalo O'Farrill, Mor de Fuentes, Joaquín Lorenzo Villanueva y el *Itinerario de Fernando VII*.)

1962 *La Alhambra. Epoca romántica (1839-1843)*, prólogo de N. Marín, Granada, Universidad.

1963 *Antología de la novela histórica española*, recopilación, estudio preliminar y preámbulos de Felicidad Buendía, Madrid, Aguilar.

* Estas *referencias bibliográficas* recogen producción impresa entre los años 1966 y 1991. De todas formas, he incluido algunos trabajos que considero imprescindibles y cuya cronología editorial sobrepasa los años indicados, bien por tratarse de monografías clásicas, bien por haber llegado a mi conocimiento entre el momento de la conclusión de este libro y la corrección de sus primeras pruebas.

Aunque he procurado dar las referencias técnicas de todas las ediciones o traducciones que conozco de una misma obra, en algún caso no cito por la primera edición o por la traducción española, ya que el texto sobre el que he trabajado era impresión posterior o versión original.

En las obras de las que se consignan varias ediciones, he procurado reflejar todos los datos bibliográficos identificadores registrados en mi consulta de la publicación. Las monografías editadas en libros de varios autores cuyo año de edición es citado con una letra complementaria (p. ej.: AA. VV., 1975a), al ser incluidas bajo el nombre del autor, registran el año de edición y se señala su inclusión en la obra colectiva que corresponda.

No van incluidas en este repertorio las monografías, citadas en el estudio o en las notas, que no están directamente relacionadas con el tema del que se ocupa este libro. Tampoco hago una relación independiente de los manuscritos inéditos que cito o utilizo en algún pasaje; una bibliografía de los manuscritos españoles relacionables con el romanticismo es trabajo pendiente de realizar.

1964 (2) *Costumbristas Españoles,* estudio preliminar y selección por E. Correa Calderón, Madrid, Aguilar.

1966 *Romances de ciego,* ed. de Julio Caro Baroja, Madrid, Taurus.

1969 *El costumbrismo romántico,* ed. de José Luis Varela, Madrid, Novelas y Cuentos.

1970 *Socialismo utópico español,* ed. de Antonio Elorza, Madrid, Alianza.

1971 *El Romanticismo español. Documentos,* ed. de Ricardo Navas-Ruiz, Salamanca, Anaya.

1976 *Del Támesis al Guadalquivir (Antología de viajeros ingleses en la Sevilla del siglo XIX),* ed. de José Alberich, Sevilla, Universidad.

1976b *Prosa romántica de crítica y creación,* ed. de José María Balcells, Tarragona, ed. Tarraco.

1977 *Antología de la poesía romántica,* selección, introducción y notas Luis F. Díaz Larios, Salou, Unieurop.

1981 *Romances de señoras,* ed. de Isabel Segura, Barcelona, Alta Fulla.

1981a *El Artista, Madrid, 1835-1836,* ed. facsímil, prólogo de Francisco Calvo Serraller y Ángel González García, Madrid, Turner.

1983 *Antología de poetas sevillanos. De la Ilustración a Bécquer,* ed. de Rogelio Reyes, Sevilla, Dendrónoma.

1984 *Antología de la poesía romántica de lengua española,* ed. Pedro J. de la Peña, Madrid, Júcar.

1984a *Romances horrorosos. Selección de romances de ciego que dan cuenta de crímenes verídicos, atrocidades y otras miserias humanas,* ed. de Isabel Segura, Barcelona, Alta Fulla.

1984b *Romancero impreso en Cataluña. Imprenta de B. Pla y viuda de Pla (1770-1865),* ed. y estudio Enrique Rodríguez Cepeda, Madrid, José Porrúa, 3 vols.

1986 *Aragón y los románticos franceses (1830-1860),* ed. de Jean-René Aymes, Zaragoza, Guara.

1987 *Antología poética del Romanticismo español,* edición, introducción y notas de Ramón Andrés, Barcelona, Planeta.

1991 *Antologia del racconto romantico spagnolo,* ed. de Carla Perugini, Nápoles, Università degli Studi di Salerno.

ALCALÁ GALIANO, Antonio

1969 *Literatura española. Siglo XIX. De Moratín a Rivas,* traducción, introducción y notas de Vicente Lloréns, Madrid, Alianza.

ARENAL, Concepción

1993 *Poesía de juventud,* estudio y edición de María Cruz García de Enterría, Ferrol, Esquío, 1993

AROLAS, Juan

1982-83 *Obras,* ed. y estudio preliminar de Luis F. Díaz Larios, Madrid, BAE, vols. CCLXXXIX-CCXCI.

ARRIAZA, Juan Bautista
1970 *Emilia y otros poemas,* ed. de Joaquín Marco, Barcelona, Llibres de Sinera.

BEÑA, Cristóbal de
1988 *Fábulas políticas,* ed. de Miguel A. Rebollo Torío, Mérida, Editora Regional de Extremadura.

BLANCO WHITE, José María
1971 *Antología de obras en español,* ed. Vicente Llorens, Barcelona, Labor.
1972 *Cartas de España,* introducción de Vicente Llorens y traducción de Antonio Garnica, Madrid, Alianza.
1975 *Autobiografía,* ed. y trad. (parcial) Antonio Garnica, Sevilla, Universidad.
1975a *Luisa de Bustamante (...) Intrigas venecianas (...) El alcázar de Sevilla,* ed. de Ignacio Prat, Barcelona, Labor.
1989 *Cartas de Inglaterra y otros escritos,* ed., introducción y notas de Manuel Moreno Alonso, Madrid, Alianza.
1990 *Cartas de Juan sin tierra. Crítica a las Cortes de Cádiz,* ed. de M. Moreno Alonso, Sevilla, Universidad.

BRETÓN DE LOS HERREROS, Manuel
1965 *Obra dispersa. "El Correo Literario y Mercantil",* ed. y estudio J. M. Díez Taboada y J. M. Rozas, Logroño, Instituto de Estudios Riojanos.

CABANYES, Manuel de
1982 *Preludis de la meva lira. Preludios de mi lira,* con estudios de E. A. Peers y Miquel Maria Gibert, Vilanova i la Geltrú, El Cep i la Nansa.
1991 *Mirra* de Vittorio Alfieri, ed. de Cristina Barbolani, Madrid, traducción de Cabanyes, Cátedra.

CAPMANY, Antonio de
1988 *Centinela contra franceses,* ed. de Françoise Etienvre, London, Tamesis Books.

CORONADO, Carolina
1986 *Treinta y nueve poemas y una prosa,* ed. de Gregorio Torres Nebreda, Editora Regional de Extremadura.
1991 *Poesías,* ed. Noël Valis, Madrid, Castalia.

DÍAZ CORBEILLE, Nicomedes Pastor
1969-70 *Obras,* ed. de José María Castro y Calvo, Madrid, BAE vols. CCXXVII, CCXXVIII y XXXLI.

DURÁN, Agustín
1971 *Discurso sobre el influjo que ha tenido la crítica moderna en la decadencia del teatro antiguo español y sobre el modo con que debe ser considerado para juzgar convenientemente de su mérito particular,* ed. Ricardo Navas-Ruiz, *El Romanticismo Español. Documentos,* Salamanca, Anaya, 1971, 54-100; ed. y estudio, Donald L. Shaw, Exeter Hispanic Texts, Exter, 1973.

ESPRONCEDA, José de
Ediciones anotadas de textos poéticos, véanse en nota 44, cap IV.
1966 Robert Marrast, *Espronceda, articles et discours oubliés. La bibliothèque d'Espronceda (d'après un document inédit),* PUF, París.

1974 *Sancho Saldaña,* ed. Ángel Antón de Andrés, Barcelona, Barral, 2 vols.; reed., Taurus, 1983.

ESTÉBANEZ CALDERÓN, Serafín

1985 *Escenas andaluzas,* ed. Alberto González Troyano, Madrid, Cátedra.

"FERNÁN CABALLERO"

1968 *Elia o España treinta años ha,* prólogo de José F. Montesinos, Madrid, Alianza.

1972 *La Gaviota,* ed. Julio Rodríguez-Luis, Barcelona, Labor.

1979 *La familia de Alvareda,* ed. Julio Rodríguez-Luis, Madrid, Castalia.

FOZ, Braulio

1979 *Vida de Pedro Saputo,* estudio de Francisco Ynduráin, ed. de Sergio Beser, Barcelona, Laia, 1979 (reed., 1986); ed. Domingo Ynduráin y Francisco Ynduráin, Madrid, Cátedra 1986.

GARCÍA GUTIÉRREZ, Antonio

1972 *El trovador,* prólogo y notas Joaquín Casalduero, ed. Alberto Blecua, Barcelona, Labor, 1972: *El Trovador. Los hijos del tío Tronera,* ed. Jean-Louis Picoche y colaboradores, Madrid, Alhambra, 1979; *El Trovador,* ed. Antonio Rey Hazas, Barcelona, Plaza-Janés, 1984; *El Trovador,* ed. Carlos Ruiz Silva, Madrid Cátedra, 1985.

GARCÍA TASSARA, Gabriel

1986 *Poesías,* ed. Marta Palenque, Sevilla, Publicaciones del Ayuntamiento.

GIL Y CARRASCO, Enrique

1954 *Obras Completas,* ed. de Jorge Campos, Madrid, B.A.E. vol. LXXIV.

1986 *El Señor de Bembibre,* ed. F. Gallego Díez, Plaza y Janés; ed. Enrique Rubio, Madrid, Cátedra, 1986; ed. Jean-Louis Picoche, Madrid, Castalia, 1986.

GÓMEZ DE AVELLANEDA, Gertrudis

1975 *Manual del cristiano,* Madrid, FUE.

1989 *Poesías y epistolario de amor y de amistad,* edición de Elena Catena, Madrid, Castalia.

GRIMALDI, Juan de

1986 *La pata de cabra,* ed. David T. Gies, Roma, Bulzoni.

HARTZENBUSCH, Juan Eugenio

1970 *Los amantes de Teruel, introduction, édition critique et sypnoptique précédées d'une étude sur le monde du théâtre à Madrid entre 1833 et 1850* par Jean-Louis Picoche, París, Centre de Recherches Hispaniques, 2 vols.; ed. Jean-Louis Picoche, Madrid, Alhambra 1980; ed. Carmen Iranzo, Madrid, Cátedra 1980; R. Navas-Ruiz, Austral.

1973 *Fábulas,* ed. de Ricardo Navas Ruiz, Madrid, Espasa-Calpe.

JÉRICA Y CORTA, Pablo de

1987 *Cuentos jocosos en diferentes versos castellanos,* ed. de Esteban Gutiérrez Díaz-Bernardo, Vitoria, Diputación Foral.

LARRA, Mariano José de
Ediciones anotadas de artículos, véanse en nota 114, cap. VI.
1960 *Obras,* ed. de Carlos Seco Serrano, Madrid, BAE, vols. CXXVII-CCXXX, 4 vols.
1978 *El doncel de don Enrique el Doliente,* ed. de José Luis Varela, Madrid, Cátedra.
1990 *Teatro. No más mostrador. Macías,* ed. de Gregorio Torres Nebreda, Universidad de Extremadura.
1990a *Macías,* ed. L. Lorenzo-Rivero y G. P. Mansour, Austral.
1991 *Textos teatrales inéditos,* ed. Leonardo Romero, Madrid, Instituto de Estudios Madrileños.

LÓPEZ SOLER, Ramón
1988 *Jaime el Barbudo o sea la Sierra de Crevillente. Las señoritas de hogaño y las doncellas de antaño,* ed. de Enrique Rubio y María de los Ángeles Ayala, Sabadell, Caballo-Dragón.

LLORENTE. Juan Antonio
1982 *Noticia biográfica (Autobiográfica),* nota crítica de Antonio Márquez y ensayo bibliográfico de Emil van der Vekene, Madrid, Taurus.

MANZANO, Juan Francisco
1975 *Autobiografía de un esclavo,* ed. de Iván A. Schulman, Madrid, Guadarrama.

MARTÍNEZ COLOMER, Vicente
1985 *El Valdemaro (1792),* ed. de Guillermo Carnero, Alicante, Instituto de Estudios "Juan Gil Albert".

MARTÍNEZ DE LA ROSA, Francisco
1962 *Obras,* ed. Carlos Seco Serrano, Madrid, B.A.E., vols. CXLVIII-CLV.
1988 *La conjuración de Venecia,* ed. de José Paulino, Madrid, Taurus; ed. María José Alonso Seoane, Madrid, Cátedra, 1993.

MASSANÉS, María Josefa
1991 *Antología poética,* ed. R. Navas Ruiz, Madrid, Castalia.

MÉRIMÉE, Prosper
1988 *Viajes a España,* traducción, prólogo y notas de Gabino Ramos González, Madrid, Aguilar.

MESONERO ROMANOS, Ramón de
1967 *Obras,* ed. de Carlos Seco Serrano, Madrid, Atlas, BAE, vols. CXCIX-CCIII.
1987 *Escenas matritenses,* ed. María del Pilar Palomo, Barcelona, Planeta.
1989 *Rápida ojeada sobre el estado de la capital y los medios de mejorarla,* ed. de Edward Baker, Madrid.

MILÀ I FONTANALS, Manuel
1977 *Teoría romántica,* ed. de Manuel Jorba, Barcelona, Edicions 62.

MOR DE FUENTES, José
1981 *Bosquejillo de la vida y escritos,* ed. Manuel Alvar, Zaragoza, Guara.

OLAVIDE, Pablo de
1971 *Obras narrativas desconocidas,* ed. de Estuardo Núñez, Lima, Biblioteca Nacional del Perú.

PÉREZ ZARAGOZA, Agustín

1977 *Galería Fúnebre de Espectros y Sombras ensangrentadas,* ed. de Luis Alberto de Cuenca, Madrid, Editora Nacional.

RAMÍREZ DE LAS CASAS DEZA, Luis María

1977 *Biografía y Memorias,* prólogo de José M. Cuenca Toribio, Córdoba.

RIVAS, duque de (Ángel de Saavedra)

1974 *Don Álvaro o la fuerza del sino,* prólogo Joaquín Casalduero, ed. Alberto Blecua, Barcelona, Labor; ed. Ricardo Navas Ruiz, Madrid, Clásicos Castellanos, 1975; ed. Ermanno Caldera, Madrid, Taurus, 1986; ed. Donald L. Shaw, Madrid, Castalia, 1986; ed. Alberto Blecua, Barcelona, Planeta, 1988.

1982 *El Moro Expósito,* ed. de Ángel Crespo, Madrid, Espasa-Calpe, 2 vols.

1984 *Ataúlfo,* ed. Juan Manuel Cacho, *El Crotalón,* I, 393-465.

1987 *Romances Históricos,* ed. de Salvador García Castañeda, Madrid, Cátedra.

ROS DE OLANO, Antonio

1980 *Cuentos estrambóticos y otros relatos,* ed. de Enric Cassany, Barcelona, Laia.

SCHLEGEL, Friedrich

1983 *Obras selectas,* trad. de Miguel Ángel Vega Cernuda; ed., introducción, estudios y notas de Hans Juretschke, Madrid, FUE, 2 vols.

VAYO, Estanislao de Cosca

1986 *Los terremotos de Orihuela o Enrique y Florentina,* ed. María Pilar Gomis, Sabadell, Caballo-Dragón.

ZORRILLA, José

1984 *Antología poética,* ed. G. Torres Nebreda, Barcelona, Plaza-Janés.

1987(7) *Traidor, inconfeso y mártir,* ed. Ricardo Senabre, Madrid, Cátedra ed. de Roberto Calvo Sanz, Madrid, Austral, 1990.

1975 *Don Juan Tenorio,* ed. José Luis Varela, Madrid, Espasa-Calpe; ed. Salvador García Castañeda, Barcelona, Labor, 1975; *Don Juan Tenorio (Drama). Un testigo de bronce (Poema)* ed. Jean-Louis Picoche, Madrid, Taurus, 1985; ed. Aniano Peña, Madrid, Cátedra, 1990 (12); Picoche, Taurus, 1992.

1980 *El zapatero y el rey. Primera y segunda parte,* ed. Jean-Louis Picoche, Madrid, Castalia.

FUENTES Y MONOGRAFÍAS

AA. VV.

1847-1879 *Boletín de la propiedad Intelectual publicado por el Registro de la misma,* Madrid, 11 vols.

1902-1909 *Catálogo de la Biblioteca Municipal de Madrid,* prólogo (Carlos Cambronero), Madrid, Imprenta Municipal, 4 vols.

1961-63 *Cartelera teatral madrileña. I. Años 1830-1839,* Madrid, CSIC, 1961; (Félix Herrero Salgado); *Cartelera teatral madrileña. II. Años 1840-1849,* Madrid, CSIC, 1963.

1963 *Romanticism Reconsidered,* ed. de Northop Frye, Columbia.

1968-1975 (Seminario de Bibliografía Hispánica). — *Venticuatro Diarios (Madrid, 1830-1900)*, prólogo de José Simón Díaz; Madrid, CSIC., 4 vols.

1968-1989 *Historia de España* dirigida por Ramón Menéndez Pidal y José María Jover Zamora, Madrid, Espasa-Calpe: Miguel Artola Gallego, *La España de Fernando VII*, prólogo de Carlos Seco Serrano, 1968; 1978 (2), vol. XXXII. — *La era isabelina y el sexenio democrático (1834-1874)*, prólogo de José María Jover, 1981, vol. XXXIV. — *La época del romanticismo. Orígenes. Religión. Filosofía. Ciencia*, prólogo de Hans Juretschke, 1989, vol. XXXV(I). — *La época del Romanticismo. II. Las Letras. Las Artes. La vida cotidiana*, 1989, vol. XXXV(II).

1972 *Romantic and its Cognates. The European History of a Word*, ed. Hans Eichner, University of Toronto Press.

1973 *The Romantic Movement Bibliography, 1936-1970, Journal of English Literary History, Philological Quarterly and English Language Notes*, with a Preface by A. C. Elkins Jr., and L. J. Forstner; ed. V David Erdman. Ann Arbor, Michigan, The Pierian Press, The R. R. Bowker Co., 7 vols. (más anuarios posteriores, en curso de publicación Garland Publishing Inc.).

1975 *Estudios Románticos*, Valladolid, Casa-Museo de Zorrilla.

1975a *Prensa y Sociedad en España (1820-1936)*, Madrid, Cuadernos para el Diálogo, 1975.

1977 *Recherches sur le roman historique en Europe, XVIIIe. et XIXe. siècles*, Annales Littéraires de l'Université de Besançon, París, Les Belles Lettres.

1977a *L'infra-littérature en Espagne au XIXe. et XXe. siècles. Du roman feuilleton au romancero de la guerre d'Espagne*, Grenoble, Presses Universitaires.

1978 *Romantisme, Réalisme, Naturalisme en Espagne et en Amérique Latine*, Lille, Centre d'Études Iberiques et Ibéro-Américaines du XIXe. siècle.

1979 *Mariano José de Larra*, ed. de Rubén Benítez, Madrid, Taurus.

1980 *Culture et Société en Espagne et en Amérique Latine au XIXe. siècle*. Textes réunis par Claude Dumas, Centre d'Études Ibériques et Ibero-Américaines du XIXe. siècle de l'Université de Lille, III.

1980a *Romantisme. Actes du Colloque de Sonnenwille*, Fribourg, éd. Universitaires.

1981 *Organizaciones textuales (Textos Hispánicos)*, Toulouse, Université.

1981a *Imagen romántica de España*, Madrid, Ministerio de Cultura.

1982 *Los orígenes del Romanticismo en Europa*, Madrid, Instituto Germano-Español de la Sociedad Görres, *Filología Moderna*.

1982a *Romanticismo I. Atti del II Congreso sul Romanticismo Spagnolo e Ispanoamericano. Aspetti e problemi del teatro romantico*, ed. de Ermanno Caldera, Génova, Istituto di Lingua e Letterature Straniere.

1982b *L'autobiographie en Espagne*, Aix-en-Provence, Université de Provence.

1983 *Revisión de Larra (¿Protesta o Revolución?)*, ed. de A. Dérozier y A. Gil Novales, Besançon, Annales Littéraires de l'Université.

1983a *La magia nel teatro romantico*, ed. de Ermanno Caldera, Perugia, Bulzoni.

1984 *Teatro Romantico Spagnolo. Autori, Personaggi, Nuovi Analisi*, Bologna. Pàtron.

1984a *Romanticismo 2. Atti del Congresso sul Romanticismo Spagnolo e Ispanoameri-cano (12-14 aprile, 1984). Il linguaggio romantico*, ed. de Ermanno Calde-ra, Génova, Istituto di Lingua e Letterature Straniere.

1985 *Los Madrazo. Una familia de artistas*, Madrid, Museo Municipal, Ayun-tamiento, Musigraf Arabí, 1985.

1985a *Studies in Eighteenth-Century Spanish Literature and Romanticism in Honour of John Clarkson Dowling*, Newark; Delaware, Juan de la Cuesta.

1985b *Pinturas de paisaje del Romanticismo español*, Madrid, Fundación Banco Exterior.

1986 *Larra, entre Pueblo y Corona*, ed. de Georges Güntert y José Luis Varela, Madrid, Universidad Complutense.

1986a *Histoire du livre et de l'édition dans les pays ibériques. La dépendance*, Bor-deaux, PU, 1986.

1986b *Catálogo de las obras de teatro español del siglo XIX*, Madrid, Fundación Juan March.

1987 *La imagen de Andalucía en los viajeros románticos*, Málaga, Diputación.

1987a *La prensa española durante el siglo XIX. I Jornadas de especialistas en prensa regional y local*, Almería, Instituto de Estudios Almerienses.

1988 *Romanticismo/Romanticismos*, ed. de Marisa Siguán, Barcelona, PPU.

1988a *Romanticismo 3-4. Atti del IV Congresso sul Romanticismo Spagnolo e Ispa-noamericano (Bordighera, 9-11 aprile, 1987). La Narrativa Romantica*, ed. de E. Caldera, Génova.

1988b *Evocaciones del Romanticismo hispánico en el sesquicentenario de la muerte de Mariano José de Larra*, ed. de John R. Rosenberg, Madrid, Porrúa.

1988c *Realismo y Naturalismo en España en la segunda mitad del siglo XIX*, ed. de Yvan Lissorgues, Barcelona, Anthropos.

1988d *Historia del teatro en España*, ed. de José María Díez Borque, Madrid, Taurus, vol. II.

1989 *Imágenes de Francia en las letras hispánicas*, ed. de Francisco Lafarga, Bar-celona, PPU.

1989a *150 años de fotografía en la Biblioteca Nacional. Guía inventario*, dirección de Gerardo F. Kurtz, Isabel Ortega, Madrid, Ministerio de Cultura.

1989b *España y la Revolución Francesa*, ed. Jean-René Aymes, Barcelona, Gri-jalbo.

1989-91 *Catálogo colectivo...* ver Dirección General del Libro y Bibliotecas.

1990 *Escritoras románticas españolas*, coordinación de Marina Mayoral, Madrid, Fundación Banco Exterior.

1990a *Catálogo de villancicos y oratorios en la Biblioteca Nacional. Siglos XVIII-XIX*, Madrid, Ministerio de Cultura.

1992 *La pintura de Historia del siglo XIX en España*, dirección de José Luis Díez, Madrid, Museo del Prado.

ABELLÁN, José Luis

1973 "Pérez de Camino, poeta y pensador", *Bulletin Hispanique*, LXXV, 132-168.

1984 *Liberalismo y romanticismo (1808-1874)*, Madrid, Espasa-Calpe, Historia Crítica del Pensamiento Español, vol. IV.

ABRAMS, M. H.

1953 *The Mirror and the Lamp Romantic Theory and the Critical Tradition;* trads. españolas 1972, Buenos Aires, Nova; Barcelona, Barral, 1975.

ADAMS, Nicholson B.

1936 "Siglos de Oro Plays in Madrid, 1820-1850", *Hispanic Review*, IV, 342-357.

1945 "Notes on Dramatic Criticism in Madrid 1828-1833", *Studies in Philology*, 62, 609-616.

1957 "French Influence on the Madrid Theatre in 1837", *Estudios dedicados a Menéndez Pidal*, Madrid, CSIC, VII, 135-151.

1966 "The extent of the Duke of Rivas's Romanticism", *Homenaje a Antonio Rodríguez-Moñino*, Madrid, Castalia, 1-7.

AGUAYO NAYLE, L. Rosa y HERRERO MEDIAVILLA, Víctor

1986 *Archivo biográfico de España, Portugal e Iberoamérica*, K. G. Saur, München, New York, London, París.

AGUILAR PIÑAL, Francisco

1968 *Cartelera prerromántica sevillana. Años 1800-1836*, Madrid, CSIC.

1975 "Blanco White y el colegio de Santa María de Jesús", *Archivo Hispalense*, 179, 1-54.

1980 "José de la Revilla, crítico de Moratín", AA. VV., *Coloquio Internacional sobre Leandro Fernández de Moratín*, ed. Mario di Pinto, Maurizio Fabri, Rinaldo Froldi; Albano Terme, Piovan editore, 9-21.

1991 *Introducción al siglo XVIII*, Oviedo, Júcar.

AGUIRRE, J. M.

1979 M., "Zorrilla y García Lorca: leyendas y romances gitanos", *Bulletin Hispanique*, LXXXI, 75-92.

ALBERICH, José

Ed. de *Del Támesis al Guadalquivir*.

1974-75 "La imagen de España en la Inglaterra del ochocientos", *Filología Moderna*, 52-53, 95-116.

1975 "Richard Ford o el hispanista hispanófobo", *Archivo Hispalense*, LVIII, 178, 103-131.

1977 "Rivas y Valle-Inclán: otro pequeño plagio", *Bulletin of Spanish Studies*, 54, 9-12.

1978 *Bibliografía Anglo-Hispánica, 1801-1855*, Oxford, The Dolphin Book.

ALBORG, Juan Luis

1980 *Historia de la Literatura Española. El Romanticismo*, Madrid, Gredos.

ALDEA GIMENO, Santiago y SERRANO DOLADER, Alberto

1989 *Miguel Agustín Príncipe. Escritor y periodista (1811-1863)*, Zaragoza, Institución Fernando el Católico.

ALLEGRA, Giovanni

1975 "Spagna Schlegeliana: Böhl von Faber e il novo calderonismo", *Annalli dell'Istituto Universitario Orientale (Sez. Romanza)*, XVII, 1-31; reed. en *La viña y los surcos*, Sevilla, Universidad, 1980, 81-113.

1980   "Dos palabras sobre la reacción antifrancesa", *La viña y los surcos*, Sevilla, Universidad, 29-79.

1988   "Dos vidas paralelas: Ignacio Capizzi y Juan Arolas", *Ínsula*, 495, 8.

1989   "Los Schlegel y España", *Ínsula*, 505, 6.

ALMUIÑA FERNÁNDEZ, Celso

1977   *La prensa vallisoletana durante el siglo XIX (1808-1894)*, Valladolid, Institución Cultural Simancas, 2 vols.

ALONSO, Amado

1942   *Ensayo sobre la novela histórica. El modernismo en "La gloria de don Ramiro"*, Buenos Aires; Madrid, Gredos, 1984.

ALONSO, Cecilio

1971   *Literatura y Poder. España 1834-1868*, Madrid.

(Sin año, C. 1992) (en prensa) "Antecedentes de *Las Ilustraciones*", ponencia del Congreso sobre "La Presse illustré en Espagne: Les *Ilustraciones* (1850-1920)" (Université de Rennes, 1992).

ALONSO SEOANE, M.ª José

Ed. de Martínez de la Rosa.

1985   "Aspectos del romanticismo de Enrique Gil en *El Señor de Bembibre*", Alfinge (Córdoba) 3, 125-144.

1989   "Sobre *Don Álvaro* y su verdadero origen (Presencia de la obra del Inca Garcilaso en el drama del duque de Rivas)", *Homenaje al Profesor Antonio Gallego Morell*, Granada, I, 89-104.

ALVAR, Manuel

Ed. de Mor de Fuentes.

ÁLVAREZ BARRIENTOS, Joaquín

1986   y GARCÍA MOUTON, Pilar, "Bandolero y Bandido: Ensayo de interpretación", *Revista de Dialectología y Tradiciones Populares*, XLI, 9-58.

1987   "Literatura y economía en España. El ciego", *Bulletin Hispanique*, LXXXIX, 313-326.

1988   "Aproximación a la incidencia de los cambios estéticos y sociales de finales del siglo XVIII y comienzos del XIX en el teatro de la época: comedias de magia y dramas románticos", *Castilla*, 13, 17-33.

1991   *La Novela del siglo XVIII*, Gijón, Júcar.

ÁLVAREZ DE MIRANDA, Pedro

1984a "Algunos diccionarios burlescos de la primera mitad del siglo XIX (1811-1855)", AA. VV., 155-167.

ÁLVAREZ RODRÍGUEZ, Román

1983   *Origen y evolución de la novela histórica inglesa*, Salamanca, Universidad.

ÁLVAREZ SOLAR-QUINTES, M.

1963   "El teatro de Soria a mediados del siglo XIX", *Celtiberia*, 14, 264-271.

AMUSCO, Alejandro

1983   "La poesía de Ros de Olano", *Anales de Literatura Española* (Alicante), 2, 25-56.

ANDIOC, René
1982 "Sobre el estreno del *Don Álvaro*", *Homenaje a Juan López-Morillas*, Madrid, Castalia, 63-86.

ANDRÉS, Ramón
Ed. de *Antología poética del Romanticismo español*.

ANDRÉS ALONSO, Rosa-María y CALVO CARILLA, José Luis
1984 *La novela aragonesa en el siglo XIX*, Zaragoza, Guara.

ANOLL VENDRELL, Lidia
1979 "Balzac dans la presse périodique espagnole de la première moitié du XIXe. siècle", *Anuario de Filología*, V, 333-342.

1984 "Balance de las traducciones españolas de Balzac", *Cuadernos de Traducción e Interpretación*, 4, 1984, 119-125.

1987-1988 "Las traducciones de la obra de Balzac en la prensa periódica española del siglo XIX", *Cuadernos de Traducción e Interpretación*, 8-9, 1987, 237-246; 10, 1988, 69-76.

ANTIGÜEDAD, María Dolores
1987 "La primera colección pública en España: el Museo Josefino", *Fragmentos*, 11, 67-85.

ANTÓN DE ANDRÉS, Ángel
Ed. de *Espronceda*.

ARANGUREN, José Luis [López]
1965 *Moral y sociedad. Introducción a la moral social española del siglo XIX*, Madrid, Edicusa.

1976 "Larra", *Estudios literarios*, Madrid, Gredos, 151-177.

ARBOTT, D. Paul
1989 "The Influence of Blair's *Lectures* in Spain", *Rhetorica*, VII, 275-289.

ARCE, Joaquín
1968 "La letteratura romantica italiana nella Spagna del primo ottocento", AA. VV., ed. V. Branca y T. Kardos, Budapest, Akadémiai Kaidó, 394-405.

1981 *La poesía del siglo ilustrado*, Madrid, Alhambra.

1982 *Literaturas italiana y española frente a frente*, Madrid, Espasa-Calpe, 296-332.

AREGGER, Agnes J.
1981 *Heine und Larra. Wirkungsgeschichte eines deutschen Schriftstellers in Spanien*, Zürich, Verlag Reihe W.

ARIAS ANGLÉS, Enrique
1985b "La pintura romántica de paisaje en España", AA. VV., 29-45.

ARIAS DE COSSÍO, Ana María
1991 *Dos siglos de escenografía en Madrid*, Madrid, Mondadori.

ARTIGAS-SANZ, María del Carmen
1953-55 *El libro romántico en España*, Madrid, CSIC, 4 vols.

ARTOLA, Miguel
Ed. de *Memorias del tiempo de Fernando VII*.

1973 *La burguesía revolucionaria (1808-1869)*, Madrid, Alianza.

1985 "El camino a la libertad de imprenta, 1808-1810", *Homenaje a José Antonio Maravall*, Madrid, I, 211-219.

ASENJO, Antonio

1933 *Catálogo de los fondos periódicos existentes en la Hemeroteca Municipal de Madrid, 1661-1930*, Madrid, Ayuntamiento.

ASENSIO, J.

1974 "Un escrito inédito sobre los poetas Quintana y Arriaza. Crítica de sus odas al combate de Trafalgar", *Revista de Archivos, Bibliotecas y Museos*, 77, 103-147.

ATERO BURGOS, Virtudes

1980-84 "La *Revista Gaditana* (1839-1840). Estudio de una revista andaluza", *Gades*, 6, 1980, 5-28 y 12, 1984, 29-76.

1986 y PIÑERO, Pedro *Romancero andaluz de tradición oral*, Barcelona, Biblioteca de la cultura andaluza.

A(UBRUN), C(harles)

1947 [Reseña de N. B. Adams, 1945], *Bulletin Hispanique*, XLIX, 473-476.

AULLÓN DE HARO, Pedro

1979 "Ensayo sobre la aparición y desarrollo del poema en prosa en la literatura española", *Analecta Malacitana*, II, 1, 109-136.

1988 *La poesía en el siglo XIX (Romanticismo y Realismo)*, Madrid, Taurus.

AYALA, María Ángeles

Ed. de López Soler.

AYGUALS DE IZCO, Wenceslao (y otros autores)

1853-54 *El Panteón Universal. Diccionario Histórico*, Madrid, Imprenta de Ayguals de Izco, 4 vols.

AYMES, Jean-René

Ed. de *Aragón y los románticos franceses; España y la Revolución Francesa*.

1985 "Le vocabulaire politique de Blanco White et d'Alcalá Galiano", *Ibérica. Cahiers Ibériques et Ibéro-americaines*, V, 159-178.

1987 *Los españoles en Francia. 1808-1814. La deportación bajo el Primer Imperio*, (traducción española), Madrid, Siglo XXI.

AYUSO RIVERA, Juan

1958 *El concepto de la Muerte en la poesía romántica española*, Madrid, Fundación Universitaria Española.

AZAUSTRE SERRANO, María del Carmen

1982 *Canciones y Romances populares impresos en Barcelona en el siglo XIX*, Madrid, CSIC.

AZCÁRATE, José María, CATENA, Elena, CEPEDA ADÁN, José

1978 *El Romanticismo*, Madrid, Ministerio de Cultura.

BADESSI, Alessandra

1983 "Uomo *versus* donna nella visione letteraria e esistenziale di José de Espronceda", *Cuadernos de Filología* (Valencia) III, 3, 33-60.

BAEZA, Ricardo

1930 *Clasicismo y Romanticismo*, Madrid, CIAP.

BAKER, Edward
Ed. de Mesonero Romanos.
1982 "Larra, los jardines públicos y la sociabilidad burguesa", *Revista de Occidente*, 12, 43-57.

BAQUERO GOYANES, Mariano
1949 *El cuento español en el siglo XIX*, Madrid, CSIC, 153-162.

BAQUERO ESCUDERO, Ana L.
1986 "Cervantes y la novela histórica", *Anales Cervantinos*, XXIV, 179-192.

BARBOLANI, Cristina
Ed. de Cabanyes, Manuel de (traducción de Alfieri).
1989 "Cabanyes, traductor de Alfieri", AA. VV., *Actas del VI Simposio de la Sociedad Española de Literatura General y Comparada*, Granada, 239-244.

BARJAU CONDOMINES, Teresa
1983 "Introducción a un estudio de la novela en España (1750-1808)", *Boletín del Centro de Estudio del Siglo XVIII*, 10-11, 111-130

BECKER, Daniele.
1980 "Don Juan et la fiction dramatique (III). Don Juan et le théâtre espagnol de la fin du XVIIIe. au XIXe. siècle" *Mélanges de la Casa de Velázquez*, 16, 273-298.

BEHLER, Ernst
1981 "The Reception of Calderon among the German Romantics", *Studies in Romanticism*, XX, 437-460.

BEHIELS, Lieve
1984 "El criterio de la verosimilitud en la crítica literaria de Larra", *Castilla*, 8, 25-46.

BENICHOU, Paul
1977 *Le Temps des prophètes. Doctrines de l'âge romantique*, París, Gallimard.
1985 *Le sacre de l'écrivain. 1750-1830*, París, Corti.
1988 *Les Mages romantiques* París, Gallimard.

BENÍTEZ, Rubén
Ed. de *Mariano José de Larra*, 1979.
1971 *Bécquer tradicionalista*, Madrid, Gredos.
1979 *Ideología del folletín español: Wenceslao Ayguals de Izco (1801-1873)*, Madrid, Porrúa.

BENOCH I TORRENS, Manuel
1958 *Pau Milà i Fontanals, gran figura del Romanticismo artístico catalán*, Vilafranca del Penedès.

BERAZALUCE, Ana María
1983 *Sebastián de Miñano y Bedoya (1779-1845)*, Pamplona, Eunsa.

BERGQUIST, Inés Liliana
1978 *El narrador en la novela histórica española de la época romántica*, Tesis Doctoral de la Universidad de California, University Microfilm International.

BERTRÁN Y DE AMAT, F.
1908 *Del origen y doctrinas de la escuela romántica y de la participación que tuvieron*

en el adelantamiento de las Bellas Artes en Barcelona, los Sres. Don Pablo y D. Manuel Milá y Fontanals y D. Claudio Lorenzale, Barcelona, G. Gili.

BESER, Sergio
Ed. de Braulio Foz; trad. de René Wellek.

BESTERMAN, Théodore
1965(4) *A World Bibliography of Bibliographies*, Genève, 5 vols.

BEYRIE, Jacques
1976 "Problèmes du *costumbrismo*: Mesonero Romanos et le roman", *Caravelle*, 27, 73-81.

BILLICK, David J.
1975 "El duque de Rivas. Teórico de la poesía romántica", *Ábside*, XXXIX, 451-455.

1979 "Angel de Saavedra, Duque de Rivas; A Checklist of Cristicism, 1927-1977", *Bulletin of Bibliography*, 36, 113-118.

1981 *José de Espronceda: An Annotated Bibliography 1834-1980*, New York, Garland Publishing.

1981a "Espronceda: Poetry and the Essay as *literatura comprometida*", *Mester*, 10, 49-57.

BLANCO GARCÍA, Francisco
1891-93 *La literatura española en el siglo XIX*, Madrid, Sáez de Jubera, 2 vols.

BLECUA, Alberto
Ed. de García Gutiérrez; ed. del Duque de Rivas.

BOHIGAS BALAGUER, Pedro
1917 *El Romanticismo en los países meridionales y su carácter especial en España*, autógrafo fechado en 1917; Biblioteca Nacional de Madrid, Ms. 21280.

BONET CORREA, Antonio
1987 *Discursos leídos ante la Real Academia de Bellas Artes de San Fernando en la recepción pública del Excelentísimo señor don...*, Madrid, Talleres Gráficos Benzal.

BOTREL, Jean-François,
1973 y LE BOUILL, "Sur le concept de *clase media* dans la pensée bourgeoise en Espagne au XIXe siècle". AA. VV. *La question de la bourgeoisie dans le monde hispanique au XIXe siècle*, Bordeaux, éditions Bière, 137-151.

1973-74 "Les aveugles colporteurs d'imprimés en Espagne", *Mélanges de la Casa de Velázquez*, IX, 1973, 417-482; X, 1974, 233-271.

1974 "La novela por entregas: unidad de creación y consumo", AA. VV., *Creación y público en la literatura española*, Madrid, Castalia, 111-155.

1984 y MERCADIER, GUY "Siglos XVIII-XIX", *Revista de la Universidad Complutense*, 23-27.

1986a "Les Librairies françaises en Espagne (1840-1920)", AA. VV., 61-90.

1989 "Le commerce de livres et imprimés entre l'Espagne et la France (1855-1920)", AA. VV., *España, Francia y la Comunidad Europea*, Madrid, Casa de Velázquez, CSIC, 115-133.

1993 *Libros, prensa y lectura en la España del siglo* XIX, Madrid, Fundación Germán Sánchez Ruipérez.

BOUSOÑO, Carlos
1981-82 *Épocas literarias y Evolución*, Madrid, Gredos, 2 vols.

BOZAL, Valeriano
1979 *La ilustración gráfica del siglo* XIX *en España*, Madrid, Comunicación.
1982 "La formación del costumbrismo en la estampa popular española del siglo XIX", *Cuadernos Hispanoamericanos*, 384, 499-535.
1982a "Gallardo, Miñano y Larra en el origen de la sátira crítico-burlesca", *Cuadernos Hispanoamericanos*, 388, 51-61.

BRAVO, Isidre
1986 *L'Escenografia catalana*, Barcelona, Diputación.

BRETZ, Mary Lee
1892 "Romantic Irony in *El Diablo Mundo*", *Revista de Estudios Hispánicos*, 16, 257-274.

BROWN, Reginald F.
1953 *La novela española. 1700-1850*, Madrid, Dirección General de Archivos y Bibliotecas.
1956 "La novela realista dentro del romanticismo", Salamanca, *Acta Salmanticensia (Primeras Jornadas de Lengua y Literatura Hispanoamericana)*, X, 495-503.

BRÜGEMANN, Werner
1964 "Friedrich Schlegel y su concepción de la literatura española como quintaesencia del arte romántico", *Filología Moderna*, 15-16, 241-264.
1964a *Spanisches Theatre und Deutsche Romantik*, Münster Aschendorfuche, Spanische Forschungen der Görresgesellschaft.

BRUNKHORST, Martin
1981 "La periodización en la historiografía literaria", AA. VV., *Teoría y praxis de la literatura comparada*, ed. de Manfred Schmelling, trad., española, Barcelona, Alfa, 39-68.

BUCK, Donald C.
1988a "Mímesis e historicidad: la novela *medieval* romántica", AA. VV., 153-156.

BUESA OLIVER, Tomás
1983 *Años universitarios de Miguel Agustín Príncipe*, Zaragoza, Institución Fernando el Católico.
1983a "Miguel Agustín Príncipe, primer paraninfo zaragozano en lengua española (1837)", *Serta Philologica F. Lázaro Carreter*, Madrid, Gredos, II, 113-126.

BUSQUETS, Loreto
1988 *Rivas y Verdi. Del "Don Álvaro" a "La forza del destino"*, Roma, Bulzoni.

CABALLÉ, Ana
1988 "Exabruptos y realidades en la lengua del romanticismo español (El vocabulario poético de Zorrilla)", AA. VV., *Actas del I Congreso Internacional de Historia de la Lengua Española*, Madrid, II, 1099-1121.
1989 "Repercusiones de la literatura memorial francesa en España", AA. VV., 57-65.

1991 "Memorias y autobiografías en España (siglos XIX y XX); *Anthropos, Suplementos,* 21, diciembre, 143-169.

CABRERA, Rosa M. y ZALDÍVAR, Gladys B.

1981 *Homenaje a Gertrudis Gómez de Avellaneda. Memorias del simposio en el centenario de su muerte,* Miami, Universal.

CABRERA, Vicente

1977 "El arte satírico de Larra", *Hispanófila,* 59, 9-17.

CACHO BLECUA, Juan Manuel

Ed. de Rivas.

1986 "Estructura y difusión de *Roberto el Diablo*", AA. VV., *Formas breves del relato,* ed. de Aurora Egido e Yves-René Fonquerne, Zaragoza, Universidad-Casa de Velázquez, 35-55.

CAFFARENA, Ángel

1961 *Índice y Antología de la revista "El Guadalhorce",* Málaga, ed. el Guadalhorce.

1966 *El Liceo Artístico, Científico y Literario de Málaga. Bosquejo Biográfico,* Málaga, 1966.

CALDERA, Ermanno

Ed. de Rivas y AA. VV. 1982a, 1983a, 1984a, 1988a.

1962 *Primi manifesti del romanticismo spagnolo,* Pisa, Università.

1974 *Il dramma romantico in Spagna,* Università di Pisa.

1978 *La commedia romantica in Spagna,* Pisa, Giardini.

1980 "L'influenza du Shakespeare sul Romanticismo spagnolo (a proposito di *Romeo y Julieta* di Solís-Ducis)", *Letteratura* (Genova), 3, 41-56.

1982 "La última etapa de la comedia de magia", AA.VV. *Actas del VII Congreso de la A. I. de H.,* Roma, II, 247-253.

1983 "De *Aliatar* a *Don Álvaro.* Sobre el aprendizaje clasicista del duque de Rivas", *Cuadernos de Filología,* III, 3, 5-31.

1983a "Calderón desfigurado (Sobre las representaciones calderonianas en la época prerromántica)", *Anales de Literatura Española* (Alicante) 2, 57-81.

1984 "*La pata de cabra* y *Le pied de mouton*", *Studia Historica et Philologica in Honorem Miguel Batllori,* Roma, 567-575.

1985 "L'Inquisizione e il fanatismo religioso nel teatro spagnolo del primo ottocento", *Letterature,* 8, 27-42.

1988 y CALDERONE, Antonietta "El teatro en el siglo XIX. (I) (1808-1844)", AA. VV., 1988d, II, 377-624.

CALDERONE, Antonietta

Ver Caldera, Ermanao.

1984a "El lenguaje del liberalismo y del absolutismo en el teatro político", AA. VV., 38-46.

CALVO CARILLA, José Luis

Ver Andrés Alonso, Rosa María.

CALVO SANZ, Roberto

1974 *Don Salvador Bermúdez de Castro y Díez. Su vida y su obra. Contribución a la historia de la literatura romántica española.* Valladolid, Universidad.

CALVO SERRALLER, Francisco
Ed. de *Artista, El*.
1978 "La imagen romántica de España", *Cuadernos Hispanoamericanos*, 332, 240-260.
1981a "La pintura costumbrista española", AA. VV., 63-75.
1982 *Ilustración y Romanticismo*, Barcelona, Gustavo Gili.

CAMPOS, Jorge
Ed. de Enrique Gil y Carrasco, Espronceda.
1957 "El movimiento romántico. La poesía y la novela", en DÍAZ PLAJA, Guillermo (ed.) *Historia General de las Literaturas Hispánicas*, IV, 155-239.
1969 *Teatro y sociedad en España (1780-1820)*, Madrid, Moneda y Crédito.

CANO, José Luis
1974 *Heterodoxos y Prerrománticos*, Madrid, Júcar.

CANO, Vicente
1985 "Los ensayos de Larra y Alberdi", AA. VV. 1985a, 37-48.

CANO MALAGÓN, María Luz
1989 *Patricio de la Escosura. Vida y obra literaria*, Valladolid, Universidad.

CAÑADA SOLAZ, Rosa Julia
1987 "El col·loqui valenciano en los siglos XVIII y XIX", en AA. VV. *Actas de las Jornadas sobre Teatro Popular en España*, Madrid, CSIC, 85-107.

CAPARROS ESPERANTE, Luis
1989 "Ni Dios, ni Patria, ni Ley: transgresión en las *canciones* de Espronceda". *Castilla*, 14, 23-39.

CARAVACA, Francisco
1963 "Notas sobre las fuentes literarias del costumbrismo de Larra", *Revista Hispánica Moderna*, XXIX, 1-22.
1966 "Las ideas de Larra sobre la sátira y los satíricos", *Quaderni Ibero-Americani*, XXXIII, 4-25.

CARBALLO CALERO. Ricardo
1983 "Diálogos gallegos de tradición renacentista (1810-1837)", *1616. Sociedad Española de Literatura General y Comparada*, V, 13-21.

CARDWELL, Richard A.
1970 "The Persistance of Romantic Thought in Spain", *Modern Language Review*, LXV, 803-812.
1973 "*Don Álvaro* or the force of Cosmic Injustice", *Studies in Romanticism*, 12, 559-579.

CARILLA, Emilio
1958 *El Romanticismo en la América Hispánica*, Madrid, Gredos, 1975; 1967 (2), 2 vols; 1975 (3), 2 vols.

CARNERO, Guillermo
Ed. de Martínez Colomer.
1973 "Apariciones, delirios, coincidencias, actitudes ante lo maravilloso en la novela histórica española del segundo tercio del XIX", *Ínsula*, 318, 13-15.
1975 "Las objeciones de Valera a *El Diablo Mundo*", *Ínsula*, 338, pp. 1 y 10.

1978 *Los orígenes del romanticismo reaccionario español. El matrimonio Böhl de Faber*, Valencia, Universidad.

1980 "Une contribution à l'histoire des idées esthétiques dans l'Espagne du début du XIXe. siècle", *Mélanges de la Casa de Velázquez*, XVI, 291-308.

1981 "La utilización del mito antinapoleónico en el primer romanticismo conservador español", AA. VV., *La invasión napoleónica*, Barcelona, Universidad Autónoma, 134-157.

1982 "Juan Nicolás Böhl de Faber y la polémica dieciochesca sobre el teatro", *Anales de la Universidad de Alicante. Historia Moderna*, 2, 291-317.

1983 *La cara oculta del Siglo de las Luces*, Madrid, Fundación Juan March-Cátedra.

1990 "Francisca Ruiz de Larrea (1775-1838) y el inicio gaditano del romanticismo español", AA. VV., 119-130.

CARNICER, Ramón

1963 *Vida y obra de Pablo Piferrer*, Madrid, CSIC.

1969 *Entre la magia y la ciencia: Mariano Cubí*, Barcelona, Seix Barral.

CARO BAROJA, Julio

Ed. de *Romances de ciego*.

1969 *Ensayo sobre la literatura de cordel*, Madrid, Revista de Occidente.

1980 *Temas castizos*, Madrid, Istmo, 1980.

CARRASCO URGOITI, María Soledad

1956 *El Moro de Granada en la literatura (Del siglo XV al XX)*, Madrid, Revista de Occidente; reed. Universidad de Granada, 1989.

CARRASCOSA MIGUEL, Pablo y DOMÍNGUEZ, Elisa

1988 «*Dos escondidos y una tapada*: una leyenda nueva de José Zorrilla», *Boletín de la Real Academia Española*, LXVIII, 289-346.

CARREIRA, Antonio y CASADO, Concha

1985 *Viajeros por León (siglos XII-XIII)*, León, Santiago García.

CARRIÈRE, Marie Thérèse

1980 "Acerca de las pensiones de actores en la Cruz y el Príncipe a mediados del siglo XIX", AA. VV., *Homenage à Jean-Louis Flecniakoska*, Montpellier, I, 119-141.

1981 "El palco de la Reina. *Comedia histórica* al margen del Romanticismo", *Iris*, 2, 3-21.

CARRILLO, Víctor

1977a "Marketing et édition au XIXe. siècle. La Sociedad Literaria de Madrid", en AA. VV., 7-101.

CASALDUERO, Joaquín

Ed. de García Gutiérrez; ed. de Rivas.

1961 *Espronceda*, Madrid, Gredos; 1967 (2).

1967 "*Don Álvaro o el destino como fuerza*", en *Estudios sobre el teatro español*, Madrid, Gredos, 232-269.

CASO GONZÁLEZ, José Miguel

1980 "Notas sobre periodización de la literatura española de la segunda mitad del siglo XVIII", AA. VV., *Actas del VI Congreso de la Asociación Internacional de Hispanistas*, Toronto, 169-171.

CASSANY, Enric
Ed. de Antonio Ros de Olano.

CASTAÑÓN, Jesús
1983 "Sebastián de Miñano: un periodista del período liberal", *Anales de Literatura Española* (Alicante) 2, 83-102.

CASTILLA, Alberto
1988 *Carolina Coronado de Perry*, Madrid, Beramar.

CASTRO, Américo
1923 *Les grands romantiques espagnoles*, París, La Renaissance du Livre.

CASTRO, Concepción de
1975 *Romanticismo, periodismo y política. Andrés Borrego*, Madrid, Tecnos.

CASTRO Y CALVO, José María
Ed. de Díaz Corbeille, Nicomedes Pastor.

CASTROVIEJO, A.,
1927 "Notas acerca del teatro en Granada según los programas de beneficios desde 1829 a 1841", en *Estudios Eruditos in Memoriam de Adolfo Bonilla San Martín*, Madrid, II, 301-317.

CATALÁN, Diego
1989 "El romancero de tradición oral en el último cuarto del siglo XIX", AA. VV., *El Romancero*, Cádiz, Fundación Machado, Universidad de Cádiz, 217-226.

CATENA, Elena
Ver AZCÁRATE, José María; Ed. de Gómez de Avellaneda, Gertrudis.
1989 "La vida cotidiana", AA. VV., *Historia de España,* vol. XXXV (II), 681-742.

CATTANEO, María Teresa
1967 "Gli essordi del Romanticismo e *El Europeo*", apud *Tre studi sulla cultura spagnola*, Milano-Varese, Istituto Cisalpino 73-137.

CEBRIAN, José
1990 "Significación y alcance de la *Poética* de Martínez de la Rosa", *Revista de Literatura*, 103, 129-150.

CEJADOR Y FRAUCA, Julio
1917 *Historia de la lengua y literatura castellana. Comprendidos los autores Hispano-Americanos*, Madrid, VII.

CEPEDA ADÁN, José
Ver AZCÁRATE, José María

CERVERA BAÑULS, David
1976 *La prensa valenciana en su aportación a la Renaixença*, Valencia, Ayuntamiento.

CIPLIJAUSKAITÉ, Biruté
1966 *El poeta y la poesía (Del Romanticismo a la poesía social)*, Madrid, Ínsula.
1988c "El Romanticismo como hipotexto en el realismo", AA. VV., 90-97.

CLOSA FARRÉS, J.
1980-81 "La difusión de las *Ars minor* de E. Donato en el siglo XIX hispano

(notas generales para una contribución a su estudio)", *Anuario de Filología*, VI, 1980, 1-59, VII, 1981, 49-77.

1982 "La imagen de Roma en las letras hispánicas del siglo XIX", *Anuario de Filología*, VII, 11-41.

CLOSE, Anthony

1977 *The Romantic Approach to Don Quixote*, Cambridge University Press.

COE, Ada M.

1947 *Entertainments in the little Theatres of Madrid*, New York, Hispanic Institute.

COLON, Germán

1961 "Latín medieval *romanticus*", *Zeitschrift für Romanische Philologie*, LXXVIII, 75-80.

COMELLA, Carmela

1977 "Note per una definizione ideologica e storica del *costumbrismo* nella letteratura spagnola", *Annuali dell'Istituto Universitario Orientale*, XIX, 435-454.

COROMINAS, Juan

1849 *Suplemento a las Memorias para ayudar a formar un diccionario crítico de los escritores catalanes publicadas por el Excmo. e Ilmo. Sr. D. Félix Torres Amat*, Burgos, imprenta de Arnaiz (ed. facsímil, Barcelona, 1973).

CORREA CALDERÓN, Evaristo

Ed. de *Costumbristas españoles*.

1949 "Análisis del cuadro de costumbres", *Revista de Ideas Estéticas*, 7, 65-72.

COSSÍO, José María de

1942 "Noticia de D. Manuel de la Cuesta y sus versos", *El Romanticismo a la vista*, Madrid, Espasa-Calpe, 171-324.

1960 *Cincuenta años de poesía española (1850-1900)*, Madrid, Espasa-Calpe.

COTARELO Y MORI, Emilio

1904 *Bibliografía de las controversias sobre la licitud del teatro en España*, Madrid.

1928 "Editores y galerías dramáticas en Madrid en el siglo XIX", *Revista de Bibliotecas, Archivos y Museos*, V, 121-139.

CRESPO, Ángel

Ed. del Duque de Rivas.

1973 *Aspectos estructurales de* El Moro Expósito *del Duque de Rivas*, Uppsala, Studia Romanica Uppsaliensia.

1985 *El Duque de Rivas*, Gijón, Júcar.

CRESPO MATELLÁN, Salvador

1979 *La parodia dramática en la literatura española*, Salamanca, Universidad.

CRIADO Y DOMÍNGUEZ, J. P.

1889 *Literatas españoles del siglo XIX. Apuntes bibliográficos*, Madrid, Imprenta de A. Pérez Dubrull.

CROCE, Elena

1986 *Il Romanticismo spagnolo. La splendida eredità di un romanticismo povero*, Roma, Bulzoni.

CUENCA, Luis Alberto de

Ed. de Pérez Zaragoza.

1984 "La literatura fantástica española del siglo XVIII", *Cuadernos Hispanoamericanos*, 410, 106-118.

CUEVAS, Miguel Ángel
1982 "Las ideas de Blanco White sobre Shakespeare", *Anales de Literatura Española* (Alicante) 1, 249-268.

CULLEN, Arthur J.
1958 "El lenguaje romántico de los periódicos madrileños publicados durante la monarquía constitucional (1820-23)", *Hispania* (California), XLI, 303-307.

CURRY, Richard A.
1976 *Ramón de Mesonero Romanos*, Boston, Twayne Publishers.

CHARNON-DEUTCH, Lou
1985 *The Nineteenth-Century Spanish Story. Textual Strategies of a Genre in Transition*, London, Tamesis Books.

CHEVALIER, Maxime
1978 "Inventario de los cuentos folklóricos recogidos por Fernán Caballero", *Revista de Dialectología y Tradiciones Populares*, XXXIV, 49-65.

1979 "Pour les sources des *Fables* d'Hartzenbusch", *Bulletin Hispanique*, LXXXI, 301-310.

1980 "Cuento folklórico y literatura del siglo XIX", AA. VV., *Actas del VII Congreso de la Asociación Internacional de Hispanistas*, Roma, I, 325-333.

1984 "La trayectoria del cuento folklórico en las letras españolas, desde la Edad Media al siglo XIX" *Cuadernos para la investigación de la Literatura Hispánica*, 6 195-208.

DALE, Barbara
1980 "Byron, Espronceda and the critics", *Selecta*, I, 106-108.

DELGADO CASADO, Juan y MARTÍN ABAD, Julián
1987 "Adiciones y correcciones a la *Bibliografía zaragozana del siglo XIX* de Inocencio Ruiz Lasala", AA. VV., *Homenaje a Justo García Morales*, Madrid, Anabad, 85-107.

DENDLE, Brian J.
Ed. de *The Romantic Movement Bibliography*.
1965-66 "Two Sources of López Soler's Articles in *El Europeo*" *Studies in Romanticism*, 5, 44-50.

1967-68 "A romantic Voyage to Saturn: Tirso Aguimana de Veca's *Una temporada en el más bello de los planetas*", *Studies in Romanticism*, VII, 243-247.

1973 "A Note on the Valencia Edition of Martínez de la Rosa's *La viuda de Padilla*", *Bulletin of Hispanic Studies*, 50, 18-22.

1974 "A note on the first published version of the *Epístola a D. José Manuel Quintana* by José María Blanco", *Bulletin of Hispanic Studies*, 51, 365-371.

DENGLER GASSIN, Robert
1989 "El drama romántico francés en Madrid (1830-1850)", AA. VV., 307-315.
DÉROZIER, Albert
Ed. de AA.VV., *Revisión de Larra*, 1983.
1968 *Manuel Josef Quintana et la naissance du libéralisme en Espagne*, Paris, An-
     nales littéraires de l'Université de Besançon; trad. española, Madrid,
     Turner, 1978.
1974 "Le Duc de Rivas et la résurgence du Romancero", *Les Langues Néo-
     Latines*, 68, 24-50.
1977 "A propos des origines du roman historique en Espagne à la mort de
     Ferdinand VII", en AA. VV., 83-120.
1977a "Sur le problème des personnages dans la poésie historique au XIXe.
     siècle: les *Romances Históricos* du duc de Rivas (1841)", *Revista de Historia*
     (São Paulo), LVI, n.° 111, 119-153.
1978 "La première génération de romanciers historiques en Espagne au XIXe.
     siècle", *Las Langues Néo-Latines*, 225, 33-55.
1978a "Le roman historique au XIXe. siècle. La problematique d'un genre",
     en AA. VV., Société des Hispanistes Françaises, *Actes du XIVe. Congrès*
     (Nice), 79-93.
1978b "Relaciones entre historia y literatura a través de la producción del trienio
     constitucional (1820-1823)", *Cuadernos Hispanoamericanos*, 335, 275-283.
1980 "Teoría de los géneros literarios de 1788 a 1833: ideología liberal y
     multiplicidad de los modos de expresión", *Historia de España*, dirigida
     por M. Tuñón de Lara, Barcelona, VII, 377-396.
DÉROZIER, Claudette
1976 *La Guerre de l'Indépendence espagnole à travers l'estampe (1808-1814)*, Uni-
     versité de Lille, Paris, H. Champion.
1983 "La caricatura en la prensa satírica ilustrada de la Regencia de Espartero:
     El Cangrejo (1841), *La Posdata* (1842-1843), *La Guindilla* (1842-
     1843)", AA. VV., 1983, 117-131.
DESCOLA, Jean
1971 *La vie cotidienne en Espagne (1833-1868)*, Paris, Hachette; trad. españo-
     la, Barcelona, Argos Vergara, 1984.
DEYERMOND, Alan y MILLER, Beth
1981 "On editing the Poetry of Avellaneda", AA. VV., *Studia Hispanica in
     Honour of Rodolfo Cardona*, Madrid, Cátedra, 41-55.
DIANA, Manuel Juan
1864 *Cien españoles célebres*, Madrid, Imprenta de Tejado.
DÍAZ DE CASTRO, F. J.
1975 "La teoría crítica literaria en *La Palma* (1840-41)", *Mayurqa*, 14, 165-183.
DÍAZ LARIOS, Luis F.
Ed. de Arolas, Juan; ed. de *Antología de la Poesía Romántica*.
1967 "Literatura y Sociedad en el Romanticismo", *Cuadernos Hispanoamerica-
     nos*, 215, 410-420.

1976 "*El Romancero del Conde-Duque* de Ribot y Fontseré, entre la sátira política y el episodio nacional", *Anuario de Filología*, II, 331-347.

1978 "Rielar: una nota sobre su uso en la lírica del siglo XIX", *Anuario de Filología*, 4, 307-316.

1984a "Anacronismo y desenfoque en la épica romántica (En torno a un texto inédito de García Gutiérrez)", AA. VV., 57-65.

1985 "*Hernán Cortés*: un proyecto épico de García Gutiérrez", *Revista de Literatura*, 94, 239-248.

1988a "De la épica a la leyenda romántica: *Solimán y Zaida*, de Ribot y Fontseré", AA. VV., 45-52.

DÍAZ-PLAJA, Guillermo
1936 *Introducción al estudio del Romanticismo español*, Madrid, Espasa-Calpe; 1942 (2); 1954.

1961-62 "Una cátedra de retórica. 1822-1935", *Boletín de la Real Academia de Buenas Letras* (Barcelona) XXIX, 47-79.

DIEGO, Gerardo
1975 "Notas sobre Zorilla y música de Bécquer", AA. VV., 25-61.

DÍEZ DE REVENGA, María
1985 "Un poeta romántico murciano: José Martínez Monroy", *Murgetana*, LXVIII, 37-55.

DÍEZ GARRETAS, Rosa
1982 *El teatro en Valladolid en la primera mitad del siglo XIX,* Valladolid, Institución Cultural Simancas.

DÍEZ TABOADA, Juan María
Ed. de Bretón de los Herreros, ed. de Espronceda.
1961 "El germanismo y la renovación de la lírica en el siglo XIX", *Filología Moderna*, 5, 21-55.

1964 "Vivencia y género literario en Espronceda y Bécquer", *Homenajes. Estudios de Filología Española*, Madrid, 9-23.

1985 "Das Spanische Theater des 19 Jahrhunderts", AA. VV., *Das Spanische Theater*, Darmstadt, Wissenschafliche Buchgesellschaft, 392-473.

DÍEZ TABOADA, María Paz
1977 *La elegía romántica española*, Madrid, CSIC.
1988 "Tema y leyenda en *El lago de Carucedo* de Enrique Gil y Carrasco", *Revista de Dialectología y Tradiciones Populares*, XLIII, 227-238.

DIMITRIOV, Agnes L.
1976 "El particular romanticismo de D. Salvador Bermúdez de Castro", *Boletín de la Biblioteca Menéndez Pelayo*, LII, 277-300.

DIRECCIÓN GENERAL DEL LIBRO Y BIBLIOTECAS, BIBLIOTECA NACIONAL
1989-91 *Catálogo Colectivo del patrimonio bibliográfico español. Siglo XIX*, Madrid, Arco Libro, (en curso de publicación), 4 vols. publicados.

DOMERGUE, Lucienne
1982b "José Blanco White (Seville, 1775-Liverpool, 1841). L'obsession autobiographique chez un apostat", AA. VV., 111-132.

1987 "Un bandolero frente a la justicia, la Literatura y el Arte", AA. VV., *Actas del I Symposium del Seminario de Ilustración Aragonesa*, Zaragoza, Diputación General de Aragón, 169-194.

DOMÍNGUEZ, Elisa
Ver Carrascosa Miguel, Pablo

DOMÍNGUEZ CAPARRÓS, José
1975 *Contribución a la historia de las teorías métricas de los siglos XVIII y XIX*, Madrid, CSIC.

DOMÍNGUEZ GUZMÁN, Aurora
1969 *Índice de la "Revista de Ciencias, Literatura y Artes" (Sevilla, 1855-1866)*, Sevilla.

DOWLING, John
1966 "The Paris Première of Francisco Martínez de la Rosa's *Aben Humeya* (July, 1834)", *Homenaje a Rodríguez-Moñino*, Madrid, I, 147-154.
1974 *José Melchor Gomis. Compositor romántico*, Madrid.
1977-78 "Time in *Don Álvaro*", *Romance Notes*, 19, 355-361.
1980 "El anti-don Juan de Ventura de la Vega", AA. VV., *Actas del VI Congreso Internacional de Hispanistas*, 215-218.
1980a "Traditional Spain in Works of José Zorrilla. The Poet and his Father", *Crítica Hispánica*, II, 97-108.
1981 "The Poet and the Emperor: José Zorrilla in Maximilian's Mexico", AA. VV., *Homage to Faye La Verne Bumpass*, Lublok, Texas, 6-18.
1982 y SEBOLD, Russell "Las singulares circunstancias de la publicación de la *María* de Zorrilla", *Hispanic Review*, 50, 449-472.
1989 "José Zorrilla y la retórica de la muerte", *Hispanic Review*, 57, 437-456.

DUFOUR, Gérard y VAUCHELLE-HAQUET, Aline
1982b "De l'autobiographie politique: le cas des *afrancesados*", AA. VV., 133-147.

DURNERIN, James
1983 "Fascinación y repulsa por Dumas en el Larra crítico y creador", AA. VV., 143-157.
1983a "Larra traducteur de Scribe et de Ducange", AA. VV., *Écriture des marges et mutations historiques. Annales littéraires de l'Université de Besançon*, 41-52.

EGIDO, Aurora
1987 "Sobre la demonología de los burladores (De Tirso a Zorrilla)", *Iberorromania*, 26, 19-40.

EICHNER, Hans
Ver AA. VV. 1972
1982 "The Rise of Modern Science and the Genesis of Romanticism", *Publications of the Modern Linguistic Association*, CXVII, 8-30.

ELÍAS DE MOLINS, Antonio
1889-95 *Diccionario biográfico y bibliográfico de escritores y artistas catalanes del siglo XIX (Apuntes y datos)*, Barcelona, 2 vols.

ELORZA, Antonio
Ed. de *Socialismo utópico español*.

ENGLER, Kay
1980 "Amor, muerte y destino en la psicología de Eros en los *Amantes de Teruel*", *Hispania*, LXX, 1-15.

ENTRAMBASAGUAS, Joaquín de
1939 *La determinación del Romanticismo español*, Barcelona, 9-23.

ERDMAN, David *et alii*
Ver AA. VV., 1973.

ERTLER, Klaus-Dieter
1985 *Der Spanienkritik im Werk José María Blanco Whites*, Bern, Frankfurt, New York; Peter Lang.

ESCOBAR, José
1969 "Un soneto político de Larra", *Bulletin Hispanique*, LXXI, 280-285.

1970 "Sobre la formación del artículo de costumbres. Mariano de Rementería y Fica, redactor del *Correo Literario y Mercantil*", *Boletín de la Real Academia Española*, 1, 559-573.

1972 "El *Pobrecito Hablador* y su intención satírica", *Papeles de Son Armadans*, 64, 5-45.

1973 *Los orígenes de la obra de Larra*, Madrid, Prensa Española.

1976 "Un tema costumbrista: Las casas por dentro en *L'Hermite de la Chaussée d'Antin*, *El Observador* y *El Curioso Parlante*", *Revista Canadiense de Estudios Hispánicos*, I, 39-47.

1976a "Un episodio biográfico de Larra, crítico teatral en la temporada de 1834", *Nueva Revista de Filología Hispánica*, XXV, 45-72.

1977 "El artículo de costumbres en España a finales de la ominosa década", AA. VV., *Actas del V Congreso de la Asociación Internacional de Hispanistas*, I, 377-383.

1977a "Costumbres de Madrid: influencia de Mercier en un programa costumbrista de 1828", *Hispanic Review*, 45, 29-42.

1982a "Anti-romanticismo en García Gutiérrez", AA. VV., 83-94.

1983 "El sombrero y la mantilla: moda e ideología en el costumbrismo romántico español", AA. VV., 161-165.

1983a "Larra durante la ominosa década", *Anales de Literatura Española* (Alicante), 2, 233-251.

1984 (Reseña de J. L. Varela, 1984, *Larra y España*), *Hispanic Review*, LII, 545-547.

1984a y PERCIVAL, Anthony "De la tragedia al melodrama", AA. VV., 141-146.

1984b y PERCIVAL, Anthony "Viaje imaginario y sátira de costumbres en la España del siglo XVIII: los Viajes de Enrique Wanton al país de las monas", AA. VV., *Aufstieg und Krise der Kernunf*, Wien-Köln-Graz, 79-94.

1986 "Romanticismo y revolución", *Estudios de Historia Social*, 36-37, 345-351.

1988 "La mímesis costumbrista", *Romance Quarterly*, XXXV, 261-270.

1988a "Narración, descripción y mímesis en el *cuadro de costumbres*: Gertrudis Gómez de Avellaneda y Ramón de Mesonero Romanos", AA. VV., 53-60.

1989 "La literatura alemana en el Romanticismo español: la balada *Leonore* de

G. A. Bürger", AA. VV., *Actas del IX Congreso de la Asociación Internacional de Hispanistas*, II, 41-48.

1990 "El teatro del siglo de Oro en la controversia ideológica entre españoles castizos y críticos: Larra frente a Durán", *Cuadernos de Teatro Clásico*, 5, 155-170.

1993 "Ilustración, romanticismo, modernidad", AA. VV., *Entre Siglos* (ed. E. Caldera y R. Froldi), Roma, Bulzoni, 123-133.

ETIENVRE, Françoise
Ed. de Capmany.

FABRA BARREIRO, Gustavo
1967 "El pensamiento vivo de Larra", *Revista de Occidente*, L. 129-152 (reed. AA. VV., 1979, 119-134).

FÁBREGAS, Xavier
1974 "La introducció del drama romàntic a Catalunya", *Els Marges*, 2, 45-64.

1975 *Les formes de diversió en la Societat catalana romàntica*, Barcelona, Curial.

1982 "Aspectos esenciales del romanticismo catalán", AA. VV., 137-161.

FARINELLI, Arturo
1927 *Il Romanticismo nel mondo latino*, Torino, Bocca, 3 vols.

FEAL DEIBE, Carlos
1981 "Conflicting Names. Conflicting Laws: Zorrilla's *Don Juan Tenorio*", *Publications of the Modern Linguistic Association*, 96, 355-387.

1984 *En nombre de don Juan (Estructura de un mito literario)*, Amsterdam, John Benjamin.

FERNÁNDEZ CABEZÓN, Rosalía
1984 "*Ataúlfo* visto por dos trágicos: don Agustín de Montiano y el duque de Rivas", *Castilla*, 8, 95-100.

FERNÁNDEZ-GALIANO, Manuel
1977 "Humanismo y literatura en el siglo XIX español", AA. VV., *Humanismo español en el siglo XIX*, Madrid, FUE, 31-65.

FERNÁNDEZ HERR, Elena
1973 *Les origines de l'Espagne romantique. Les récits de voyage 1755-1823*, París, Didier.

FERNÁNDEZ LARRAIN, Sergio
1966 "Algo del Duque de Rivas, a través de un epistolario. En el primer centenario de su muerte (1865-1965)", *Atenea*, 411, 124-249.

FERNÁNDEZ MONTESINOS, José
Ver MONTESINOS, José F.

FERNÁNDEZ SÁNCHEZ, José
1985 *Viajeros rusos por la España del siglo XIX*, Madrid, El Museo Universal.

FERRAZ, Antonio
1990 *La novela histórica contemporánea del siglo XIX anterior a Galdós (De la Guerra de Independencia a la Revolución de Julio)*, Tesis doctoral, Universidad Complutense, (inédita).

FERRER, Antoni-Lluc
1987 *La patrie imaginaire; la projection de "La pàtria" de B. C. Aribau (1832)*

dans la mentalité catalane contemporaine, Aix-en-Provence, Publications de l'Université, 2 vols.

FERRERAS, Juan Ignacio

1970 "Novelas y costumbrismo", *Cuadernos Hispanoamericanos*, 242, 345-347.

1973 *Los orígenes de la novela decimonónica, 1800-1830*, Madrid, Taurus.

1976 *El triunfo del liberalismo y de la novela histórica (1830-1870)*, Madrid, Taurus.

1979 *Catálogo de novelas y novelistas españoles del siglo XIX*, Madrid, Cátedra.

FLITTER, Derek William

1986 *Romantic Traditionalism in Spanish Literature and Ideas, 1814-1850*, Tesis doctoral, The Queen's College, Oxford; reproducción de British Thesis, The British Library.

FLYNN, Gerald

1976 "Una bibliografía anotada sobre Manuel Bretón de los Herreros", *Berceo*, 91, 167-193.

1977 "The Refundiciones of Manuel Bretón de los Herreros", *Estudios Ibero-americanos*, 3, 257-266.

1978 *Manuel Bretón de los Herreros*, Boston.

FONTANA, Josep

1974 *La quiebra de la monarquía absoluta, 1814-1820*, Barcelona, Ariel.

1979 *La crisis del Antiguo Régimen (1808-1833)*, Barcelona, Crítica.

FONTANELLA, Lee

1981 *La historia de la fotografía en España desde sus orígenes hasta 1900*, Madrid, ed. el Viso.

1982 *La imprenta y las letras en la España romántica*, Berne y Frankfurt am Main, Lang.

1982a "The Fashion and styles of Spain's costumbrismo", *Revista Canadiense de Estudios Hispanos*, 6, 175-189.

1987 "Physiognomics in romantic Spain", AA. VV., *From Dante to García Márquez*, Williamstown, Williams Col., 100-113

1989a "Contemplación y comprensión", AA. VV., 16-27.

FOSTER, David W.

1969 "Un índice introductorio de los *tópicos* de la poesía romántica: lugares comunes en la lírica de Rivas, Espronceda, Bécquer y Zorrilla", *Hispanófila*, 37, 2-22.

FOURNIER, Anna

1978 "Les ressorts dramatiques dans le théâtre de Juan Eugenio Hartzenbusch: étude du drame *Alfonso el Casto*" AA.VV., 57-64.

FOX, E. Inman

1960 "Historical and Literary Allusions in Larra's *El hombre menguado*", *Hispanic Review*, XXVIII; 341-349.

1983 "*La amarga realidad* and the Spanish Imagination", AA. VV., *Essays on Hispanic Literature in Honour of Edmond L. King*, London, 73-78.

1985 "Apuntes para una teoría de la moderna imaginación literaria española", AA.VV., *Homenaje a José Antonio Maravall*, Madrid, II, 341-350.

FREIRE LÓPEZ, Ana María

1989 "Cristóbal de Beña, un madrileño rescatado", *Anales del Instituto de Estudios Madrileños*, XXVII, 569-604.

1991 "Larra, redactor de *El Español:* dos textos inéditos", *Epos* (U.N.E.D.), VII, 571-576.

FROLDI, Rinaldo

1983 "¿Literatura *prerromántica* o literatura *ilustrada?*", AA.VV., *II Simposio sobre el Padre Feijoo y su siglo*, II, 477-482.

1984 "Apuntaciones críticas sobre la historiografía de la cultura y de la literatura españoles del siglo XVIII", *Nueva Revista de Filología Hispánica*, 33, 59-72.

FUENTE BALLESTEROS, Ricardo de la

1988 "Siete cartas a Blanco White", *Boletín de la Biblioteca Menéndez Pelayo*, LXIV, 193-208.

1988 "*La lucha de los gatos,* poema autógrafo de José Zorrilla" *Castilla,* 13, 57-60.

FUENTES, Juan Francisco

1989 *José Marchena. Biografía política e intelectual*, Barcelona, Crítica.

FURST, Lilian R.

1969 *Romanticism in perspective*, London.

1980 *European Romanticism: Self-definition*, London, New York, Methuen.

GALDI, L.

1977 "Lyrical style in neo-latin romantic literature. A study in compositive stylistics", I. Sótér y I. Neukopoyeva (eds.), *European Romanticism*, Budapest, Akadémiai Kaidó, 389-474.

GALLEGO, Antonio

1979 *Historia del grabado en España*, Madrid, Cátedra.

GALLEGO MORELL, Antonio

1972 *Diez ensayos sobre literatura española*, Madrid, Revista de Occidente.

GALLEGO ROCA, Miguel

1991 *"La Cuerda Granadina". Una sociedad literaria del postromanticismo*, Granada, Comares.

GALLINA, Ana María

1965 "La traiettoria drammatica di Espronceda: Dal neoclassicismo al romanticismo", *Annali dell'Istituto Universitario Orientale (Sezione Romanza)*, 7, 79-99.

GAOS, Vicente

1959 "La poesía española en el siglo XIX", en *Temas y problemas de la literatura española*, Madrid, Guadarrama, 159-175.

GARCÍA BARRÓN, Carlos

1970 *La obra crítica y literaria de don Antonio Alcalá Galiano*, Madrid, Gredos.

GARCÍA CASTAÑEDA, Salvador

Ed. de Zorrilla, Rivas

1964 "Una revista romántica. El *Observatorio Pintoresco* de 1837", *Boletín de la Biblioteca Menéndez Pelayo*, XL, 337-357.

1968 "*El Pensamiento* de 1841 y los amigos de Espronceda", *Boletín de la Biblioteca Menéndez Pelayo*, 44, 329-353.

1971 *Las ideas literarias en España entre 1840 y 1850*, Berkeley-Los Angeles-London, University of California Press.

1973 "Juan Martínez Villergas y un cuadro de Esquivel", *Revista de Estudios Hispánicos* (Alabama), 7, 179-192.

1978 *Don Telesforo de Trueba y Cossío (1799-1835). Su tiempo, su vida y su obra*, Santander, Institución Cultural de Cantabria.

1979 *Miguel de los Santos Álvarez (1818-1892). Romanticismo y Poesía*, Madrid, SGEL.

1982 "Costumbristas españoles en Inglaterra: observaciones sobre la obra de Blanco White, Valentín de Llanos y Telesforo de Trueba y Cossío", AA.VV., *Actas del VII Congreso de la Asociación Internacional de Hispanistas*, 501-509.

1984 "Los hermanos Asquerino o el uso y mal uso del drama histórico", AA.VV., 23-42.

1985 "De *figurón* a hombre de pro: el montañés en la literatura de los siglos XVIII y XIX, AA. VV., 1985a, 89-98.

1986 "La fábula política española en el siglo XIX", AA.VV., *Actas del VIII Congreso de la Asociación Internacional de Hispanistas*, Madrid, Istmo, 567-575.

1987 "La Inquisición, tema literario en la novela de la emigración (1800-1837)", *Quaderni di Letteratura Iberiche e Ibero-Americane*, IV, 23-35.

1991 *Valentín de Llanos y los orígenes de la novela histórica, (1795-1885)*, Valladolid, Editora Provincial.

1991a *Los montañeses pintados por sí mismos. Un panorama del costumbrismo en Cantabria*, Santander, Concejalía de Cultura-Librería Estvdio.

GARCÍA DE ENTERRÍA, María Cruz
Ed. de Concepción Arenal

GARCÍA GARROSA, María Jesús
1990 *La retórica de las lágrimas. La comedia sentimental española 1751-1802*, Valladolid, Universidad.

GARCÍA MARTÍN, José María
1987 "Nota sobre el leísmo en dos autores andaluces del siglo XIX", *Anuario de Lingüística Hispánica*, III, 99-122.

GARCÍA MELERO, José Enrique
1985 "Pintura de historia y literatura artística en España", *Fragmentos*, 6, 50-71.

GARCÍA MERCADAL, José
1943 *Historia del Romanticismo en España*, Barcelona, Labor.

GARCÍA MOUTON. Pilar
Ver ÁLVAREZ BARRIENTOS, Joaquín

GARCÍA TEJERA, María del Carmen
1989 *Conceptos y teorías literarias españolas del siglo XIX: Alberto Lista*, Cádiz, Universidad.

GARELLI, Patrizia
Ver Menarini, Piero
1983 *Bretón de los Herreros e la sua formula comica*, Imola, Galeato.

1984 "Conqueste, conquistatori e conquistati sulla scena romantica spagnola", AA. VV., 43-64.

GARNICA, Antonio
Ed. de Blanco White.
1975-76 "Blanco White, poeta inglés", *Filología Moderna*, 56-58, 79-90.

GARRIDO PALAZÓN, Manuel
1988 "Función de la literatura e historia literaria: Un planteamiento (De los *encyclopédistes* a Manuel Milá)", 1616, *Sociedad Española de Literatura General y Comparada*, VI-VII, 115-124.

GARRORENA MORALES, Ángel
1974 *El Ateneo de Madrid y la teoría de la Monaquía Liberal, 1836-1847*, Madrid, Instituto de Estudios Políticos.

GENTIL, Georges, LE
1909 *Les Révues litteraires de l'Espagne pendant la première moitié du XIXe siècle*, París, Hachette.

GIES, David Thatcher
Ed. de Grimaldi.
1975 *Agustín Durán. A Biography and Literary Appreciation*, London, Tamesis Books.
1980 "El Romance y el Romanticismo. Perspectivas de Agustín Durán", *Dieciocho*, 3, 62-68.
1980a "José Zorrilla and the Betrayal of Spanish Romanticism", *Romantisches Jahrbuch*. 31, 339-346.
1981 "The plurality of Spanish Romanticism", *Hispanic Review*, 49, 427-442.
1982 "Évolution/révolution dans la poésie espagnole", AA. VV., *Le tournant du siècle des Lumières 1760-1820. Les genres en vers des Lumières au Romantisme*, ed. de G. M. Vajda, Budapest, 567-578.
1983 "The essay and *I*. Notes on authorial Presence in the Early Spanish Romantic Essay", *Los Ensayistas*, Sacramento, 14-15, 69-80.
1983a "Don Juan contra don Juan", AA.VV., *Actas del VII Congreso Internacional de Hispanistas*, Roma, Bulzoni, 545-551.
1984 "Visión, ilusión y el sueño romántico en la poesía de Espronceda", *Cuadernos de Filología* (Valencia), III, 3, 61-84.
1984a "Juan de Grimaldi y la máscara romántica", AA. VV., 1984a, 133-140.
1985a "Larra, Grimaldi and the Actors of Madrid", AA. VV., 113-122.
1986 "*Inocente estupidez, La pata de cabra* (1829), Grimaldi and the regeneration of the Spanish Stage", *Hispanic Review*, 54, 375-396.
1988 *Theatre and Politics in Nineteenth-Century Spain. Juan de Grimaldi as Impresario and Government Agent*, Cambridge-New-York-Melbourne, Cambridge University Press.
1988a "Larra, la *Galería fúnebre* y el gusto por lo gótico", AA. VV., 60-68.
1989 *El Romanticismo*, Madrid, Taurus.
1990 "Notas sobre Grimaldi y el *furor de refundir* en Madrid (1820-1833)", *Cuadernos de Teatro Clásico*, 5,111-124.

1991 "Hacia un catálogo de los dramas de Dionisio Solís", *Bulletin of Hispanic Studies*, LXVIII, 197-210.

GIL ENCABO, Fermín
1983 "Literatura periodística y los tópicos regionales en el siglo XIX" AA. VV., *Temas de antropología aragonesa*, 2, 134-168.
1986 "Monólogo catequítico *versus* conversación oída en los diálogos costumbristas del Trienio Liberal", *Aportes. Revista de Historia del siglo XIX*, 2, 14-23.
1991 *El costumbrismo literario aragonés* (microforma), Huesca, Ediciones del Fénice.

GIL GONZÁLEZ, José Matías
1987 *Las formas populares en la poesía de Alberto Lista*, Sevilla, Diputación Provincial.

GIL NOVALES, Alberto
Ed. de *Revisión de Larra*.
1981 "Burke en España"; AA. VV., *II Simposio sobre el Padre Feijoo y su siglo*, Oviedo, II, 63-75.
1992 *Diccionario biográfico del Trienio Liberal*, Madrid, El Museo Universal.

GIMÉNEZ, Antonio
1982 "El mito romántico del bandolero andaluz", *Cuadernos Hispanoamericanos*, CXXVII, 383, 127, 272-296.

GLENDINNING, Nigel
1977 *Goya and his critics*, Yale University, New Haven, London; trad. española, Madrid, Taurus, 1982.

GOLDMAN, Peter B.
1974 "Toward a Sociology of the Modern Spanish Novel. The Early Years. Part I", *Modern Language Notes*, LXXXIX, 173-190.

GÓMEZ AMAT, Carlos
1984 *Historia de la música española, 5. Siglo XIX*, Madrid, Alianza.

GÓMEZ APARICIO, Pedro
1967 *Historia del periodismo español —I— Desde la "Gaceta de Madrid" (1661) hasta el destronamiento de Isabel II*, Madrid, Editora Nacional.

GÓMEZ REA, Javier
1974 "Las revistas teatrales madrileñas (1790-1930)", *Cuadernos Bibliográficos*, 31, 65-140.

GOMEZ URIEL, Miguel
Ver Latassa y Ortin, Félix

GOMIS, María Pilar,
Ed. de Vayo.

GONZÁLEZ GARCÍA, Ángel
Ed. de *El Artista*

GONZÁLEZ HERRÁN, José Manuel
1981 *La prosa romántica. Larra*, Madrid, Cincel.

GONZÁLEZ DE GARAY, María Teresa
1973 "De la tragedia al drama histórico: dos textos de Martínez de la Rosa", *Cuadernos de Investigación Filológica* (Logroño), 1-2, 199-234.
GONZÁLEZ MOLLEDA, María Luisa
1963 "Antonio María Segovia", *Revista de Literatura*, 47-48, 101-124.
GONZÁLEZ TROYANO, Alberto
Ed. de Estébanez Calderón.
1984 "El Cádiz romántico: esbozo para una aproximación bibliográfica", *Gades*, 12, 97-105.
1988 *El Torero, héroe literario*, Madrid, Espasa-Calpe.
GRANT, Helen
1964 "Una aleluya erótica de Federico García Lorca y las aleluyas populares del siglo XIX", AA. VV., *Actas del I Congreso Internacional de Hispanistas*, Oxford, 307-314.
GRAS BALGUER, Menene
1983 *El Romanticismo como espíritu de la Modernidad*, Barcelona, Montesinos.
GRAU, Marie
1985 "Andrew Covert-Spring à Perpignan, 1828-1835; un emigré politique espagnol dans la vie culturelle roussillonnaise", *Bulletin. Société Agricole, Scientifique et Littéraire des Pyrénnées Orientals*, 93, 223-251.
1992 "Andrew Covert-Spring: assaig de construcció d'un personatge històric", *Els Marges*, 45, gener, 7-25.
GRAY, Ernest
1968 "Satanism in *Don Álvaro*", *Romanische Forschungen*, LXXX, 292-303.
GUASTAVINO GALLENT, GUILLERMO Y GUASTAVINO ROBBA, Severino
1974 "Un siglo de teatro valenciano (materiales para su estudio)", *Revista de Archivos, Bibliotecas y Museos*, 77, 149-325.
GULLÓN, Germán
1985 "La querella de la nueva crítica ante la *Historia y crítica de la Literatura Española. V. Romanticismo y Realismo*, *Hispanic Review*, 53, 79-89.
GULLÓN, Ricardo
1962 "El diálogo de Fígaro con el otro", *Ínsula*, 188-189, 1 y 4.
1989 *Cisne sin lago. Vida y obra de Enrique Gil y Carrasco*, Madrid, 1989(2).
GÜNTERT, Georges
Ed. de *Larra, entre Pueblo y Corona*.
1986 "Estrategias narrativas en *El Doncel de don Enrique el Doliente*, AA. VV., 37-61.
GUTIÉRREZ CUADRADO, Juan
1988 "El latín, sustituido por el castellano en la Universidad española (siglos XVIII-XIX)", AA. VV., *Actas del I Congreso Internacional de Historia de la Lengua Española*, Madrid, II, 1205-1213.
GUTIÉRREZ DÍAZ-BERNARDO, Esteban
Ed. de Pablo de Jérica.
HAFTER, Monroe Z.

1971 "Escosura's *Noches lúgubres*, an unpublished play based on Cadalso's life", *Bulletin of Hispanic Studies*, 48, 36-43.

1983 "Carolina Coronado as Novelist", *Kentucky Romance Quarterly*, XXX, 403-418.

HATAMLECH, Mohammed Abdo
1972 *El tema oriental en los poetas románticos españoles del siglo XIX*, Granada, Anel.

HATZFELD, Helmut
1929 "La expresión de *lo santo* en el lenguaje poético del romanticismo español", *Anuari de l'Oficina Romànica de Lingüística i Literatura*, II, 271-336.

HENARES CUÉLLAR, Ignacio L.
1982 (en colaboración con Juan CALATRAVA) *Romanticismo y teoría del arte en España*, Madrid, Cátedra.

1987 "Estética subjetiva e historicismo en la crisis de la Ilustración", AA. VV., *De la Ilustración al Romanticismo. II Encuentro: servidumbre y libertad*, Cádiz, Servicio de Publicaciones de la Universidad, 171-180.

1989 "La crítica de arte en las revistas románticas. Análisis de un modelo ideológico", AA. VV., *Homenaje al Profesor Antonio Gallego Morell*, Granada, II, 119-127.

HENDRIX, William S.
1933 "Notes on Collections of Types, a Form of *Costumbrismo*", *Hispanic Review*, I, 208-221.

HERNÁNDEZ GUERRERO, José Antonio
1986 "La poesía de Antonio García Gutiérrez", *Gades*, 14, 109-125.

HERRERO, Javier
1963 *Fernán Caballero. Un nuevo planteamiento*, Madrid, Gredos.

1971 *Los orígenes del pensamiento reaccionario*, Madrid, Cuadernos para el Diálogo; Alianza 1988 (2).

1978 "El naranjo romántico: esencia del costumbrismo", *Hispanic Review*, 46, 343-354.

1989 "Terror y literatura; ilustración, revolución y los orígenes del movimiento romántico", AA. VV., *La Literatura Española de la Ilustración. Homenaje a Carlos III*, Madrid, Universidad Complutense, 131-153.

HERRERO MEDIAVILLA, Víctor, ver AGUAYO NAYLE, Rosa

HIDALGO, Dionisio
1862-1881 *Diccionario General de Bibliografía Española*, Madrid, Imprenta de las Escuelas Pías, 7 vols.

HITCHCOCK, Richard
1987 "¡Granada mía! Lamento muzárabe. Poema de Zorrilla (1885)", *Boletín de la Biblioteca Menéndez Pelayo*, LXIII, 1987, 187-196.

HOFFMANN, Léon-François
1961 *Romantique Espagne. L'Image de l'Espagne en France entre 1800 et 1850*, París, PUF; Princeton University.

HOFFMEISTER, Gerhart
1980 *España y Alemania. Historia y documentación de unas relaciones literarias*, trad. española, Madrid, Gredos.

HONOUR, Hugh
1979 *The Romanticism*, Hardmondsworth, Middlesex, Penguin Books; trad. española, Madrid, Alianza, 1981, 1986 (2).

HORST, Robert
1979 "Ritual Time regained in Zorrilla's *Don Juan Tenorio*" *Romanic Review*, 70, 80-93.

HUBBARD, Gustave
1876 *Histoire de la Littérature contemporaine en Espagne*, París, Charpentier.

HUTMAN, Norma Louise
1970 "Dos círculos en la niebla: *El Estudiante de Salamanca* y *El Diablo Mundo*", *Papeles de Son Armadans*, 159, 5-29.

ILARRAZ, Aurora Virginia
1985 *La prensa española ante el romanticismo europeo: resistencia y recepción (1780-1836)*, Tesis de la Universidad de Indiana, University Microfilms.

ILLIE, Paul
1972 "Espronceda and the Romantic Grotesque", *Studies in Romanticism*, 11, 94-112.

1974-75 "Larra's Nightmare", *Revista Hispánica Moderna*, XXXVIII, 153-166.

IRANZO, Carmen
Ed. de Hartzenbush.
1980 *García Gutiérrez*, Boston, Twayne.

ISO ECHEGOYEN, José Javier
1985 "El *Arte Latino* de Braulio Foz", *Cuadernos de Estudios Borjanos*, XV-XVI, 65-69.

IZQUIERDO, Lucio
1982 *Cincuenta años de vida teatral en Valencia, 1800 a 1850*, tesis doctoral, Universidad de Valencia.

(Sin año, c. 1985) "Los bailes en las representaciones dramáticas de Valencia (1800-1850)", *Homenatge a José Esteve Forriol*, Valencia, Departament de Filologia Clàssica, s.a. (separata), 103-109.

1986 "Comedias de magia en Valencia", *Revista de Literatura*, 96, 387-405.

1989 "El teatro en Valencia (1800-1832)", *Boletín de la Real Academia Española*, LXIX, 257-305.

1990 "El teatro menor en Valencia (1800-1850)", *Revista de Literatura*, 103, 101-127.

JACOBSON, Margaret D.
1985 *The Origins of Spanish Romanticism. A selective annotated Bibliography*, Lincoln, Nebraska, Society of Spanish and Spanish-American Studies.

JIMÉNEZ, Luzmaría y PORPETTA, Antonio
1983 *Carolina Coronado: apunte biográfico y antología*, Madrid, Torremozas.

JOHNSON, Jerry
1987 "El antagonista romántico en reconsideración", *Romance Notes*, XXVII, 239-243.

JORBA, Manuel
Ed. de Manuel Milà; ver Molas, J.
1984 *Manuel Milà i Fontanals en la seva època: Trajectòria ideològica i professional*, Barcelona, Curial.
1989 "Manuel Milá y Fontanals en la encrucijada de la filología europea moderna", *Boletín de la Real Academia Española*, LXIX, 493-513.

JOVER, José María
1974 "El siglo XIX en la historiografía española contemporánea", AA. VV., *El siglo XIX en España: doce estudios*, Barcelona, Planeta, 9-151.
1976 "Situación social y poder político en la España de Isabel II", *Política, diplomacia y humanismo popular. Estudios sobre la vida española en el siglo XIX*, Madrid, Turner, 231-344.

JUARISTI, Jon
1986 *La tradición romántica. Leyendas vascas del siglo XIX*, Pamplona, Pamiela.

JURETSCHKE, Hans
Ed. de Schlegel, Friedrich.
1951 *Vida, obra y pensamiento de Alberto Lista*, Madrid, CSIC.
1954 *Origen doctrinal y génesis del romanticismo español*, Madrid, Ateneo.
1954a "Del romanticismo liberal en Cataluña", *Revista de Literatura*, VI, 9-30.
1966 "El teatro español y el romanticismo alemán", *Filología Moderna*, 21-22, 59-73.
1969 "El Neoclasicismo y el Romanticismo en España: su visión del mundo, su estética y su poética", *Arbor*, 285-286, 5-20.
1973 "Federico Schlegel. Una interpretación a la luz de la edición crítica de sus obras, con especial consideración de sus relaciones hispánicas, *Filología Moderna*, 48, 191-303.
1974 "Alemania en la obra de Milá y Fontanals", *Boletín de la Real Academia de Buenas Letras* XXXV, 5-67.
1975 "La recepción de la cultura y la ciencia alemana en España durante la época romántica", AA. VV., Valladolid, 63-120.
1975-76 "Comentario a tres traducciones de la balada *Leonora* de Gottfried August Bürger", *Filología Moderna*, 55-58, 91-118.
1977 *Reflexiones en torno al bicentenario de Alberto Lista*, Madrid. FUE.
1978 "Du rôle médiateur de la France dans la propagation des doctrines littéraires, des méthodes historiques et de l'image de l'Allemagne en Espagne au cours du XIXe. siècle", AA. VV., Lille, 9-34.
1982 "Breve resumen de la historiografía sobre el romanticismo", AA. VV., 9-26.
1986 "El hispanismo de August Wilhelm Schlegel y Friedrich Schlegel", *Homenaje a Pedro Sainz Rodríguez*, Madrid, FUE, III, 373-379.
1989 "Del Neoclasicismo al Romanticismo. El problema de los orígenes del Romanticismo español", AA. VV., vol. XXXV (2), 5-209.

KAHILUOTO RUDAT, Eva M.
1981 "Lo prerromántico: una variante neoclásica en la estética y literatura españolas", *Iberorromania*, 15, 47-69.

KENNEDY, James
1852 *Modern Poets and Poetry of Spain*, London.
KING, Edmund L.
1962 "What is Spanish Romanticism?", *Studies in Romanticism*, II, 1-11.
KIRKPATRICK, Susan
1977 *Larra: El laberinto inextricable de un romántico liberal*, Madrid, Gredos.
1977a "Spanish Romanticism and the Liberal Project: the Crisis of Mariano José de Larra", *Studies in Romanticism*, 16, 451-471.
1978 "The ideology of Costumbrismo", *Ideologies and Literatures*, II, 28-44.
1982 "Larra entre *Literatura* y *Horas de invierno*", AA. VV., *Actas del VII Congreso Internacional de Hispanistas*, 621-628.
1983 "Larra y *El Español*. Los artículos no firmados", *Cuadernos Hispanoamericanos*, 399, 47-76.
1988 "Spanish Romanticism", AA. VV., *Romanticism in National Context*, ed. Royel Poster, Mikules Teich, Cambridge University Press, 260-283.
1989 *Las románticas. Women Writers and subjectivity in Spain. 1835-1850*, Berkeley, U. of California; trad. española, Madrid, Cátedra, 1991.
1989a "Gertrudis Gómez de Avellaneda, Carolina Coronado y Rosalía de Castro: estudios recientes", *Ínsula*, 516, 12-13.
1990 "La *hermandad lírica* de la década de 1840", AA. VV., 25-41.
KONITZER, Eva
1970 *Larra und der Costumbrismo*, Meisenheim am Glan, Verlag Anton Hain.
KROMER, Wolfram
1968 *Zur Weltanschauung Asthetik und Poetik des Neoklassizismus und der Romantik in Spanien*, Münster, Spanische Forschungen des Görresgesellschaft 2. Reibe, 13 Band, Aschendorffsche Verlagsbuchhandlung.
KRONIK, John W.
1983 "La contribución del hispanismo norteamericano al conocimiento de las letras españolas del siglo XIX", *Arbor*, 116,
LABANDEIRA FERNÁNDEZ, Amancio, ver Sainz Rodríguez, Pedro
1980 "Adiciones y precisiones a un catálogo de novelas y novelistas españoles del siglo XIX", *Boletín Millares-Carlo*, I, 287-321.
1980a "La trayectoria histórico-literaria de *Los Amantes de Teruel*", *Cuadernos para la Investigación de la Literatura Hispánica*, 2-3, 237-258.
1982 "Adiciones a un Catálogo de novelas y novelistas españoles del siglo XIX", *Cuadernos de Investigación de Literatura Hispánica*, 4, 41-91.
1983 "Identificaciones en un Catálogo de novelas y novelistas españoles del siglo XIX", *Revista de Estudios Hispánicos*, XVI, 379-390.
1984 "Precisiones biográficas y bibliográficas a un Catálogo de novelas y novelistas españoles", *Cuadernos de Investigación de Literatura Hispánica*, 6, 7-13.
1986 "Bibliografía de repertorios básicos para la confección de un catálogo de literatos españoles del siglo XIX", *Homenaje a Pedro Sainz Rodríguez*, Madrid, FUE, I, 169-203.

LAFARGA, Francisco

1983 *Las traducciones españolas del teatro francés (1700-1835). I. Bibliografía de impresos*, Barcelona, Publicaciones de la Universidad de Barcelona.

1988 *Las traducciones españolas del teatro francés (1700-1835). II. Catálogo de manuscritos*, Barcelona, Publicaciones de la Universidad de Barcelona.

LAFUENTE FERRARI, Enrique

1975 "El romanticismo y la pintura española", AA. VV., 121-180.

LAMA, Miguel Angel

1992 "Escribir un cuadro y pintar un poema: del arte de Rivas en *Don Álvaro o la fuerza del sino", Glosa*, 3, 199-219.

LAMOND, Marilyn

1961 "Notes on Scribe's one-act Comedies-vaudevilles in Spain. 1820-1850", *Romance Notes*, II, 2, 89-93.

LANDEIRA, Ricardo (López)

1975 "La desilusión poética de Espronceda. Realidad y poesía irreconciliables", *Boletín de la Real Academia Española*, LV, 307-329.

1978 "El soneto y los románticos", AA. VV., E. Zayas-Bazán y M. L. Suárez eds., *The Twenty-Seventh Annual Mountain Interstate Foreign Language Conference. Selected Proceedings*, 255-261.

LAPESA, Rafael

1966-67 "Ideas y palabras: del vocabulario de la Ilustración al de los primeros liberales", *Asclepio*, XVIII-XIX, 189-218.

1977 "El beodo frente al literato en San Agustín y en Larra", *Poetas y prosistas de ayer y de hoy*, Madrid, Gredos, 220-229.

1980 *Historia de la lengua española*, Madrid, Gredos, 429-444.

1984 "El lenguaje literario en los años de Larra y Espronceda", *Homenaje a Julián Marías*, Madrid, 347-379.

1985 "Algunas consideraciones sobre el léxico político en los años de Larra y Espronceda", *Homenaje a José Antonio Maravall*, Madrid, CSIC, II, 393-413.

1989 "Palabras y cosas. El vocabulario de la vida social y la indumentaria durante el Romanticismo", *Estudios. Homenaje al Profesor Alfonso Sancho Sáez*, Granada, I, 397-412.

LARRAZ, Emmanuel

1974 "Le théâtre à Palme de Majorque pendant la guerre d'Indépendance, 1811-1814", *Mélanges de la Casa de Velázquez*, X, 315-355.

1977 "Teatro y política en el Cádiz de las Cortes" AA. VV., *Actas del V Congreso de la Asociación Internacional de Hispanistas*, II, 571-578.

1979 "Josep Robrenyo et le premier théâtre catalan d'agitation politique (1820-1823)", AA. VV., *Hommage des Hispanistes Français à Noël Salomon*, Barcelona, Laia, 475-486.

1980 "Le statut des comédiens dans la société espagnole du début du XIXe. siècle", AA. VV., 27-39.

1987 *La Guerre d'Indépendance espagnole au théâtre 1808-1824*, Aix-en-Provence, Université de Provence.

1988 *Théâtre et politique pendant la Guerre d'Indépendance espagnole, 1808-1814*, Aix-en-Provence, Université de Provence.

LASAGABASTER, Jesús María

1988c "Novela regionalista y costumbrismo vasco", AA. VV., 158-168.

LATASSA Y ORTIN, Félix de y GÓMEZ URIEL, Miguel.

1884-86 *Biblioteca Antigua y Nueva de Escritores Aragoneses, aumentadas y refundidas en forma de diccionario bibliográfico-biográfico por don Miguel Gómez Uriel*, Zaragoza, 3 vols.; Ed. facsímil, Hildesheim, 1968, 3 vols.

LAUMEYER, Ulrich

1986 *Costumbrismo und Stadtenwicklung: Mesonero Romanos und Madrid*, Frankfurt am Main, New York, Bern, Peter Lang.

LE BOUIL, J.

Ver Botrel, Jean-François.

LESLIE, J. K.

1953 "Larra's *Tirteida primera*", *Hispanic Review*, XXI, 37-41.

LEWIS, Thomas E.

1983 "Contradictory Explanatory Systems in Espronceda's Poetry: The Social Genesis and Structure of *El Diablo Mundo*", *Ideologies and Literatures*, 17, 11-45.

LIPSCHUTZ, Ilse Hempel

1972 *Spanish Painting and French romantics*, Harvard University Press, Cambridge Mass.

1981a "Imágenes y palabras: Los románticos franceses ante la pintura española", 45-62.

LONGARES ALONSO, Jesús

1979 *La divulgación de la cultura liberal (1833-1843)*, Córdoba, Ediciones Escudero.

LÓPEZ BUENO, Begoña

1972 *La "Floresta Andaluza". Estudio e índice de una revista sevillana (1843-1844)*, Sevilla.

LÓPEZ-CALO, José

1984 "El italianismo operístico en España en el siglo XIX", AA. VV., X *Festival Internacional de Música y Danza de Asturias*, 83-92.

LÓPEZ ESTRADA, Francisco

1986 "Pascual de Gayangos y la literatura medieval castellana", *Alfinge*, 4, 11-30.

LÓPEZ GRIGERA, Luisa

1983 "En torno a la descripción en la prosa de los siglos de oro", *Homenaje a José Manuel Blecua*, Madrid, Gredos, 347-357.

LÓPEZ LANDEIRA, Ricardo

ver Landeira

LÓPEZ MOLINA, Luis

1985 "El lenguaje de Estébanez: perfil de un costumbrista", *Homenaje a Álvaro Galmés de Fuentes*, Madrid, Gredos, I, 99-107.

LÓPEZ PIÑERO, José María, GARCÍA BALLESTER, Luis y FAUS SEVILLA, Pilar
1964 *Medicina y sociedad en la España del siglo XIX.* Prólogo de Pedro Laín
Entralgo. Madrid, Sociedad de Estudios y Publicaciones.

LORENZO-RIVERO, Luis
1968 *Larra y Sarmiento*, Madrid, Guadarrama.
1977 *Larra: lengua y estilo*, Madrid, Playor.
1984 "Goya y Larra: correspondencias históricas y temáticas", *Letras de Deusto*,
XIV, 5-25.
1986 *Estudios literarios sobre Mariano José de Larra*; Madrid, Porrúa Turanzas.

LOVEJOY, Arthur O.
1924 "On the Discrimination of Romanticism", *Publications of the Modern Linguistic Association*, XXXIX, 229-253.
1950 *The Great Chain of Being. A Study of the History of an Idea*, Cambridge
Mass., Harvard University Press; trad. española *La gran cadena del ser*,
Barcelona, Icaria, 1983, 375-408.

LOVETT, Gabriel H.
1968 "The semantic Evolution of Spanish *Guerrilla*", *Romance Notes*, X, 186-
195.
1971 "Napoleón in 19th Century Spanish Letters", *Romance Notes*, XIII, 92-99.
1976 "The War of Independence (1808-1814) in 19th Century Spanish Poetry", *Revista de Estudios Hispánicos*, X, 217-236.
1990 *Romantic Spain*, Peter Lang, New York, Bern, Paris.

LOZANO, Jorge
1987 *El discurso histórico*, Madrid, Alianza.

LOZANO MIRALLES, Rafael
1988a "La prosa narrativa en *El Artista*", AA. VV., 171-173.

LUKACS, Georg
1966 *La novela histórica* (1.ª ed. rusa, Moscú, trad. del alemán, 1937), trad.
española, México, Ed. Era.

LLERA, Luis de
1984a "Filosofía romántica y lenguaje: aspectos contradictorios", AA. VV.,
47-56.

LLORENS, Vicente
Ed. de Alcalá Galiano; ed. de Blanco White.
1954 *Liberales y Románticos. Una emigración española en Inglaterra (1823-1843)*,
Méjico, El Colegio de México; Madrid, Castalia, 1968; 1982.
1967 *Literatura, Historia, Política*, Madrid, Revista de Occidente.
1974 "El siglo XIX en la Historia y en la Literatura", en *Aspectos sociales de la
Literatura Española*, Madrid, Castalia, 141-161.
1977 "El escritor en la época romántica", *Cuadernos Hispanoamericanos*, 329-
330, 513-528.
1979 *El Romanticismo español*, Madrid, Fundación Juan March, Castalia.
1983 "El oportunismo de Zorrilla", AA. VV., *Homenaje a José Manuel Blecua*,
Madrid, Gredos, 359-369.

MaCANDREW, R. M.
1930 "Science in Spanish Poetry from Cabanyes (1808-1833) to Núñez de Arce (1833-1909)", *Philological Quarterly*, IX, 1930, 57-60.

MACRÌ, Oreste
1976 *Varia fortuna del Manzoni in terre iberiche*, Ravena, Longo editore.

MAINER, José-Carlos
1983 "Del Romanticismo en Aragón: La Aurora (1839-1841)", *Serta Philologica F. Lázaro Carreter*, Madrid, Cátedra, II, 303-315.

1989 "Rafael José de Crespo (1779-1842) o el epígono", *Homenaje a Antonio Vilanova*, Barcelona, Universidad, II, 335-357; reed. *Letras Aragonesas. Siglos XIX y XX*, Zaragoza, Oroel, 1989, 13-38.

MALUQUER DE MOTES, Jordi y RAMSPOTT, Anna
1976 "Romanticisme i Saint-simonisme a Catalunya en temps de revolució (1835-1837)", *Recerques*, 3, 67-91.

MANSO, Fernando
1992 *Carolina Coronado. Su obra literaria*, Badajoz, Diputación Provincial.

MANSOUR, George P.
Ed. de Larra.
1977-78 "Concerning Rivas unexplained localization of Don Álvaro in the eighteenth Century", *Romance Notes*, 19, 349-354.

MANZANARES DE CIRRE, Manuela
1972 *Arabistas españoles del siglo XIX*, Madrid, Instituto Hispano-Árabe de Cultura.

MANZANO CARIAS, A.
1969 "De una década extremeña y romántica (1845-1855)", *Revista de Estudios Extremeños*, 2, 280-332.

MARAVALL, José Antonio
1979 *La estimación de la sensibilidad en la cultura de la Ilustración*, Madrid, Instituto de España, 17-47.

MARCO, Concha de
1969 *La mujer española del Romanticismo*, León, Everest, 2 vols.

MARCO, Joaquín
Ed. de Juan Bautista Arriaza.
1977 *Literatura popular en España en los siglos XVIII y XIX*, Madrid, Taurus, 2 vols.
1987 "El costumbrismo español como reacción", AA. VV., 12-139.
1988 "Últimas fronteras del Romanticismo en España", AA. VV., 163-176.

MARCHÁN FIZ, Simón
1985 "La poética de las ruinas, un capítulo casi olvidado en la historia del gusto", *Fragmentos*, 6, 5-15.

MARCOS ÁLVAREZ, Fernando
1977 *Don Juan Bautista de Arriaza y Superviela. Marino, poeta y diplomático (1770-1837)*, Madrid, Instituto de Estudios Madrileños.

MARÍAS, Julián
1949 "Un escorzo del romanticismo", *Revista de la Universidad de Buenos Aires*, X, serie IV, 407-429; reed. *Obras Completas*, Madrid, Revista de Occidente, III, 1959, 283-302.

1975 "Dos dramas románticos: *Don Juan Tenorio* y *Traidor, inconfeso y mártir*, AA. VV., 181-197.

1975b *Literatura y generaciones*, Madrid, Espasa-Calpe, Austral.

MARICHAL, Carlos

1977 *Spain (1834-1844)*. *A New Society*, London, Tamesis books; trad. española, Madrid, Cátedra, 1980.

MARÍN, Nicolás

Ed. de *La Alhambra*.

MÁRQUEZ, Antonio

Ed. de Llorente.

MARRADES, María Isabel y PERINAT, Adolfo

1980 *Mujer, Prensa y Sociedad en España. 1800-1939*, Madrid, CSIC.

MARRAST, Robert

Ediciones de Espronceda.

1974 *José de Espronceda et son temps*. *Littérature, Société, Politique au temps du Romantisme*, Fontenay-le-Comte, Paris, Klincksieck; trad. española, Barcelona, Crítica, 1989.

1974b "Libro y lectura en la España del siglo XIX. Temas de investigación", AA. VV., *Movimiento obrero, política y literatura en la España contemporánea*, Madrid, Ediwsa, 145-157.

1978 "Le drame en Espagne à l'époque romantique de 1834 à 1844. Contribution à son approche sociologique", AA. VV., 35-45.

1981 "Impresos españoles en Francia: métodos y primeros resultados de investigación", en *Estudios de Historia de España. Homenaje a Manuel Tuñón de Lara*, AA. VV., Madrid, II, 543 552.

1986 "Imprimés castillans et catalans en France: bilan provisoire et perspectives", AA. VV., *Histoire du livre et de l'edition dans les pays ibériques*, Bordeaux, Université, 53-60.

1988a "Ediciones perpiñanesas de Walter Scott en castellano (1824-1826)", AA. VV., 69-80.

1989 "Imprimés castillans et catalans à Perpignan: état des recherches et travaux en cours", AA. VV., *Livres et livraires en Espagne et au Portugal (XVIe.-XXe. siècles)*, Paris, CNRS, 99-110.

MARTÍN, Gregorio C.

1974 *Revisión crítica de la biografía de Larra. Nuevos documentos*, Tesis Doctoral de la Universidad de Pittsburgh, University Microfilms.

1976 "Larra, periodista uruguayo", *Estudios Ibero-Americanos*, II, 235-244.

1981 *El Parnasillo*: origen y circunstancias", *La Chispa 81*, 209-218.

1985a "Querer y no poder o el teatro español de 1825 a 1836", AA. VV., 123-132.

1986-87 "Larra y el teatro: Censura, crítica e historia", *Romance Quarterly*, 33, 1986, 431-437; 34, 1987, 345-350.

1988 "Los teatros madrileños bajo Grimaldi y Gaviria", *Boletín de la Biblioteca Menéndez Pelayo*, LXIV, 209-222.

Martín Abad, Julián, ver Delgado Casado, Juan

Martín Larrauri, Felisa

1979 "Un dramaturgo romántico olvidado: Francisco de Paula Martí", *Letteratura*, II, 95-110.

Martín-Maestro, Abraham

1981 "El análisis narrativo (de *El Estudiante de Salamanca*)", AA. VV., 159-166.

Martín Montenegro, Salvador F.

1991 "Cartelera teatral canaria (1832-1839)", *Homenaje al Profesor Sebastián de la Nuez* (Tenerife), Universidad de La Laguna, 145-163.

Martín Zorraquino, María Antonia

1986 "Apuntes lingüísticos de la novela histórica española (Larra y Espronceda)", AA. VV., 179-210.

Martinengo, Alessandro

1962 *Polimorfismo nel "Diablo Mundo" D'Espronceda*, Torino, Bottega d'Erasmo.

1964 "Espronceda e la pena di morte", *Studi Mediolatini e Volgari*, Pisa, XII, 65-103.

1966 "Espronceda ante la leyenda fáustica", *Revista de Literatura*, 29, 35-55.

1971 "Sobre una reciente edición de Espronceda", *Thesaurus*, 26, 422-438.

Martínez Martín, Jesús Antonio

1986 *Lecturas y lectores en la España isabelina (1833-1868)*, Madrid, Universidad Complutense, Departamento de Historia Contemporánea.

1989 "Obras francesas y lectores españoles en la época isabelina", AA. VV., *España. Francia y la Comunidad Europea*, Madrid, Casa de Velázquez, CSIC, 11-30.

1991 *Lectura y lectores en el Madrid del siglo XIX*, Madrid, CSIC, 1991.

Martínez Torrón, Diego

1989 "*Roger de Flor*. Tragedia inédita e incompleta de Alberto Lista", *Homenaje al Profesor Antonio Vilanova*, Barcelona, II, 387-411.

1990 "Una memoria de Alberto Lista sobre el feudalismo en España", *Boletín de la Real Academia de la Historia*, CLXXXVII, 299-317.

1991 "Correspondencia inédita de Alberto Lista con José Musso y Valiente (1828-1833) y algunos poemas inéditos", *Boletín de la Real Academia Española*, LXXI, 301-352.

1993 *Ideología y Literatura en Alberto Lista*, Sevilla, Alfar.

1993a *El alba del romanticismo español. Con inéditos recopilados de Lista, Quintana, Gallego*, Sevilla/Córdoba, Alfar.

Martínez Villergas, Juan

1854 *Juicio crítico de los poetas españoles contemporáneos*, París.

Marun, Gioconda

1981 "Apuntaciones sobre la influencia de Addison y Steele en Larra". *Hispania*, 64, 382-387.

1983 *Orígenes del costumbrismo ético social. Addison y Steele. Antecedentes del artículo costumbrista español y argentino*, Miami, Ediciones Universal.

Mas i Vives, Joan
1986 *El teatre a Mallorca a l'època Romàntica*, Barcelona, Curial Edicions.

Mateo del Peral, Diego Ignacio
1976 "Larra y la lucha por la libertad de prensa", *Sistema*, 12, 83-98.

Mayoral, Marina
1990 "Las amistades románticas: confusión de fórmulas y sentimientos", AA. VV., 43-71.

McClelland, Ivy L.
1937 *The Origins of the Romantic Movement in Spain;* reed., Liverpool University Press, 1975.

McGaha, M.
1973 "The Romanticism of *La conjuración de Venecia*", *Kentucky Romance Quarterly*, 20, 235-242.

Medina-Bocos Montarelo, Amparo
1989 "Larra y Mesonero: dos actitudes ante la censura de prensa", *Epos*, V, 183-199.

Menarini, Piero
1977 "García Gutiérrez e l'autoparodia del *Trovador*", *Spicilegio Moderno*, VIII, 115-123.

1980 "Larra y Moratín: el teatro español en los comienzos del Romanticismo", AA. VV., *Coloquio Internacional sobre Leandro Fernández de Moratín*, Albano Terme, Piovan editore, 201-211.

1982 *Don Juan canta Don Juan*, Bologna, Atesa editrice, 1982.

1982a Garelli, Patrizia, San Vicente, Félix y Vedovato, Susana, *El teatro romántico español (1830-1850)*, Bolonia, Atesa editrice.

1982b "Eugenio de Ochoa e il teatro francese: *Antony, Hernani* e alcuni nuovi dati", *Francofonia*, 2, 136-137.

1983 "El problema de las traducciones en el teatro romántico español", AA. VV., *Actas del VII Congreso de la Asociación Internacional de Hispanistas*, II, 751-759.

1985 "*Teresita*: il primo dramma-manifesto del Romanticismo spagnolo", *Avvenimenti e Discorsi. Quaderni di Filologia Romanza della Facoltà di Lettere e Filosofia dell'Università di Bologna*, Pàtron, Bologna, 5, 153-184.

Méndez Bejarano, Mario
1921 *La literatura española en el siglo XIX (General, regional y americana)*, Madrid, Gráfica Universal.

Menéndez Pelayo, Marcelino
1883 "La historia externa e interna de España en la primera mitad del siglo XIX", *Adiciones* a Otto von Leixner, *Nuestro siglo. Reseña histórica de los más importantes acontecimientos sociales, artísticos, científicos e industriales de nuestra época*, trad. española, Barcelona, Montaner y Simón; reed. en *Estudios y Discursos de Crítica Histórica y Literaria*, VII, 1942, 233-285.

1883   "La historia considerada como obra artística" (Discurso de ingreso en la
       Real Academia de la Historia); reed. *Estudios y Discursos de Crítica Histó-
       rica y Literaria*, Santander, VII, 1942, 3-30.
1895   "El drama histórico" (Discurso en la Real Academia Española), 1895;
       reed. en *Estudios y Discursos de Crítica Histórica y Literaria*, Santander,
       VII, 1942, 31-45.

MENÉNDEZ PIDAL, Gonzalo
1989   *La España del siglo XIX vista por sus contemporáneos*, Madrid, Centro de
       Estudios Constitucionales, 2 vols.

MERCADAL BAGUR, D.
1968   *Ciento cincuenta años de arte lírico y dramático en el Coliseo de Mahón*, Barce-
       lona.

MEREGALLI, Franco
1977   "Manzoni in Spagna", *Annali Manzoniani*, 7, 199-214.
1977b "Sobre el teatro español en la crítica de Voltaire a los hermanos Schle-
       gel", AA. VV., *The Two Hesperias. Literary Studies in Honour of Joseph
       Fucilla*, Madrid, 239-252.

MILLARES CARLO, Agustín
1969   *Rafael María Baralt (1810-1860). Estudio biográfico, crítico y bibliográfi-
       co*, Caracas, Universidad Central de Venezuela.

MILLER, Beth, ver Deyermond, Alan

MILLER, Stephen
1980   "Mesonero Romanos y la novela moderna de España", *Ínsula*, 407.

MOLAS, Joaquim (M. Jorba y otros) •
1986   *Història de la literatura catalana. Part Moderna*, vol. VII, Barcelona, Ariel.

MONGUIÓ, Luis
1965   "Don José Joaquín de Mora en Buenos Aires en 1827", *Revista Hispánica
       Moderna*, XXXI, 303-330.

MONTERO CEPEDA, Segismundo y RODRÍGUEZ CEPEDA, Enrique
1973   "Nuevas cartas íntimas de Zorrilla", *Revista de Estudios Hispánicos* (Ala-
       bama), VII, 323-348.

MONTES HUIDOBRO, Matías
1969   "Variedad formal y unidad interna en *El Señor de Bembibre*", *Papeles de Son
       Armadans*, 159, 233-255.

MONTESINOS, José F.
Ed. de Fernán Caballero.
1955   *Introducción a una historia de la novela en España en el siglo XIX. Seguida del
       esbozo de una bibliografía de traducciones de novelas (1800-1850)*, Madrid,
       Castalia; 1966 (2); 1973 (3).
1960   *Costumbrismo y novela. Ensayo sobre el redescubrimiento de la realidad españo-
       la*, Madrid, Castalia; 1965 (2).
1961   *Fernán Caballero. Ensayo de justificación*, México.
1955   *Pedro Antonio de Alarcón*, Zaragoza, Librería General; Madrid, Castalia,
       1977.

MONTESINOS, María Isabel
1977 "Novelas históricas pre-galdosianas sobre la guerra de Independencia", en Mercedes Etreros, Leonardo Romero, *Estudios sobre la novela española del siglo XIX*, Madrid, CSIC, 9-48.

MONTIEL, Isidoro
1974 *Ossián en España*, Barcelona, Planeta.

MORENO ALONSO, Manuel
Ed. de Blanco White.
1979 *Historiografía romántica española. Introducción al estudio de la Historia en el siglo XIX*, Sevilla, Universidad.
1983 "Lord Holland y los orígenes del liberalismo español", *Revista de Estudios Políticos*, 36, 181-217.

MORENO GARBAYO, Justa
1977 *Fiestas en Manila. Año 1825*, ed. J. Moreno, Madrid, Editorial del Patrimonio Nacional.

MORENO HERNÁNDEZ, Carlos
1984 "El romanticismo ilustrado de R. P. Sebold", *Analecta Malacitana*, VII, 1, 149-155.

MORIARTI, Michael E.
1988 "Conflicting themes in Espronceda's *Al Sol*", *Romance Notes, XXXIX*, 71-76.

MOURELLE-LEMA, Manuel
1968 *La teoría lingüística en la España del siglo XIX*, Madrid, Prensa Española.

MUÑIZ, María de las Nieves
1980 *La novela histórica italiana. Evolución de una estructura narrativa*, Cáceres, Universidad de Extremadura.

MUÑOZ MORILLEJO, Joaquín
1923 *Escenografía Española*, Madrid, Real Academia de Bellas Artes de San Fernando.

MUÑOZ ROJAS, José Antonio
1968 "*El Solitario* en el tiempo", *Revista de Occidente*, 58, 76-95.

MURO, Miguel Ángel
1985 *Ideas lingüísticas sobre el extranjerismo en Bretón de los Herreros*, Logroño, Instituto de Estudios Riojanos.

MURPHY, Martin
1989 *Blanco-White. Self-banished Spaniard*, New Haven, London, Yale University Press.

NAVARRO LATORRE, José
1974 *El Café de Apolo*, Madrid, Caja de Ahorros de Cádiz.

NAVAS RUIZ, Ricardo
Ed. de Durán; ed. de Rivas; ed. de Juan Eugenio Hartzenbusch; Ed. M.ª Josefa Massanés.

1970 *El Romanticismo español*, Salamanca, Anaya; M., Cátedra, 1982 (3.ª ed.,
      renovada).

1971 *El Romanticismo español. Documentos*, Salamanca, Anaya.

1980 "Don Álvaro y don Juan. Contribución a una mitología romántica espa-
      ñola", *Cuadernos para la Investigación de Literatura Hispánica*, 2-3, 161-
      169.

1990 "Discurso feminista y voz femenina: las poesías de María Josefa Massa-
      nés", AA. VV., 177-195.

NAVASCUÉS PALACIO, Pedro

1985 "Las máquinas teatrales: arquitectura y escenografía", en AA. VV. *Ar-
      quitectura teatral de España*, Madrid.

1989 "Arquitectura y urbanismo", AA. VV., vol. XXXV, 2, 571-676.

NERLICH, M.

1964 *Untersuchungen zur Theorie der Klassizistichen Epos in Spanien (1700-
      1850)*, Ginebra-París.

NICHOLLS, James C.

1969 "Variations on the motif of the one-eyed lover from Marmontel to Hart-
      zenbusch", *Révue de Littérature Comparé*, 43, 15-22.

NOUGUÉ, André

1969 "Le théâtre de Tirso de Molina dans la prémière moitié du XIXe. siècle
      espagnol", *Bulletin Hispanique*, LXXI, 585-590.

NÚÑEZ, Estuardo

Ed. de Olavide.

NÚÑEZ RUIZ, Gabriel

1984 "El teatro en la Almería de Fernando VII", *Cuadernos Hispanoamericanos*,
      407, 102-107.

NÚÑEZ DE ARENAS, Manuel

1963 "Impresos españoles publicados en Burdeos hasta 1850", en *L'Espagne
      du Lumières au Romantisme*, 309-351.

OJEDA ESCUDERO, Pedro

1991 *La obra dramática de Ventura García Escobar*, Valladolid, Excma. Diputa-
      ción de Valladolid y Excmo. Ayuntamiento de Medina de Rioseco.

OLIVARES VAQUERO, María Dolores

1989 "El tema de Inés de Castro en Francia y en España: la *Inés* de La Motte y
      la *Inés* de Bretón", AA. VV., 281-286.

ORTIZ JUÁREZ, Dionisio

1981 "El Duque de Rivas, pintor", *Boletín de la Real Academia de Ciencias,
      Bellas Artes y Nobles Artes*, (Córdoba) LI, 147-165.

OSSORIO Y BERNARD, Manuel

1903 *Ensayo de un Catálogo de Periodistas españoles del siglo XIX*, Madrid.

PAGEARD, Robert

1978 "Le Romantisme vu par la critique espagnole autour de 1860, notement
      dans l'*América*", AA. VV., 73-115.

PAGLIA, G.
1984a "Apuntes sobre campos léxicos y semánticos de Antonio Gil y Zárate", AA. VV., 147-154.

PALACIO, Manuel del y RIVERA, Luis
1864 *Cabezas y Calabazas. Retratos al vuelo de las notabilidades en política, en armas, en literatura, en artes, en toreo y en los demás ramos del saber y de la brutalidad humana*, Madrid.

PALAU Y DULCET, Antonio
1948-77 *Manual del librero hispano-americano*, Barcelona, 28 vols., + 7 vols. de índices.

PALENQUE, Marta
Ed. de García Tassara.
1987 "*El Cisne, periódico semanal de Literatura y Bellas Artes* (Sevilla, 1838). Descripción, estudio e índice de un periódico romántico sevillano", *Archivo Hispalense*, 213, 141-177.
1990 *El poeta y el burgués (Poesía y público 1850-1900)*, Sevilla, Alfar.

PALOMO, María del Pilar
Ed. de Mesonero Romanos; ed. Valbuena Prat, Ángel.

PAR, Alfonso
1935 *Shakespeare en la literatura española*, Madrid, 2 vols.

PARDO CANALIS, Enrique
1971 "En el estudio de Esquivel. Una imaginaria reunión que ha pasado a la historia", *Anales del Instituto de Estudios Madrileños*, VII, 357-381.
1976 "Una colección de cartas de Zorrilla", *Revista de Ideas Estéticas*, 34, 95-105.

PASTOR BELTRÁN, A.
1959 *Los escolapios y los sitios de Zaragoza. Biografía del P. Boggiero*, Zaragoza, Imprenta de *El Heraldo*.

PATAKY-KOSOVE, J. L.
1978 *The "comedia lacrimosa" and Spanish Romantic Drama (1773-1865)*, London, Tamesis Books.

PATTISON, Walter
1967 "The Secret of *Don Álvaro*", *Symposium*, XXI, 1967, 67-81.

PAULINO, José
Ed. de Martínez de la Rosa.
1981 "La organización simbólica [de *El Estudiante de Salamanca*]", AA. VV., 149-157.
1982 "La aventura interior de don Félix de Montemar", *Revista de Literatura*, 88, 57-67.

PAVESIO, Luisa S.
1988 "En torno a unas notas de Montesinos sobre el lenguaje de las *Escenas andaluzas* de Estébanez Calderón", AA. VV., 1988a, 175-178.

PAZ, Octavio
1974 *Los hijos del limo*, Barcelona, Seix Barral.
1986 *El Romanticismo y la poesía contemporánea y Una larga pasión*, Barcelona, Stelle dell'Orsa.

PAZ, Alfredo de
1987 *Il Romanticismo europeo. Un introduzione*, Liguori editori, Napoli.

[PAZ Y MELIA, Antonio]
1934-1989 *Catálogo de Piezas de Teatro que se conservan en el departamento de Manuscritos de la Biblioteca Nacional*, Madrid, Patronato de la Biblioteca Nacional, 1934-35 (2), 2 vols.; vol. III, *Suplemento e índices*, 1989.

PECKHAM, Morse
1951 "Toward a Theory of Romanticism", *Publications of the Modern Linguistic Association*, LXVI, 1, 5-23.

1961 "Toward a Theory of Romanticism. II, Reconsideration", *Studies in Romanticism*, I, 1-8.

1965 "Romanticism: The Present State of Theory", *Bulletin of the Pennsylvania Council of Teachers of English*, 12, 31-53.

PEERS, E. Allison
1940 *A History of the Romantic Movement in Spain*, Cambridge; trad. española, Madrid, Gredos, 1954, 2 vols.; 1967 (2).

1949 *A Short History of the Romantic Movement in Spain*, Liverpool.

PEIRA SOBERÓN, Pedro
1977 "Estudio lexicológico de un campo nacional: *libertad, igualdad* y *felicidad* en la España de la Regencia de María Cristina", *Boletín de la Real Academia Española*, LVII, 259-294.

PENAS VARELA, Ermitas
1980 "Las firmas de Larra", *Cuadernos Hispanoamericanos*, 361-362, 227-251.

1992 *Macías y Larra. Tratamiento de un tema en el drama y en la novela*, Santiago, Universidade.

PEÑA, Pedro J. de la
Ed. de *Antología de la poesía romántica.*
1986 *La Poesía del siglo XIX. Estudio*, Valencia, Orenga.

PERCIVAL, Anthony
Ver Escobar, José

PÉREZ FIRMAT, Gustavo
1983 "Carnival in *Don Juan Tenorio*", *Hispanic Review*, 51, 260-281.

PÉREZ-STANSFIELD, María Pilar
1988 "*El estudiante de Salamanca*, discurso literario y voces narrativas. Una aproximación", AA. VV., 1988a, 178-181.

PÉREZ VIDAL, Alejandro
Ed. de Larra
1983 *Artículos. Mariano José de Larra*, Barcelona, Laia.
1991 "Romanticismo ilustrado: crisis y continuidad de la cultura moderna española", *España Contemporánea*, V, 41-53.

PERINAT, Adolfo
Ver Marrades, M.ª Isabel

PERRONE-MOISÉS, Leyla y RODRÍGUEZ MONEGAL, Emir
1983 "Isidore Ducasse et la Réthorique espagnole", *Poétique*, 55, 351-377.

PERRY, Leonard T.
1986 "Larra: una evaluación de la literatura española en su *Don Cándido*", *Homenaje a Luis Morales Oliver*, Madrid, FUE, 65-71.

PERUGINI, Carla
Ed. de *Antologia del racconto*.
1982 "La prosa narrativa romántica. *Cuento e novela* (1826-1844)", *Studi Ispanic*, 125-168.
1988 "Diabluras románticas. El diablo y su corte en la prosa narrativa romántica". AA. VV., 89-99.

PICOCHE, Jean-Louis
Ed. de García Gutíerrez; Ed. de Hartzenbusch; Ed. de Zorrilla.
1975 "Le jouer dans le théâtre de Zorrilla", *Mélanges offerts à Charles Vincent Aubrun*, II, 167-183.
1977 "Un manuscrit espagnol inédit du XIXè. siècle: Poesías de Clabuo (Madrid, 1829), decouvert, édité et comenté", *Cahiers de Poétique et de Poésie Ibérique et Latino-Américaine*, 3, 41-108.
1978 "Existe-t-il un drame romantique espagnol?", AA. VV., 1978, 47-56.
1978a "Sources, lagunes et lacs mystérieux dans la littérature espagnole romantique et post-romantique", AA. VV., *Mélanges à la Mémoire d'André Joucla-Ruau*, II, 1029-1041.
1978b *Un romántico español. Enrique Gil y Carrasco (1815-1846)*, Madrid, Gredos.
1980 "Ramón López Soler, plagiaire et précurseur", *Bulletin Hispanique*, LXXXII, 81-93.
1980a "Le romancier historique et son publique dans la première moitié du XIXè. siècle", AA. VV., 41-48.
1980b "Une petite curiosité littéraire et musical: 'la canción de Atala' recueillie par le marquis de Custine", *Bulletin Hispanique*, LXXXII, 421-424.
1981 "¿Existe el Romanticismo español?", *Iris*, 2, 113-161.
1982a "Los militares y el ejército en el drama romántico español", AA. VV., 35-43.
1983 "Apuntes sobre el primer drama de Zorrilla: *Vivir loco y morir más*", *Castilla*, 5, 57-62.
1984a "El grupo sustantivo-calificativo en las primeras obras poéticas de Espronceda (1822-1835)", AA. VV., 66-73.
1985 "Les décors du drame romantique espagnol", AA. VV., Claude Dumas (ed.), *L'Homme et l'espace dans la Littérature, les Arts et l'Histoire en Espagne et en Amérique latine au XIXe. siècle*, Lille, P.U.L., 95-109.
1988a "*Mil y una noches españolas* (Madrid, 1845). Una colección poco conocida de cuentos históricos. Intención y realización", AA. VV., 99-107.
1988b "Le mythe de Don Juan Tenorio dans l'œuvre de Zorrilla", AA. VV., *Les mythes et leur expression au XIXe. siècle dans le monde hispanique et ibéroaméricaine*, Claude Dumas (ed.), Lille, Presses Universitaires, 47-56.

PINO, Enrique del
1985 *Historia del teatro en Málaga durante el siglo XIX (1792-1914)*, Málaga, Arguval, 2 vols.

PIÑERO, Pedro
Ver Atero Burgos, Virtudes

PIÑEYRO, Enrique
1904 *El romanticismo en España*, París, Garnier; trad. inglesa de E. A. Peers, *Romantics of Spain*, Liverpool, 1934.

PITOLLET, Camille
1909 *La querelle calderonienne de Johan Nikolas Böhl von Faber et José Joaquín de Mora*, París, Alcan.

POLO GARCÍA, Victorino
1965 *La soledad en la poesía romántica española*, Murcia, Universidad.

POLT, John H. R.
1985a "Espronceda's *Canto a Teresa* in its Context", AA. VV., 167-176.

PORPETTA, Antonio
Ver Jiménez, Luzmaría.

PORRO HERRERA, María José
1983 "La Biblioteca Pública Provincial de Córdoba", *Axerquia*, 7, 9-34, 8, 9-42 (separatas).
1991 "Doña Catalina Manzano, ejemplo de transgresión lectora constante y soterrada", *Glosa*, 2, 243-253.

POULLAIN, Claude
1981 "Romanticismo de acción y Romanticismo de evasión", *Iris*, 2, 163-202.
1982 "Apuntes sobre la vida musical en España en la época romántica", *Iris*, 3, 189-215.

PRADES, Juana de José
1960 "El teatro de Lope de Vega en los años románticos", *Revista de Literatura*, XVIII, 235-248.

PRAT, Ignacio
Ed. de Blanco White.

PRIETO, Antonio
Ver Valbuena Prat, Ángel.
1975 "El período romántico cercando al *Señor de Bembibre*", *Estudios de literatura europea*, Madrid, Narcea, 111-150.

PROFETI, Maria Grazia
1964 "Sulla critica letteraria di Larra", *Miscellanea di Studi Ispanici*, VIII, 61-84.

PUJALS, Esteban
1982 *Lord Byron en España*, Madrid, Alhambra.

PUJANTE SÁNCHEZ, José David
1990 "Matizaciones a los orígenes y el concepto de imaginación romántica", *Revista de Literatura*, 103, 179-191.

Pupo-Walker, Enrique
1978 "El cuadro de costumbres, el cuento y la posibilidad de un deslinde", *Revista Iberoamericana*, 102-103, 1-15.

Rajan, Tilottama
1985 "Displacing Post-Structuralism. Romantic Studies after Paul de Man", *Studies in Romanticism*, 24, 451-474.

Ramos González, Gabino
Ed. de Mérimée, Prosper.

Ramos Ortega, Francisco
1981 "La fortuna del Cid en el romanticismo francés", *Revista de Literatura*, 43, 37-58.

Ramspott, Anna
Ver Maluquer de Motes, Jordi.

Randolph, Donald A.
1966 *Eugenio de Ochoa y el Romanticismo español*, Berkeley, and Los Angeles University, University of California Press.
1972 *Don Manuel Cañete, cronista literario del romanticismo y del postromanticismo en España*, Chapel Hill, The University of North Carolina.

Raser, Timothy
1984 "Reference and Allegory in Romanticism Description", *Romanic Review*, LXXV, 35-50.

Real Ramos, César
1983 "De los *desarreglos monstruosos* a la estética del fracaso. Prehistoria del drama romántico", *Anales de Literatura Española (Alicante)*, 2, 419-445.

Rebollo Torio, Miguel A.
Ed. de Cristóbal de Beña.

Rees, Margaret
1977 *French Authors on Spain. 1800-1850*, London, Grant and Cutler.
1984 "The Spanish Romantics and Theatre as visual Arts", AA. VV., *Spanish Theatre. Papers given at Trinity and all Saint's College*, 11-12 novembre, 1983, Leeds, 27-49.
1988a "Un consumado fabulador: el Duque de Rivas y *El Moro Expósito*", AA. VV., 107-112.

Regalado Kerson, Pilar
1989 "Moratín y Shakespeare: un ilustrado español ante el dramaturgo inglés", AA. VV., *Actas del IX Congreso de la Asociación Internacional de Hispanistas*, Frankfurt am Main, Vervuert Verlag, I, 75-83.

Reina Palazón, Antonio
1979 *La pintura costumbrista en Sevilla, 1830-1870*, Sevilla.

Remak, Henry H.
1961 "West European Romanticism", AA. VV., *Comparative Literature: Method and Perspective*, ed. N. P. Stallknecht y H. Frenz, Southern Illinois University Press, 223-259.

1972 "Trends of Recent Research on West European Romanticism", AA. VV., 475-500.

REY, Juan

1990 *La pasión de un ilustrado*, Sevilla, Fundación Fondo de Cultura de Sevilla.

REY HAZAS, Antonio

Ed. de García Gutiérrez.

REYERO, Carlos

1987 *Imagen histórica de España (1850-1900)*, Madrid, Espasa.

1989 *La pintura de Historia en España. Esplendor de un género en el siglo XIX*, Madrid.

REYES CANO, Rogelio

Ed. de *Antología de poetas sevillanos*.

1972 "Los recursos satíricos de Quevedo en la obra costumbrista de Larra", *Prohemio*, III, 495-512.

1984 y REYES PEÑA, Mercedes "Algunas muestras de la relación *política teatro* durante el sexenio absolutista en Sevilla (datos para una historia del teatro en Sevilla en el siglo XIX)", *Archivo Hispalense*, 206, 41-61.

REYES SOTO, María Josefa

1983 "Alberto Lista y el colegio de San Felipe de Neri de Cádiz", *Gades*, 11, 285-304.

RIDENOUR, George M.

1991 "The Spanish Byron", *Studies in Romanticism*, 30, 213-233.

RÍO, Ángel del

1948 "Presents Trends in the Conception and Criticism of Spanish Romanticism", *Romanic Review*, XXXIX, 229-248; trad. española, apud D. Gies, 1989, 215-241.

RÍOS CARRATALÁ, Juan A.

1986-87 "Versiones decimonónicas de la leyenda de la judía de Toledo", *Anales de Literatura Española* (Alicante), 5, 425-436.

1987 *Románticos y provincianos (La literatura en Alicante, 1839-1886)*, Alicante, Universidad.

RÍOS SANTOS, Antonio Rafael

1989 *Vida y poesía de José Félix Reinoso*, Sevilla, Diputación Provincial.

RISCO, Antonio

1972 "Las ideas lingüísticas de Larra", *Boletín de la Real Academia Española*, 52, 467-501.

RIUS VILA, Joan

1980 *Vida i obra de Manuel de Cabanyes a través de la seva biblioteca*, Vilanova i la Geltrú, Centre d'Estudis de la Biblioteca.

RIVERA, Luis,

Ver Palacio, Manuel de.

ROBERTSON, Ian

1975 *Los curiosos impertinentes. Viajeros ingleses por España 1760-1855*, Madrid, Editora Nacional; reed. CSIC, 1988.

RODRÍGUEZ, Juan Carlos
1984 "Escena árbitro/estado árbitro (notas sobre el desarrollo del teatro desde el XVIII a nuestros días)", AA. VV., *La norma literaria*, Granada, 122-192.
RODRÍGUEZ, Rodney T.
1978 "*Las dos Españas*: Two Approaches in the Novel of the 1840's", *Estudios Ibero-Americanos*, 4, 191-203.
1985a "Continuity and Innovation in the Spanish Novel", AA. VV., 49-64.
1989 "Literatura oral y subdesarrollo novelístico: un fenómeno del XVIII español", AA. VV., *Actas del IX Congreso de la Asociación Internacional de Hispanistas*, Frankfurt am Main, Vervuert Verlag, 85-90.
RODRÍGUEZ CEPEDA, Enrique
Ver Montero Cepeda, Segismundo.
Ed. de *Romancero impreso en Cataluña*
RODRÍGUEZ-LUIS, Julio
Ed. de Fernán Caballero.
RODRÍGUEZ MONEGAL, Emir
Ver Perrone-Moisés, Leyla
RODRÍGUEZ-MOÑINO, Antonio
1966 *Historia de los Catálogos de librería españoles (1661-1840)*. Estudio bibliográfico, Madrid.
RODRÍGUEZ SÁNCHEZ DE LEÓN, María José
1990 "El teatro español del Siglo de Oro y la preceptiva poética del siglo XIX", *Cuadernos de Teatro Clásico*, 5, 77-98.
ROKISKI LÁZARO, Gloria
1977 "Traducciones poéticas de autores clásicos en el período 1801-1850", AA. VV., *Primeras Jornadas de Bibliografía*, Madrid, FUE, 239-256.
1987 "Apuntes bio-bibliográficos de José María de Carnerero", *Cuadernos Bibliográficos*, 47, 137-155.
1988 *Bibliografía de la poesía española del siglo XIX (1801-1859)*, Madrid, CSIC, 1 (en curso de publicación).
1988a "Poéticas y retóricas en verso en la primera mitad del siglo XIX", AA. VV., *Varia Bibliográfica. Homenaje a José Simón Díaz*, 595-598.
ROMÁN GUTIÉRREZ, Isabel
1988 *Historia interna de la novela española del siglo XIX*, Sevilla, Alfar, 2 vols.
1988a "Sobre *El Diablo Mundo* de Espronceda", *Revista de Estudios Extremeños*, XLIV, 39-62.
ROMANO, David
1983 "Poesías castellanas (autógrafas y fechadas) de Aribau", AA. VV., *Homenaje a José Manuel Blecua*, Madrid, Gredos, 571-576.
ROMERO TOBAR, Leonardo
Ed. de Larra, ed. de Espronceda
1968 "Alonso de Avecilla, Ossián y Mme. de Staël", *Filología Moderna*, 31-32, 293-301.

1970 "*El Siglo*, revista de los años románticos", *Revista de Literatura,* 67-68, 15-29.

1972 "Forma y contenido en la novela popular: Ayguals de Izco", *Prohemio,* III, 45-90.

1972a "Los fondos del seminario de Bibliografía Hispánica de la Universidad de Madrid", *Cuadernos Bibliográficos,* 28, 203-206.

1973 *Prosa y teatro románticos,* Madrid, La Muralla.

1974 *Poesía romántica y post-romántica,* Madrid, La Muralla.

1974a *La teoría dramática española: 1800-1870,* Madrid, Facultad de Filosofía y Letras.

1975 "Textos inéditos de Agustín Durán, Gallardo, Böhl, Quintana y Martínez de la Rosa", *Revista de Archivos, Bibliotecas y Museos,* LXXVIII, 409-428.

1975a "Sobre censura de periódicos en el siglo XIX. Algunos expedientes gubernativos de 1832 a 1849", *Homenaje a don Agustín Millares Carlo,* Gran Canaria, I, 465-500.

1975b "Textos inéditos de escritores españoles relacionados con la censura gubernativa", *Cuadernos Bibliográficos,* 32, 89-108.

1976 *La novela popular española del siglo XIX,* Madrid, Fundación March-Ariel.

1977 "Los escritores del XIX y la censura gubernativa: nuevos textos inéditos", AA. VV., *I Jornadas de Bibliografía,* Madrid, FUE, 561-570.

1981 "Calderón y la literatura española del siglo XIX", *Letras de Deusto,* 22, 101-124.

1983 "Mesonero Romanos: entre costumbrismo y novela", *Anales del Instituto de Estudios Madrileños,* XX, 243-259.

1985 "La *Poética* de Braulio Foz en el marco de la preceptiva literaria contemporánea", *Cuadernos de Estudios Borjanos,* 15-16, 111-129.

1986 "Sobre fantasía e imaginación en los primeros románticos españoles", *Homenaje a Pedro Sainz Rodríguez,* Madrid, FUE, II, 581-593.

1987a "Prensa periódica y discurso literario en la España del siglo XIX"; AA. VV., 93-103.

1988 "*El Diablo Mundo* en la literatura española, AA. VV., *La recepción del texto literario,* ed. de J. P. Etienure y L. Romero, Zaragoza, Prensas Universitarias, 117-144.

1988a "La *Colección General de Comedias* de Ortega (Madrid, 1826-1834)", *Varia Bibliographica. Homenaje a José Simón Díaz,* Kasel, Edition Reichenberger, 599-609.

1988b "Melusina aludida en textos literarios españoles", *Revista de Dialectología y Tradiciones Populares,* XLIII, 513-523.

1989 "Antonio Ponz fuera de España: su visión del París prerrevolucionario", AA. VV., 437-450.

1989a "El Cervantes del siglo XIX", *Anthropos,* 98-99, 116-119.

1990 "Los álbumes de las románticas", AA. VV., 73-93.

1990a "Relato y grabado en las revistas románticas: los inicios de una relación", *Voz y Letra* 1, 157-170.

1991 "Larra, poeta áulico, y las fiestas liberales", *Salina*, 6, 47-50.
1992 "Bécquer, fantasía e imaginación", AA. VV., *Actas del Congreso "Los Bécquer y el Moncayo"*, Ejea de los Caballeros, Institución Fernando el Católico, 171-189.
1992a *El viaje europeo de Larra*, Madrid, Artes Gráficas Municipales.
1993 "Más sobre *romántico* y su familia léxica", *Estudios filológicos en Homenaje a Eugenio de Bustos Tovar*, 1993, II, 831-841.
1993a "En los orígenes de la bohemia: Bécquer, *Pedro Sánchez* y la revolución de 1854", AA. VV., *Bohemia y literatura (De Bécquer al Modernismo)* Sevilla, Publicaciones de la Universidad, 1993, 27-49.
1993b "Manuscritos poéticos españoles: índice de doce álbumes" *Trabajos de la Sociedad Española de Bibliografía*, I, 275-315.

ROSEN, Charles y ZERNER, Henri
1984 *Romanticism and Realism: The Mythology of Nineteenth Century Art;* trad. española, Madrid, Blume, 1988.

ROSENBERG, John E.
Ed. de *Evocaciones del romanticismo*, 1988b.

ROSSI, Giuseppe Carlo
1978 "La critica al Manzoni in letteratura di lingue iberiche", *Annali dell'Instituto Universitario Orientale (Sez. Romanza)*, 20, 71-106.

RÖTZER, Hans Gerd
1988 "Atlántida. El reino de la consumación", AA. VV., 45-56.
1990 "Mitología cristiana: Calderón en el temprano romanticismo alemán", AA. VV., *Europa en España, España en Europa*, Barcelona, PPU, 243-253.

ROVATTI, Loreta
1977 "Le débat sur le roman historique en Espagne", AA. VV., 255-273.

ROZAS, Juan Manuel
Ed. de Bretón de los Herreros

RUBEN, Erwin Félix
1976-77 *"Cuento al caso y diálogo sin sentido* en los artículos de Larra", *Filología*, XVII-XVIII, 263-272.

RUBIO CREMADES, Enrique
Ed. de Gil y Carrasco; ed. de López Soler
1978 *Costumbrismo y folletín. Vida y obra de Antonio Flores*, Alicante, Instituto de Estudios Alicantinos, 2 vols.
1982 "Novela histórica y folletín", *Anales de Literatura Española* (Alicante), 1, 269-281.
1983 "Costumbrismo y novela en la segunda mitad del siglo XIX", *Anales de Literatura Española*, II, 457-474.
1984 "La prensa satírica madrileña en el romanticismo", AA. VV., 168-174.
1984a *"La Periodicomanía* y la prensa madrileña en el trienio liberal", *Anales de Literatura Española*, 3, 429-446.

RUBIO HERNÁNDEZ, Olimpia
1988 "La lengua de Bartolomé José Gallardo", AA. VV. *Actas del I Congreso Internacional de Historia de la Lengua Española*, Madrid, Arco-Libro, II, 1345-2354.

RUBIO JIMÉNEZ, Jesús
1983 *El teatro en el siglo XIX*, Madrid, Playor.
1984 "La censura teatral en la época moderada. Ensayo de aproximación", *Segismundo*, 39-40, 193-231.
1988c "El realismo escénico a la luz de los tratados de declamación de la época". AA. VV., 257-286.
1989 "*Don Juan Tenorio*, drama de espectáculo: plasticidad y fantasía", *Cuadernos de Investigación Filológica* (Logroño), XV, 5-24.
1990 "Notas sobre el teatro clásico español en el debate sobre el realismo escénico", *Teatro Clásico*, 5, 171-186.

RUIZ LAGOS, Manuel
1969 "El maestro Rodríguez Zapata en sus afinidades becquerianas", *Revista de Filología Española*, LII, 425-475.

RUIZ LASALA, Inocencio
1977 *Bibliografía zaragozana del siglo XIX*, Zaragoza, Institución Fernando el Católico; *Apéndice*, Zaragoza, Diputación General de Aragón, 1987.

RUIZ OTÍN, Doris
1983 *Política y Sociedad en el vocabulario de Larra*, Madrid, Centro de Estudios Constitucionales.
1984a "Ideología y visión del mundo en el vocabulario de Larra", AA. VV., 1984, 119-126.

RUIZ SALVADOR, Antonio
1971 *El Ateneo Científico, Literario y Artístico de Madrid (1835-1885)*, London, Tamesis Books.

RUIZ SILVA, Carlos
Ed. de García Gutiérrez.
1978 "El teatro de García Gutiérrez, drama y melodrama", *Cuadernos Hispano-americanos*, 335, 1-22.
1985 "Política y guerras civiles en la obra de García Gutiérrez", *Cuadernos Hispanoamericanos*, 415, 91-100.

RUMEAU, Arístide
¿1938? "Le théâtre á Madrid à la veille du romanticisme (1831-1834)", *Hommage à Ernest Martinenche. Études Hispaniques et Américaines*, París, s. a. (¿1938?), 330-342.
1948 "Larra poète. Fragments inédits. Esquisse d'un répertoire chronologique", *Bulletin Hispanique*, L, 510-529; LIII, 1951, 115-130.
1962 "Una travesura de Larra o dos dramas y una comedia a un tiempo", *Ínsula*, 188-189; reed., AA. VV., 1979, 207-213.

SÁENZ ARENZANA, María Pilar
1992 "Prosa poética o poema en prosa: el caso de José Somoza", *Tropelías*, III.

SAINZ RODRÍGUEZ, Pedro y LABANDEIRA FERNÁNDEZ, Amancio
1975-80 *Biblioteca Bibliográfica Hispánica,* Madrid, FUE, 5 vols.
1985 *Historia de la crítica literaria en España,* Madrid, Taurus.

SALVAT, Ricard
1981 *La iluminación de gas y el espectáculo del XIX en Cataluña,* Barcelona, Catalana de Gas y Electricidad.

SAN VICENTE, Ángel
1991 *Años artísticos de Zaragoza 1782-1823 sacados de los años políticos e históricos que escribía Faustino Casamayor alguacil de la misma ciudad,* Zaragoza, Ibercaja.

SAN VICENTE, Félix
Ver Menarini, Piero.
1984 "El mensaje sin secreto. Tipología del título en el teatro español (1830-1850)", AA. VV., 91-133.

SÁNCHEZ, Joe Dennis
1974 *Mariano José de Larra: A tentative critical Bibliography* (tesis de la Universidad de North Carolina), ed. University Microfilms International, Ann Arbor, Michigan.

SÁNCHEZ, R. G.
1974 "Cara y cruz de la teatralidad romántica (*Don Álvaro* y *Don Juan Tenorio*)", *Ínsula,* 336.
1976 "Between Macías and don Juan: Spanish Romantic Drama and Mithology of Love", *Hispanic Review,* 44, 27-44.

SÁNCHEZ BLANCO, Francisco
1982 "La filosofía sensista y el sueño de la razón romántica", *Cuadernos Hispanoamericanos,* 381, 509-521.
1987 "Autobiografía y concepción del *yo* desde Mor de Fuentes a Ramón y Cajal", *Revista Canadiense de Estudios Hispánicos,* XI, 633-644.
1988 "Transformaciones y funciones de un mito nacional: Guzmán el Bueno", *Revista de Literatura,* 100, 387 422.

SÁNCHEZ ESTEBAN, Ismael
1934 *Mariano José de Larra. Ensayo biográfico redactado en presencia de numerosos antecedentes desconocidos y acompañado de un catálogo completo de sus obras,* Madrid.

SÁNCHEZ MANTERO, Rafael
1975 *Liberales en el exilio: la emigración política en Francia en la crisis del Antiguo Régimen,* Madrid, Rialp.
1985 "Gibraltar y los viajeros románticos", *Gades,* 13, 253-264.

SANTORO, P.
1983a "La critica giornalistica", AA. VV., 206-235.

SARRAILH, Jean
1936 "L'histoire et le drame romantique (A propos d'*Alfonso el Casto* d'Hartzenbusch)", *Bulletin Hispanique,* 38, 19-40.

SCHAEFFER, Jean-Marie
1980 "Romantisme et langage poétique", *Poétique,* 42, 177-194.

1983   *La naissance de la littérature. La Théorie esthétique du romantisme allemand,*
       París, Presses de l'École Normale Supérieur.

SCHULMAN, Iván A.

Ed. de Juan Francisco Manzano.

SCHURLKNIGHT, Donald

1982   "En busca de los orígenes del Romanticismo en España (Cadalso, Young
       y las *Conjectures*): hipótesis y analogía" *Boletín de la Biblioteca Menéndez
       Pelayo,* 58, 237-261.

1983   "El historicismo de Larra y la aristrocracia del talento", *Cuadernos Ameri-
       canos,* 247, 157-175.

1986   *"En un mar sin playas muriendo quedó:* Espronceda ante la esperanza",
       Bulletin Hispanique, LXXXVIII, 202-216.

1987   "Alberto Lista. De la supuesta misión de los poetas", *Dieciocho,* X, 168-
       181.

SEBOLD, Russell P.

Ver Dowling, John.

1964   "Contra los mitos antineoclásicos españoles", *Papeles de Son Armadans,*
       103, 83-11; reed., 1970, 29-56.

1968   "Sobre el nombre español del *dolor romántico",* *Ínsula,* 264, 4-5; reed.,
       1970, 123-137.

1970   *El rapto de la mente. Poética y poesía dieciochescas,* Madrid, Prensa Espa-
       ñola (Barcelona, Anthropos, 1989, 2ª ed.).

1971   "Enlightenment Philosophy and the Emergence of Spanish Romanti-
       cism", AA. VV., *The Ibero-American Enlightenment,* Urbana, University
       of Illinois Prees, 111-140; reed., 1983, 75-108.

1973   "El incesto, el suicidio y el primer romanticismo español", *Hispanic
       Review,* XLI, 669-692; reed., 1983, 109-136.

1974   *Cadalso: el primer romántico "europeo" de España,* Madrid, Gredos.

1978   "El infernal arcano de don Félix de Montemar", *Hispanic Review,* 46,
       447-464; reed., 1983, 195-214.

1978a "Una lágrima, pero una lágrima sola": Sobre el llanto romántico", *Ínsu-
       la,* 380-381, 7-12; reed., 1983, 185-194.

1979   "Lo *romancesco,* la novela y el teatro romántico" *Cuadernos Hispanoameri-
       canos,* 348, 515-536; reed. 1983, 137-163.

1981   "Comedia clásica y novela moderna en las *Escenas matritenses* de Mesonero
       Romanos", *Bulletin Hispanique,* LXXXIII, 331-377.

1982   "Alcalá Galiano y la literatura dieciochesca: paradoja histórica y visión
       filosófica (Artículo-reseña a los 135 años)", *Homenaje a Juan López-Mori-
       llas,* Madrid, Castalia, 383-404.

1982a "¿Es el romanticismo español un segundo barroco?", AA. VV., 461-
       65; reed., 1983, 43-73.

1982b "Sobre la lírica y su periodización durante la Ilustración española (Ar-
       tículo-reseña)", *Hispanic Review,* 50, 297-326.

1983   *Trayectoria del romanticismo español,* Barcelona, Crítica.

1984 "Manuel de Cabanyes: lírico romántico en la encrucijada", *Revista Canadiense de Estudios Hispánicos*, VIII, 352-380.

1985 *Descubrimiento y fronteras del neoclasicismo español*, Madrid, Fundación Juan March-Cátedra.

1985a "Dolor oculto y culto de la risa en la *Canción del pirata*", *Homenaje a José Antonio Maravall*, Madrid, III, 369-383.

1985b "Jovellanos, dramaturgo romántico", *Anales de Literatura Española*, (Alicante), 4, 415-437.

1986 "Nuevos Cristos en el drama romántico español", *Cuadernos Hispanoamericanos*, 431, 126-132.

1987 "Esclavitud y sensibilidad en *Sab* de la Avellaneda", AA. VV., *De la Ilustración al Romanticismo*, Cádiz, Universidad, 93-108.

1988 "El Duque de Rivas, novelista", *ABC* (Madrid), 16-IV-1988.

1989 "Criminal sin delito: *El verdugo* de Espronceda", *Homenaje a Antonio Vilanova*, Barcelona, II, 647-661.

1989a *Bécquer en sus narraciones fantásticas*, Madrid, Taurus.

SECO SERRANO, Carlos
Ed. Mariano José de Larra.

1962 "De *El Pobrecito Hablador* a la *Colección* de 1835. Los arrepentimientos literarios de Fígaro", *Ínsula* 188-189, 5.

SEGOVIA, Ángel María
1877-1878 *Figuras y figurones. Biografía de los hombres que más figuran actualmente en España*, Madrid, 2 vols.

SEGURA, Isabel
Ed. de *Romances de señoras y Romances horrorosos*.

SEMINARIO DE BIBLIOGRAFÍA HISPÁNICA
1968-1975 *Veinticuatro Diarios (Madrid, 1830-1900). Artículos y Noticias de Escritores españoles del siglo* XIX, Madrid, CSIC, 4 vols.

SENABRE, Ricardo
Ed. de Zorrilla.

1975 "Notas sobre el estilo de Bartolomé José Gallardo", *Revista de Estudios Extremeños*, XXXI, 333-345.

1978 "Estructuras mnemónicas en la poesía de Espronceda", *Revista de Estudios Extremeños*, 34, 289-304.

SEOANE, María Cruz
1968 *El primer lenguaje constitucional español. (Las Cortes de Cádiz)*, Madrid, Moneda y Crédito.

1977 *Oratoria y periodismo en la España del siglo* XIX, Valencia, Castalia.

1983 *Historia del periodismo español. El siglo* XIX, Madrid, Alianza Editorial.

SERÍS, Homero
¿1938? "La segunda Edad de Oro de la literatura española", AA. VV., *Hommage à Ernest Martinenche. Études Hispaniques et Américaines*, París, s.a. (¿1938?), 196-215.

SERRANO DOLADER, Alberto.
Ver ALDEA GIMENO, Quintín.
SHAW, Donald L.
Ed. de Durán; ed. de Rivas.
1963 "Towards the Understanding of Spanish Romanticism", *Modern Language Review*, LVIII, 190-195.
1967 "Modernismo: a Contribution to the Debate", *Bulletin of Hispanic Studies*, XLIV, 195-202.
1968 "The anti-romantic reaction in Spain", *Modern Language Review*, 63, 606-611.
1972 "Spain. Romántico-Romanticismo- Romanesco- Romanesco-Romancista-Románico", AA. VV., 341-371; reed. Zavala, 1982, 27-33.
1972 *A Literary History of Spain. The Nineteenth Century;* trad. española, Barcelona, Ariel 1973.
1982a "La critica del romanticismo spagnolo e la sua evoluzione", AA. VV., 127-135.
1982b "Acerca de la estructura del *Don Álvaro*", AA. VV., 61-69.
1984a "Sobre un aspecto de la lengua poética del joven Rivas: los símbolos", AA. VV., 74-79.
1988 "A propósito de *Ramiro, Conde de Lucena* de Rafael Húmara", AA. VV., 121-128.
1988a "From Romanticism to the 98. Recent Criticism of Nineteenth Century Spanish Literature", *España Contemporánea*, I, 1, 95-117.
SHEARER, J. F.
1941 *The Poetica and Apendices of Martínez de la Rosa. Their Genesis, Sources and Significance for Spanish Literary History and Criticism,* Princeton.
SIEBERS, Tobin
1984 *The Romantic Fantastic,* Ithaca, Cornell University Press; trad. española, México, FCE., 1989.
SIJÉ, Ramón
1973 *La decadencia de la Flauta y el Reinado de los Fantasmas,* Alicante, Instituto de Estudios Alicantinos, 1973.
SIMÓN DÍAZ, José
Índices de *El Artista; Semanario Pintoresco Español; El Liceo.*
1967 "La literatura francesa en veinticuatro diarios madrileños de 1830-1900", *Revista de Literatura*, 32, 1967 (1969), 239-264.
1973 "Las *Condiciones y semblanzas de los diputados a Cortes* (1821)", *Revista de Archivos, Bibliotecas y Museos*, 76, 187-209.
1974 "*El Artista* y su continuador *El Renacimiento*" *Revista de Literatura*, 73-74, 135-136.
1975 "La prensa española en la época de Zorrilla", AA. VV., 311-325.
1980 *Manual de Bibliografía de la Literatura Española,* Madrid, Gredos, (2 ed.).

1986 "Bibliografía madrileña del siglo XIX", AA. VV., *Madrid en la sociedad del siglo XIX*, II, 344-373.

(s. a., pero 1992) *Víctor Hugo en Madrid*, Madrid, Instituto de Estudios Madrileños.

SIMÓN PALMER, M.ª Carmen

1969 "El Colegio de San Mateo (1821-1825)", *Anuario del Instituto de Estudios Madrileños*, IV, 309-363.

1974-79 "La mujer en el siglo XIX: notas bibliográficas", *Cuadernos Bibliográficos*, 31, 1974, 141-198; 32, 1975, 109-150; 37, 1978, 163-206; 38, 1979, 181-211.

1974 "Construcción y apertura de teatros madrileños en el siglo XIX", *Segismundo*, 19-20, 85-124.

1975 "Revistas españolas femeninas en el siglo XIX", *Homenaje a don Agustín Millares Carlo*, Gran Canaria, I, 401-445.

1979 *Manuscritos dramáticos de los siglos XVIII-XIX de la Biblioteca del Instituto del Teatro de Barcelona*, Madrid, CSIC, *Cuadernos Bibliográficos*.

1980 "Revistas españolas dedicadas a las familias en el siglo XIX", *Cuadernos Bibliográficos*, 40, 161-170.

1989 *El gas y los madrileños*, Madrid, Gas Madrid-Espasa Calpe.

1991. *Escritoras españolas del siglo XIX*, Madrid, Castalia.

SINCLAIR, Allison

1984 *Madrid Newspapers, 1661-1870. A computerized Handbook based on the Work of Eugenio Hartzenbusch*, Leeds, W. S. Many and Son.

SOLANAS, Juan

1978 "Estructuras de superposición temporal en los *Romances Históricos* del duque de Rivas", AA. VV., 65-73.

SOLÍS, Ramón

1971 *Historia del periodismo gaditano, 1800-1850*, Cádiz, Instituto de Estudios Gaditanos.

SOPEÑA IBÁÑEZ, Federico

1967 *Historia crítica del Conservatorio de Madrid*, Madrid, Dirección General de Bellas Artes.

SORIA, Andrés

1974 "La utilización de los clásicos en la enseñanza y especialmente en la retórica", AA. VV., *Miscelánea de Estudios dedicados al profesor Antonio Marín Ocete*, Granada, II, 1037-1063.

1979 "Notas sobre Hugo Blair y la retórica española en el siglo XIX"; AA. VV., *Estudios de Literatura y Arte dedicados al profesor Emilio Orozco Díaz*, Granada, III, 363-368.

SORIA ANDREU, Francisca

1993 *El Ateneo de Zaragoza (1864-1908)*. Zaragoza, Institución Fernando el Católico.

SOTOCA Y GARCÍA, Luis

1979 *Los Amantes de Teruel: la tradición y la historia*, Zaragoza, Librería General.

SOUGEZ, Marie-Loup
1989a "La imagen fotográfica en el medio impreso. Desarrollo de la fotomecánica y aproximación a los inicios en España", AA. VV., 60-85.

SPARKS, Amy
1966 "Honor in Hartzenbusch's *refundición* of Calderón's? *El médico de su honra*", *Hispania*, 49, 410-413.

STEFFANO, Giuseppe di
1970 "El crepúsculo del liberal: Martínez de la Rosa en Roma en el 48 y el drama *Amor de padre*", *Prohemio*, I, 2, 271-278.

STIERLE, Karlheinz
1979-80 "Baudelaire and the tradition of the *Tableau de Paris*", *New Literary History*, 11, 345-361.

SUÁREZ GALBÁN, Eugenio
1980 "La angustia de una mujer indiana o el epistolario de Gertrudis Gómez de Avellaneda", AA. VV., *L'autobiographie dans le monde hispanique*, Aix-en-Provence, Université de Provence, 281-296.

SUBIRÁ, José
1950 *El teatro del Real Palacio* (1849-1851). *Con un Bosquejo Preliminar sobre la Música Palatina desde Felipe V hasta Isabel II*, Madrid.
1960 *El gremio de representantes españoles y la cofradía de Nuestra Señora de la Novena*, Madrid, Instituto de Estudios Madrileños.

SUERO ROCA, María Teresa
1987 *El teatre representat a Barcelona de 1800 a 1830*, Barcelona, Institut del Teatre.

SUGRANYES DE FRANCH, Ramón
1980a "Les deux pôles, traditionalisme et progresiste du romanticisme en Espagne", *Romantisme*. AA. VV., *Actes du Colloque de Sonnenwill*, Fribourg, 73-81.

SULLIVAN, Henry
1982 "Calderón's reception in Spain during the Romantic era 1800-1850", *Ottawa Hispanica*, 4, 27-54.

SVATOŇ, Vladimir
1989 "Lo épico en la novela y el problema de la novela histórica", *Revista de Literatura*, 101, 5-20.

TALENS, Jenaro
1975 *El texto plural. Sobre el fragmentarismo romántico: una lectura simbólica de Espronceda*, Valencia, Universidad.

TARR, F. Courtney
1936 "More Light on Larra", *Hispanic Review*, IV, 89-110.
1937 "Reconstruction of a decisive Period in Larra's Life", *Hispanic Review*, V, 1-24; trad. en AA. VV., 1979, 171-193.
1939 "Romanticism in Spain and Spanish Romanticism: a critical Survey", *Bulletin of Spanish Studies*, XVI, 3-37.

1940 "Romanticism in Spain", *Publication of the Modern Linguistic Association*, LV, 35-46.

TASIS, Rafael y TORRENT, J.
1966 *Historia de la prensa catalana*, Barcelona, Bruguera.

TEICHMANN, Reinhard
1978 "Las máscaras de Larra", *Ínsula*, 382, 1.

TIERNO GALVÁN, Enrique
1977 "La novela histórica folletinesca", en *Idealismo y pragmatismo en el siglo XIX*, Madrid, Ariel, 13-94.

TORRE PINTUELES, Elías
1965 *Tres estudios en torno a García de Villalta*, Madrid, Ínsula.

TORRENT, J.
Ver Tassis, Rafael

TORRES, José Carlos de
1989 *Léxico español de los toros*, Madrid, CSIC.

TORRES NEBREDA, Gregorio
Ed. de Mariano José de Larra; ed. de Carolina Coronado.
1985 "Para una revisión de la poesía de García Gutiérrez", *Anuario de Estudios Filológicos*, VIII, 321-337.

TRANCÓN LAGUNAS, Montserrat
1993 "Modelos estructurales del cuento fantástico en la prensa romántica madrileña", *Lucanor*, 9, 87-117.

TUBINO, Francisco María
1877 "Introducción del romanticismo en España", *Revista Contemporánea*, enero, 78-98 y 184-198.
1880 *Historia del Renacimiento literario contemporáneo en Cataluña, Baleares y Valencia*, Madrid.

UCELAY DA CAL, Margarita
1951 *"Los españoles pintados por sí mismos" (1843-1844). Estudio de un género costumbrista*, México, El Colegio de México.

ULLMAN, Pierre, L.
1971 *Mariano José de Larra and Spanish Political Rethoric*, The University of Wisconsin.

UMBRAL, Francisco
1965 *Larra, anatomía de un dandy*, Madrid, Alfaguara.

URRUTIA, Louis
1977 "Walter Scott et le roman historique en Espagne", AA. VV., 319-344.

URRUTIA, Jorge
1977 "Larra, defensor de Fernando VII", *Ínsula*, 366, 3.
1983 "Los voluntarios realistas y el mito de Luis XVI (literatura e ideología en España hacia 1825)", AA. VV., *Actas del I Simposio de Literatura Española*, Salamanca, Universidad, 233-250.
1989 "La balada como sustituto del romance en la poesía decimonónica", AA. VV., *El Romancero*, Cádiz, 1989, 197-201.

URZAINQUI, Inmaculada
1989 "Batteux español", AA. VV., 239-260.

VAL ÁLVARO, José Francisco
1983 "Las clases de palabras y sus accidentes en la *Gramática General* de Gómez Hermosilla", *Anuario de Letras*, XXI, 5-45.

VALBUENA PRAT, Ángel
1982-83 *Historia de la literatura Española*, 9.ª ed. ampliada y puesta al día por Antonio Prieto y María del Pilar Palomo, Barcelona, Gustavo Gili, vols. IV y V.

VALLEJO, César
1954 *El Romanticismo en la poesía castellana*, Juan Mejía Baca, Lima.

VALIS, Noël
Ed. de Carolina Coronado.

VALLS, Francesc
1988 *Prensa y burguesía en el XIX español*, Barcelona, Anthropos.

VAN der VEKENE, Emile
Ed. DE Llorente.

VALVERDE, Valentina
1984 "*Lo que son trigedias* o la parodia dramática de 1830 a 1850", AA. VV., 135-161.

VARELA, José Luis
Ed. de *El costumbrismo romántico*, ed. de Larra; ed. de Zorrilla.
1947 "Generación romántica española", *Cuadernos de Literatura*, II, 423-440.
1948 *Vida y Obra de Gregorio Romero Larrañaga*, Madrid, C.S.I.C.
1958 *Poesía y restauración cultural de Galicia en el siglo XIX*, Madrid, Gredos.
1963 "Introducción al costumbrismo romántico", *Atlántida*, I, 428-35; reed. en *La palabra y la llama*, Madrid, 1967, 81-106.
1975 "Verdi ante el *Simón Bocanegra* de García Gutiérrez", AA. VV., 327-343.
1977 "Fernán Caballero y el *Volksgeist*", *Arbor*, 97, 327-342.
1978 "Larra, voluntario realista", *Hispanic Review*, 46, 407-420.
1980 "Lamennais en la evolución ideológica de Larra", *Hispanic Review*, XLVIII, 287-306.
1982 "La autointerpretación del romanticismo español", AA. VV., 123-136.
1983 *Larra y España*, Madrid, Espasa-Calpe.
1983a "Cadalso y el ensayo", *Serta Philologica F. Lázaro Carreter*, Madrid, Gredos, II, 549-555.
1984a "La poesía sagrada de Alberto Lista", AA. VV., 113-118.
1986 "Larra entre pueblo y corona", AA. VV., 16-34.

VAREY, John E.
1957 "Robertson's Phantasmagoria in Madrid, 1821", *Theatre Notebook*, IX, 89-95 y XI, 82-91.
1972 *Fuentes para la historia del teatro en España. VII. Los títeres y otras diversiones*

populares de Madrid; 1758-1840. Estudio y documentos, London, Tamesis Books.

1978 "Popular entertainments in Madrid. 1758-1859. A Survey", *Renaissance and Modern Studies,* 22, 26-44.

VASARI, Stephen

1976 "El sentido oculto de la comedia *Ni el tío ni el sobrino*", *Romanische Forschungen,* 88, 394-402.

1978 "*El cuento árabe,* cuento de Ros de Olano", *Papeles de Son Armadans,* 262, 37-46.

1980 "Aspectos religioso-políticos de la ideología de Espronceda. *El Estudiante de Salamanca*", *Bulletin Hispanique,* LXXXII, 94-149.

VAUCHELLE-HAQUET, Aline

1985 *Les ouvrages en langue espagnole publiés en France entre 1814 et 1833 (présentation et catalogue),* Préface de Gérard Dufour, Publications de l'Université de Provence, Aix-en-Provence.

VEDOVATO CIACCIA, Susana

Ver Menarini, Piero.

1984 "Los artistas en las tablas. Trayectoria de un tema en la época romántica", AA. VV., 163-177.

VEGA, Jesusa

1990 *Origen de la litografía en España. El Real Establecimiento Litográfico,* Madrid, Fábrica Nacional de Moneda y Timbre.

VICENS VIVES, Jaime

1950 "El romanticismo en la historia", *Hispania* (Madrid), X, 745-765.

VILARNOVO, Antonio

1986 "Poética del sonido en *El Trovador*", *Revista de Literatura,* 95, 101-113.

VILLALBA SEBASTIÁN, Juan

1989 "El cuento popular en dos escritores contemporáneos: Braulio Foz y *Fernán Caballero*", *Alazet* (Huesca), 1, 205-224.

1989b "La *Vida de Pedro Saputo* y el folklore: interpretación del cuento popular", *Revista de Dialectología y Tradiciones Populares,* XLIV, 81-93.

VISEDO, Isabel

1981 "Algunos aspectos de la lengua poética [de *El estudiante de Salamanca*]", AA. VV., 127-136.

WARDROPPER, Bruce W.

1963 "Espronceda's *Canto a Teresa* and the Spanish Elegiac Tradition", *Bulletin of Hispanic Studies,* XL, 89-100.

WEIS, Brigitta

1982 "Un bosquejo de literatura española del siglo XIX por Marcelino Menéndez Pelayo", *Boletín de la Biblioteca Menéndez Pelayo,* LIX, 289-294.

WELLEK, René

1949; 1963 "The Concept of Romanticism in Literary History", *Comparative Literature,* I, 1949; "Romanticism Re-examined" en AA. VV., 1963.

Trad. española de ambos trabajos, *Historia Literaria. Problemas y conceptos,* Barcelona, Laia, 1983, 123-193.

1959-65 *A History of Modern Criticism (1750-1950),* New Haven, Yale University Press; trad. española, Madrid, Gredos, 1959-1972, 3 vols.

YÁÑEZ, María-Paz

1991 *La historia: inagotable temática novelesca. Esbozo de un estudio sobre la novela histórica española hasta 1834 y análisis de la aportación de Larra al género,* Peter Lang, Bern, Frankfurt, New York, París.

YNDURÁIN, Domingo
Ed. de Foz; ed. de Espronceda.

1969 "Dos poemas autógrafos de Zorrilla", *Boletín de la Real Academia Española,* XLIX, 141-151.

1970 "Nuevos manuscritos de Zorrilla", *Revista de Literatura,* XXXVI, 149-173.

1971 *Análisis formal de la poesía de Espronceda,* Madrid, Taurus.

1986 "Espronceda novelista: *Sancho Saldaña*", AA. VV., 111-127.

YUNDURÁIN, Francisco
Ed. Braulio de Foz.

ZALDÍVAR, Gladys B.,
Ver Cabrera, Rosa M.

ZAVALA, Iris M.

1967 "La prensa exaltada en el trienio constitucional. *El Zurriago*", *Bulletin Hispanique,* LXIX, 365-388.

1971 *Ideología y política en la novela española del siglo* XIX, Salamanca, Anaya.

1972 "Revistas y periódicos románticos, 1835-1865", *Románticos y socialistas. Prensa española del* XIX, Madrid, Siglo XXI, 39-125.

1976 "El triunfo del canónigo: teoría y novela en la España del siglo XIX (1800-1875)", en S. Sanz Villanueva y C. Barbachano, *Teoría de la novela,* Madrid, SGEL.

1982 *Romanticismo y Realismo,* Barcelona, ed. Crítica (vol. V de la obra dirigida por Francisco Rico, *Historia Crítica de la Literatura Española*).

1989 "La Literatura: Romanticismo y Costumbrismo", AA. VV., *Historia de España,* Madrid, Espasa-Calpe, tomo XXXV (II), 5-183.

ZERNER, Henri
Ver Rosen, Charles.

ZUBATSKY, David

1982 "An Annotated Bibliography of Nineteenth-Century. Catalan, Galician and Spanish Authors Bibliography", *Hispania* (California), LXV, 212-224.

ZULETA, Emilia de

1968-69 "La literatura nacional en las *Poéticas* españolas", *Filología,* XIII, 397-426.

ADDENDA BIBLIOGRÁFICA*

EDICIONES DE TEXTOS LITERARIOS

CORONADO, Gertrudis
1993 *Obra poética*, edición, estudio y notas de Gregorio Torres Nebreda, Mérida, Editora Regional de Extremadura, 2 vols.

MESONERO ROMANOS, Ramón de
1993 *Escenas y tipos matritenses*, ed. de Enrique Rubio Cremades, Madrid, Cátedra.

ZORRILLA, José
1993 *Antología poética*, ed. de Ricardo de la Fuente Ballesteros, Madrid, Austral, 1993.
1993 *Don Juan Tenorio*, ed. de Luis Fernández Cifuentes y estudio preliminar de Ricardo Navas Ruiz, Barcelona, Crítica.

REFERENCIAS BIBLIOGRÁFICAS

AA. VV.
1990 *El Romanticismo hispánico*, *Revista de Estudios Hispánicos*, (número monográfico coordinado por Aníbal González), XXIV.

AA. VV.
1991 *Teatro politico spagnolo del primo ottocento*, a cura di Ermanno Caldera, Roma, Bulzoni.

AMORES GARCÍA, Montserrat
1993 *Tratamiento culto y recreación literaria del cuento folclórico en los escritores del siglo XIX*, Tesis Doctoral, Universidad Autónoma de Barcelona.

CALVO CARILLA, José Luis
1992 *Braulio Foz en la novela del siglo XIX*, Teruel, Instituto de Estudios Turolenses.

CATALÁN MARIN, Soledad
1993 *Larra y el teatro en España entre 1828 y 1837*, Tesis Doctoral, Universidad de Zaragoza.

---

* En esta *addenda* recojo Tesis Doctorales y publicaciones de las que he tenido noticia en el curso de la última corrección de pruebas del libro.

FREIRE LÓPEZ, Ana María
1993 «Don Juan Nicasio Gallego y Larra: a propósito de *El dogma de los hombres libres*», *Ex-libris. Homenaje a José Fradejas Lebrero*, Madrid, II, 607-617.

GARCÍA, Franklin
1993 *Tres acercamientos a la novela histórica romántica española*, Otawa, Devehouse Editions.

GIES, David T.
1989 «Entre drama y ópera: la lucha por el público teatral en la época de Fernando VII», *Bulletin Hispanique*, 91, 37-60.
1992 y Russell P. Sebold, *Ilustración y Neoclasicismo. Primer Suplemento*, Barcelona, Crítica, (*Historia y Crítica de la Literatura Española*, 4/1).

JORBA, Manuel
1989 *L'obra crítica i erudita de Manuel Milà i Fontanals*, Barcelona, Curial, Edicions Catalanes.
1991 *Manuel Milà i Fontanals, crític literari*, Barcelona, Edicions Catalanes.

LENSING, Arvelle Herthe
1986 *José Zorilla. A critical annotated Bibliography, 1837-1985*, Tesis Doctoral, The Iowa University.

MIGUEL CANUTO, Juan Carlos, DE
1993 *Lope después de Lope. Obras dramáticas del Fénix refundidas por Dionisio Solís*, Tesis Doctoral, Universidad de Valencia.

MURO, Miguel Angel
1990 «Cuestiones de técnica narrativa en los artículos costumbristas de *El Pobrecito Hablador*», *Cuadernos de Investigación Filológica*, XVI, 4-58.
1991 *El teatro breve de Bretón de los Herreros*, Logroño, Instituto de Estudios Riojanos.

NAVAS RUIZ, Ricardo
1989 «Libertad y patria. La literatura romántica como expresión de su tiempo», AA. VV., *Congreso de Literatura (Hacia la literatura vasca)*, Madrid, Castalia, 149-169.

PALENQUE, Marta
1991 «El romanticismo en Sevilla: *El Nuevo Paraíso* (1839)», *Bulletin of Hispanic Studies*, LXVIII, 455-462.
1992 «La prensa femenina en la Sevilla del siglo XIX: *El álbum de las bellas* (1849-1850)», *Estudios en Homenaje al profesor Luka Brajnovic*, Pamplona, Eunsa, 629-646.

PICOCHE, Jean-Louis
1989 «La première représentation de *El Zapatero y el Rey (segunda parte)* de Zorrilla. Autour d'une cabale», *Bulletin Hispanique*, 91, 61-70.

PUJOL, Sara
1993 *Vida y obra de Josefa Massanés*, Tesis Doctoral, Universidad Rovira i Virgili, Tarragona.

SÁNCHEZ IBÁÑEZ, José Angel
1993 «El Liceo Artístico y Literario de Zaragoza en la prensa local (1839-

1846)», AA. VV., *Cultura burguesa y Letras provincianas,* coord. María Angeles Naval, Zaragoza, Mira, 83-97.

SÁNCHEZ SALAS, Bernardo
1991 *Manuel Bretón de los Herreros y La Rioja: una relación tangencial,* Logroño, Instituto de Estudios Riojanos.

SEBOLD, Russell P., ver Gies, David T.

SENTAURENS, Jean
1989 «Le lieu théâtral à Seville au XIXe. siècle. Tradition et modernité», *Bulletin Hispanique,* 91, 71-110.

1992 SHERMAN Jr., ALVIN F., *Mariano José de Larra. A Directory of Historical Personages,* New York, Peter Lang.

ÍNDICE DE AUTORES Y TÍTULOS[1]

---

1. Los títulos de obras posteriores a 1900 citadas en el libro no están recogidos en el índice.

ESTE LIBRO
SE TERMINÓ DE IMPRIMIR
EN 1994, EL DÍA 23 DE ABRIL
DATA DEL SEPELIO DE MIGUEL DE CERVANTES

LITERATURA  Y SOCIEDAD

TÍTULOS PUBLICADOS